신역
新譯

주역전의

中

성백효 역

한국인문고전연구소

차
례
·
·
·

〈주역 참조 그림〉

周易傳義 (中)

일러두기

1. 본서(本書)는 내각본(內閣本)《주역전의대전(周易傳義大全)》(언해본 포함)을 국역대본(國譯臺本)으로 하고 청대(淸代)에 이광지(李光地) 등이 칙명(勅命)을 받들어 편찬한《주역절중(周易折中)》및 퇴계(退溪) 이황(李滉)의《경서석의(經書釋義)》와 사계(沙溪) 김장생(金長生)의《경서변의(經書辨疑)》, 호산(壺山) 박문호(朴文鎬)의《주역본의상설(周易本義詳說)》, 일본(日本)의 한문대계본(漢文大系本)과 성균관대학교 대동문화연구원(大東文化研究院)의 경학자료집성(經學資料集成:역경(易經)),《주역전의역해(周易傳義譯解:대유학딩(人有學堂))》등을 참고하여 상·중·히 3책으로 번역하였다.

2. 원문(原文) 이해의 도움을 위하여 현토(懸吐)하였다.
   경문(經文)의 토는 관본(官本) 언해(諺解)의 토를 위주로 하되 필요에 따라 조정하였고, 전의(傳義)의 토는 역주자(譯註者)가 현토(懸吐)하였다.

3. 번역은 원의(原義)에 충실하여 원전강독(原典講讀)에 도움이 되도록 하였다.

4. 역주(譯註)는 중요한 출전(出典)이나 난해한 문맥과 타당성이 있다고 여겨지는 이설(異說) 및 오탈자(誤脫字)를 대상으로 하였고, 원문의 난해자(難解字)는 자의(字義)를 하단(下段)에 실었다.

5.《정전(程傳)》에 이동(異同)이 있는 것은《대전본(大全本)》을 따라 소자(小字)로 병기하였다.

6. 원문 중 경문(經文)과 전의(傳義)는 활자(活字)의 대소(大小)를 구분하고 번역문도 이에 따랐으며, 각 괘별(卦別)로 일련번호를 붙여 구분하였다.

7. 원문의 오자(誤字), 가차자(假借字) 등은 다음 부호를 사용하였다.

                                (오자) (정자)
   - 오자(誤字)의 예(例)　　　: 所(進)〔逢〕之時
   - 가차자(假借字)의 예(例)　: 文羨(衍)吉字

                                (수정) (언해)
   - 현토(懸吐)의 예(例)　　　: 元하고(코)

8. 독자들의 참고를 위하여 부록으로 설시구괘법(揲蓍求卦法:시초를 세어 괘를 찾는 법, 오호영(吳虎泳) 선생의《역상강의(易象講義)》에서 발췌)을 번역하여 원문과 함께 붙이고, 주역괘가(周易卦歌)를 함께 덧붙였다.

9. 본서의 사용 부호는 다음과 같다.
             〈 〉: 보충역 및 편명　　　　( ) : 간주(間註) 및 보충역, 참고사항
             《 》: 서명(書名)　　　　　　〔 〕: 참고 원어(原語) 및 한자(漢字)
             、 : 원문에서는 동격나열(同格羅列)
             ※ : 역자의 부연 설명

10. 목차는 옛 차례를 바꾸고 경문(經文)을 위주하여, 1권(상)에는 상경(上經) 24괘를, 2권(중)에는 상경 6괘와 하경 22괘를, 3권(하)에는 하경 12괘와 〈계사전(繫辭傳)〉상·하, 〈설괘전(說卦傳)〉·〈서괘전(序卦傳)〉·〈잡괘전(雜卦傳)〉을 실었으며, 맨 앞에 있던 총목(總目) 역시 뒤에 실었다.

新譯

周易傳義

하도지도(河圖之圖)

南

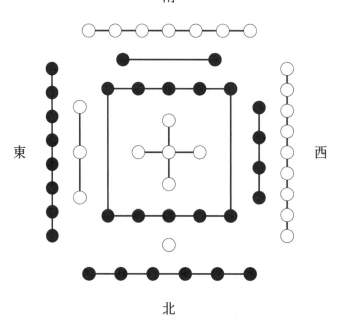

東　　　　西

北

낙서지도(洛書之圖)

南

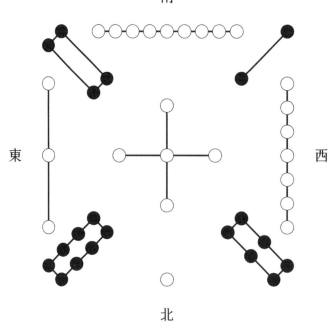

東　　　　西

北

복희팔괘방위지도(伏羲八卦方位之圖)

문왕팔괘방위지도(文王八卦方位之圖)

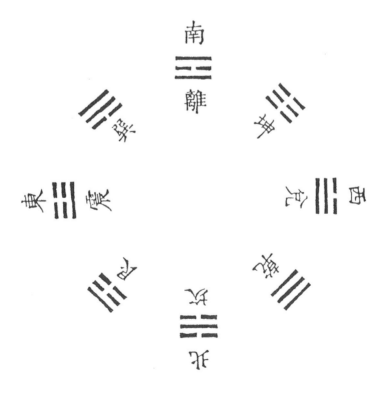

八	七	六	五	四	三	二	一	
坤	艮	坎	巽	震	離	兌	乾	卦八
太陰		少陽		少陰		太陽		象四
陰				陽				儀兩
太極								

문왕팔괘차서지도(文王八卦次序之圖)

	坤母				乾父			
	☷				☰			
兌離巽	兌少女	離中女	巽長女		艮少男	坎中男	震長男	艮坎震
	☱	☲	☴		☶	☵	☳	
	得坤上爻	得坤中爻	得坤下爻		得乾上爻	得乾中爻	得乾下爻	

복희육십사괘차서지도(伏羲六十四卦次序之圖)

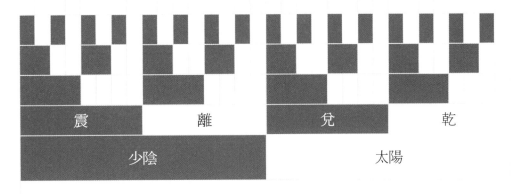

復 頤 屯 益 震 噬嗑 隨 无妄 明夷 賁 既濟 家人 豐 離 革 同人 臨 損 節 中孚 歸妹 睽 兌 履 泰 大畜 需 小畜 大壯 大有 夬 乾

震　　　　　離　　　　　兌　　　　　乾

少陰　　　　　　　　　太陽

陽

太極

坤 剝 比 觀 豫 晉 萃 否 謙 艮 蹇 漸 小過 旅 咸 遯 師 蒙 坎 渙 解 未濟 困 訟 升 蠱 井 巽 恒 鼎 大過 姤

坤　　　　　艮　　　　　坎　　　　　巽

太陰　　　　　　　　　少陽

陰

太極

복희육십사괘방위지도(伏羲六十四卦方位之圖)

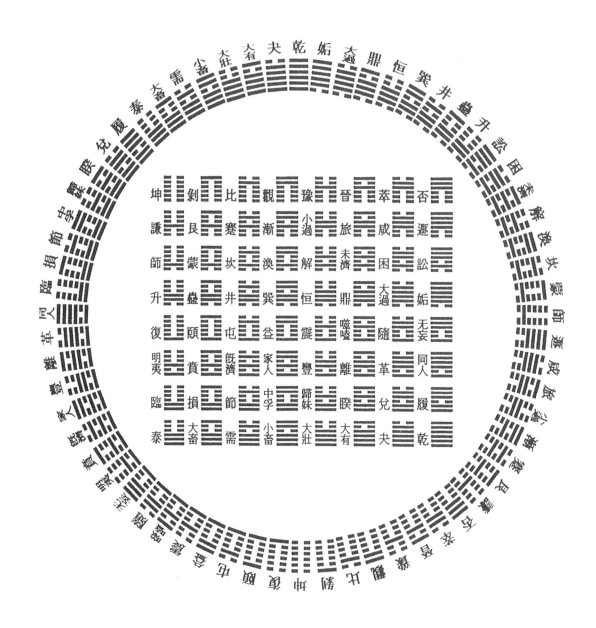

주역육십사괘 차서도(周易六十四卦 次序圖)

※ 이 64괘 차서도(次序圖)는 경전의 순서를 따라 좌에서 우로 만들었다.

1. 중천건 重天乾	2. 중지곤 重地坤	3. 수뢰준 水雷屯	4. 산수몽 山水蒙	5. 수천수 水天需	6. 천수송 天水訟	7. 지수사 地水師	8. 수지비 水地比
9. 풍천소축 風天小畜	10. 천택리 天澤履	11. 지천태 地天泰	12. 천지비 天地否	13. 천화동인 天火同人	14. 화천대유 火天大有	15. 지산겸 地山謙	16. 뢰지예 雷地豫
17. 택뢰수 澤雷隨	18. 산풍고 山風蠱	19. 지택림 地澤臨	20. 풍지관 風地觀	21. 화뢰서합 火雷噬嗑	22. 산화비 山火賁	23. 산지박 山地剝	24. 지뢰복 地雷復
25. 천뢰무망 天雷无妄	26. 산천대축 山天大畜	27. 산뢰이 山雷頤	28. 택풍대과 澤風大過	29. 중수감 重水坎	30. 중화리 重火離	31. 택산함 澤山咸	32. 뢰풍항 雷風恒
33. 천산돈 天山遯	34. 뢰천대장 雷天大壯	35. 화지진 火地晉	36. 지화명이 地火明夷	37. 풍화가인 風火家人	38. 화택규 火澤睽	39. 수산건 水山蹇	40. 뢰수해 雷水解
41. 산택손 山澤損	42. 풍뢰익 風雷益	43. 택천쾌 澤天夬	44. 천풍구 天風姤	45. 택지췌 澤地萃	46. 지풍승 地風升	47. 택수곤 澤水困	48. 수풍정 水風井
49. 택화혁 澤火革	50. 화풍정 火風鼎	51. 중뢰진 重雷震	52. 중산간 重山艮	53. 풍산점 風山漸	54. 뢰택귀매 雷澤歸妹	55. 뢰화풍 雷火豊	56. 화산려 火山旅
57. 중풍손 重風巽	58. 중택태 重澤兌	59. 풍수환 風水渙	60. 수택절 水澤節	61. 풍택중부 風澤中孚	62. 뢰산소과 雷山小過	63. 수화기제 水火旣濟	64. 화수미제 火水未濟

주역 참조 그림

傳ㅣ 无妄은 序卦에 復則不妄矣라 故受之以无妄이라하니라 復者는 反於道也니 旣
復於道면 則合[一无合字]正理而无妄이라 故復之後에 受之以无妄也라 爲卦 乾上
震下하니 震은 動也니 動以天은 爲无妄이요 動以人欲則妄矣니 无妄之義大矣哉라

무망괘(无妄卦)는 〈서괘전〉에 "돌아오면 망령되지 않으므로 무망괘로 받았다."
하였다. 복(復)은 도(道)로 돌아옴이니, 이미 도로 돌아오면 정리(正理)에 합하여
무망(无妄:사망(邪妄:망녕됨)이 없음)이 된다. 그러므로 복괘(復卦䷗)의 뒤에 무망괘
로 받은 것이다. 괘됨이 건(乾☰)이 위에 있고 진(震☳)이 아래에 있다. 진(震)은
동함이니, 동하기를 천도(天道)로써 하면 무망(无妄)이 되고, 동하기를 인욕(人欲)
으로써 하면 망(妄)이 되니, 무망의 뜻이 크다.

无妄은 元亨하고 **利貞**하니 **其匪正**이면 **有眚**하리니 (하릴새) **不利有攸**
往하니라

무망(无妄)은 크게 형통하고 정(貞)함이 이로우니, 바르지 않으면 허물
이 있을 것이니, 가는 바를 둠이 이롭지 않다.

傳ㅣ 无妄者는 至誠也니 至誠者[一无者字]는 天之道也라 天之化育萬物하여 生生
不窮하여 各正其性命이 乃无妄也니 人能合无妄之道면 則所謂與天地合其德也
라 无妄은 有大亨之理하니 君子行无妄之道면 則可以致大亨矣라 无妄은 天之道
也니 卦는 言人由无妄之道也[一无也字]라 利貞은 法无妄之道에 利在貞正이니 失
貞正則妄也라 雖无邪心이나 苟不合正理則妄也니 乃邪心也라 故有[一作其]匪正
이면 則爲過眚이라 旣已无妄이면 不宜有往이니 往則妄也라

무망(无妄)은 지성(至誠:지극히 진실함)이니, 지성은 하늘의 도(道)이다. 하늘이 만
물을 화육(化育)하여 낳고 낳아 다하지 않아서 각기 성명(性命)을 바르게 간직함이
무망이니, 사람이 능히 무망의 도에 합하면 이른바 '천지와 더불어 덕이 합한다.'

··· 眚 : 망령될 망 匪 : 아닐 비

는 것이다. 무망은 크게 형통할 이치가 있으니, 군자가 무망의 도를 행하면 크게 형통함을 이룰 수 있다. 무망은 하늘의 도이니, 괘는 사람이 무망의 도를 따름을 말하였다. '이정(利貞)'은 무망의 도를 법받음에 이로움이 정정(貞正)에 있는 것이니, 정정을 잃으면 망(妄)이 된다. 비록 사심(邪心)이 없더라도 만일 정리(正理)에 합하지 않는다면 망(妄)이니, 바로 사심이다. 그러므로 바르지 않으면 허물이 되는 것이다. 이미 무망(无妄)이라면 감이 있어서는 안 되니, 가면 망(妄)이 된다.

本義 | 无妄은 實理自然之謂라 史記에 作无望하고 謂无所期望而有得焉者라하니 其義亦通이라 爲卦自訟而變하여 九自二來而居於初하고 又爲震主하니 動而不妄者也라 故爲无妄이요 又二體震動而乾健하며 九五剛中而應六二라 故其占이 大亨而利於正이라 若其不正이면 則有眚而不利有所往也라

무망(无妄)은 실리자연(實理自然: 진실한 이치대로 하여 자연스러움)을 이른다. 《사기(史記)》 〈춘신군전(春申君傳)〉에는 '무망(无望)'으로 쓰고, '기대하거나 바라는 바가 없이 얻음이 있는 것이다.' 하였으니, 뜻이 또한 통한다. 괘됨이 송괘(訟卦☰)로부터 변하여 구(九)가 이(二)에서 와서 초(初)에 거하고 또 진(震)의 주체가 되었으니, 동하되 사망(邪妄)하지 않는 자이므로 무망(无妄)이라 하였다. 또 두 체(體)가 진(震)은 동하고 건(乾)은 굳세며, 구오(九五)가 강중(剛中)으로 육이(六二)와 응한다. 그러므로 그 점(占)이 크게 형통하고 정(正)함이 이로운 것이다. 만약 바르지 않다면 허물이 있어 가는 바를 둠이 이롭지 않음이 있을 것이다.

象曰 无妄은 剛이 自外來而爲主於內하니

〈단전(彖傳)〉에 말하였다. "무망(无妄)은 강(剛)이 밖에서 와 안에서 주체가 되었으니,

傳 | 謂初九也라 坤初爻變而爲震하니 剛自外而來也라 震은 以初爻爲主하니 成卦由之라 故初爲无妄之主라 動以天이 爲无妄이니 動而以天은 動爲主也라 以剛變柔하니 爲以正去妄之象이요 又剛正이 爲主於內하니 无妄之義也라 九居初는 正也라

초구(初九)를 이른다. 곤(坤)의 초효가 변하여 진(震)이 되었으니, 강(剛)이 밖에

서 온 것이다. 진(震)은 초효를 주체로 삼으니, 괘를 이룸이 이로 말미암았다. 그러므로 초구(初九)는 무망(无妄)의 주체가 되는 것이다. 동하기를 천도(天道)로 함이 무망이니, 동하기를 천도로 함은 동함이 주체가 되는 것이다. 강(剛)으로 유(柔)를 변화시켰으니 바름으로써 망(妄)을 제거하는 상(象)이 되고, 또 강정(剛正)이 안에서 주체가 되었으니 무망의 뜻이다. 구(九)가 초(初)에 거함은 바름이다.

動而健하고 剛中而應하여 大亨以正하니 天之命也라

동하고 굳세며 강(剛)이 중(中)에 있고 응(應)하여 크게 형통하여 바르니, 하늘의 명(命)이다.

傳 | 下動而上健하니 是其動剛健也니 剛健은 无妄之體也라 剛中而應은 五以剛居中正하고 二復以中正相應하니 是順理而不妄也라 故其道大亨通而貞正하니 乃天之命也라 天命은 謂天道也니 所謂无妄也라

아래는 동하고 위는 굳세니, 이는 그 동함이 강건(剛健)한 것이니, 강건은 무망(无妄)의 본체(本體)이다. '강중이응(剛中而應)'은 오(五)가 강(剛)으로 중정(中正)에 거하고 이(二)가 또다시 중정으로 서로 응하니, 이는 이치를 순종하여 망령되지 않은 것이다. 그러므로 그 도(道)가 크게 형통하고 정정(貞正)하니, 이는 하늘의 명(命)이다. 하늘의 명은 하늘의 도를 이르니, 이른바 '무망'이란 것이다.

其匪正有眚 不利有攸往은 无妄之往이 何之矣리오 天命不祐를 行矣哉아

'바르지 않으면 허물이 있어 가는 바를 둠이 이롭지 않다.'는 것은 무망의 감이 어디로 가겠는가. 천명(天命)이 돕지 않는 것을 행하겠는가."

傳 | 所謂无妄은 正而已니 小失於正이면 則爲有過니 乃妄也라 所謂匪正은 蓋由有往이니 若无妄而不往이면 何由有匪正乎아 无妄者는 理之正也니 更有往이면 將何之矣리오 乃入於妄也라 往則悖於天理하여 天道所不祐니 可行乎哉아

이른바 '무망'은 바름〔正〕일 뿐이니, 조금이라도 바름을 잃으면 허물이 있음이 되니, 이것은 바로 망(妄)이다. 이른바 바름이 아니란 것은 감이 있기 때문이

··· 祐 : 도울 우 悖 : 어그러질 패

니, 만약 무망인데 가지 않으면 어찌하여 바름이 아님이 있겠는가. 무망은 이치의 바름이니, 다시 감이 있으면 장차 어디로 가겠는가? 마침내 망(妄)에 들어가고 만다. 가면 천리(天理)에 어긋나서 천도(天道)가 돕지 않을 것이니, 갈 수 있겠는가.

本義ㅣ 以卦變卦德卦體로 言卦之善이 如此라 故其占이 當獲大亨而利於正이니 乃天命之當然也라 其有不正이면 則不利有所往하니 欲何往哉아 蓋其逆天之命하여 而天不祐之라 故不可以有行也니라

　　괘변(卦變)과 괘덕(卦德)과 괘체(卦體)로써 괘의 선(善)함이 이와 같음을 말하였다. 그러므로 그 점(占)이 마땅히 크게 형통함을 얻을 것이나 바름〔正〕이 이로우니, 이는 바로 천명(天命)의 당연함이다. 그 바르지 못함이 있으면 가는 바를 둠이 이롭지 않으니, 어디로 가고자 하는가. 가면 천명을 거슬러서 하늘이 돕지 않으므로 감이 있어서는 안 되는 것이다.

象曰 天下雷行하여 物與无妄하니 先王이 以하여 茂對時하여 育萬物하니라
　　〈상전〉에 말하였다. "하늘 아래에 우레가 행하여 물건마다 무망을 주니, 선왕(先王)이 보고서 천시(天時)에 성(盛)하게 합하여 만물을 기른다."

傳ㅣ 雷行於天下하여 陰陽交和하여 相薄而成聲하니 於是에 驚蟄藏하고 振萌芽하여 發生〔一作育〕萬物하여 其所賦與 洪纖、高下가 各正其性命하여 无有差妄〔一作忒〕하니 物與无妄也라 先王이 觀天下雷行發生賦與之象하여 而以茂對天時하여 養育萬物하여 使各得其宜하니 如天與之无妄也라 茂는 盛也니 茂對之爲言은 猶盛行、永言之比라 對時는 謂順合天時라 天道生萬物하여 各正其性命而不妄하니 王者體天之道하여 養育人民하여 以至昆蟲草木히 使各得其宜는 乃對時育物之道也라

　　우레가 하늘 아래에 행해서 음·양이 서로 화합하여 서로 부딪쳐 소리를 이루니, 이에 땅 속에서 겨울잠을 자고 감춰져 있는 것들을 놀라게 하고 싹을 진동시켜 만물을 발생해서 부여(賦與)하는 바가 크고 작은 것과 높고 낮은 것이 각기 그 성명(性命)을 바루어(얻어) 어긋나고 망령됨이 없으니, 이는 물건마다 무망(无妄)을

··· 茂 : 성할 무　薄 : 부딪힐 박　蟄 : 숨을 칩　振 : 떨칠 진　芽 : 싹 아　洪 : 클 홍　纖 : 가늘 섬　蟲 : 벌레 충

준 것이다.

선왕이 하늘 아래에 우레가 행하여 발생하고 부여하는 상(象)을 보고서 천시(天時)에 성대하게 합하여 만물을 양육해서 각기 그 마땅함을 얻게 하니, 마치 하늘이 무망을 준 것과 같은 것이다. '무(茂)'는 성함이니, '무대(茂對)'란 말은 성행(盛行), 영언(永言:길이 생각함)이란 따위와 같다. '대시(對時)'는 천시(天時)에 순히 합함을 말한다. 천도(天道)가 만물을 낳아 각기 그 성명을 바루어 망령되지 않으니, 왕자(王者)가 하늘의 도를 체행하여 인민(人民)을 양육해서 곤충과 초목에 이르기까지 각기 마땅함을 얻게 함은 바로 천시에 합하여 물건을 기르는 방도이다.

本義 │ 天下雷行하여 震動發生하여 萬物이 各正其性命하니 是物物而與之以无妄也라 先王法此하여 以對時育物하여 因其所性而不爲私焉하니라

하늘 아래에 우레가 행하여(다녀) 진동하고 발생해서 만물이 각기 그 성명(性命)을 바르게 간직하니, 이는 물건마다 무망을 준 것이다. 선왕이 이것을 법받아 때에 맞추어 만물을 길러서 그 본성으로 삼은 것을 따르고 사사롭게 하지 않는다.

初九는 无妄이니 往에 吉하리라
초구(初九)는 무망(无妄)이니, 감에 길하리라.

傳 │ 九以陽剛으로 爲主於內하니 无妄之象이요 以剛實[一无實字]로 變柔而居內하니 中誠不妄者也라 以无妄而往이면 何所不吉이리요 卦辭에 言不利有攸往은 謂旣无妄이면 不可復有往也니 過則妄矣요 爻言往吉은 謂以无妄之道而行則吉也라

구(九)가 양강(陽剛)으로 안에서 주체가 되었으니 무망(无妄)의 상(象)이요, 강실(剛實)로 유(柔)를 변화시켜 안에 거하였으니 중심이 성실하여 사망(邪妄)하지 않은 자이다. 무망으로 가면 어느 곳인들 길하지 않겠는가. 괘사(卦辭)에 '가는 바를 둠이 이롭지 않다.'고 말한 것은 이미 무망이면 다시 감이 있어서는 안 되니 지나치면(과하면) 망(妄)임을 말한 것이요, 효사(爻辭)에 '감에 길하다.'고 말한 것은 무망의 도로 가면 길함을 말한 것이다.

本義 | 以剛在內하여 誠之主也니 如是而往이면 其吉可知라 故其象占如此하니라

　　강(剛)으로서 안에 있어 성실(誠實)의 주체이니, 이와 같이 하여 가면 길함을 알 수 있다. 그러므로 그 상(象)과 점(占)이 이와 같은 것이다.

象曰 无妄之往은 得志也리라

　　〈상전〉에 말하였다. "무망(无妄)의 감은 뜻을 얻으리라."

傳 | 以无妄而往이면 无不得其志也라 蓋誠之於物에 无不能動하니 以之修身則身正하고 以之治事則事得其理하고 以之臨人則人感而化하여 无所往而不得其志也라

　　무망으로 가면 그 뜻을 얻지 못함이 없을 것이다. 성실(誠實:진실)함은 사물에 있어서 감동시키지 못함이 없으니, 이로써 몸을 닦으면 몸이 바루어지고, 이로써 일을 다스리면 일이 그 조리를 얻고(이치에 맞고), 이로써 사람을 대하면 사람이 감동하고 교화되어, 가는 곳마다 뜻을 얻지 못함이 없을 것이다.

六二는 不耕하여 穫하며 不菑(치)하여 畬(여)니 則利有攸往하니라

　　육이(六二)는 밭 갈지 않고서 수확하며 일 년된 밭을 만들지 않고서 삼 년된 밭이 되니, 갈 바를 둠이 이롭다.

本義 | 不耕穫[1]하며 不菑畬니

‥‥‥‥

1 不耕穫 : 주자는 "정이천(程伊川)이 불경확(不耕穫)을 세 가지 뜻으로 풀이하였으니, '불경이확(不耕而穫:밭을 갈지 않고서 수확함)', '경이불확(耕而不穫:밭을 갈았으나 수확하려 하지 않음)', 경이불필확(耕而不必穫:밭을 갈기만 하고 굳이 수확하려 하지 않음)'이다." 하였는데, 퇴계는 '경(耕)치 아니하야 확(穫)하며', '경(耕)하여 확(穫)호려 하는 주리(것이) 아니며', '경(耕)하야 확(穫)호려 하지 아니며'의 세 가지로 언해(諺解)하고, "이 효사(爻辭)를 읽을 때에는 모름지기 먼저 정자의 초(初)·중(中)·말(末)의 세 부분의 다름을 구분하고 또 반드시 《본의》의 뜻을 구분하여 각기 귀숙(歸宿)이 있게 한 다음 글에 따라 설명하면 거의 분명할 것이다." 하였다.

사계는 《경서변의》에서 주자와 퇴계의 설(說)을 소개하고, "내가 살펴보건대 《정전》의 '리(理)의 소연(所然)과 일의 당연(當然)은 확(穫)과 여(畬)를 가리킨 것이니 이는 망(妄)이 아니니, 이것이 불경이확(不耕而穫)의 설(說)이다. 이른바 '耕而不穫'과 '耕而不必穫' 두 가지는 비록 해석이 다른 듯하지만 뜻은 실로 같으니, 이는 확(穫)을 가리켜 망(妄)이라 하고 경(耕)을 가리켜 망(妄)이 아니라 한 것인데, 경(耕)에는 밭을 가는 것과 이미 밭을 간 것의 구분이 있다. 그리고 《본의》는 경(耕)과 확(穫)이 모두 망(妄)이어서 곧바로 밭 갈거나 수확하지 않음을 말했다." 하였다.

‥‥ 耕 : 밭갈 경 穫 : 거둘 확 菑 : 처음일군밭 치 畬 : 세해된밭 여

밭 갈거나 수확하지 않으며, 일 년된 밭과 삼 년된 밭을 만들지 않으니,

傳 | 凡理之所然者는 非妄也요 人所欲〔一无欲字〕爲者는 乃妄也라 故以耕穫、菑畬譬之라 六二居中得正하고 又應五之中正하며 居動體而柔順하니 爲動能順乎中正이니 乃无妄者也라 故極言无妄之義라 耕은 農之始요 穫은 其成終也라 田一歲曰菑요 三歲曰畬라 不耕而穫하고 不菑而畬는 謂不首造其事하고 因其事理所當然也라 首造其事면 則是人心所作爲니 乃妄也요 因事之當然이면 則是順理應物이니 非妄也니 穫與畬是也라 蓋耕則必有穫이요 菑則必有〔一作爲〕畬하니 是事理之固然이요 非心意之所造作也라 如是則爲无妄이니 不妄則所往利而无害也라 或曰 聖人制作하여 以利天下者 皆造端也니 豈非妄乎아 曰 聖人이 隨時制作하여 合〔一作因〕乎風氣之宜요 未嘗先時而開之也라 若不待時면 則一聖人이 足以盡爲矣리니 豈待累聖繼作也리오 時乃事之端이니 聖人隨時而爲也시니라

무릇 이치에 당연한 것은 망(妄)이 아니요, 사람이 하고자 하는 것은 망(妄)이다. 그러므로 '경확(耕穫)'과 '치여(菑畬)'로 비유하였다. 육이(六二)가 중(中)에 거하고 정(正)을 얻었고, 또 오(五)의 중정(中正)과 응하며, 동체(動體)에 거하고 유순(柔順)하니, 동함에 중정을 순히 함이 되니, 바로 무망(无妄)인 자이다. 그러므로 무망의 뜻을 지극히 말하였다.

'경(耕)'은 농사의 시초이고 '확(穫)'은 농사의 종(終)을 이루는 것이다. 밭이 1년된 것을 '치(菑)'라 하고, 밭이 3년 된 것을 '여(畬)'라 한다. 밭 갈지 않고서 수확하고 1년 된 밭을 만들지 않고서 3년 된 밭이 된다는 것은 앞장서서 일을 만들지 않고 사리의 당연한 바를 따름을 말한 것이다. 앞장서서 일을 만든다면 이는 인심(人心)으로 작위(作爲)한 것이니 바로 망(妄)이요, 일의 당연함을 따른다면 이는 이치와 사물에 순응하는 것이므로 망(妄)이 아니니, 확(穫)과 여(畬)가 이것이다. 밭을 갈면 반드시 수확이 있고, 1년 된 밭을 만들면 반드시 3년 된 밭이 있게 마련이니, 이는 사리(事理)에 고연(固然;당연)함이요 마음과 뜻으로 조작한 바가 아니다. 이와 같이 하면 무망이 되니, 망령되지 않으면 가는 바가 이로워 해(害)가 없다.

혹자는 말하기를 "성인(聖人)이 제작(制作)하여 천하를 이롭게 하신 것은 다 단서를 만드신 것이니, 어찌 망(妄)이 아니겠는가?" 하기에 다음과 같이 대답하였

··· 譬 : 비유할 비 累 : 여러 루

다. "성인은 때에 따라 제작하여 풍기(風氣)의 마땅함에 합하게 하였고, 일찍이 때에 앞서서 열어 놓지 않았다. 만약 때를 기다리지 않았다면 한 성인이 모두 만들었을 것이니, 어찌 여러 성인이 뒤이어 나오기를 기다렸겠는가. 때는 바로 일의 단서이니, 성인은 때에 따라 하신 것이다."

本義 │ 柔順中正하여 因時順理하여 而无私意期望之心이라 故有不耕穫、不菑畬之象하니 言其无所爲於前하고 无所冀於後也라 占者如是면 則利有所往矣리라

　　유순(柔順)하고 중정(中正)하여 때에 따르고 이치에 순응해서 사심(私心)으로 기대하고 바라는 마음이 없다. 그러므로 밭 갈거나 수확하지 않으며 1년 된 밭과 3년 된 밭을 만들지 않는 상(象)이 있으니, 앞에서 하는 바가 없고 뒤에서 기대하는 바가 없음을 말한 것이다. 점치는 자가 이와 같이 하면 가는 바를 둠이 이로울 것이다.

象曰 不耕穫은 未富也라

　〈상전〉에 말하였다. "'불경확(不耕穫)'은 부(富)하게 여겨서 탐하여 하는 것이 아니다."

傳 │ 未者는 非必之辭니 臨卦曰未順命이 是也라 不耕而穫하고 不菑而畬하여 因其事之當然하니 旣耕則必有穫이요 旣菑則必成畬니 非必以〔一无必以字〕穫畬之富而爲也라 其始耕菑에 乃設心이 在於求〔一无求字〕穫畬면 是는 以其富也니 心有欲而爲者는 則妄也라

　　미(未)는 '반드시'가 아니란 말이니, 림괘(臨卦) 구이 상전(九二象傳)에 '명령에 순종하려 해서가 아니다.〔未順命〕'라고 한 것이 이것이다. 밭 갈지 않고서 수확하며 1년 된 밭을 만들지 않고서 3년 된 밭이 되어 일의 당연함을 따르니, 이미 밭을 갈면 반드시 수확이 있고, 이미 1년 된 밭을 만들었으면 반드시 3년 된 밭이 되게 마련이니, 굳이 수확하고 3년 된 밭이 되는 것을 부(富)하게 여겨서 탐(貪)하여 하는 것이 아니다. 처음 밭을 갈고 1년 된 밭을 만들 때에 마음을 둠이 수확과 3년 된 밭을 구함에 있다면 이는 탐하는 것이니, 마음에 욕심이 있어서 하는 것은 망(妄)이다.

··· 冀 : 바랄 기 望 : 바랄 망

本義 | 富는 如非富天下[2]之富니 言非計其利而爲之也라

　부(富)는 '천하를 탐해서가 아니다.'라는 부(富) 자와 같으니, 그 이익을 계산하여 함이 아님을 말한 것이다.

六三은 无妄之災니 或繫之牛하나 行人之得이 邑人之災로다

　육삼(六三)은 무망(无妄)의 재앙이니, 설혹 소를 매어 놓았다 하더라도 행인(行人)이 얻음은 읍인(邑人:거주민)의 재앙이로다.

本義 | 或繫之牛를

　　　혹자가 매어 놓은 소를

傳 | 三以陰柔而不中正하니 是爲妄者也요 又志應於上은 欲也니 亦妄也니 在无妄之道에 爲災害也라 人之妄動은 由有欲也라 妄動而得이면 亦必有失하니 雖使得其所利라도 其動而妄이면 失己大矣어든 況復凶悔隨之乎아 知(智)者見妄之得이면 則知其失必與稱也라 故聖人이 因六三有妄之象하야 而發明其理하사 云无妄之災니 或繫之牛하나 行人之得이 邑人之災라하시니 言如三之爲妄은 乃无妄之災害也라 設如有得이라도 其失隨至하여 如或繫之牛하니 或은 謂設或也라 或繫得牛하나 行人得之以爲有得이 邑人失牛하니 乃是災也라 借使邑人이 繫得馬면 則行人失馬하니 乃是災也라 言有得則有失이니 不足以爲得也라 行人、邑人은 但言有得則有失이요 非以爲彼己也라 妄得之福은 災亦隨之요 妄得之得은 失亦稱之니 固不足以爲得也라 人能知此면 則不爲妄動矣리라

　삼(三)이 음유(陰柔)로서 중정(中正)하지 못하니 이는 망(妄)을 하는 자이며, 또 뜻이 상(上)과 응함은 자신이 하고자함이니 또한 망(妄)이니, 무망(无妄)의 도(道)에 있어서 재해가 된다. 사람이 망동(妄動)함은 욕심이 있기 때문이다. 망동하여 얻으면 또한 반드시 잃게 되니, 비록 가령 이로운 바를 얻더라도 그 동함이 망령되다면 잃음이 이미 클 터인데, 하물며 다시 흉함과 뉘우침이 뒤따름에 있어서랴.

......
2　非富天下:《맹자》〈등문공 하(滕文公下)〉에 보이는 바, 주자(朱子)는 "탕왕의 마음이 천하를 부하다고 여겨서 얻은 것이 아니다.〔湯之心, 非以天下爲富而欲得之也.〕"라고 풀이하였다. 부(富)는 어떠한 물건이나 일을 재리(財利)가 된다고 여겨서 탐함을 이른다.

···　災 : 재앙 재　繫 : 맬 계

　　지혜로운 자는 망령되이 얻음을 보면 그 잃음이 반드시 이에 걸맞음(상응(相應)함)을 안다. 그러므로 성인이 육삼(六三)에 망(妄)이 있는 상(象)을 인하여 그 이치를 발명해서 말씀하시기를 "무망의 재앙이니 혹 소를 매어 놓았으나 행인(行人)의 얻음이 읍인(邑人)의 재앙이다."라고 하셨으니, 삼(三)처럼 망(妄)을 함은 바로 무망의 재해임을 말씀한 것이다.

　　설령 마소를 얻더라도 그 잃음이 뒤따라 이르러서 혹 소를 매어 놓음과 같으니, 혹(或)은 설혹(設或)을 이른다. 설혹 소를 매어놓아 (매어놓은 소를) 얻는다 하더라도 행인이 얻고서 얻음이 있는 것으로 여김은 읍인이 소를 잃은 것이 되니, 이 것이 바로 재앙이다. 가령 읍인이 말을 매어놓아 (매어놓은 말을) 얻었으면 행인이 말을 잃음이 되니, 이것이 바로 재앙이다. 얻음이 있으면 잃음이 있으니, 득(得)이 될 수 없음을 말한 것이다. 행인과 읍인은 다만 얻음이 있으면 잃음이 있음을 말한 것이요, 저와 자기라고 상대하여 말한 것은 아니다. 망령되이 얻은 복(福)은 재앙이 또한 뒤따르고, 망령되이 얻은 얻음은 잃음이 또한 걸맞으니, 진실로 얻음이 될 수 없는 것이다. 사람이 이것을 알면 망동을 하지 않을 것이다.

本義 | 卦之六爻 皆无妄者也로되 六三이 處不得正이라 故遇其占者 无故而有災하니 如行人牽牛以去어늘 而居者反遭詰捕之擾也라

　　괘(卦)의 여섯 효(爻)가 모두 무망(无妄)이나 육삼(六三)은 처함이 정(正)을 얻지 못했으므로 이 점(占)을 만난 자는 연고 없이 재앙이 있으니, 마치 행인(行人)이 소를 끌고 갔는데 거주하는 자가 도리어 힐문(詰問) 당하고 체포(逮捕) 당하는 소요(騷擾)를 겪는 것과 같은 것이다.

象曰 行人得牛는 邑人災也라

　　〈상전〉에 말하였다. "행인이 소를 얻음은 읍인의 재앙이다."

傳 | 行人得牛는 乃邑人之災也라 有得則有失이니 何足以爲得乎아

　　행인이 소를 얻음은 바로 읍인의 재앙이다. 얻음이 있으면 잃음이 있으니, 어찌 얻었다고 할 수 있겠는가.

··· 詰 : 물을 힐　捕 : 체포할 포　擾 : 어지러울 요

九四는 可貞이니 无咎리라
　구사(九四)는 정고(貞固)히 지킬 수 있으니, 허물이 없으리라.

傳 | 四는 剛陽而居乾體하고 復无應與하니 无妄者也라 剛而无私면 豈有妄乎아
可貞固守此하니 自无咎也라 九居陰이 得爲正〔一作貞〕乎아 曰以陽居乾體하니 若
復處剛이면 則爲〔一无爲字〕過矣니 過則妄也라 居四는 无尙剛之志也라 可貞은 與
利貞不同하니 可貞은 謂其所處可貞固守之요 利貞은 謂利於貞也라
　사(四)는 강양(剛陽)으로 건체(乾體)에 거하고 다시 응여(應與)가 없으니, 무망한
자이다. 강(剛)하고서 사사로움이 없으면 어찌 망령됨이 있겠는가. 정고(貞固)히
이를 지킬 수 있으니, 이는 본래 허물(지나침)이 없는 것이다.
　"구(九)가 음위(陰位)에 거함이 정(正)이 될 수 있는가?" "양(陽)으로서 건체에 거
하였으니, 만약 다시 강(剛)에 처하면 지나침이 되니, 지나치면 망(妄)이다. 사(四)
에 거함은 강함을 숭상하는 뜻이 없는 것이다."
　'가정(可貞)'은 '이정(利貞)'과 같지 않으니, 가정은 그 처한 바가 정고히 지킬 수
있음을 이른 것이요, 이정은 정(貞)함이 이로움을 말한 것이다.

本義 | 陽剛乾體로 下无應與하니 可固守而无咎요 不可以有爲之占也라
　양강 건체(陽剛乾體)로 아래에 응여(應與)가 없으니, 굳게 지키면 허물이 없을
수 있고, 무슨 일을 함이 있어서는 안 되는 점괘이다.

象曰 可貞无咎는 固有之也일새라
　〈상전〉에 말하였다. "'가정무구(可貞无咎)'는 굳게 지키고 있기 때문이다."

傳 | 貞固守之則无咎也라
　정고(貞固)히 이것을 지키면 허물이 없는 것이다.

本義 | 有는 猶守也라
　유(有)는 수(守)와 같다.

九五는 **无妄之疾**은 **勿藥**이면 **有喜**리라

　구오(九五)는 무망(无妄)의 병은 약을 쓰지 않으면 기쁜 일이 있으리라.

本義 | 无妄之疾이니 **勿藥有喜**리라

　　　무망의 병이니, 약을 쓰지 않아도 기쁜 일이 있으리라.

傳 | 九以中正當尊位하고 下復以中正順應之하니 可謂无妄之至者也니 其道无以加矣라 疾은 爲之病者也라 以九五之无妄으로 如其有疾인댄 勿以藥治則有喜也라 人之有疾이면 則以藥石攻去其邪하여 以養其正이어니와 若氣體平和하여 本无疾病而攻治之면 則反害其正矣라 故勿藥則有喜也니 有喜는 謂疾自亡也라 无妄之所謂疾者는 謂若治之而不治하고 率之而不從하고 化之而不革하여 以妄而爲无妄之疾이니 舜之有苗와 周公之管蔡와 孔子之叔孫武叔[3]이 是也라 旣已无妄而有疾之者면 則當自如无妄之疾하여 不足患也니 若遂自攻治면 乃是渝其无妄而遷於妄也라 五旣處无妄之極이라 故唯戒在動하니 動則妄矣라

　구(九)가 중정(中正)으로 존위(尊位)에 당하고 아래(육이(六二))가 다시 중정으로 순히 응하니, 무망(无妄)함이 지극한 자라고 이를 만하니, 그 도(道)가 이보다 더할 수 없다. '질(疾)'은 병이 되게 하는 것이다. 구오(九五)의 무망으로 만약 병이 있다면, 약으로 치료하지 않으면 기쁜 일이 있는 것이다. 사람이 병이 있으면 약석(藥石 : 약과 침)으로 사기(邪氣)를 다스려 제거해서 바른 원기(元氣)를 길러야 하지만, 만약 기체(氣體)가 화평(和平)하여 본래 질병이 없는데 〈약석으로〉 다스린다면 도리어 바른 원기를 해치게 된다. 그러므로 약을 쓰지 않으면 기쁜 일이 있는 것이니, '기쁜 일이 있다'는 것은 병이 저절로 없어짐을 이른다.

　무망(无妄)의 때에 이른바 '병'이라는 것은 다스려도 다스려지지 않고 인솔하여도 따르지 않고 교화하여도 고쳐지지 않아서 망령됨으로써 무망의 병이 된 것을 이르니, 순제(舜帝)의 유묘(有苗)와 주공(周公)의 관숙(管叔)·채숙(蔡叔)과 공자

• • • • • •

3　舜之有苗 周公之管蔡 孔子之叔孫武叔 : 유묘(有苗)는 삼묘(三苗)의 군주로 지형의 험고(險固)함을 믿고 변란을 일으켰다가 순(舜) 임금에게 토벌된 자이며, 관채(管蔡)는 관숙(管叔)과 채숙(蔡叔)으로 은(殷)의 무경(武庚)과 함께 반란을 일으켰다가 주공(周公)에게 토벌된 자들이다. 숙손무숙(叔孫武叔)은 이름이 주구(州仇)로 노(魯)나라의 대부(大夫)였는데, 공자를 헐뜯은 내용이 《논어》〈자장(子張)〉에 보인다.

··· 管 : 대롱 관　蔡 : 나라이름 채　渝 : 변할 투

(孔子)의 숙손무숙(叔孫武叔)이 이 경우이다. 이미 무망인데 해치는 자가 있으면 마땅히 스스로 무망의 병처럼 여겨서 굳이 근심하지 말아야 하니, 만약 마침내 스스로 다스린다면 이는 바로 무망을 변하여 망(妄)으로 옮겨가는 것이다. 오(五)가 이미 무망의 극에 처하였으므로 오직 경계함이 동(動)함에 있으니, 동하면 망(妄)이 된다.

本義 | 乾剛中正으로 以居尊位하고 而下應亦中正하니 无妄之至也라 如是而有疾이면 勿藥而自愈矣라 故其象占如此하니라

건강 중정(乾剛中正)으로 존위(尊位)에 거하고 아래의 응여(應與) 또한 중정하니, 무망이 지극하다. 이와 같은데 병이 있으면 약을 쓰지 않아도 저절로 낫는다. 그러므로 그 상(象)과 점(占)이 이와 같은 것이다.

象曰 无妄之藥은 不可試也니라

〈상전〉에 말하였다. "무망(无妄)의 약은 시험하여 쓸 수 없는 것이다."

傳 | 人之有妄이면 理必修改어니와 旣无妄矣어늘 復藥以治之면 是反爲妄也니 其可用乎아 故云不可試也라하니라 試는 暫用也니 猶曰少嘗之也라

사람이 망령됨이 있으면 도리상 반드시 닦고 고쳐야 하지만, 이미 무망(无妄)인데 다시 약으로 치료하면 이는 도리어 망(妄)이 되니, 쓸 수 있겠는가. 그러므로 '쓰면 안 된다.'고 말한 것이다. '시(試)'는 잠시 씀이니, '조금 시험해 본다.〔小嘗〕'는 말과 같다.

本義 | 旣已无妄而復藥之면 則反爲妄而生疾矣라 試는 謂少嘗之也라

이미 무망(无妄)인데 다시 약을 쓰면 도리어 망(妄)이 되어 병이 생긴다. '시(試)'는 조금 시험함을 이른다.

上九는 无妄에 行이면 有眚하여 无攸利하니라

상구(上九)는 무망(无妄)에 가면 허물이 있어 이로운 바가 없다.

··· 愈 : 병나을 유 暫 : 잠시 잠 嘗 : 시험할 상 眚 : 허물 생

本義 | 无妄에 行이니

　　무망에 감이니,

傳 | 上九居卦之終하니 无妄之極者也라 極而復行이면 過於理也니 過於理則妄也〔一作矣〕라 故上九而行이면 則有過眚而无所利矣니라

　　상구(上九)는 괘의 종(終)에 거하였으니, 무망이 지극한 자이다. 무망이 지극한데 다시 가면 이치에 지나치니, 이치에 지나치면 망(妄)이 된다. 그러므로 상구(上九)가 가면 허물이 있어 이로운 바가 없는 것이다.

本義 | 上九非有妄也요 但以其窮極而不可行耳라 故其象占如此하니라

　　상구(上九)가 망령됨이 있는 것이 아니요, 다만 궁극하기 때문에 갈 수 없는 것이다. 그러므로 그 상(象)과 점(占)이 이와 같은 것이다.

象曰 无妄之行은 窮之災也라

　　〈상전〉에 말하였다. "무망(无妄)의 감은 궁극의 재앙이다."

傳 | 无妄旣極而復加進이면 乃爲妄矣니 是窮極而爲災害也라

　　무망이 이미 지극한데 다시 더 나아가면 바로 망(妄)이 되니, 이는 궁극하여 재앙이 되는 것이다.

傳 ┃ 大畜은 序卦에 有无妄然後可畜이라 故受之以大畜이라하니라 无妄則爲有實이라 故可畜聚니 大畜所以次无妄也라 爲卦艮上乾下하여 天而在於山中하니 所畜至大之象이라 畜은 爲畜止요 又爲畜聚니 止則聚矣라〔一有又字〕取天在山中之象則爲蘊畜이요 取艮之止乾則爲畜止니 止而後有積이라 故止爲畜義하니라

대축괘(大畜卦)는 〈서괘전〉에 "무망(无妄)이 있은 뒤에 모일 수 있으므로 대축괘로 받았다." 하였다. 무망이면 진실이 있음이 된다. 그러므로 축취(畜聚:쌓임, 또는 모임)할 수 있으니, 대축괘가 이 때문에 무망괘(无妄卦☰☰)의 다음이 된 것이다. 괘됨이 간(艮☶)이 위에 있고 건(乾☰)이 아래에 있어서 하늘이 산 가운데에 있으니, 모인 바가 지극히 큰 상(象)이다. 축(畜)은 축지(畜止:저지함, 또는 멈춤)함이 되고 또 축취(畜聚)가 되니, 멈추면 모인다. 하늘이 산 가운데에 있는 상(象)을 취하면 온축(蘊畜)이 되고, 간(艮)이 건(乾)을 저지함을 취하면 축지(畜止)가 되니, 멈춘 뒤에 쌓임이 있으므로 지(止)가 쌓는 뜻이 되는 것이다.

大畜은 利貞하니 不家食하면 吉하니 利涉大川하니라
대축(大畜)은 정(貞)함이 이로우니 집에서 밥을 먹지 않으면 길하니, 대천(大川)을 건넘이 이롭다.
本義 ┃ 不家食하여 吉하고
집에서 밥을 먹지 아니하여 길하고

傳 ┃ 莫大於天而在山中하고 艮在上而止乾於下하니 皆蘊畜至大之象也라 在人에 爲學術道德이 充積於內하니 乃所畜之大也니 凡所畜聚皆是로되 專言其大者라 人之蘊畜은 宜得正道라 故云利貞이니 若夫異端偏學은 所畜至多而不正者 固有矣라 旣道德充積於內면 宜在上位以亨(享)天祿하여 施爲於天下니 則不獨於〔一无於字〕一身之吉이요 天下之吉也라 若窮處而自食於家면 道之否也라 故不家

··· 畜 : 쌓을 축, 저지할 축　聚 : 모을 취　蘊 : 쌓을 온　偏 : 편벽될 편

食則吉이라 所畜旣大면 宜施之於時하여 濟天下之艱險이니 乃大畜之用也라 故利涉大川이라 此는 只據大畜之義而言이요 彖은 更以卦之才德而言하며 諸爻則惟有止畜之義하니 蓋易은 體道隨宜하여 取明且近者하니라

하늘보다 더 큰 것이 없는데 하늘이 산 가운데에 있고, 간(艮)이 위에 있으면서 건(乾)을 아래에서 그치게 하니, 모두 온축(蘊畜)함이 지극히 큰 상(象)이다. 사람에게 있어서는 학술(學術)과 도덕이 내면에 충적(充積)함이 되니 이는 쌓인 바가 큰 것이니, 모든 축취(畜聚)가 모두 해당되지만 오로지 그 큰 것만을 말하였다. 사람의 온축은 마땅히 정도(正道)를 얻어야 하므로 정(貞)함이 이롭다고 말한 것이니, 이단(異端)과 편벽된 학문은 쌓은 것이 지극히 많더라도 바르지 못한 경우가 진실로 있다.

이미 도덕이 안에 충적되었으면 마땅히 높은 지위에 있어서 천록(天祿)을 누려 천하에 베풀어야 하니, 이렇게 하면 다만 자기 한 몸이 길할 뿐만 아니요, 천하가 길하다. 만약 곤궁하게 살아 스스로 집에서 밥을 먹으면 도(道)가 비색(否塞)하다. 그러므로 집에서 밥을 먹지 않으면 길한 것이다.

쌓인 바가 이미 크면 마땅히 세상에 베풀어서 천하의 어려움과 험함을 구제하여야 하니, 이것이 대축(大畜)의 쓰임이다. 그러므로 대천(大川)을 건넘이 이로운 것이다. 여기서는 다만 대축의 뜻을 근거하여 말하였고, 〈단전(彖傳)〉에서는 다시 괘의 재질과 덕을 가지고 말하였으며, 여러 효는 오직 지축(止畜:저지)의 뜻만 있으니, 역(易)은 도(道)를 체행하고 마땅함을 따라 분명하고 또 가까운 것을 취하였다.

本義 | 大는 陽也요 以艮畜乾은 又畜之大者也라 又以內乾剛健하고 外艮篤實輝光이라 是以能日新其德하여 而爲畜之大也라 以卦變言하면 此卦自需而來하여 九自五而上하고 以卦體言하면 六五尊而尙之하고 以卦德言하면 又能止健이니 皆非大正이면 不能이라 故其占이 爲利貞而不家食吉也라 又六五下應於乾하여 爲應乎天이라 故其占이 又爲利涉大川也라 不家食은 謂食祿於朝하고 不食於家也라

대(大)는 양이요, 간(艮)으로서 건(乾)을 저지함은 또 저지함이 큰 것이다. 또 안의 건(乾)은 강건(剛健)하고 밖의 간(艮)은 독실(篤實)하고 광채가 빛난다. 이 때문에 날로 덕을 새롭게 하여 쌓임이 큰 것이다. 괘변(卦變)으로 말하면 이 괘가 수괘

(需卦 ☲)로부터 와서 구(九)가 오(五)에서 위로 올라갔고, 괘체(卦體)로 말하면 육오(六五)가 높으면서 상구(上九)를 높여주며, 괘덕(卦德)으로 말하면 또 강건(剛健)함을 저지하니, 모두 크게 바름이 아니면 할 수 없다. 그러므로 그 점(占)이 정(貞)함이 이롭고, 집에서 밥을 먹지 아니하여 길한 것이다. 또 육오(六五)가 아래로 건(乾)에 응하여 천도(天道)에 응함이 되므로 그 점이 또 대천(大川)을 건넘이 이로운 것이다. '불가식(不家食)'은 조정에서 록(祿)을 먹고 집에서 밥을 먹지 않음을 이른다.

彖曰 大畜은 剛健하고 篤實하고 輝光하여 日新其德이니

〈단전〉에 말하였다. "대축(大畜)은 강건(剛健)하고 독실(篤實)하고 광채가 빛나서 날로 덕을 새롭게 하니,

傳 | 以卦之才德而言也라 乾體剛健하고 艮體篤實하니 人之才剛健篤實이면 則所畜能大하여 充實而有輝光하니 畜之不已면 則其德日新也라

괘의 재질과 덕으로써 말하였다. 건체(乾體)는 강건하고 간체(艮體)는 독실하니, 사람의 재주가 강건하고 독실하면 쌓인 바가 능히 커서 충실하고 광채가 빛남이 있으니, 쌓기를 그치지 않으면 덕이 날로 새로워진다.

本義 | 以卦德으로 釋卦名義라

괘덕(卦德)으로써 괘명(卦名)의 뜻을 해석하였다.

剛上而尙賢하고 能止健이 大正也라

강(剛)이 위에 있고 어진이를 높이고 강건함을 저지함이 크게 바른 것이다.

傳 | 剛上은 陽居上也라 陽剛이 居尊位之上하니 爲尙賢之義요 止居健上하니 爲能止健之義라 止乎健者는 非大正則安能이리오 以剛陽在上與尊尙賢德과 能止至健은 皆大正之道也라

'강상(剛上)'은 양(陽)이 위에 거한 것이다. 양강(陽剛:상구(上九))이 존위(尊位:육오(六五))의 위에 거하였으니 어진이를 높이는 뜻이 되고, 지(止:간(艮))가 건(健:건

(乾))의 위에 거하였으니 강건함을 저지하는 뜻이 된다. 강건함을 저지함은 크게 바름이 아니면 어찌 능하겠는가. 강양(剛陽)으로 위에 있는 것과 현덕(賢德)이 있는 자를 높이는 것과 지극히 강건함을 저지함은 모두 크게 바른 도(道)이다.

本義 | 以卦變卦體로 釋卦辭라
　　괘변(卦變)과 괘체(卦體)로써 괘사(卦辭)를 해석하였다.

不家食吉은 養賢也요
　　'집에서 밥을 먹지 않으면 길함'은 어진이를 기르는 것이요,

本義 | 亦取尙賢之象이라
　　또한 어진이를 높이는 상(象)을 취하였다.

利涉大川은 應乎天也라
　　대천(大川)을 건넘이 이로움은 하늘에 응하기 때문이다."

傳 | 大畜之人은 所宜施其所畜하여 以濟天下라 故不食於家則吉이니 謂居天位하여 享天祿也니 國家養賢하면 賢者得行其道也라 利涉大川은 謂大有蘊畜之人은 宜濟天下之艱險也라 彖은 更發明卦才하여 云所以能涉大川者는 以應乎天也라하니라 六五는 君也니 下應乾之中爻는 乃大畜之君이 應乾而行也라 所行이 能應乎天이면 无艱險之不可濟어든 況其他乎아

　　크게 쌓아 온축(蘊蓄)한 사람은 마땅히 그 쌓은 바를 베풀어서 천하를 구제하여야 한다. 그러므로 집에서 밥을 먹지 않으면 길한 것이니, 천위(天位:높은 지위)에 거하여 천록(天祿)을 누림을 이르는 바, 국가(國家)에서 어진이를 기르면 현자(賢者)가 도(道)를 행하게 된다. 대천(大川)을 건넘이 이롭다는 것은 크게 온축(蘊蓄)함이 있는 사람은 마땅히 천하의 어려움과 험함을 구제하여야 함을 말한 것이다. 〈단전〉에서는 다시 괘의 재질을 발명하여 이르기를 "대천을 건널 수 있는 까닭은 하늘에 응하기 때문이다." 하였다. 육오(六五)는 군주이니, 아래로 건(乾)의 중효(中爻:구이(九二))에 응함은 바로 대축(大畜)의 군주가 건(乾)에 응하여 행하는 것이

다. 행하는 바가 하늘에 응하면 구제하지 못할 어려움과 험함이 없는데, 하물며 다른 것에 있어서랴.

本義 | 亦以卦體而言이라

또한 괘체(卦體)로써 말하였다.

象曰 天在山中이 **大畜**이니 **君子以**하여 **多識前言往行**하여 **以畜其德**하나니라

〈상전〉에 말하였다. "하늘이 산(山) 가운데에 있는 것이 대축(大畜)이니, 군자가 보고서 옛 성현(聖賢)들의 말씀과 지나간 행실을 많이 알아 덕을 쌓는다."

傳 | 天爲至大而在山之中은 所畜至大之象이니 君子觀象以大其蘊畜이라 人之蘊畜은 由學而大하나니 在多聞前古聖賢之言與行하여 考跡以觀其用하고 察言以求其心하여 識(지)而得之하여 以畜成其德이니 乃大畜之義也라

하늘은 지극히 큼이 되는데 산 가운데에 있음은 쌓인 바가 지극히 큰 상(象)이니, 군자가 이 상을 보고서 온축(蘊畜)하기를 크게 한다. 사람의 온축은 학문(學問)으로 말미암아 커지니, 옛 성현의 말씀과 행실을 많이 들어서 자취를 상고하여 그 쓰임을 관찰하고, 말씀을 살펴 그 마음을 찾아 기억하여 알아서 덕을 쌓아 이루니, 이것이 바로 대축(大畜)의 뜻이다.

本義 | 天在山中은 不必實有是事요 但以其象言之耳라

하늘이 산 가운데 있다는 것은 반드시 실제로 이러한 일이 있는 것이 아니요, 다만 괘의 상(象)을 가지고 말했을 뿐이다.

初九는 **有厲**리니 **利已**니라

초구(初九)는 위태로움이 있으리니, 중지함이 이롭다.

傳 | 大畜은 艮止畜乾也라 故乾三爻는 皆取被止〔一作止之〕爲義요 艮三爻는 皆取

... 跡 : 자취 적 識 : 기억할 지

止之爲義라 初以陽剛으로 又健體而居下하니 必上進者也로되 六四在上하여 畜止
於己하니 安能敵在上得位之勢리오 若犯之而進이면 則有危厲라 故利在已而不
進也라 在他卦則四與初爲正應하여 相援者也로되 在大畜則相應이 乃爲相止畜
이라 上與三皆陽이면 則爲合志니 蓋陽은 皆上進之物이라 故有同志之象이요 而无
相止之義하니라

　　대축(大畜)은 간(艮)이 건(乾)을 멈추게 하는 것이다. 그러므로 건의 세 효는 모
두 저지당함을 취하여 뜻을 삼았고, 간의 세 효는 모두 저지함을 취하여 뜻을 삼
은 것이다. 초(初)는 양강(陽剛)으로 또 건체(健體)이면서 아래에 거하였으니 반드
시 위로 나아갈 자이나, 육사(六四)가 위에 있으면서 자기를 저지하니, 위에 있어
지위를 얻은 자의 형세를 어찌 대적할 수 있겠는가. 만약 범하고 나아가면 위태로
움이 있게 된다. 그러므로 이로움이 중지하고 나아가지 않음에 있는 것이다.

　　다른 괘에 있어서는 사(四)와 초(初)는 정응(正應)이 되어 서로 원조(援助)하는
자이나 대축괘(大畜卦)에 있어서는 〈서로 저지하는 괘이기 때문에〉 서로 응함이
바로 서로 저지함이 되는 것이다. 상구(上九)와 구삼(九三)은 모두 양효(陽爻)라서
뜻이 합함이 되니, 양은 모두 위로 나아가는 물건이므로 동지(同志)의 상(象)이 있
고 서로 저지하는 뜻이 없는 것이다.

本義 | 乾之三陽이 爲艮所止라 故內外之卦 各取其義라 初九爲六四所止라 故
其占이 往則有危하여 而利於止也라

　　건(乾)의 세 양(陽)이 간(艮)에게 저지당하므로 내(內)·외(外)의 괘가 각기 그
뜻을 취하였다. 초구(初九)는 육사(六四)에게 저지당하므로 그 점(占)이 가면 위태
로움이 있어 중지함이 이로운 것이다.

象曰 有厲利已는 不犯災也니라

　　〈상전〉에 말하였다. "'유려이이(有厲利已)'는 재앙을 범하지 않는 것이다."

傳 | 有危則宜已니 不可犯災危而行也라 不度(탁)其勢而進이면 有災必矣리라

　　위태로움이 있으면 마땅히 중지하여야 하니, 재앙과 위태로움을 범하고 가서
는 안 된다. 형세를 헤아리지 않고 나아가면 재앙이 있을 것이 틀림없다.

九二는 輿說(脫)輹⁴이로다

구이(九二)는 수레가 바퀴통(복토)이 빠졌도다.

傳ㅣ 二爲六五所畜止하여 勢不可進也라 五據在上之勢하니 豈可犯也리오 二雖剛健之體나 然其處得中道라 故進止无失하여 雖志於進이나 度(탁)其勢之不可하고 則止而不行하니 如車輿脫去〔一有其字〕輪輹이니 謂不行也라

이(二)가 육오(六五)에게 저지당하여 형세가 위로 나아갈 수 없다. 오(五)가 윗자리에 있는 형세를 점거하였으니, 어찌 범할 수 있겠는가. 이(二)가 비록 강건(剛健:건(乾))의 체(體)이나 그 처함이 중도(中道)를 얻었으므로 나아가고 멈춤이 잘못이 없어서 비록 나아감에 뜻을 두나 자기의 형세가 불가(不可)함을 헤아리고 중지하여 가지 않으니, 수레가 바퀴통이 빠진 것과 같으니, 가지 않음을 이른다.

本義ㅣ 九二亦爲六五所畜이로되 以其處中이라 故能自止而不進하여 有此象也라

구이(九二) 또한 〈초구(初九)와 마찬가지로〉 육오(六五)에게 저지당하나 중(中)에 처하였기 때문에 능히 스스로 중지하고 나아가지 않아 이러한 상(象)이 있는 것이다.

象曰 輿說輹은 中이라 无尤也라

〈상전〉에 말하였다. "수레가 바퀴통이 빠졌다는 것은 중(中)이라서 허물이 없는 것이다."

傳ㅣ 輿說輹而不行者는 蓋其處得中道하여 動不失宜라 故无過尤也라 善莫善於剛中하니 柔中者는 不至於過柔耳요 剛中은 中而才也라 初九는 處不得中이라 故戒以有危宜已요 二는 得中하여 進止自无過差라 故但言輿說輹하니 謂其能不行也니 不行則无尤矣라 初與二는 乾體剛健이로되 而不足以進하고 四與五는 陰柔而能止⁶하니 時之盛衰와 勢之强弱을 學易者所宜深識也니라

• • • • • •

4 輿說輹：복(輹)은 복토(伏兎)로 수레와 굴대를 연결하는 나무이다.

5 初與二……陰柔而能止：사계는 "초구(初九)와 구이(九二)가 비록 강건(剛健)하나 나아가지 못

• • • 輿：수레 여 輹：복토 복 尤：허물 우

수레가 바퀴통이 빠져 가지 못함은 그 처함이 중도(中道)를 얻어서 동함에 마땅함을 잃지 않기 때문에 허물이 없는 것이다. 좋음은 강중(剛中)보다 더 좋은 것이 없으니, 유중(柔中)은 지나치게 유(柔)함에 이르지 않을 뿐이요, 강중은 중(中)하면서 재주가 있는 것이다. 초구(初九)는 처함이 중을 얻지 못하였으므로 '위태로움이 있으니, 중지함이 마땅하다.'고 경계하였고, 이(二)는 중을 얻어서 나아가고 멈춤이 저절로 과차(過差)가 없으므로 다만 '수레가 바퀴통이 빠졌다.'고 말하였으니, 가지 않을 수 있음을 말한 것이니, 가지 않으면 허물이 없다.

초(初)와 이(二)는 건체(乾體)로 강건(剛健)하나 저지당하여 나아갈 수 없고, 사(四)와 오(五)는 음유(陰柔)이나 저지할 수 있으니, 때의 성쇠(盛衰)와 세력의 강약을 역(易)을 배우는 자는 마땅히 깊이 알아야 한다.

九三은 良馬逐이니 利艱貞하니 (曰)[日]閑輿衛면 利有攸往하리라
구삼(九三)은 좋은 말이 달려가는 것이니, 어렵게 여기고 정(貞)함이 이로우니, 날마다 수레 타는 것과 호위(護衛)하는 것을 익히면 가는 바를 둠이 이로우리라.

傳ㅣ 三은 剛健之極이요 而上九之陽도 亦上進之物이며 又處畜之極而思變也하여 與三乃不相畜而志同하여 相應以進者也라 三以剛健之才로 而在上者與合志而進하여 其進이 如良馬之馳逐이니 言其速也라 雖其進之勢〔一作志〕速이나 不可恃其才之健과 與上之應하여 而忘備與愼也라 故宜艱難其事하고 而由貞正之道라 輿者는 用行之物이요 衛者는 所以自防이니 當自〔一无自字〕日常閑習其車輿與其防衛면 則利有攸往矣라 三乾體而居正하니 能貞者也로되 當有銳進이라 故戒以知難與不失其貞〔一作正〕也라 志旣銳於進이면 雖剛明이라도 有時而失하니 不得不誡也라

• • • • • •

하는 까닭은 축지(畜止)의 때라서 나아감에 불리하고 또 초효(初爻)와 이효(二爻)가 모두 아래에 있어 형세가 나아갈 수 없기 때문이며, 육사(六四)와 육오(六五)가 비록 음유(陰柔)이나 건(健)을 저지하는 까닭은 축지의 때라서 그침에 있고 또 사효(四爻)와 오효(五爻)가 모두 위에 있어 형세가 충분히 저지할 수 있기 때문이니, 이러한 내용이 《근사록(近思錄)》 주(註)에 보인다." 하였다. 《經書辨疑》

• • • 閑 : 익숙할 한 馳 : 달릴 치 恃 : 믿을 시 銳 : 빠를 예

삼(三)은 강건(剛健)함이 지극하고 상구(上九)의 양(陽) 또한 위로 나아가는 물건이며, 또 축(畜)의 극(極)에 처하여 변할 것을 생각해서 삼(三)과 서로 저지하지 않고 뜻이 같아 서로 응하여 나아가는 자이다. 삼(三)이 강건(剛健)한 재질로 위에 있는 자(상구)와 더불어 뜻을 합하여 나아가, 그 나아감이 좋은 말이 달려감과 같으니, 그 빠름을 말한 것이다. 비록 나아가는 형세가 빠르나 재주의 강건함과 윗사람의 응함을 믿고서 대비와 삼감을 잃어서는 안 된다. 그러므로 마땅히 그 일을 어렵게 여기고 정정(貞正)한 도(道)를 따라야 하는 것이다.

수레는 길을 갈 때에 쓰는 물건이요 '위(衛)'는 스스로 방위(防衛)하는 것이니, 스스로 날마다 항상 수레 타는 것과 방위하는 것을 익히면 가는 바를 둠이 이로운 것이다. 삼(三)은 건체(乾體)이면서 정(正)에 거하였으니 정도(貞道)를 행할 수 있는 자이나, 나아감에 예리함이 있으므로 어렵게 여길 줄을 알고 정도(貞道)를 잃지 말라고 경계한 것이다. 뜻이 이미 나아감에 예리하면 비록 강(剛)하고 밝더라도 때로 실수할 수가 있으니, 경계하지 않을 수 없는 것이다.

本義 | 三以陽居健極하고 上以陽居畜極하니 極而通之時也요 又皆陽爻라 故不相畜而俱進하여 有良馬逐之象焉이라 然過剛銳進이라 故其占이 必戒以艱貞閑習이라야 乃利於有往也라 日은 當爲日月之日이라

삼(三)은 양효(陽爻)로 건(健)의 극에 처하였고 상(上)은 양효로 축(畜)의 극에 처하였으니 극에 도달하여 변통할 때이고, 또 모두 양효이기 때문에 서로 저지하지 않고 함께 나아가서 양마(良馬)가 달려가는 상(象)이 있는 것이다. 그러나 지나치게 강(剛)하고 예리하게 나아가기 때문에 그 점(占)이 반드시 어렵게 여기고 정도(貞道)를 지키며 〈수레 타는 것과 호위함을〉 익혀야만 가는 바를 둠이 이롭다고 경계한 것이다. 왈(曰) 자는 마땅히 일월(日月)의 일(日) 자가 되어야 한다.

象曰 利有攸往은 上이 合志也일새라

〈상전〉에 말하였다. "가는 바를 둠이 이로움은 상(上)과 뜻이 합하기 때문이다."

傳 | 所以利有攸往者는 以與在上者合志也일새라 上九는 陽性上進하고 且畜已

極이라 故不下畜三하고 而與〔一有三字〕合志上進也라

가는 바를 둠이 이로운 까닭은 윗자리에 있는 자와 뜻이 합하기 때문이다. 상구(上九)는 양의 성질이 위로 나아가고 또 저지함이 이미 지극하므로 아래로 삼(三)을 저지하지 않고 〈삼과〉 뜻을 합하여 위로 나아가는 것이다.

六四는 童牛之牿(곡)이니 元吉하니라
육사(六四)는 어린 소에 곡(牿;가로댄 나무)을 가(加)한 것이니, 크게 선(善)하고 길하다.

傳 | 以位而言이면 則四下應於初하니 畜初者也라 初居最下하여 陽之微者니 微而畜之면 則易制라 猶童牛而加牿이니 大善而吉也라 概論畜道하면 則四艮體로 居上位而得正하니 是는 以正德으로 居大臣之位하여 當畜之任者也라 大臣之任은 上畜止人君之邪心하고 下畜止天下之惡人〔一无人字〕이니 人之惡은 止於初則易요 旣盛而後禁이면 則扞格而難勝이라 故上之惡旣甚이면 則雖聖人救之라도 不能免違拂이요 下之惡旣甚이면 則雖聖人治之라도 不能免刑戮이니 莫若止之於初니 如童牛而加牿則元吉也라 牛之性은 觝觸以角이라 故牿以制之니 若童犢始角而加之以牿하여 使觝觸之性不發이면 則易而无傷이라 以況六四能畜止上下之惡於未發之前하니 則大善之吉也라

자리로 말하면 사(四)가 아래로 초(初)와 응하니, 초(初)를 저지하는 자이다. 초는 가장 낮은 자리에 거하여 양(陽) 중에 미약한 자이니, 미약할 때에 저지하면 제지하기 쉽다. 어린 소에 곡(牿)을 가한 것과 같으니, 크게 선(善)하고 길하다.

저지하는 도를 개략적으로 논하면 사(四)는 간체(艮體)로 높은 지위에 거하여 정(正)을 얻었으니, 이는 정덕(正德)으로 대신(大臣)의 지위에 거하여 저지하는 임무를 맡은 자이다. 대신의 임무는 위로는 인군의 사심(邪心)을 저지하고 아래로는 천하의 악(惡)한 사람을 저지하는 것이니, 사람의 악은 초기에 저지하면 저지하기가 쉽고, 이미 성한 뒤에 금하면 한격(扞格;항거함)하여 이기기 어렵다. 그러므로 위의 악이 이미 심하면 비록 성인(聖人)이 바로잡더라도 어김을 면치 못하고, 아래의 악이 이미 심하면 비록 성인이 다스리더라도 형륙(刑戮)을 면치 못하니, 초기에 저지하는 것만 못하다. 이는 어린 송아지에 곡(牿)을 가함과 같이 하면 크게

··· 牿 : 쇠뿔에댄나무 곡   扞 : 막을 한   格 : 막을 격   拂 : 어길 불   戮 : 죽일 륙   觝 : 떠받을 저   觸 : 부딪힐 촉
犢 : 송아지 독

선(善)하고 길한 것이다.

　소의 성질은 뿔로 받기 때문에 곡(牿)을 가하여 제지하는 것이니, 어린 송아지가 처음 뿔이 났을 때에 곡을 가하여 뿔로 받는 성질이 나오지 않게 하듯이 하면 제지하기가 쉬워 상(傷)함이 없다. 이로써 육사(六四)가 상·하의 악을 발하기 전에 저지함을 비유하였으니, 이렇게 하면 대선(大善)의 길함이다.

本義｜ 童者는 未角之稱이요 牿은 施橫木於牛角하여 以防其觸이니 詩所謂楅(복)衡者也[6]라 止之於未角之時면 爲力則易하니 大善之吉也라 故其象占如此하니라 學記曰 禁於未發之謂豫라하니 正此意也라

　'동(童)'은 뿔이 아직 나지 않았음을 일컫고, '곡(牿)'은 가로댄 나무를 소의 뿔에 설치하여 뿔로 받음을 막는 것이니, 《시경》에 이른바 '복형(楅衡)'이란 것이다. 아직 뿔이 나지 않았을 때에 저지하면 공력(功力)이 됨이 쉬우니(효과를 보기가 쉬우니), 대선(大善)의 길함이다. 그러므로 그 상(象)과 점이 이와 같은 것이다. 《예기》〈학기(學記)〉에 "발하지 않았을 때에 금함을 예(豫:미리)라 한다." 하였으니, 바로 이러한 뜻이다.

象曰 六四元吉은 有喜也라

　〈상전〉에 말하였다. "육사(六四)의 원길(元吉)은 기쁜 일이 있는 것이다."

傳｜ 天下之惡이 已盛而止之면 則上勞於禁制하고 而下傷於刑誅라 故畜止於微小之前이면 則大善而吉하여 不勞而无傷이라 故可喜也라 四之畜初是也니 上畜亦然하니라

　천하의 악(惡)이 이미 성하였는데 저지하면 윗사람은 금제(禁制)함에 수고롭고 아랫사람은 형주(刑誅)에 상(傷)한다. 그러므로 미소(微小)한 때에 저지하면 대선(大善)하고 길(吉)해서 수고롭지 않고 상(傷)함이 없게 된다. 그러므로 기쁜 것이다. 사(四)가 초(初)를 저지함이 이것이니, 윗사람을 저지함도 또한 그러하다.

••••••
6　詩所謂楅衡者也 : 복형(楅衡) 역시 쇠뿔에 가로댄 나무로 이 내용은 《시경》〈노송(魯頌) 비궁(閟宮)〉에 보인다.

••• 楅 : 뿔막이 복　豫 : 미리 예

六五는 豶豕(분시)之牙[7]니 吉하니라

육오(六五)는 멧돼지를 거세하여 이빨을 쓰지 못하게 함이니, 길하다.

傳 | 六五居君位하여 止畜天下之邪惡하니 夫以億兆之衆으로 發其邪欲之心에 人君이 欲力以制之면 雖密法嚴刑이라도 不能勝也라 夫物有總攝하고 事有機會하니 聖人이 操得其要하여 則視〔一无視字〕億兆之心을 猶一心하여 道之斯行하고 止之則戢이라 故不勞而治하나니 其用이 若豶豕之牙也라 豕는 剛躁之物이요 而牙爲猛利하니 若强制其牙면 則用力勞而不能止其躁猛이니 雖縶之維之라도 不能使之變也요 若豶去其勢면 則牙雖存而剛躁自止하니 其用如此라 所以吉也라 君子發豶豕之義하여 知天下之惡을 不可以力制也하니 則察其機, 持其要하여 塞絕其本原이라 故不假刑法嚴峻而惡自止也니라

육오(六五)가 군위(君位)에 거하여 천하의 사악(邪惡)함을 저지하니, 억조(億兆)의 많은 사람들이 사욕(邪欲)의 마음을 발함에 인군이 힘으로 이것을 제지하고자 하면 비록 법(法)을 치밀하게 하고 형벌을 엄하게 하더라도 감당할(이겨낼) 수가 없다. 물건은 총괄하여 잡음이 있고 일은 기회(機會:때에 맞음)가 있으니, 성인이 잡음에 그 요령을 얻어서 억조 백성의 마음을 보기를 한 사람의 마음처럼 하여, 인도하면 따라오고 멈추면 그치므로 수고롭지 않고도 다스려지는 것이니, 그 쓰임이 멧돼지를 거세하여 이빨을 쓰지 못하게 함과 같은 것이다.

멧돼지는 강하고 조급한 물건(동물)이며 이빨은 사납고 날카로우니, 만약 그 이빨을 억지로 제지하면 힘을 씀이 수고로우나 그 조급하고 사나움을 저지하지 못하니, 비록 묶고 동여매더라도 변하게 할 수 없다. 그러나 만약 그 세(勢:고환)를 제거하면 이빨이 비록 있어도 강함과 조급함이 저절로 그쳐지니, 그 쓰임이 이와 같기 때문에 길한 것이다. 군자가 분시(豶豕)의 뜻을 말하여 천하의 악을 힘으로 억제할 수 없으니, 그 기미를 살피고 요점을 잡아서 근본과 근원을 막고 끊어야

······
7 豶豕之牙:분(豶)은 거세한 돼지로, 퇴계의 《경서석의(經書釋義)》와 《언해》에 모두 '시(豕)의 아(牙 이빨)를 분(豶)하다'로 해석하였으나 문법에 모두 맞지 않으며, 한주(寒洲) 이진상(李震相)은 "아(牙)는 마땅히 호(互)가 되어야 하니, 말뚝으로 음이 호인바, 거세한 돼지에다가 말뚝을 가하여 제지하는 것이다." 하였다.

··· 豶:멧돼지분 豕:돼지시 牙:어금니아 攝:잡을섭 戢:그칠집 猛:사나울맹 縶:맬칩 維:맬유 峻:엄할준

함을 알았다. 그러므로 형법의 준엄함을 빌리지 않고도 악이 저절로 저지되는 것이다.

且如止盜하니 民有欲心하여 見利則動하나니 苟不知敎而迫於飢寒이면 雖刑殺日施라도 其能勝億兆利欲之心乎아 聖人則知所以止之之道하여 不尙威刑而修政敎하여 使之有農[一作耕]桑之業하고 知廉恥之道하여 雖賞之라도 不竊矣라 故止惡之道는 在知其本, 得其要而已라 不嚴刑於彼而修政於此는 是猶患牙之利에 不制其牙而續其勢也라

또 도둑질을 그치게 하는 것과 같으니, 백성들은 욕심이 있어서 이익을 보면 마음이 동하니, 만약 성인의 가르침을 알지 못하고 기한(飢寒)에 절박하면 비록 형벌과 죽임을 날마다 시행하더라도 억조의 이욕(利欲)의 마음을 감당할 수 있겠는가. 성인은 이것을 저지하는 방도를 알아 위엄과 형벌을 숭상하지 않고 정교(政敎)를 닦아서 농사짓고 누에치는 생업(生業)이 있게 하고 염치(廉恥)의 도리를 알게 하여, 비록 상(賞)을 주어 도둑질하게 하더라도 도둑질하지 않는다. 그러므로 악을 저지하는 방도는 근본을 알고 요점을 얻음에 있을 뿐이다. 저들에게 형벌을 엄하게 가(加)하지 않고서도 정사가 여기에서 닦여짐은 멧돼지 이빨의 예리함을 걱정할 적에 그 이빨을 제지하지 않고 그 세(勢)를 제거함과 같은 것이다.

本義 | 陽已進而止之하니 不若初之易矣나 然以柔居中而當尊位라 是以得其機會而可制라 故其象如此하니 占雖吉이나 而不言元也라

양(陽:구이(九二))이 이미 나아갔는데 〈육오(六五)가〉 저지하니, 초구(初九)처럼 쉽지 않다. 그러나 〈육오가〉 유(柔)로서 중(中)에 거하였고 존위(尊位)를 당하였다. 이 때문에 그 기회를 얻어 제지할 수 있는 것이다. 그러므로 그 상(象)이 이와 같으니, 점(占)이 비록 길하나 크게 선(善)함을 말하지 않았다.

象曰 六五之吉은 有慶也라

〈상전〉에 말하였다. "육오(六五)의 길함은 복경(福慶)이 있는 것이다."

傳 | 在上者 不知止惡之方하여 嚴刑以敵民欲이면 則其傷甚而无功하나니 若知

其本하여 制之有道면 則不勞无傷而俗革이니 天下之福慶也라

　　위에 있는 자가 악을 저지하는 방법을 알지 못해서 형벌을 엄하게 하여 백성의 욕망을 대적하고자 한다면 그 상(傷)함이 심하면서도 공(功:효과)이 없다. 만약 그 근본을 알아 제지함에 방도가 있게 하면 수고롭지 않고 상함이 없으면서 풍속이 개혁(改革)될 것이니, 천하의 복경(福慶)이다.

上九는 (何)天之衢니 亨하니라
　상구(上九)는 하늘의 거리이니, 형통하다.
本義 | 何天之衢오
　　상구(上九)는 어쩌면 그리도 하늘의 거리와 같은가.

傳 | 予聞之胡先生하니 曰 天之衢亨에 誤加何字라하니라 事極則反이 理之常也라 故畜極而亨이라 小畜은 畜之小故로 極而成[8]이요 大畜은 畜之大故로 極而散이라 極旣當變이요 又陽性上行故로 遂散也라 天衢는 天路也니 謂虛空之中이니 雲氣飛鳥往來故로 謂之天衢라 天衢之亨은 謂其亨通曠闊하여 无有蔽阻也라 在畜道則變矣니 變而亨이요 非畜道之亨也라

　　내가 호선생(胡先生:호원(胡瑗))에게 들으니, 말씀하기를 "'천지구형(天之衢亨)'에 하(何) 자가 잘못 더해졌다." 하였다. 일이 극에 이르면 뒤집어짐은(되돌아감은) 이치의 떳떳함이다. 그러므로 축(畜)이 극에 이르면 형통한 것이다. 소축(小畜)은 저지함이 작기 때문에 지극하면 이루어지고, 대축(大畜)은 저지함이 크기 때문에 지극하면 흩어지는 것이다. 극에 이르면 마땅히 변하고 또 양의 성질은 위로 가기 때문에 마침내 흩어지는 것이다.

　　'천구(天衢)'는 하늘의 길이니, 허공의 가운데를 이르는 바, 구름 기운과 날아가는 새가 왕래하기 때문에 '천구'라 이른 것이다. 천구의 형통함은 형통함이 광활하여 가리움과 막힘이 없음을 말한 것이다. 축(畜)의 도(道)에 있어서는 변한 것이니, 〈극에 이르러〉 변하여 형통한 것이요, 축(畜)의 도(道)가 형통한 것은 아니다.

本義 | 何天之衢는 言何其通達之甚也라 畜極而通하여 豁達无礙라 故其象占如此하니라

··· 衢 : 길거리 구　曠 : 넓을 광　闊 : 넓을 활　阻 : 막힐 조

'하천지구(何天之衢)'는 어쩌면 그리도 통달함이 심하냐고 말한 것이다. 축(畜)이 지극하여 통해서 활달하여 막힘이 없기 때문에 그 상(象)과 점(占)이 이와 같은 것이다.

象曰 何天之衢오 道大行也라

〈상전〉에 말하였다. "어찌하여 하늘의 거리라 일렀는가? 도로(道路)가 크게 통행되기 때문이다."

本義 | 何天之衢는

'하천지구(何天之衢)'는

傳 | 何以謂之天衢오 以其无止礙하여 道路大通行也일새라 以天衢非常語故로 象特設問曰 何謂天之衢오 以道路大通行이라하니 取空豁之狀也라 以象有何字라 故爻下에 亦誤加之하니라

어찌하여 천구(天衢)라 일렀는가? 저지함과 막힘이 없어서 도로가 크게 통하기 때문이다. 천구는 항상 쓰는 말이 아니기 때문에 〈상전〉에 특별히 설문(設問)하기를 "어찌하여 하늘의 거리라 일렀는가? 도로가 크게 통행되기 때문이다." 하였으니, 공활(空豁)한 형상을 취한 것이다. 〈상전〉에 하(何) 자가 있기 때문에 효(爻) 아래에도 잘못 하(何) 자를 더한 것이다.

··· 豁 : 넓을 활 礙 : 막힐 애

傳 | 頤는 序卦에 物畜然後可養이라 故受之以頤라하니라 夫物旣畜聚면 則必有
以養之니 无養則不能存息이니 頤所以次大畜也라 卦上艮下震하여 上下二陽爻
가 中含四陰하고 上止而下動하며 外實而中虛하니 人頤頷之象也라 頤는 養也니
人口는 所以飮食하여 養人之身이라 故名爲頤라 聖人設卦하여 推養之義 大至於
天地養育萬物하고 聖人養賢以及萬民하며 與人之養生 養形、養德、養人이 皆
頤養之道也라 動息節宣은 以養生也요 飮食衣服은 以養形也요 威儀行義는 以養
德也요 推己及物은 以養人也라

　이괘(頤卦)는 〈서괘전〉에 "물건이 모인 뒤에 기를 수 있으므로 이괘로 받았다."
하였다. 물건이 이미 모이면 반드시 길러줌이 있어야 하니, 길러줌이 없으면 생존
하고 번식할 수 없으니, 이괘가 이 때문에 대축괘(大畜卦☰)의 다음이 된 것이다.
괘가 위는 간(艮☶)이고 아래는 진(震☳)이어서 위아래의 두 양효(陽爻)가 가운
데에 있는 네 음(陰)을 포함하고, 위는 멈추고〔艮〕아래는 동하며〔震〕밖은 충실
하고 안은 비었으니, 사람의 턱〔頤頷〕의 상(象)이다. 이(頤)는 길러줌이니, 사람의
입은 마시고 먹어서 사람의 몸을 기르는 것이므로 이(頤)라 이름하였다.

　성인이 괘를 만들어서 기르는 뜻을 미룸(확대함)이 크게는 천지가 만물을 양육
(養育)하고 성인이 현자(賢者)를 길러 만민(萬民)에 미치는 데에까지 이르며, 또는
사람이 생명을 기르고 형체를 기르고 덕을 기르고 사람을 길러줌이 모두 이양(頤
養)의 방도이다. 동식(動息:동하고 쉼)을 절제하고 폄은 생명을 기름이요, 음식과 의
복은 형체를 기름이요, 위의(威儀)와 행의(行義)는 덕을 기름이요, 자기 마음을 미
루어 남에게 미침은 사람을 길러주는 것이다.

頤는 貞하면 吉하니 觀頤하며 自求口實이니라

　이(頤)는 정(貞)하면 길하니, 길러주며 스스로 구실(口實:음식)을 찾는
것을 살펴보아야 한다.

···　頤:기를 이, 턱 이　頷:턱 함

傳│ 頤之道以正則吉也라 人之養身、養德、養人、養於人을 皆以正道則吉也
라 天地造化가 養育萬物하여 各得其宜者 亦正而已矣라 觀頤自求口實은 觀人之
所頤와 與其自求口實之道하면 則善惡、吉凶을 可見矣리라

　　이(頤)의 방도는 정도(正道)로 하면 길하다. 사람이 몸을 기르고 덕을 기르고
남을 길러주고 남에게 길러지는 것을 모두 정도로 하면 길하다. 천지의 조화(造
化)가 만물을 양육해서 각각 마땅함을 얻게 하는 것 또한 정도일 뿐이다. '관이 자
구구실(觀頤自求口實)'은 사람이 길러주는 바와 스스로 구실(口實)을 찾는 방도를
보면 선·악과 길·흉을 볼 수 있는 것이다.

本義│ 頤는 口旁也니 口食物以自養이라 故爲養義라 爲卦上下二陽이 內含四陰
하니 外實內虛하고 上止下動은 爲頤之象, 養之義也라 貞吉者는 占者得正則吉이
라 觀頤는 謂觀其所養之道요 自求口實은 謂觀其所以養身之術이니 皆得正則吉
也라

　　이(頤)는 입가이니, 입은 음식물을 먹어서 스스로 기르는 것이므로 길러주는
뜻이 된 것이다. 괘됨이 위아래의 두 양(陽)이 안에 네 음(陰)을 포함하였으니, 밖
이 충실하고 안이 비었으며 위가 멈추고 아래가 동함은 턱의 상과 기르는 뜻이 된
다. '정길(貞吉)'은 점치는 자가 정도를 얻으면 길한 것이다. '관이(觀頤)'는 길러주
는 바의 방도를 살펴보는 것이요, '자구구실(自求口實)'은 자신을 기르는 바의 방법
을 살펴보는 것이니, 두 가지 모두 정도를 얻으면 길하다.

象曰 頤貞吉은 養正則吉也니 觀頤는 觀其所養也요 自求口實은
觀其自養也라

　　〈단전〉에 말하였다. "'이정길(頤貞吉)'은 기름이 바르면 길한 것이니, '관
이(觀頤)'는 길러주는 바를 살펴보는 것이요, '자구구실(自求口實)'은 스스
로 기름을 살펴보는 것이다.

傳│ 貞吉은 所養者正則吉也라 所養은 謂所養之人과 與養之之道요 自求口實은
謂其自求養身之道니 皆以正則吉也라

… 旁 : 곁 방 술 : 머금을 함

'정길(貞吉)'은 기르는 바가 바르면 길한 것이다. 기르는 바는 길러주는 바의 사람과 기르는 방도를 이르고, '자구구실(自求口實)'은 스스로 몸을 기르는 것을 구하는 방도를 이르니, 모두 정도(正道)로써 하면 길한 것이다.

本義 | 釋卦辭라

괘사(卦辭)를 해석하였다.

天地養萬物하며 **聖人**이 **養賢**하여 **以及萬民**하나니 **頤之時大矣哉**라

천지가 만물을 기르며 성인(聖人)이 현자(賢者)를 길러 만민(萬民)에게 미치니, 이(頤)의 때가 크다."

46

新譯 周易傳義 中

傳 | 聖人이 極言頤之道而贊其大라 天地之道는 則養育萬物이요 養育萬物之道는 正而已矣라 聖人則養賢才하여 與之共天位하여 使之食天祿하여 俾施澤於天下하니 養賢以及萬民也니 養賢은 所以養萬民也라 夫天地之中、品物之衆이 非養則不生이니 聖人이 裁成天地之道하고 輔相天地之宜하여 以養天下하여 至於鳥獸、草木히 皆有養之之政하여 其道配天地라 故夫子推頤之道하사 贊天地與聖人之功曰 頤之時大矣哉라하시니라 或云義, 或云用, 或止云時는 以其大者也니 萬物之生與養이 時爲大라 故云時라

성인(聖人)이 이(頤)의 방도를 극언하고 그 큼을 찬미하셨다. 천지의 도는 만물을 양육하고, 만물을 양육하는 도는 정도(正道)일 뿐이다. 성인은 현자(賢者)와 재주있는 이를 길러 더불어 천위(天位)를 함께 하여 그로 하여금 천록(天祿)을 먹게 해서 천하에 은택을 베풀게 하니, 이는 현자를 길러 만민(萬民)에게 미치는 것이니, 현자를 기름은 만민을 기르는 것이다.

천지의 가운데에 품물(品物:여러 종류의 물건)의 무리가 길러줌이 아니면 살지 못하니, 성인이 천지의 도를 재성(裁成)하고 천지의 마땅함을 보상(輔相)하여 천하를 길러서 조수(鳥獸)와 초목(草木)에 이르기까지 모두 기르는 정사가 있어 그 도(道)가 천지에 배합(配合)한다. 그러므로 부자(夫子)가 기르는 방도를 미루어 천지와 성인의 공(功)을 찬미하시기를 "이(頤)의 때가 크다."고 하신 것이다. 혹은 의(義)라 말하고 혹은 용(用)이라 말하고 혹은 다만 때[時]라고만 말한 것은 그 큰 것을

··· 裁 : 헤아릴 재, 재단할 재

가지고 말한 것이니, 만물을 낳음과 길러줌은 때가 크기 때문에 때라고 말한 것이다.

本義 | 極言養道而贊之라
　기르는 도를 극언하고 찬미한 것이다.

象曰 山下有雷頤니 君子以하여 **愼言語**하며 **節飮食**하나니라
　〈상전〉에 말하였다. "산 아래에 우레가 있음이 이(頤)이니, 군자가 보고서 언어를 삼가며 음식(飮食)을 절제한다."

傳 | 以二體言之하면 山下有雷하니 雷震於山下에 山之生物이 皆動其根荄(해)하고 發其萌芽하여 爲養之象이요 以上下之義言之하면 艮止而震動하니 上止下動은 頤頷之象〔一有也字〕이요 以卦形言之하면 上下二陽이 中含〔一无含字〕四陰하니 外實中虛는 頤口之象이니 口는 所以養身也라 故君子觀其象以養其身하여 愼言語以養其德하고 節飮食以養其體라 不唯就口取養〔一无養字〕義라 事之至近而所係至大者 莫過於言語、飮食也라 在身爲言語요 於天下則凡命令政敎出於身者皆是니 愼之則必當而无失이며 在身爲飮食이요 於天下則凡貨資財用養於人者皆是니 節之則適宜而无傷이라 推養之道하면〔一有則字〕養德、養天下 莫不然也라

　두 체(體)로 말하면 산 아래에 우레가 있으니, 우레가 산 아래에서 진동함에 산에서 자라는 물건이 모두 그 뿌리를 움직이고 싹을 돋아내어서 길러주는 상(象)이 되며, 상괘(上卦)와 하괘(下卦)의 뜻으로 말하면 간(艮)은 멈추고 진(震)은 동하니 위가 멈추고 아래가 움직임은 턱의 상이며, 괘의 형체로 말하면 위아래 두 양이 가운데에 네 음을 머금고(포함하고) 있으니, 밖이 충실하고 안이 빈 것은 턱과 입의 상이니, 입은 몸을 기르는 것이다. 그러므로 군자가 이 상을 보고서 몸을 길러서 언어를 삼가 덕을 기르고 음식을 절제하여 신체를 기르는 것이다.

　다만 입을 가지고 길러주는 뜻을 취하였을 뿐만 아니라, 일 중에 지극히 가깝고 관계되는 바가 지극히 큰 것은 언어와 음식보다 더한 것이 없다. 몸에 있어서는 언어가 되고, 천하에 있어서는 모든 명령과 정교(政敎)로 군주의 몸에서 나오는 것이 모두 해당되니, 이것들을 삼가면 반드시 합당하여 실수가 없을 것이다.

··· 荄 : 뿌리 해　芽 : 싹 아

몸에 있어서는 음식이 되고 천하에 있어서는 모든 화자(貨資)와 재용(財用)으로 사람을 길러주는 것이 모두 해당되니, 이것들을 절제하면 적당하여 상(傷)함이 없게 된다. 기르는 방도를 미루면 덕을 기르고 천하를 기름이 그렇지 않음이 없는 것이다.

本義 | 二者는 養德、養身之切務라

〈언어와 음식〉 두 가지는 덕을 기르고 몸을 기름에 간절한 일이다.

初九는 舍爾靈龜하고 觀我하여 朶(타)頤니 凶하니라

초구(初九)는 너의 신령스런 거북을 버리고 나를 보고서 턱을 늘어뜨리니, 흉하다.

傳 | 蒙之初六은 蒙者也니 爻乃主發蒙而言하고 頤之初九도 亦假外而言하니라 爾는 謂初也라 舍爾之靈龜하고 乃觀我而朶頤는 我는 對爾而設이라 初之所以朶頤者는 四也라 然非四謂之也요 假設之辭爾라 九는 陽體剛明하여 其才智足以養正者也라 龜能咽(인)息不食하니 靈龜는 喩其明智而可以不求養於外也라 才雖如是나 然以陽居動體하고 而在頤之時하니 求頤는 人所欲也라 上應於四하여 不能自守하고 志在上行하니 說所欲而朶頤者也라 心旣動이면 則其自失必矣니 迷欲而失己하고 以陽而從陰이면 則何所不至리오 是以凶也라 朶頤는 爲朶動其頤頷이니 人見食而欲之면 則動頤垂涎이라 故以爲象하니라

몽괘(蒙卦)의 초육(初六)은 몽매한 자이니, 효사(爻辭)에는 발몽(發蒙)을 위주하여 말하였고, 이괘(頤卦)의 초구(初九) 또한 밖(외괘(外卦))을 빌어 말하였다. '이(爾)'는 초(初)를 이른다. '너의 영구(靈龜)를 버리고 나를 보고서 턱을 늘어뜨린다'는 것의 나는 너(爾)를 상대하여 가설(假設)한 것이다.

초(初)가 턱을 늘어뜨리는 까닭은 사(四) 때문이다. 그러나 사(四)를 말한 것이 아니요, 가설한 말일 뿐이다. 구(九)는 양체(陽體)이고 강명(剛明)하여 재주와 지혜가 충분히 바름으로 기를 수 있는 자이다. 거북은 능히 목구멍으로 숨만 쉬고 먹지 않을 수 있으니, 신령스러운 거북은 그 밝고 지혜로워 밖에 길러주기를 구하지 않음을 비유한 것이다.

··· 朶 : 늘어질 타 咽 : 목구멍 인 迷 : 어두울 미 頷 : 턱 함 涎 : 침 연

초구의 재주가 비록 이와 같으나 양(陽)으로서 동(動)의 체(體)에 거하고 이(頤)의 때에 있으니, 길러주기를 구함은 사람이 바라는 바이다. 위로 사(四)에 응하여 스스로 지키지 못하고 뜻이 위로 감에 있으니, 하고자 하는 바를 좋아하여 턱을 늘어뜨리고 있는 자이다. 마음이 이미 움직이면 스스로 바름을 잃을 것이 틀림없으니, 욕심에 어두워 자기의 바름을 잃고 양(陽)으로서 음(陰)을 따른다면 무슨 짓인들 하지 않겠는가. 이 때문에 흉한 것이다. '타이(朵頤)'는 턱을 늘어뜨리고 움직이는 것이니, 사람이 음식을 보고 먹고 싶어 하면 턱을 움직이고 침을 흘리므로 이로써 상(象)을 삼은 것이다.

本義 | 靈龜는 不食之物이라 朵는 垂也니 朵頤는 欲食之貌라 初九陽剛在下하여 足以不食이어늘 乃上應六四之陰而動於欲하니 凶之道也라 故其象占如此하니라

신령스런 거북은 먹지 않고 사는 물건(동물)이다. '타(朵)'는 늘어뜨림이니, '타이(朵頤)'는 먹고 싶어 하는 모양이다. 초구(初九)는 양강(陽剛)으로 아래에 있어서 먹지 않고 살 수 있는데 도리어 위로 육사(六四)의 음에 응하여 욕심에 동요되니, 흉한 방도이다. 그러므로 그 상과 점이 이와 같은 것이다.

象曰 觀我朵頤하니 亦不足貴也로다

〈상전〉에 말하였다. "나를 보고서 턱을 늘어뜨리니, 또한 귀하게 여길 만하지 못하도다."

傳 | 九는 動體니 朵頤는 謂其說陰而志動이라 旣爲欲所動이면 則雖有剛健明智之才라도 終必自失이라 故其才亦不足貴也라 人之貴乎剛者는 爲其能立而不屈於欲也요 貴乎明者는 爲其能照而不失於正也니 旣惑所欲而失其正이면 何剛明之有리오 爲可賤也라

구(九)는 동체(動體)이니, 턱을 늘어뜨림은 음(陰)을 좋아하여 마음이 동함을 이른다. 이미 욕심에 동요되었다면 비록 강건(剛健)하고 명지(明智)한 재주가 있더라도 끝내 반드시 스스로 바름을 잃을 것이다. 그러므로 그 재주 또한 귀하게 여길 만하지 못한 것이다. 사람이 강(剛)함을 귀하게 여김은 능히 서서 욕심에 굽히지 않기 때문이요, 밝음을 귀하게 여김은 능히 비추어 바름을 잃지 않기 때문이

니, 이미 하고자 하는 바에 혹하여 그 바름을 잃었다면 무슨 강명(剛明)함이 있겠는가. 천하게 여길 만한 것이다.

六二는 顚頤⁹라 拂經이니 于丘에 頤하여 征하면 凶하리라

　육이(六二)는 전도(顚倒)되어 길러주기를 구하므로 경도(經道)에 위배되니, 언덕에게 길러주기를 구하여 가면 흉하리라.

本義 | 顚頤면 拂經이요 于丘頤면 征하여 凶하리라

　　전도되어 길러주기를 구하면 경도에 위배되고, 언덕에 길러주기를 구하면 가서 흉하리라.

傳 | 女不能自處하여 必從男하고 陰不能獨立하여 必從陽하나니 二陰柔로 不能自養하여 待養於人者也라 天子養天下하고 諸侯養一國하며 臣食君上之祿하고 民賴司牧之養은 皆以上養下니 理之正也라 二旣不能自養하니 必求養於剛陽이로되 若反下求於初면 則爲顚倒라 故云顚頤니 顚則拂違經常하여 不可行也라 若求養於丘면 則往必有凶이니 丘는 在外而高之物이니 謂上九也라 卦止二陽하니 旣不可顚頤于初요 若求頤于上九하여 往則有凶이라 在頤之時하여 相應則相養者也어늘 上非其應而往求養이면 非道妄動이니 是以凶也라 顚頤則拂經하여 不獲其養爾요 妄求於上하여 往則得凶也라 今有人이 才不足以自養이요 見在上者勢力足以養人하고 非其族類어늘 妄往求之하면 取辱得凶이 必矣라 六二中正하니 在他卦엔 多吉而凶은 何也오 曰 時然也라 陰柔로 旣不足以自養하고 初、上二爻 皆非其與라 故往求則悖理而得凶也라

　여자는 스스로 살지 못하여 반드시 남자를 따르고, 음은 독립하지 못하여 반드시 양을 따르니, 이(二)는 음유(陰柔)로서 능히 스스로 기르지 못하여 남에게 길러지기를 기다리는 자이다. 천자가 천하를 기르고 제후(諸侯)가 한 나라를 기르며, 신하가 군상(君上)의 록(祿)을 먹고 백성(百姓)이 사목(司牧;군주나 수령)의 기름에 의뢰함은 모두 위로서 아래를 길러주는 것이니, 바른 이치이다.

‥‥‥‥‥‥
9　顚頤: 퇴계는 '전도(顚倒)된 기름이다.'와 '기름에 전도되다.'의 두 가지로 해석하였는바, 아래의 육사(六四) 역시 그러하다. 《經書釋義》

‥‥　顚 : 뒤집힐 전　拂 : 어길 불　獲 : 얻을 획　牧 : 먹일 목

이(二)가 이미 스스로 기르지 못하니, 반드시 강양(剛陽)에게 길러지기를 구해야 할 것이나, 만약 도리어 아래로 초구(初九)에게 구하면 전도(顚倒)되므로 '전이(顚頤)'라 이른 것이니, 전도되면 경상(經常)의 도에 위배되어 행할 수가 없다. 만약 언덕에게 길러지기를 구한다면 감에 반드시 흉함이 있을 것이니, 구(丘)는 밖에 있으면서 높은 물건이니, 상구(上九)를 이른다. 이 괘는 다만 두 양효(陽爻) 뿐이니, 이미 전도되어 초구(初九)에게 길러지기를 바라도 안 되며, 만약 상구(上九)에게 길러지기를 구하여 가면 흉함이 있는 것이다.

이(頤)의 때에 있어 서로 응하면 서로 길러주는 자이나 상(上)은 응이 아닌데 가서 길러지기를 구한다면 도가 아니고 망령되이 동하는 것이니, 이 때문에 흉한 것이다. 전도되어 길러지기를 구하면 경도(經道)에 위배되어 기름을 얻지 못하고, 망령되이 위(상구(上九))에 구하여 가면 흉함을 얻는 것이다. 지금 어떤 사람이 자기 재주가 스스로 기를 수 없고, 위에 있는 자의 세력이 남을 길러줄 수 있음을 보고는, 같은 족류(族類)가 아닌데도 망령되이 가서 구한다면 욕을 취하고 흉함을 얻음이 필연적이다.

"육이(六二)는 중정하니, 다른 괘에 있어서는 길함이 많은데 여기서는 흉함은 어째서인가?" "때가 그러하기 때문이다. 음유(陰柔)로서 이미 스스로 기르지 못하고, 초구(初九)와 상구(上九) 두 효가 다 응여(應與)가 아니므로 가서 구하면 이치를 어겨 흉함을 얻는 것이다."

本義 | 求養於初면 則顚倒而違於常理요 求養於上이면 則往而得凶이라 丘는 土之高者니 上之象也라

초구(初九)에게 길러지기를 구하면 전도(顚倒)되어 떳떳한 이치에 위배되고, 상구(上九)에게 길러지기를 구하면 가서 흉함을 얻는다. '구(丘)'는 흙(땅)이 높은 것이니, 상구(上九)의 상(象)이다.

象曰 六二征凶은 行이 失類也라

〈상전〉에 말하였다. "육이(六二)가 가면 흉한 것은 감이 족류(族類;응(應))를 잃었기 때문이다."

傳ㅣ 征而從上則凶者는 非其類故也라 往求而失其類면 得凶宜矣라 行은 往也라

가서 상(上)을 따르면 흉한 것은 자기의 족류(族類)가 아니기 때문이다. 가서 구하되 족류를 잃는다면 흉함을 얻음이 당연하다. '행(行)'은 감이다.

本義ㅣ 初、上이 皆非其類也라

초구(初九)와 상구(上九)가 모두 족류가 아니다.

六三은 拂頤貞이라 凶하여 十年勿用이라 无攸利하니라

육삼(六三)은 기름의 정도(正道)에 위배되므로 흉하여 십 년이 되어도 쓰지 못하니, 이로운 바가 없다.

本義ㅣ 拂頤면 貞이라도 凶하여

기름에 위배되면 바르더라도 흉하여

傳ㅣ 頤之道는 唯正則吉이라 三以陰柔之質로 而處〔一有又字〕不中正하고 又在動之極하니 是柔邪不正而動者也라 其養如此면 拂違於頤之正道라 是以凶也라 得頤之正이면 則所養皆吉하여 求養, 養人則合於義요 自養則成其德이어늘 三乃拂違正道라 故戒以十年勿用이라 十은 數之終이니 謂終不可用이니 无所往而利也라

기르는 도(道)는 오직 바르게 하면 길하다. 삼(三)은 음유(陰柔)의 자질로 처함이 중정(中正)하지 못하고 또 동(動)의 극에 있으니, 이는 유사(柔邪)로 바르지 못하면서 동하는 자이다. 그 기름이 이와 같으면 기름의 정도(正道)에 위배되기 때문에 흉한 것이다. 기름의 정도를 얻으면 기르는 바가 모두 길하여, 남에게 길러지기를 구하거나 남을 길러주면 의(義)에 합하고 스스로 기르면 그 덕을 이룰 수 있는데, 삼(三)은 마침내 정도에 위배되기 때문에 10년이 되어도 쓰지 말라고 경계한 것이다. 십(十)은 수(數)의 끝으로 끝내 쓸 수 없음을 말한 것이니, 가는 바마다 이로움이 없다.

本義ㅣ 陰柔不中正하여 以處動極하니 拂於頤矣라 旣拂於頤면 雖正이나 亦凶이라 故其象占如此하니라

음유(陰柔)로 중정(中正)하지 못하면서 동(動)의 극에 처하였으니, 기름에 위배

되는 것이다. 이미 기름에 위배되었으면 비록 바르더라도 또한 흉하다. 그러므로 그 상(象)과 점(占)이 이와 같은 것이다.

象曰 十年勿用은 道大悖也라

〈상전〉에 말하였다. "십 년이 되어도 쓰지 못함은 도(道)에 크게 어긋나기 때문이다."

傳│ 所以戒終不可用은 以其所由之道 大悖義理也일새라

끝내 쓸 수 없다고 경계한 까닭은 행하는 바의 도가 의리(義理)에 크게 어긋나기 때문이다.

六四는 顚頤나 吉하니 虎視耽耽하며 其欲逐逐하면 无咎리라

육사(六四)는 전도(顚倒)되어 길러지기를 구하나 길하니, 범이 상대를 탐탐(耽耽)히 노려보듯 하며 그 하고자함이 쫓고 쫓아 계속되면 허물이 없으리라.

傳│ 四在人上하니 大臣之位어늘 六以陰居之하니 陰柔不足以自養이온 況養天下乎아 初九以剛陽居下하니 在下之賢也어늘 與四爲應하고 四又柔順而正하니 是能順於初하여 賴初之養也라 以上養下則爲順이어늘 今反求下之養하니 顚倒也라 故曰顚頤라 然己不勝其任에 求在下之賢而順從之하여 以濟其事면 則天下得其養이요 而己无曠敗之咎라 故爲吉也라 夫居上位者는 必有〔一作其〕才德威望하여 爲下民所尊畏면 則事行而衆心服從이요 若或下易(이)其上이면 則政出而人違하고 刑施而怨起하여 輕於陵犯이니 亂之由也라

사(四)가 사람(인위(人位))의 위에 있으니, 대신(大臣)의 자리인데 육사(六四)가 음으로 여기에 처하였으니, 음유(陰柔)로서 제자신도 기르지 못하는데 하물며 천하를 기르겠는가. 초구(初九)가 강양(剛陽)으로 아래에 처하였으니 아래에 있는 현자(賢者)인데, 사(四)와 응(應)이 되고 사(四)가 또 유순하고 바르니, 이는 능히 초(初)에게 순종하여 초(初)의 길러줌에 의뢰하는 것이다. 위에서 아래를 길러주면 순함이 되는데 이제 도리어 아랫사람에게 길러지기를 구하니, 이는 전도(顚倒)된

··· 耽 : 노려볼 탐　逐 : 쫓을 축　倒 : 뒤집어질 도　曠 : 비울 광

것이다. 그러므로 '전이(顚頤)'라 한 것이다. 그러나 자기가 임무를 감당하지 못함에 아래에 있는 현자를 구하여 순종해서 그 일을 이룬다면 천하가 길러짐을 얻고 자신은 임무를 버리거나 실패하는 허물이 없으므로 길함이 되는 것이 된다.

윗자리에 처한 자가 반드시 재덕(才德)과 위망(威望)이 있어서 하민(下民)들에게 존경과 두려움을 받는다면 일이 행해져서 사람들의 마음이 복종할 것이요, 만약 혹 아랫사람이 윗사람을 함부로 여기면 정사(政事)가 나옴에 백성들이 어기고 형벌이 베풀어짐에 원망이 일어나서 능멸하고 범하기를 가볍게 여길 것이니, 난(亂)이 일어나는 이유이다.

六四雖能順從剛陽하여 不廢厥職이나 然質本陰柔하여 賴人以濟하니 人之所輕이라 故必養其威嚴하여 耽耽然如虎視하면 則能重其體貌하여 下不敢易라 又從於人者는 必有常이니 若間或无繼면 則其政敗矣라 其欲은 謂所須用者니 必逐逐相繼而不乏이면 則其事可濟요 若取於人而无繼면 則困窮矣라 旣有威嚴하고 又所施不窮이라 故能无咎也라 二顚頤則拂經이어늘 四則吉은 何也오 曰 二는 在上而反求養於下하니 下非其應類라 故爲拂經이요 四則居上位하여 以貴下賤하여 使在〔一无在字〕下之賢으로 由己以行其道하여 上下之志相應하여 而〔一有澤字〕施於民하니 何吉如之리오 自三以下는 養口體者也요 四以上은 養德義者也라 以君而資養於臣하고 以上位而賴養於下는 皆養德也라

육사(六四)가 비록 강양(剛陽)에게 순종하여 그 직책을 폐하지 않으나 자질이 본래 음유(陰柔)여서 남에게 의뢰하여 이루니, 사람들이 경멸하는 바이다. 그러므로 반드시 자기의 위엄을 길러서 탐탐(耽耽)히 범이 노려보듯이 한다면 능히 그 체모(體貌)를 중히 하여 아랫사람들이 감히 함부로 대하지 못할 것이다.

또 남을 따르는 자는 반드시 항상함이 있어야 하니, 만약 혹 계속되지 못하면 정사가 무너진다. '기욕(其欲)'은 필요로 하여 쓰는 것이니, 반드시 쫓고 쫓아 서로 계속되고 다하지 않으면 일이 이루어질 것이요, 만약 남에게 취하되 계속되지 못하면 곤궁해질 것이다. 이미 위엄이 있고 또 베푸는 바가 다하지 않으므로 능히 허물이 없는 것이다.

"이(二)는 전도되어 길러지기를 구하면 경도(經道)에 위배되는데 사(四)는 길함은 어째서인가?" "이(二)는 위에 있으면서 도리어 아래(초구(初九))에게 길러지기를

구하니, 아래가 응류(應類)가 아니기 때문에 경도에 위배되는 것이요, 사(四)는 윗자리에 거하여 귀한 신분으로 천한 자에게 낮추어 아래에 있는 현자로 하여금 자기로 말미암아 그 도(道)를 행하게 해서 상·하의 뜻이 서로 응하여 백성에게 베풀어지니, 어떤 길함이 이만 하겠는가."

　삼(三)으로부터 이하는 구체(口體)를 기르는 자이고, 사(四) 이상은 덕의(德義)를 기르는 자이다. 군주로서 신하에게 기름을 의뢰하고, 윗자리에 있으면서 아래에게 기름을 의뢰함은 모두 덕을 기르는 것이다.

本義 │　柔居上而得正하고 所應又正而賴其養하여 以施於下라 故雖顚而吉이라 虎視眈眈은 下而專也요 其欲逐逐은 求而繼也니 又能如是則无咎矣라

　유(柔)가 위에 거하여 바름을 얻고 응하는 바(초구(初九))가 또 바르며 그의 기름을 의뢰하여 아래에 베풀기 때문에 비록 전도되나 길한 것이다. '호시탐탐(虎視眈眈)'은 아래에게 전일(專一)함이요, '기욕축축(其欲逐逐)'은 구하기를 계속함이니, 또 이와 같이 하면 허물이 없을 것이다.

象曰 顚頤之吉은 上施光也일새라

　〈상전〉에 말하였다. "전이(顚頤)의 길함은 위의 베풂이 빛나기 때문이다."

傳 │　顚倒求養而所以吉者는 蓋得剛陽之應하여 以濟其事하고 致己居上之德하여 施光明하여 被于天下하니 吉孰大焉이리오

　전도되어 길러지기를 구하나 길한 까닭은, 강양(剛陽)의 응(應;초구(初九))을 얻어서 그 일을 이루고, 높은 지위에 거한 자신의 덕(德)을 지극히 하여 광명(光明)함을 베풀어서 천하에 입혀지기 때문이니, 길함이 무엇이 이보다 크겠는가.

六五는 拂經이나 居貞하면 吉커니와 不可涉大川이니라

　육오(六五)는 경도(經道)에 위배되나 정고(貞固)함에 거하면 길하지만 대천(大川)을 건너서는 안 된다.

傳 │　六五는 頤之時에 居君位하니 養天下者也라 然其陰柔之質로 才不足以養天

下하고 上有剛陽之賢이라 故順從之하여 賴其養己以濟天下라 君者는 養人者也
어늘 反賴人之養하니 是違拂於經常이라 旣以己之不足하여 而順從於賢師傅하니
上은 師傅之位也니 必居守貞固하여 篤於委信이면 則能輔翼其身하여 澤及天下라
故吉也라 陰柔之質로 无貞剛之性이라 故戒以能居貞則吉이요 以陰柔之才로 雖
倚賴剛賢이나 能持循於平時요 不可處艱難變故之際라 故云不可涉大川也라 以
成王之才로 不至甚柔弱也로되 當管蔡之亂[10]하여 幾不保於周公이온 況其下者乎
아 故書曰 王亦未敢誚公[11]이라하니 賴二公하여 得終信이라 故艱險〔一作難〕之際는
非剛明之主면 不可恃也요 不得已而濟艱險者則有矣라 發此義者는 所以深戒於
爲君也요 於上九則據爲臣致身盡忠之道言이라 故不同也라

　　육오(六五)는 이(頤)의 때에 군위(君位)에 거하였으니, 천하를 기르는 자이다.
그러나 음유(陰柔)의 자질로 재주가 천하를 기를 수 없고, 위에 강양(剛陽)의 현자
(賢者)가 있으므로 그에게 순종하여 자기를 길러줌을 의뢰해서 천하를 구제한다.
군주는 사람을 길러주는 자인데 도리어 다른 사람의 길러줌에 의뢰하니, 이는 경
상(經常)에 위배되는 것이다.

　　이미 자기가 부족하여 어진 사부(師傅)에게 순종하니, 상(上)은 사부의 자리이
니, 반드시 정고(貞固)함에 거하고 지켜서 돈독히 위임하고 신임하면 그 몸을 보
익(輔翼)하여 은택이 천하에 미치므로 길한 것이다. 〈육오는〉 음유(陰柔)의 자질로
바르고 강(剛)한 성질이 없기 때문에 정(貞)에 거하면 길하다고 경계한 것이요, 음
유의 재주로 비록 강한 현자에게 의뢰하나 평상시에나 따를 수 있을 뿐이요, 어렵

・・・・・・
10　當管蔡之亂 : 관채(管蔡)는 관숙(管叔)인 선(鮮)과 채숙(蔡叔)인 도(度)로 주(周)나라 무왕(武
王)의 이우이고 성왕(成王)의 숙부(叔父)들이다. 무왕이 은(殷)나라의 주(紂)를 정벌하여 천하
를 통일한 다음 주(紂)의 아들 무경 녹보(武庚祿父)를 봉하여 은나라의 뒤를 잇게 하고 아우인 관
숙과 채숙 및 곽숙(霍叔)으로 하여금 은나라를 감시하게 하였다. 그 후 무왕이 죽고 나이어린 성
왕이 즉위하여 주공(周公)이 섭정하자, 관숙·채숙 등은 '주공이 어린 성왕을 해칠 것'이라는 유언
비어를 퍼뜨리고 마침내 무경과 함께 반란을 일으키니, 주공은 이들을 토벌하였는바, 이것을 '삼감
(三監)의 난(亂)'이라고 칭한다.

11　書曰 王亦未敢誚公 : 《서경(書經)》〈주서(周書) 금등(金縢)〉에 "무왕(武王)이 이미 별세하자,
관숙(管叔)이 여러 아우들과 함께 국내에 유언비어를 퍼트리기를 '주공(周公)이 장차 유자(孺子)
인 성왕(成王)에게 불리한 짓을 할 것이다.' 하고 반란하였다. 주공은 태공(太公)과 소공(召公) 두
분에게 고하기를 '내가 자리를 피하지 않으면 우리 선왕(先王)을 뵐 수 없다.' 하고 동쪽에 거한 지
2년에 죄인을 비로소 알게 되었다. 그 후 주공은 시(詩)를 지어 성왕에게 주고 편명을 치효(鴟鴞)
라 하니, 성왕 또한 감히 주공을 꾸짖지 못했다."라고 보인다.

・・・ 循 : 따를 순　管 : 대롱 관　蔡 : 나라이름 채　誚 : 꾸짖을 초　賴 : 힘입을 뢰

고 변고가 있는 즈음에는 대처할 수 없기 때문에 대천(大川)을 건너서는 안 된다고 말한 것이다.

성왕(成王)의 재질은 심히 유약함에 이르지 않았으나 관숙(管叔)과 채숙(蔡叔)의 난(亂)을 당하여 거의 주공(周公)을 보존하지 못하였는데, 하물며 그보다 못한 자에 있어서랴. 그러므로 《서경》〈금등(金縢)〉에 "성왕 또한 감히 공(公)을 꾸짖지 못했다."라고 말하였으니, 두 공(公:태공(太公)과 소공(召公))을 의뢰하여 끝내 믿음을 얻은 것이다. 이 때문에 간험(艱險)의 즈음은 강명(剛明)한 군주가 아니면 믿을 수 없으며, 〈유약한 군주라도〉 부득이하여 간험을 구제한 자는 있다. 이 뜻을 말한 것은 군주된 자를 깊이 경계하기 위한 것이고, 상구(上九)에 있어서는 신하가 되어 몸을 바쳐 군주에게 충성을 다하는 도리를 근거하여 말했으므로 이와 똑같지 않은 것이다.

本義 | 六五 陰柔不正으로 居尊位而不能養人하고 反賴上九之養이라 故其象占如此하니라

육오(六五)는 음유 불정(陰柔不正)으로 존위(尊位)에 거하여 사람(남)을 길러주지 못하고 도리어 상구(上九)의 길러줌에 의뢰하기 때문에 그 상(象)과 점(占)이 이와 같은 것이다.

象曰 居貞之吉은 順以從上也일새라

〈상전〉에 말하였다. "거정(居貞)의 길함은 순히 하여 상구(上九)를 따르기 때문이다."

傳 | 居貞之吉者는 謂能堅固順從於上九之賢하여 以養天下也라

정(貞)에 거하여 길한 것은 견고히 상구(上九)의 현자(賢者)에게 순종하여 천하를 기르기 때문임을 말한 것이다.

上九는 由頤니 厲하면 吉하니 利涉大川하니라

상구(上九)는 자신으로 말미암아 길러지니 위태롭게 여기면 길하니, 대천(大川)을 건넘이 이롭다.

傳 | 上九以剛陽之德으로 居師傅之任하고 六五之君이 柔順而從於己하여 賴己之養하니 是當天下之任이니 天下由之以養也라 以人臣而當是任이면 必常懷危厲則吉也니 如伊尹、周公이 何嘗不憂勤兢畏리오 故得終吉이라 夫以君之才不足하여 以倚賴於己하여 身當天下〔一有之字〕大任인댄 宜竭其才力하여 濟天下之艱危하고 成天下之治安이라 故曰利涉大川이라 得君如此之專하고 受任如此之重이어늘 苟不濟天下艱危면 何足稱委遇而謂之賢乎아 當盡誠竭力而不顧慮나 然惕厲則不可忘也니라

상구(上九)는 강양(剛陽)의 덕으로 사부(師傅)의 임무에 거하고 육오(六五)의 군주가 유순하여 자신을 따라 자신의 길러줌에 의뢰하니, 이는 천하의 임무를 담당한 것이니, 천하가 자기로 말미암아 길러지는 것이다. 인신(人臣)으로서 이 임무를 담당하였으면 반드시 항상 위태로운 마음을 품으면 길하니, 이윤(伊尹)과 주공(周公)과 같은 분이 어찌 일찍이 근심하고 수고로우며 조심하고 두려워하지 않았겠는가. 그러므로 끝내 길함을 얻은 것이다.

군주의 재주가 부족한 까닭에 군주가 자기에게 의뢰하여 자신이 천하의 대임(大任)을 감당하였다면 마땅히 재주와 힘을 다해서 천하의 어려움과 위태로움을 구제하고 천하의 치안(治安)을 이루어야 한다. 그러므로 '대천(大川)을 건넘이 이롭다.'고 말한 것이다.

군주의 신임을 얻음이 이와 같이 전일(專一)하고 임무를 맡음이 이와 같이 무거운데, 만일 천하의 어려움과 위태로움을 구제하지 못한다면 어찌 맡기고 예우함에 걸맞아서 어질다고 이르겠는가. 마땅히 정성을 다하고 힘을 다하여 자기 몸을 돌보거나 생각하지 말아야 할 것이다. 그러나 두려워하고 위태롭게 여김을 잊어서는 안 된다.

本義 | 六五賴上九之養하여 以養人하니 是物由上九以養也라 位高任重이라 故厲而吉이요 陽剛在上이라 故利涉川이라

육오(六五)가 상구(上九)의 길러줌에 의뢰하여 사람을 기르니, 이는 남이 상구로 말미암아 길러지는 것이다. 지위가 높고 임무가 무겁기 때문에 위태롭게 여기면 길하며, 양강(陽剛)으로 위에 있기 때문에 내를 건넘이 이로운 것이다.

象曰 由頤厲吉은 大有慶也라

〈상전〉에 말하였다. "'유이려길(由頤厲吉)'은 크게 복경(福慶)이 있는 것
이다."

傳 | 若上九之當大任如是하고 能兢畏如是하여 天下被其德澤이면 是大有福慶
也라

　만약 상구(上九)가 큰 임무를 담당하기를 이와 같이 하고 조심하고 두려워하기
를 이와 같이 하여 천하가 덕택을 입는다면 이는 크게 복경(福慶)이 있는 것이다.

傳 │ 大過는 序卦曰 頤者는 養也니 不養則不可動이라 故受之以大過라하니라 凡
物은 養而後能成이니 成則能動하고 動則有過하나니 大過所以次頤也라 爲卦上兌
下巽하니 澤在木上은 滅木也라 澤者는 潤養於木이어늘 乃至滅没於木하니 爲大過
之義라 大過者는 陽過也라 故爲大者過와 過之大와 與大事過也니 聖賢道德功業
이 大過於人과 凡事之大過於常者 皆是也라 夫聖人은 盡人道하니 非過於理也요
其制事以天下之正理하나니 矯失之用에 小過於中者則有之하니 如行過乎恭, 喪
過乎哀, 用過乎儉[12]이 是也라 蓋矯之小過而後에 能及於中이니 乃求中之用也라
所謂大過者는 常事之大者耳니 非有過於理也라 唯其大故로 不常見이니 以其比
常所見者大故로 謂之大過라 如堯舜之禪讓과 湯武之放伐[13]은 皆由〔一有此字〕道
也니 道는 无不中, 无不常이로되 以世人所不常〔一作嘗〕見故로 謂之大過於常也라

　　대과괘(大過卦)는 〈서괘전〉에 "이(頤)는 기름이니, 기르지 않으면 동(動)할 수 없
으므로 대과괘로 받았다." 하였다. 모든 물건은 기른 뒤에 이루어지니, 이루어지
면 동하고 동하면 과(過)함이 있으니, 대과괘가 이 때문에 이괘(頤卦☲)의 다음이
된 것이다. 괘됨이 위는 태(兌☱)이고 아래는 손(巽☴)이니, 못〔兌〕이 나무〔巽〕
위에 있음은 나무를 없애는 것이다. 못은 나무를 적셔 주고 길러주는 것인데 도리
어 나무를 침몰시켜 멸하여 없앰(죽게 함)에 이르니, 대과(大過)의 뜻이 된다. 대과
는 양(陽)이 과한 것이다. 그러므로 큰 것이 지나침과 지나침이 큰 것과 대사(大事)
가 지나침이 되니, 성현(聖賢)의 도덕(道德)과 공업(功業)이 일반인보다 크게 뛰어

• • • • • •

12　行過乎恭 喪過乎哀 用過乎儉 : 이 내용은 아래 소과괘(小過卦) 〈대상전(大象傳)〉에 보인다.

13　如堯舜之禪讓 湯武之放伐 : 선양(禪讓)은 제왕의 자리를 선위(禪位)하여 물려주는 것으로 요
(堯)는 순(舜)에게, 순은 우(禹)에게 제위(帝位)를 물려주었다. 방벌(放伐)은 포악한 군주를 추방
하여 유치(幽置)하고 정벌하는 것으로 상(商)나라의 탕왕(湯王)은 폭군인 하(夏)나라의 걸(桀)을
남소(南巢)에 유치하였고, 주(周)나라의 무왕(武王)은 폭군인 은(殷)나라의 주(紂)를 정벌하여
목야(牧野)에서 불타죽게 하였다.

• • •　矯 : 바로잡을 교　禪 : 자리전할 선　放 : 내칠 방

난 것과 모든 일이 보통보다 크게 뛰어남이 다 이것이다.

성인은 인도(人道)를 다하니 이치에 지나친 것이 아니요, 일을 할 때에 천하의 정리(正理)로써 한다. 그러나 잘못을 바로잡는 쓰임에 중(中)보다 조금 과하게 하는 경우가 있으니, 행실에 공손을 과하게 함과 상(喪)에 슬픔을 과하게 함과 씀에 검소함을 과하게 함과 같은 것이 이것이다. 바로잡기를 조금 과하게 한 뒤에야 능히 중(中)에 미칠 수 있으니, 이는 바로 중을 구하는 용(用)이다.

이른바 '대과(大過)'라는 것은 평상적인 일 중에 큰 것이니, 이치에 과함이 있는 것이 아니다. 다만 크기 때문에 항상 볼 수가 없으니, 항상 보는 바에 비하여 크기 때문에 '대과'라 이른 것이다. 요(堯)·순(舜)의 선양(禪讓)과 탕(湯)·무(武)의 방벌(放伐)과 같은 것은 모두 도(道)를 따른 것이니, 도는 중(中) 아님이 없고 떳떳함 아님이 없으나, 세상 사람들이 항상 보지 못하는 바이기 때문에 보통보다 크게 과(過)하다고 이른 것이다.

大過는 棟이 橈(뇨)니 利有攸往하여 亨하니라
　대과(大過)는 들보가 휘어짐(꺾임)이니, 가는 바를 둠이 이로워 형통하다.

傳 | 小過는 陰過於上下요 大過는 陽過於中이니 陽過於中而上下弱矣라 故爲棟橈之象이라 棟은 取其勝重이니 四陽이 聚於中하니 可謂重矣라 九三、九四皆取棟象하니 謂任重也라 橈는 取其本末弱하니 中强而本末弱이라 是以橈也〔一作(橈)〔撓〕取其中强而本末弱 本末弱 是以撓也〕라 陰弱而陽强하여 君子盛而小人衰라 故利有攸往而亨也라 棟을 今人謂之檁(름)이라

소과(小過 ䷽)는 음(陰)이 위와 아래에 과한 것이요, 대과(大過)는 양(陽)이 가운데에 과한 것이니, 양이 가운데에 과해서 위와 아래가 약하다. 그러므로 들보가 휘어지는 상(象)이 되는 것이다. 들보기둥은 무거운 것을 감당함을 취한 것이니, 네 양이 가운데에 모였으니, 무겁다고 이를 만하다. 구삼(九三)과 구사(九四)가 모두 들보의 상을 취하였으니, 짐이 무거움을 이른다. 기둥이 휘어짐[橈]은 밑둥과 끝이 약함을 취한 것이니, 가운데가 강하고 밑둥과 끝이 약하기 때문에 휘어지는 것이다. 음이 약하고 양이 강하여 군자가 성하고 소인이 쇠하기 때문에 가는 바를 둠이 이로워 형통한 것이다. '동(棟)'을 지금 사람들은 '들보기둥[檁]'이라 이른다.

··· 棟 : 기둥 동　橈 : 휠 뇨　檁 : 들보기둥 름

本義│ 大는 陽也니 四陽이 居中過盛이라 故爲大過요 上下二陰이 不勝其重이라 故有棟橈之象이라 又以四陽雖過나 而二、五得中하고 內巽外說하여 有可行之道라 故利有所往而得亨也라

대(大)는 양(陽)이니, 네 양이 가운데에 거하여 지나치게 성하므로 대과(大過)라 하였고, 위와 아래의 두 음이 그 무거움을 감당하지 못하므로 들보기둥이 휘어지는 상이 있는 것이다. 또 네 양이 비록 과하나 이(二)와 오(五)가 중(中)을 얻었고, 안(내괘)은 공손하고 밖(외괘)은 기뻐하여 행할 만한 도(道)가 있기 때문에 가는 바를 둠이 이로워 형통한 것이다.

彖曰 大過는 大者過也요

〈단전(彖傳)〉에 말하였다. "대과(大過)는 큰 것(양(陽))이 과함이요

傳│ 大者過는 謂陽過也니 在事에 爲事之大者過와 與其過之大라

'대자과(大者過)'는 양(陽)이 과함을 이르니, 일에 있어서는 일의 큰 것이 과하거나 또는 과함이 큰 것이 된다.

本義│ 以卦體로 釋卦名義라

괘체(卦體)로써 괘명(卦名)의 뜻을 해석하였다.

棟橈는 本末이 弱也라

들보기둥이 휘어짐은 밑둥과 끝이 약하기 때문이다.

傳│ 謂上下二陰衰弱이라 陽盛則陰衰라 故爲大者過라 在小過則曰小者過라하니 陰過也라

위와 아래의 두 음(陰)이 쇠약함을 이른다. 양이 성하면 음이 쇠하므로 큰 것이 과함이 된 것이다. 소과괘(小過卦 ䷽)에 있어서는 "작은 것이 과하다."고 말하였으니, 이는 음이 과한 것이다.

本義│ 復以卦體로 釋卦辭라 本은 謂初요 末은 謂上이요 弱은 謂陰柔라

··· 巽 : 공손할 손

다시 괘체(卦體)로써 괘사(卦辭)를 해석하였다. '본(本)'은 초육(初六)을 이르고, '말(末)'은 상육(上六)을 이르며, '약(弱)'은 음유(陰柔)를 이른다.

剛過而中하고 巽而說行이라 利有攸往하여 乃亨하니

강(剛)이 과하나 중(中)하고, 공손하고 기쁨으로 행하므로 가는 바를 둠이 이로워 형통하니,

傳 │ 言卦才之善也라 剛雖過나 而二、五皆得中하니 是處不失〔不失一作得〕中道也라 下巽上兌하니 是는 以巽順和說之道而行也니 在大過之時하여 以中道巽說而行이라 故利有攸往하니 乃所以能亨也라

괘의 재질이 선(善)함을 말하였다. 강(剛)이 비록 과하나 이(二)와 오(五)가 모두 중(中)을 얻었으니, 이는 처함이 중도(中道)를 잃지 않은 것이다. 아래는 손(巽)이고 위는 태(兌)이니, 이는 손순(巽順)과 화열(和說)의 도로 행함이다. 대과(大過)의 때에 있어서 중도(中道)와 손순·화열로 행하기 때문에 가는 바를 둠이 이로운 것이니, 이는 바로 형통할 수 있는 것이다.

本義 │ 又以卦體卦德으로 釋卦辭라

또 괘체(卦體)와 괘덕(卦德)으로써 괘사(卦辭)를 해석하였다.

大過之時大矣哉라

대과(大過)의 때가 크다."

傳 │ 大過之時에 其事甚大라 故贊之曰大矣哉라하니 如立非常之大事와 興不世之大功과 成絕俗之大德이 皆大過之事也라

대과(大過)의 때에 그 일이 심히 크기 때문에 찬미하기를 '대의재(大矣哉)'라 하였으니, 비상한 큰 일을 세움과 세상에 보기 드문 큰 공(功)을 일으킴과 세속에 뛰어난 큰 덕(德)을 이루는 것이 모두 대과의 일이다.

本義 │ 大過之時엔 非有大過人之材면 不能濟也라 故歎其大하니라

대과(大過)의 때에는 보통 사람보다 크게 뛰어난 재주가 있는 자가 아니면 구제할 수 없으므로 그 큼을 찬미한 것이다.

象曰 澤滅木이 大過니 君子以하여 獨立不懼하며 遯世无悶하나니라
〈상전〉에 말하였다. "못이 나무를 없애는 것이 대과(大過)이니, 군자가 보고서 홀로 서서 두려워하지 않으며, 세상을 피하여 은둔하여도 근심하지 않는다."

傳ㅣ 澤은 潤養於木者也어늘 乃至滅没於木하니 則過甚矣라 故爲大過라 君子觀大過之象하여 以立其大過人之行하나니 君子所以大過人者는 以其能獨立不懼하고 遯世无悶也일새라 天下非之而不顧는 獨立不懼也요 擧世不見知而不悔는 遯世无悶也라 如此然後能自守니 所以爲大過人〔一无人字〕也라
　　못은 나무를 적셔주고 길러주는 것인데 도리어 나무를 멸하고 없앰에 이르니, 과함이 심한 것이다. 그러므로 대과(大過)라 한 것이다. 군자가 대과의 상(象)을 보고서 보통사람보다 크게 뛰어난 행실을 세우니, 군자가 보통사람보다 크게 뛰어난 까닭은, 그 능히 홀로 서서 두려워하지 않고 세상을 피하여 은둔하여도 근심함이 없기 때문이다. 천하가 비난하여도 돌아보지 않음은 홀로 서서 두려워하지 않음이요, 온 세상이 인정해 주지 않아도 뉘우치지 않음은 세상을 피하여 은둔하여도 근심함이 없는 것이다. 이와 같이 한 뒤에야 스스로 지킬 수 있으니, 이 때문에 보통 사람보다 크게 뛰어남이 되는 것이다.

本義ㅣ 澤滅於木은 大過之象也요 不懼无悶은 大過之行也라
　　못이 나무를 없앰은 대과(大過)의 상(象)이요, 두려워하지 않고 근심함이 없음은 대과의 행실이다.

初六은 藉用白茅니 无咎하니라
　　초육(初六)은 깔되 흰 띠풀을 사용함이니, 허물이 없다.

傳ㅣ 初以陰柔로 巽體而處下하니 過於畏慎者也라 以柔在下는 用茅藉物之象이

니 不錯(措)諸地而藉以茅는 過於愼也라 是以无咎라 茅之爲物雖薄이나 而用可重者는 以用之能成敬愼之道也니 愼守斯術而行이면 豈有失乎아 大過之用也라 繫辭云 苟錯諸地라도 而可矣어늘 藉之用茅하니 何咎之有리오 愼之至也라 夫茅之爲物이 薄이나 而用은 可重也니 愼斯術也하여 以往이면 其无所失矣라하니 言敬愼之至也라 茅雖至薄之物이나 然用之可甚重이라 以之藉薦이면 則爲重愼之道니 是用之重也라 人之過於敬愼은 爲之非難이나 而可以保其安而无過하니 苟能愼〔一有思字〕斯道하여 推而行之於事하면 其无所失矣리라

초(初)가 음유(陰柔)로서 손체(巽體)이면서 아래에 처하였으니, 두려워하고 삼감을 과하게 하는 자이다. 유(柔)로서 아래에 있음은 띠풀을 사용하여 물건에 까는 상(象)이니, 물건을 땅에 그대로 놓지 않고 띠풀을 까는 것은 삼감을 과하게 하는 것이다. 이 때문에 허물이 없는 것이다. 띠풀의 물건이 비록 하찮으나 쓰임이 중(重)한 것은 이것을 사용하여 경신(敬愼)의 도(道)를 이룰 수 있기 때문이니, 이 방법을 삼가 지켜서 행하면 어찌 잘못이 있겠는가. 이것이 대과(大過)의 용(用;쓰임)이다.

〈계사전 상〉에 이르기를 "만일 물건을 땅에 그대로 놓더라도 가(可)한데, 깔되 띠풀을 사용하니 무슨 허물이 있겠는가. 삼감이 지극한 것이다. 띠풀이란 물건은 비록 하찮으나 쓰임은 중하니, 이 방법을 삼가서 가면 잘못되는 바가 없을 것이다." 하였으니, 공경과 삼감이 지극함을 말한 것이다.

띠풀은 지극히 하찮은 물건이나 쓰임은 매우 중하다. 이것을 가지고 물건의 밑에 깔면 신중히 하는 방도가 되니, 이는 쓰임이 중한 것이다. 사람이 경신(敬愼)을 과하게 함은 하기 어려운 것이 아니나 편안함을 보존하여 허물이 없을 수 있으니, 만약 이 방법을 삼가서 미루어 일에 행한다면 잘못되는 바가 없을 것이다.

本義 | 當大過之時하여 以陰柔居巽下하니 過於畏愼而无咎者也라 故其象占如此라 白茅는 物之潔者라

대과(大過)의 때를 당하여 음유(陰柔)로 손(巽)의 아래에 거하였으니, 두려워하고 삼가기를 지나치게 하여 허물이 없는 자이다. 그러므로 그 상(象)과 점(占)이 이와 같은 것이다. 흰 띠풀은 물건의 깨끗한 것이다.

••• 錯 : 둘 조 薦 : 깔 천

象曰 藉用白茅는 柔在下也라

〈상전〉에 말하였다. "'자용백모(藉用白茅)'는 유(柔)가 아래에 있기 때문이다."

傳│ 以陰柔處卑下之道는 唯當過於敬愼而已라 以柔在下는 爲以茅藉物之象이니 敬愼之道也라

음유(陰柔)로 비하(卑下)에 처하는 방도는 오직 경신(敬愼)을 과하게(지나치게) 할 뿐이다. 유(柔)로서 아래에 있음은 띠풀을 물건에 까는 상이 되니, 공경하고 삼가는 방도이다.

九二는 枯楊이 生稊(제)하며 老夫得其女妻니 无不利하니라

구이(九二)는 마른 버드나무에 뿌리가 생기며, 늙은 지아비가 여처(女妻;젊은 아내)를 얻으니, 이롭지 않음이 없다.

傳│ 陽之大過에 比陰則合이라 故二與五皆有生象이라 九二當大過之初하여 得中而居柔하고 與初密比而相與라 初旣切比於二하고 二復无應於上하니 其相與可知라 是剛過之人而能以中自處하고 用柔相濟者也라 過剛則不能有所爲는 九三是也요 得中用柔면 則能成大過之功은 九二是也라 楊者는 陽氣易感之物이니 陽過則枯矣니 楊枯槁而復生稊면 陽過而未至於極也라 九二陽過而與初는 老夫得女妻之象이니 老夫而得女妻면 則能成生育之功이라 二得中居柔而與初라 故能復生稊而无過極之失하여 无所不利也라 在大過에 陽爻居陰則善하니 二與四是也로되 二不言吉하고 方言无所不利는 未遽至吉也일새라 稊는 根也라 劉琨勸進表[14]云 生繁華於枯荑라하니 謂枯根也라 鄭玄易[15]에 亦作荑字하니 與稊同이라

‧‧‧‧‧‧
14 劉琨勸進表:유곤(劉琨)은 자(字)가 월석(越石)으로 진(晉)나라 민제(愍帝) 때에 사공(司空)에 임명되었는데, 오호(五胡)의 난(亂)에 민제가 흉노(匈奴)에게 잡혀가 시해 당하자, 유곤 등은 강동(江東)에 있던 사마예(司馬睿)에게 제위(帝位)에 오를 것을 권하였는바, 권진표(勸進表)는 바로 제위에 오를 것을 권하는 표문이다. 그 후 사마예는 마침내 강동에서 즉위하여 국통(國統)을 이으니, 이가 곧 동진(東晉)의 원제(元帝)이다.
15 鄭玄易:정현(鄭玄)은 후한(後漢) 말기의 학자로 자(字)가 강성(康成)인데 경전(經典)을 널리

‧‧‧ 枯:마를 고 楊:버들 양 稊:뿌리 제 比:가까울 비 琨:구슬 곤 荑:싹틀 제, 뿌리 제

양(陽)이 크게 과(過)함에 음(陰)을 가까이 하면 합하므로 이(二)와 오(五)가 모두 낳는 상(象)이 있는 것이다. 구이(九二)가 대과(大過)의 초기를 당하여 중(中)을 얻었고 유위(柔位)에 거하였으며 초(初)와 매우 가까워 서로 더불고 있다. 초육(初六)이 이미 구이(九二)와 매우 가까이 있고 구이(九二)가 다시 위에 응이 없으니, 서로 친함을 알 수 있다. 이는 강(剛)함이 지나친 사람인데 중도(中道)로 자처하고 유(柔)를 써서 서로 구제하는 자이다. 지나치게 강하면 무슨 일을 할 수 없음은 구삼(九三)이 이것이요, 중을 얻고 유(柔)를 쓰면 대과(大過)의 공(功)을 이룰 수 있음은 구이(九二)가 이것이다.

버드나무는 양기(陽氣)가 감동시키기 쉬운 물건이니, 양이 과하면 마른다. 버드나무가 말랐다가 다시 뿌리가 생겼다면 양이 과하나 극에 이르지는 않는 것이다. 구이(九二)가 양이 과하나 초육(初六)과 친함은 노부(老夫)가 여처(女妻)를 얻는 상이니, 노부로서 여처를 얻으면 〈자식을〉 생육하는 공(功)을 이룰 수 있다. 구이(九二)는 중을 얻고 유(柔)에 거하며 초육(初六)과 친하기 때문에 다시 뿌리가 나고 극도로 지나친 잘못이 없어서 이롭지 않음이 없는 것이다.

대과(大過)에 있어서는 양효(陽爻)가 음위(陰位)에 거하면 좋으니 이(二)와 사(四)가 이 경우이나, 이(二)에서는 길함을 말하지 않고 막 이롭지 않음이 없다고 말한 것은 대번에 길함에 이를 수 없기 때문이다. '제(稊)'는 뿌리이니, 유곤(劉琨)의 〈권진표(勸進表)〉에 "화려한 꽃이 마른 뿌리[枯荑]에서 난다." 하였으니, 마른 뿌리를 이른 것이다. 정현(鄭玄)의 역(易)에도 제(荑) 자로 되어 있으니, 제(稊)와 같다.

本義 | 陽過之始而比初陰이라 故其象占如此라 稊는 根也니 榮於下者也니 榮於下則生於上矣라 夫雖老而得女妻면 猶能成生育之功也라

양이 과한 초기에 초(初)의 음과 가까이 있기 때문에 그 상(象)과 점(占)이 이와 같은 것이다. '제(稊)'는 뿌리이니, 아래에서 영화로운(뿌리가 나옴) 것이니, 아래에서 영화로우면 위에서 〈잎과 꽃이〉 생겨난다. 지아비가 비록 늙었으나 여처(女妻)

통달하여 많은 주석을 내었는바, 역(易)은 그가 주해(註解)한 《주역》을 가리킨다. 그러나 지금은 대부분 전하지 않는다.

를 얻으면 오히려 생육(生育)하는 공(功)을 이룰 수 있는 것이다.

象曰 老夫女妻는 過以相與也라
　〈상전〉에 말하였다. "노부와 여처는 과하게 서로 더부는(친하는) 것이다."

傳ㅣ　老夫之說少女와 少女之順老夫는 其相與過於常分이니 謂九二、初六陰陽相與之和 過於常也라
　노부(老夫)가 소녀(少女)를 좋아함과 소녀가 노부에게 순종함은 그 서로 더붊이 보통의 분수보다 과한 것이니, 구이(九二)와 초육(初六)은 음·양이 서로 더부는 화함이 보통보다 지나침을 말한 것이다.

九三은 棟橈(뇨)니 凶하니라
　구삼(九三)은 들보기둥이 휘어짐이니, 흉하다.

傳ㅣ　夫居大過之時하여 興大過之功하고 立大過之事는 非剛柔得中하여 取於人以自輔면 則不能也라 旣過於剛强이면 則不能與人同이니 常常之功도 尙不能獨立이온 況大過之事乎아 以聖人之才로도 雖小事나 必取於人하니 當天下之大任이면 則可知矣라 九三이 以大過之陽으로 復以剛自居而不得中하니 剛過之甚者也라 以過甚之剛으로 動則違於中和而拂於衆心하니 安能當大過之任乎아 故不勝其任하니 如棟之橈하여 傾敗其室이라 是以凶也라 取棟爲象者는 以其无輔而不能勝重任也일새라 或曰 三은 巽體而應於上하니 豈无用柔之象乎아 曰 言易者는 貴乎識勢之重輕、時之變易이라 三居過而用剛하고 巽旣終而且變하니 豈復有用柔之義리오 應者는 謂志相從也어늘 三方過剛하니 上能繫其志乎아
　대과(大過)의 때에 거하여 대과의 공을 일으키고 대과의 일을 세우는 것은 강(剛)·유(柔)가 중(中)을 얻어 다른 사람에게서 취하여 스스로 돕는 경우가 아니면 불가능하다. 이미 강강(剛强)에 과하면 남과 더불어 함께 하지 못하니, 보통의 공도 오히려 홀로 세울 수 없는데 하물며 대과(大過)의 일에 있어서랴. 성인(聖人)의 재주를 갖고도 비록 작은 일이나 반드시 남에게서 취하니, 천하의 큰 임무를 담당하였다면 〈반드시 남에게서 취함을〉 알 수 있다.

구삼(九三)이 대과(大過)의 양(陽)으로서 다시 강(剛)함으로 자처하여 중을 얻지 못하였으니, 강이 과함이 심한 자이다. 심하게 과한 강으로 동하면 중화(中和)를 어겨 사람들의 마음을 거스르니, 어찌 능히 대과의 임무를 감당하겠는가. 그러므로 그 임무를 이겨내지 못하니, 들보기둥이 휘어져서 그 집을 기울게 하고 무너뜨리는 것과 같으니, 이 때문에 흉한 것이다. 들보기둥을 취하여 상을 삼은 것은 도와주는 사람이 없어서 혼자서 무거운 임무를 감당할 수 없기 때문이다.

　　혹자는 말하기를 "삼(三)은 손체(巽體)로 상육(上六)과 응하니, 어찌 유(柔)를 쓰는 상(象)이 없겠는가." 하기에 다음과 같이 대답하였다. "역(易)을 말하는 자는 세(勢)의 경중(輕重)과 때의 변역(變易)을 아는 것을 귀하게 여긴다. 삼(三)은 과(過)한 때에 거하여 강(剛)을 쓰고 손(巽)이 이미 끝나 장차 변하게 되었으니, 어찌 다시 유(柔)를 쓰는 뜻이 있겠는가. 응은 뜻이 서로 따름을 이르는데 삼(三)이 막 과(過)하게 강(剛)하니, 상육(上六)이 그의 뜻을 붙잡아 맬 수 있겠는가."

本義 | 三、四二爻 居卦之中하니 棟之象也라 九三이 以剛居剛하여 不勝其重이라 故象橈而占凶이니라

　　삼(三)과 사(四) 두 효(爻)가 괘의 가운데에 거하였으니, 들보 기둥의 상(象)이다. 구삼(九三)이 강효(剛爻)로 강위(剛位)에 거하여 그 무거움을 감당하지 못하므로 상(象)은 휘어짐이 되고 점(占)은 흉한 것이다.

象曰 棟橈之凶은 不可以有輔也일새라

　　〈상전〉에 말하였다. "동뇨(棟橈)의 흉함은 돕는 이가 있을 수 없기 때문이다."

傳 | 剛强之過면 則不能取於人하고 人亦不能〔一作肯〕親輔之하니 如棟橈折하여 不可支輔也리 棟은 當室之中하여 不可加助하니 是不可以有輔也라

　　강강(剛强)이 지나치면 남에게서 취하지 못하고 남들 또한 친히 돕지 못하니, 마치 들보기둥이 휘어지고 부러져서 지탱하고 돕지 못하는 것과 같다. 들보기둥은 방의 한 가운데를 당하여 도움을 가할 수 없으니, 이는 돕는 이가 있을 수 없는 것이다.

・・・ 折 : 꺾을 절 支 : 버틸지

九四는 棟隆이니 吉커니와 有它(他)면 吝하리라

구사(九四)는 들보기둥이 높으니 길하나, 딴 마음을 두면 하찮게 여길 만하리라.

傳│ 四居近君之位하니 當大過之任者也라 居柔는 爲能用柔相濟요 旣不過剛이면 則能勝其任이니 如棟之隆起라 是以吉也니 隆起는〔一有兼字〕取不下橈之義라 大過之時엔 非陽剛이면 不能濟요 以剛處柔는 爲得宜矣니 若又與初六之陰相應이면 則過也라 旣剛柔得宜어늘 而志復應陰이면 是有它也니 有它則有累於剛이니 雖未至於大害나 亦可吝也라 蓋大過之時엔 動則過也라 有它는 謂更有它志요 吝은 爲不足之義니 謂可少也라 或曰 二比初則无不利어늘 四若應初則爲吝은 何也오 曰 二得中而比於初는 爲以柔相濟之義요 四與初爲正應하니 志相繫者也라 九旣居四하여 剛柔得宜矣어늘 復牽繫於陰하여 以害其剛이면 則可吝也라

사(四)는 군주와 가까운 자리에 거하였으니, 대과(大過)의 임무를 담당한 자이다. 유위(柔位)에 거함은 능히 유(柔)를 써서 서로 구제함이 되고, 이미 지나치게 강하지 않으면 그 임무를 감당할 수 있으니, 들보기둥이 높이 솟은 것과 같다. 이 때문에 길하니, 높이 솟았다는 것은 아래가 휘어지지 않는 뜻을 취한 것이다.

대과(大過)의 때에는 양강(陽剛)이 아니면 구제할 수 없고, 강(剛)으로 유(柔;음위(陰位))에 처함은 마땅함을 얻음이 되니, 만약 또다시 초육(初六)의 음과 서로 응하면 지나침이 된다. 이미 강(剛)·유(柔)가 마땅함을 얻었는데, 뜻이 다시 음에 응하면 이는 딴 마음이 있는 것이다. 딴 마음이 있으면 강에 누가 되니, 비록 크게 해로움에는 이르지 않으나 또한 하찮게 여길 만한 것이다. 대과의 때에는 동하면 과함이 된다. '유타(有它)'는 다시 딴 뜻이 있음을 이르고, '린(吝)'은 부족한 뜻이 되니 하찮게 여길 만함을 이른다.

혹자는 말하기를 "이(二)가 초(初)와 가까이 있으면 이롭지 않음이 없는데, 사(四)가 만약 초(初)에 응하면 하찮게 여길만 함이 되는 것은 어째서인가?" 하기에 다음과 같이 대답하였다. "이(二)가 중을 얻었으면서 초(初)와 가까이 있는 것은 유(柔)로써 서로 구제하는 뜻이 되지만, 사(四)와 초(初)는 정응(正應)이 되니 뜻이 서로 얽매이는 자이다. 구(九)가 이미 사(四)에 거하여 강·유가 마땅함을 얻었는

데, 다시 음에 끌리고 얽매여서 강함을 해친다면 하찮게 여길 만한 것이다."

本義 │ 以陽居陰하여 過而不過라 故其象隆而占吉이나 然下應初六하여 以柔濟
之면 則過於柔矣라 故又戒以有它則吝也라
　　양효(陽爻)로서 음위(陰位)에 거하여 과(過)하나 과하지 않으므로 그 상(象)이 들
보기둥이 높이 솟음이 되고 점(占)이 길한 것이다. 그러나 아래로 초육(初六)에 응
하여 유(柔)로 구제하려 한다면 유(柔)가 과하므로 또 '딴 뜻이 있으면 하찮게 여
길 만하다.'고 경계한 것이다.

象曰 棟隆之吉은 不橈乎下也[16]일새라
　　〈상전〉에 말하였다. "들보기둥이 높이 솟으면 길한 것은 아래에서(아래
로) 휘어지지 않기 때문이다."

傳 │ 棟隆起則吉은 不橈曲以就下也니 謂不下繫於初也라
　　들보기둥이 높이 솟으면 길한 것은 휘고 굽어 아래로 나아가지 않기 때문이
니, 아래로 초(初)에 얽매이지 않음을 이른다.

九五는 枯楊이 生華하며 老婦得其士夫니 无咎나 无譽리라
　　구오(九五)는 마른 버드나무가 꽃이 피며 노부(老婦;늙은 과부)가 사부(士
夫;젊은 남자)를 얻은 것이니, 허물이 없으나 칭찬도 없으리라.

傳 │ 九五當大過之時하여 本以中正居尊位나 然下无應助하니 固不能成大過之
功이요 而上比過極之陰하니 其所相濟者 如枯楊之生華라 枯楊이 下生根稊면 則
能復生하니 如大過之陽이 興成事功也요 上生華秀면 雖有所發이나 无益於枯也
라 上六은 過極之陰이니 老婦也라 五雖非少나 比老婦則爲壯矣[一作壯夫 一作士夫]
니 於五에 无所賴也라 故反稱婦得이라 過極之陰이 得陽之相濟는 不爲无益也어

・・・・・・
16　不橈乎下也 : 퇴계는 '휘어서 아래로 내려가지 않기 때문이다.'로 해석하였다. 《經書釋義》

니와 **以士夫而得老婦**는 雖无罪咎나 殊非美也라 故云无咎无譽라하고 象復言其
可醜也하니라

구오(九五)가 대과(大過)의 때를 당하여 본래 중정(中正)으로 존위(尊位)에 거하
였으나 아래에 응조(應助)가 없어 진실로 대과의 공(功)을 이룰 수 없고, 위로 과극
(過極;지나치게 지극함)의 음을 가까이 하였으니, 서로 구제하는 바가 마치 마른 버
드나무가 꽃이 피는 것과 같다. 마른 버드나무가 아래에서 뿌리가 나면 다시 살
수 있으니 마치 대과의 양이 사공(事功)을 일으키고 이룰 수 있는 것과 같고, 위에
꽃이 피[華秀]면 비록 나오는 바가 있더라도 마르는 데에는 유익함이 없다.

상육(上六)은 과극(過極)한 음(陰)이니, 노부(老婦)이다. 오(五)가 비록 젊은 것은
아니나 노부에 비하면 건장함이 되니, 오(五)에게 의뢰(도움)되는 바가 없으므로
도리어 '부인이 얻었다.'고 칭한 것이다. 과극한 음이 서로 구제해 주는 양을 얻음
은 무익(无益)하지 않으나, 사부(士夫)로서 노부를 얻음은 비록 죄구(罪咎)는 없더
라도 자못 아름다운 일이 아니므로 '허물이 없으나 칭찬도 없다.'고 하였으며, 〈상
전〉에서는 다시 '추악하게 여길 만하다.'고 말한 것이다.

本義 | 九五는 陽過之極이어늘 又比過極之陰이라 故其象占이 皆與二反이니라

구오(九五)는 양이 과(過)함이 지극한데 또다시 과극(過極)한 음을 가까이 하였
다. 그러므로 그 상(象)과 점(占)이 모두 이효(二爻)와 반대인 것이다.

象曰 枯楊生華 何可久也며 老婦士夫 亦可醜也로다

〈상전〉에 말하였다. "마른 버드나무가 꽃이 핌이 어찌 오래가며, 노부
(老婦)가 사부(士夫)를 얻음은 또한 추하게 여길 만하다."

傳 | 枯楊이 不生根而生華면 旋復枯矣리니 安能久乎리오 老婦而得士夫면 豈能
成生育之功이리오 亦爲可醜也라

마른 버드나무가 뿌리가 나지 않고 꽃이 핀다면 곧바로 다시 마를 것이니, 어
찌 오래가겠는가. 노부(老婦)로서 사부(士夫)를 얻었다면 어찌 자식을 생육하는 공
(功)을 이루겠는가. 이 또한 추하게 여길 만함이 되는 것이다.

··· 醜 : 추악할 추 旋 : 금새 선

上六_은 過涉滅頂_{이라} 凶_{하니} 无咎_{하니라}

　상육(上六)은 지나치게 건너서 이마까지 빠져 흉하니, 탓할(허물할) 데
가 없다.

本義 | 過涉滅頂_{이니} 凶_{하나} 无咎¹⁷_{니라}

　　　지나치게 건너 이마까지 빠지니, 흉하나 허물은 없다.

傳 | 　上六이 以陰柔處過極_{하니} 是小人過常之極者也_라 小人之所謂大過_는 非能
爲大過人之事也_요 直過常越理_{하여} 不恤危亡_{하고} 履險蹈禍而已_라 如過涉於水
_{하여} 至滅沒其頂_{이니} 其凶可知_라 小人이 狂躁以自禍_는 蓋其宜也_니 復將何尤_리
_오 故曰无咎_{라하니} 言自爲之_{하여} 无所怨咎也_라 因澤之象而取涉義_{하니라}

　상육(上六)이 음유(陰柔)로서 과극(過極)에 처하였으니, 이는 소인으로서 보통보
다 과함이 지극한 자이다. 소인의 이른바 '대과(大過)'라는 것은 크게 남보다 뛰어
난 일을 할 수 있는 것이 아니요, 다만 상도(常道)를 지나고 이치를 넘어 위태로움
과 망함을 근심하지 않고, 험함을 밟고 화환(禍患)을 밟을 뿐이다. 마치 물을 지나
치게 건너서 그 이마까지 빠지는 것과 같으니, 그 흉함을 알 수 있다.

　소인이 미친 짓을 하고 조급하여 스스로 화를 받음은 당연하니, 다시 장차 누
구를 원망하겠는가. 그러므로 '탓할 데가 없다.'고 말하였으니, 자신이 스스로 한
것이어서 원망하고 탓할 데가 없음을 말한 것이다. 택(澤)의 상(象)을 인하여 물을
건너는 뜻을 취하였다.

本義 | 　處過極之地_{하여} 才弱不足以濟_나 然於義爲无咎矣_니 蓋殺身成仁之事_라
故其象占如此_{하니라}

　과극(過極)한 자리에 처하여 재주가 약해서 건널 수 없으나, 의리(義理)에는 무

. . . . . .
17 凶无咎 : 무구(无咎)는 일반적으로 '허물이 없음'을 이르나, 《정전》에는 종종 '허물할 데가 없음'
으로 해석하여 《본의》와 다른바, 《정전》은 상육(上六)의 '과섭멸정(過涉滅頂)'을 '상육이 미치고
조급하여 스스로 죽음의 화를 자초한 것'으로 보아 '허물할 데가 없는 것'으로 해석한 반면, 《본의》
는 '살신성인(殺身成仁)'의 일로 보아 '허물이 없는 것'으로 해석하였다. 이로 볼 때 상육(上六) 〈상
전(象傳)〉의 '불가구(不可咎)' 역시 '허물할 수 없음'으로 해석하여야 할 것이다. 그러나 《본의》 역시
절괘(節卦) 육삼 효사(六三爻辭)의 '무구(无咎)'는 '허물할 데가 없는 것'으로 해석하였다.

. . . 　頂 : 이마 정　恤 : 근심할 휼　蹈 : 밟을 도

구(无咎)가 되니, 살신성인(殺身成仁)의 일이다. 그러므로 그 상(象)과 점(占)이 이와 같은 것이다.

象曰 過涉之凶은 不可咎也니라

〈상전〉에 말하였다. "지나치게 건너 흉함은 탓할 데가 없는 것이다."

傳 | 過涉至溺은 乃自爲之라 不可以有咎也니 言无所怨咎라

지나치게 건너 빠짐에 이름은 바로 자신이 한 짓이어서 탓할 데가 없으니, 원망하고 탓할 데가 없음을 말한 것이다.

••• 溺 : 빠질 닉

傳 | 習坎은 序卦에 物不可以終過라 故受之以坎하니 坎者는 陷也라하니라 理无過而不已하고 過極則必陷이니 坎所以次大過也라 習은 謂重習이니 他卦雖重이나 不加其名이어늘 獨坎加習者는 見(현)其重險이니 險中復有險하여 其義大也라 卦中一陽이요 上下二陰이니 陽實陰虛하여 上下无據하여 一陽이 陷於二陰之中이라 故爲坎陷之義라 陽居陰中則爲陷이요 陰居陽中則爲麗(리)라 凡陽在上者는 止之象이요 在中은 陷之象이요 在下는 動之象이며 陰在上은 說之象이요 在中은 麗(리)之象이요 在下는 巽之象이니 陷則爲險이라 習은 重也니 如學習、溫習이 皆重複之義也요 坎은 陷[一作險]也니 卦之所言은 處險難之道라 坎은 水也니 一始於中하여 有生之最先者也[18]라 故爲水니 陷은 水之體也라

습감괘(習坎卦)는 〈서괘전〉에 "물건은 끝내 과(過)할 수만은 없으므로 감괘(坎卦)로 받았으니, 감(坎)은 빠짐이다." 하였다. 이치는 과(過)하고서 그치지 않음이 없고 과함이 지극하면 반드시 빠지니, 감괘가 이 때문에 대과괘(大過卦 ䷛)의 다음이 된 것이다. 습(習)은 중습(重習;거듭함)을 이르니, 다른 괘는 비록 거듭하였더라도 그 거듭된 이름을 더하지 않았는데 유독 감괘에만 습(習) 자를 더한 것은, 중험(重險;거듭 험함)임을 나타낸 것이니, 험한 가운데에 다시 험함이 있어 그 의의(意義)가 큰 것이다. 괘가 가운데에 한 양이 있고 위아래에 두 음이 있으니, 양은 실(實)하고 음은 허(虛)하여 위아래에 의거할 곳이 없어 한 양이 두 음의 가운데에 빠져 있다. 그러므로 감함(坎陷)의 뜻이 된 것이다.

양이 음 가운데에 있으면 빠짐[陷 ☵]이 되고, 음이 양 가운데에 있으면 걸림[離 ☲]이 된다. 무릇 양이 위에 있는 것은 멈추는[止 ☶] 상이요, 가운데에 있는

••••••
18 坎水也 一始於中 有生之最先者也: 일시어중(一始於中)의 일(一)은 양효가 첫 번째로 가운데에서 시작됨을 가리키며, 첫 번째[一]는 또 하도(河圖)에 있어 하늘이 일로써 물을 낳은[天一生水] 뜻이 되므로 '태어남에 가장 먼저이다.'라고 한 것이다.

••• 坎 : 구덩이 감, 빠질 감 陷 : 빠질 함 習 : 거듭할 습

것은 빠지[陷 ☵]는 상이요, 아래에 있는 것은 동하는[動 ☳] 상이며, 음이 위에 있는 것은 기뻐하는[說 ☱] 상이요, 가운데에 있는 것은 걸려(붙어) 있는[麗 ☲] 상이요, 아래에 있는 것은 공손한[巽 ☴] 상이니, 빠지면 험함이 된다.

습(習)은 거듭함이니, 학습(學習)과 온습(溫習) 같은 것이 모두 중복(重複)하는 뜻이요, 감(坎)은 빠짐이니, 괘에서 말한 것은 험난함에 대처하는 방도이다. 감(坎)은 물[水]이니, 양효(陽爻) 하나가 가운데에서 시작되어 태어남[有生]에 가장 먼저인 자이므로 물이 되었으니, 함(陷)은 물의 체(體)이다.

習坎은 **有孚**하여 **維心亨**이니 **行**하면 **有尙**이리라

   습감(習坎)은 부신(孚信:진실)이 있어 마음 때문에 형통하니, 가면 가상함이 있으리라."

傳 | 陽實이 在中하니 爲中有孚信이라 維心亨은 維其心誠一故로 能亨通이라 至誠은 可以通金石, 蹈水火하니 何險難之不可亨也리오 行有尙은 謂以誠一而行이면 則能出險하여 有可嘉尙이니 謂有功也라 不行則常在險中矣리라

   양실(陽實)이 가운데에 있으니, 가운데(마음속)에 부신(孚信)이 있음이 된다. '유심형(維心亨)'은 마음이 진실하고 한결같기 때문에 형통할 수 있는 것이다. 지성(至誠)은 금석(金石)을 관통하고 수화(水火)를 밟을 수 있으니, 무슨 험난함인들 형통할 수 없겠는가. '행유상(行有尙)'은 진실과 한결같음으로 간다면 험함을 벗어나 가상할 만함이 있음을 이르니, 공(功)이 있음을 말한 것이다. 가지 않는다면 항상 험한 가운데에 있을 것이다.

本義 | 習은 重習也요 坎은 險陷也니 其象爲水라 陽陷陰中하니 外虛而中實也라 此卦上下皆坎이니 是爲重險이라 中實은 爲有孚心亨之象이니 以是而行이면 必有功矣라 故其占如此하니라

   습(習)은 중습(重習:거듭함)이요 감(坎)은 험함(險陷)이니, 그 상(象)은 물이 된다. 양이 음 가운데에 빠져 있으니, 밖은 허하고 가운데는 실하다. 이 괘(卦)는 위아래가 다 감(坎)이니, 이것은 중험(重險)이 된다. 가운데가 실함은 부신(孚信)이 있어 마음 때문에 형통한 상이 되니, 이러한 방법으로 가면 반드시 공(功)이 있을 것이

다. 그러므로 그 점(占;점사(占辭))이 이와 같은 것이다.

彖曰 習坎은 重險也니
〈단전〉에 말하였다. "습감(習坎)은 거듭 험함이니,

本義 | 釋卦名義라
    괘명(卦名)의 뜻을 해석하였다.

水流而不盈하며 行險而不失其信이니
    물이 흘러가나 가득차지 않으며 험함을 행하나 신(信;성실함)을 잃지 않으니,

傳 | 習坎者는 謂重險也니 上下皆坎은 兩險相重也라 初六云坎窞(담)이라하니 是는 坎中之坎이니 重險也라 水流而不盈은 陽動於險中而未出於險하니 乃水性之流行而未盈於坎이니 旣盈則出乎坎矣라 行險而不失其信은 陽剛中實로 居險之中하니 行險而不失其信者也라 坎中實과 水就下는 皆爲信義니 有孚也라

    습감(習坎)은 중험(重險)을 이르니, 위아래가 모두 감(坎)임은 두 험함이 서로 중복된 것이다. 초육(初六)에 '감담(坎窞)'이라 말하였으니, 이는 구덩이 가운데의 구덩이이므로 거듭 험한 것이다. '수류이불영(水流而不盈)'은 양이 험한 가운데에서 동하나 아직 험함에서 벗어나지 못하였으니, 바로 물의 성질이 흘러가나 아직 구덩이에 가득차지 않은 것이니, 이미 가득찼다면 구덩이에서 나올 것이다. '행험이불실기신(行險而不失其信)'은 양강 중실(陽剛中實)로 험한 가운데에 처하였으니, 험함을 행하나 신실(信實)함을 잃지 않는 자이다. 감(坎)이 가운데가 신실함과 물이 아래로 내려감은 모두 신실의 뜻이 되니, 부신(孚信)이 있는 것이다.

本義 | 以卦象으로 釋有孚之義하니 言內實而行有常也라
    괘상(卦象)으로써 '유부(有孚)'의 뜻을 해석하였으니, 안이 진실하고 행실에 떳떳함이 있음을 말한 것이다.

⋯ 盈 : 가득찰 영 窞 : 구덩이 담

維心亨은 乃以剛中也요

　마음 때문에 형통함은 강중(剛中:강과 중) 때문이요,

　본의 | 강(剛)이 중(中)에 있기 때문이요

傳 | 維其心可以亨通者는 乃以其剛中也일새라 中實은 爲有孚之象이니 至誠之
道 何所不通[一作亨]이리오 以剛中之道而行이면 則可以濟險難而亨通也라

　그 마음이 형통할 수 있는 것은 바로 그 강중(剛中) 때문이다. 중실(中實)은 유
부(有孚)의 상(象)이 되니, 지성(至誠)의 도(道)는 어느 곳인들 통하지 못하겠는가.
강중(剛中)의 도로써 가면 험난함을 구제하여 형통할 수 있는 것이다.

行有尙은 往有功也라

　가면 가상함이 있음은 가면 공(功)이 있는 것이다.

傳 | 以其剛中之才而往이면 則有功이라 故可嘉尙이니 若止而不行이면 則常在險
中矣[一作也]리라 坎은 以能行爲功이라

　강중(剛中)의 재질로 가면 공이 있다. 그러므로 가상할 만한 것이니, 만약 멈추
고 가지 않는다면 항상 험한 가운데에 있을 것이다. 감(坎)은 가는 것을 공(功)으로
삼는다.

本義 | 以剛在中은 心亨之象이니 如是而往이면 必有功也라

　강(剛)으로서 중(中)에 있음은 마음 때문에 형통한 상(象)이니, 이와 같이 하여
가면 반드시 공(功)이 있을 것이다.

天險은 不可升也요 地險은 山川丘陵也니 王公이 設險하여 以守
其國하나니 險之時用이 大矣哉라

　하늘의 험함은 오를 수 없고 땅의 험함은 산천(山川)과 구릉(丘陵)이니,
왕공(王公)이 험함을 설치하여(만들어) 나라를 지키니, 험(險)의 때와 용
(用)이 크다."

傳ㅣ 高不可升者는 天之險也요 山川丘陵은 地之險也라 王公君人者 觀坎之象하여 知險之不可陵也라 故設爲城郭溝池之險하여 以守其國하고 保其民人하니 是有用險之時에 其用甚大라 故贊其大矣哉라 山河城池는 設險之大端也요 若夫尊卑之辨과 貴賤之分으로 明等威, 異物采[19]하여 凡所以杜絶陵僭, 限隔上下者는 皆體險之用也라

높아서 올라갈 수 없는 것은 하늘의 험함이요, 산천과 구릉은 땅의 험함이다. 왕공(王公)으로서 인군이 된 자는 감(坎)의 상(象)을 보고서 험한 것을 능멸할 수 없음을 알았다. 그러므로 성곽(城郭)과 구지(溝池:해자)의 험한 것을 만들어서 그 나라를 지키고 그 인민(人民)을 보호하니, 이는 험함을 쓸 때에 그 쓰임이 심히 큰 것이다. 그러므로 '대의재(大矣哉)'라고 찬미한 것이다. 산하(山河)와 성지(城池:성과 해자)는 험함을 설치하는 큰 단서이며, 존비(尊卑)의 구분과 귀천(貴賤)의 신분으로 등위(等威)를 밝히고 물채(物采)를 달리하여 모든 능멸함과 참람함을 막고 상·하를 한격(限隔)하는 것은 모두 험(險)을 체행(體行)하는 용(用)이다.

本義ㅣ 極言之而贊其大也라

극언(極言)하고 그 큼을 찬미하였다.

象曰 水洊(천)至習坎이니 君子以하여 常德行하며 習教事하나니라
〈상전〉에 말하였다. "물이 거듭 이르는 것이 습감(習坎)이니, 군자가 보고서 덕행(德行)을 항상하며 가르치는 일을 익힌다."

傳ㅣ 坎爲水니 水流仍洊而至니 兩坎相習은 水流仍洊之象也라 水自涓(연)滴으로 至於尋丈[20]하고 至於江海하여 洊習而不驟〔一作驤〕者也라 其因勢就下가 信而有常이라 故君子觀坎水之象하여 取其有常이면 則常久其德行하나니 人之德行은

• • • • • •

19 異物采:물채(物采)에 대하여 사계는 "채(采)는 일이다.〔事也〕"하여 사물(事物)을 가리키는 말로 보았다. 물채는 《춘추좌씨전》은공(隱公) 5년에도 "일을 강명(講明)하여 궤량을 헤아리고 재료를 취하여 물채를 밝힌다.〔講事以度軌量 取材以章物采〕"라고 보이는데, 일반적으로 색채를 나타내는 말로 많이 쓰임을 밝혀둔다.
20 至於尋丈:심(尋)은 8척(尺)이고 장(丈)은 10척이다.

••• 郭:외성 곽 溝:도랑 구 采:채색 채, 일 채 僭:참람할 참 洊:거듭 천 涓:물방울 연 滴:물방울 적
    尋:여덟자 심 丈:길 장 驟:갑자기 취

不常則僞也라 故當如水之有常이라 取其洊習相受면 則以習熟其教令之事하나니
夫發政行敎는 必使民熟於聞聽然後에 能從이라 故三令五申之하나니 若驟告未
喩에 遽責其從이면 雖嚴刑以驅之〔一无之字〕라도 不能也라 故當如水之洊習이니라

　　감(坎)은 물이 되니, 물의 흐름이 계속하고 거듭하여 이르니, 두 감(坎)이 서로
중복됨은 물의 흐름이 거듭하는 상(象)이다. 물은 한 방울로부터 심장(尋丈)에 이
르고 강해(江海)에 이르러서 거듭하고 갑작스럽게 하지 않는다. 물이 지세(地勢)를
따라 아래로 내려감이 신실(信實)하고 항상함이 있으므로 군자가 감수(坎水)의 상
을 관찰하여 항상함이 있음을 취하면 덕행을 항상하고 오래하니, 사람의 덕행이 항
상하지 않으면 거짓이다. 그러므로 마땅히 물처럼 항상함이 있어야 하는 것이다.
　　거듭하여 서로 받음을 취하면 교령(敎令)의 일을 익혀서 익숙하게 하니, 정사
를 발하고 가르침을 행함은 반드시 백성들로 하여금 듣기를 익숙히 하게 한 뒤에
야 능히 따를 수 있다. 그러므로 세 번 명령하고 다섯 번 거듭하는 것이니, 만약
갑자기 말하여 깨닫지 못했을 적에 대번에 따르기를 책한다면 비록 형벌을 엄하
게 시행하여 몰더라도 능히 행하지 못한다. 그러므로 마땅히 물처럼 거듭하여야
하는 것이다.

本義 | 治己治人을 皆必重習然後에 熟而安之라
　　자신을 다스리고 남을 다스림을 모두 반드시 거듭한 뒤에야 익숙하여 편안
한 것이다.

初六은 習坎에 入于坎窞(담)이니 凶하니라
　　초육(初六)은 습감(習坎)에 감담(坎窞:깊은 구덩이)으로 들어감이니, 흉하다.

傳 | 初以陰柔〔一无柔字〕로 居坎險之下하여 柔弱无援하고 而處不得當하니 非能
出乎險也요 唯益陷於深險耳라 窞은 坎中之陷處니 已在習坎中이어늘 更入坎窞
이면 其凶可知라
　　초(初)가 음유(陰柔)로 감험(坎險)의 아래에 거하여 유약하고 원조(援助)가 없으
며 처함이 합당함을 얻지 못하였으니, 험함에서 나올 수 있는 것이 아니요, 오직
깊은 험함으로 더욱 빠져 들어갈 뿐이다. '담(窞)'은 구덩이 가운데 깊이 들어간

곳이니, 이미 습감(習坎)의 가운데에 있는데, 다시 감담으로 들어간다면 그 흉함을 알 만하다.

本義 | 以陰柔로 居重險之下하여 其陷益深이라 故其象占如此하니라

음유(陰柔)로 중험(重險)의 아래에 거하여 그 빠짐이 더욱 깊으므로 그 상(象)과 점(占)이 이와 같은 것이다.

象曰 習坎入坎은 失道라 凶也라

〈상전〉에 말하였다. "습감(習坎)에 깊은 구덩이로 들어감은 도(道)를 잃어서 흉한 것이다."

傳 | 由習坎而更入坎窞은 失道也라 是以凶이니 能出於險이라야 乃不失道也라

습감으로 말미암아 다시 감담으로 들어감은 도(道)를 잃은 것이다. 이 때문에 흉하니, 능히 험함에서 나와야 도를 잃지 않는다.

九二는 坎에 有險하나 求를 小得하리라

구이(九二)는 감(坎)에 험함이 있으나 구함을 조금 얻으리라.

傳 | 二當坎險之時하여 陷上下二陰之中하니 乃至險之地니 是有險也라 然其剛中之才로 雖未能出乎險中이나 亦可小自濟하여 不至如初의 益陷入于深險하니 是所求小得也라 君子處險難而能自保者는 剛中而已니 剛則才足自衛요 中則動不失宜니라

이(二)가 감험(坎險)의 때를 당하여 위아래 두 음(陰)의 가운데에 빠졌으니, 바로 지극히 험한 자리이니, 이는 험함이 있는 것이다. 그러나 강중(剛中)의 재질로 비록 험한 가운데에서 나올 수는 없으나 다소 스스로 구제할 수가 있어서 초육(初六)처럼 더욱 깊은 험함으로 빠져듦에는 이르지 않으니, 이는 구하는 바를 조금 얻는 것이다. 군자가 험난함에 처하여 스스로 보존할 수 있는 것은 강(剛)하고 중(中)을 할 뿐이니, 강하면 재주가 스스로 보위(保衛)할 수 있고, 중을 하면 동함에 마땅함을 잃지 않는다.

本義 | 處重險之中하여 未能自出이라 故爲有險之象이라 然剛而得中이라 故其占이 可以求小得也라

　　중험(重險)의 가운데에 처하여 능히 스스로 나오지 못하므로 험함이 있는 상(象)이 된다. 그러나 강(剛)하면서 중(中)을 얻었으므로 그 점(占)이 구하는 것을 조금 얻을 수 있는 것이다.

象曰 求小得은 未出中也일새라

　　〈상전〉에 말하였다. "구함을 조금만 얻음은 아직 험한 가운데에서 벗어나지 못했기 때문이다."

傳 | 方爲二陰所陷하여 在險之地로되 以剛中之才로 不至陷於深險하니 是所求小得이나 然未能出坎中之險也라

　　막 두 음(陰)에게 빠진 바가 되어 험한 자리에 있으나 강중(剛中)의 재질로 깊은 험함에 빠짐에는 이르지 않으니, 이는 구하는 바를 조금 얻는 것이나 감중(坎中)의 험함에서 나오지는 못한 것이다.

六三은 來之에 坎坎하며 險에 且枕하여 入于坎窞이니 勿用이니라

　　육삼(六三)은 오고 감에 험하고 험하며, 험함에 또 의지하여 감담(坎窞)에 들어가니, 쓰지 말아야 한다.

本義 | 來之坎坎하여 險且枕하여

　　　　오고 감이 험하고 험하여, 험하고 또 베고 있어

傳 | 六三이 在坎陷[一作險]之時하여 以陰柔而居不中正하니 其處不善하여 進退與居 皆不可者也라 來下則入于險之中하고 之上則重險也니 退來與進之皆險이라 故云來之坎坎이라하니 旣進退皆險而居亦險이라 枕은 謂支倚니 居險而支倚以處는 不安之甚也라 所處如此하니 唯益入於深險耳라 故云入于坎窞이요 如三所處之道[一无之道字]는 不可用也라 故戒勿用하니라

　　육삼(六三)은 감함(坎陷)의 때에 있으면서 음유(陰柔)로서 거함이 중정하지 못하니, 처함이 선(善)하지 못하여 진퇴와 거처함이 모두 불가(不可)한 자이다. 아래로

오면 험한 가운데로 들어가고, 위로 가면 거듭 험하니, 물러나오거나 나아감이 모두 험하므로 '내지감감(來之坎坎)'이라 하였으니, 이미 진퇴가 모두 험하고 거함이 또한 험한 것이다. '침(枕)'은 의지하고 기댐을 이르니, 험한 때에 거하여 의지하고 기대어 처함은 불안함이 심한 것이다. 처한 바가 이와 같으니, 오직 더욱 깊은 험함으로 빠져 들어갈 뿐이므로 감담(坎窞)에 들어간다고 말하였고, 육삼(六三)이 처한 바와 같은 방도는 쓸 수 없으므로 쓰지 말라고 경계한 것이다.

本義 | 以陰柔不中正而履重險之間하여 來往皆險하여 前險而後枕하여 其陷益深하니 不可用也라 故其象占如此하니라 枕은 倚著(착)未安之意라

　음유(陰柔)로 중정하지 못하면서 중험(重險)의 사이를 밟고 있어 오고 감이 모두 험해서 앞에는 험이 있고 뒤에는 베고 있어 그 빠짐이 더욱 깊으니, 쓸 수 없다. 그러므로 그 상(象)과 점(占)이 이와 같은 것이다. '침(枕)'은 의지하여 붙음이 편안하지 못한 뜻이다.

象曰 來之坎坎은 終无功也리라

　〈상전〉에 말하였다. "'내지감감(來之坎坎)'은 끝내 공(功)이 없으리라."

傳 | 進退皆險하고 處又不安하니 若用此道면 當益入于險이니 終豈能有功乎아 以陰柔로 處不中正하니 雖平易之地라도 尙致悔咎어든 況處險乎아 險者는 人之所欲出也로되 必得其道라야 乃能去之니 求去而失其道면 益困窮耳라 故聖人이 戒如三所處는 不可用也하시니라

　나아가고 물러남이 모두 험하고 처함이 또 불안하니, 만약 이러한 방도를 쓴다면 더욱 험함에 들어갈 것이니, 끝내 어찌 공(功)이 있겠는가. 음유(陰柔)로서 처함이 중정(中正)하지 못하니, 비록 평이(平易)한 곳이라도 오히려 뉘우침과 허물을 이룰 것인데 하물며 험함에 있어서랴. 험(險)은 사람들이 벗어나고자(탈출하고자) 하는 바이나 반드시 그 방도를 얻어야 벗어날 수 있으니, 벗어나기를 바라면서 그 방도를 잃으면 더욱 곤궁할 뿐이다. 그러므로 성인이 삼(三)이 처한 바와 같은 것은 쓸 수 없다고 경계하신 것이다.

六四는 樽酒와 簋貳를 用缶하고 納約自牖면 終无咎하리라

 육사(六四)는 동이의 술과 궤(簋;밥) 두 그릇을 질그릇으로 사용하고, 맺음을 들이되 통한 곳으로부터 하면 끝내 허물이 없으리라.

本義 | 樽酒簋요 貳用缶하고 納約自牖니

  동이의 술과 궤(簋)요, 더하되 질그릇을 사용하고, 맺음을 들이되 상대방이 통한 곳으로부터 함이니,

傳 | 六四는 陰柔而下无助하니 非能濟天下之險者로되 以其在高位라 故言爲臣處險之道하니라 大臣이 當險難之時하여는 唯至誠見信於君하여 其交固而不可間이요 又能開明君心이면 則可保无咎矣〔一作也〕라 夫欲上之篤信인댄 唯當盡其質實而已니 多儀而尙飾은 莫如燕享之禮라 故以燕享喩之하니 言當不尙浮飾이요 唯以質實이라 所用一樽之酒와 二簋之食에 復以瓦缶爲器면 質之至也라 其質實如此요 又須納約自牖니 納約은 謂進結於君之道요 牖는〔一有有字〕開通之義라 室之暗也故로 設牖하니 所以通明이라 自牖는 言自通明之處니 以況君心所明處라 詩云 天之牖民이 如壎(훈)如篪(지)라한대 毛公訓牖爲道(導)[21]하니 亦開通之謂〔一作義〕라 人臣以忠信善道로 結於君心인댄 必自其所明處라야 乃能入也라 人心이 有所蔽하고 有所通하니 所蔽者는 暗處也요 所通者는 明處也니 當就其明處而告之하여 求信則易也라 故云納約自牖니 能如是면 則雖艱險之時라도 終得无咎也라

 육사(六四)가 음유(陰柔)로서 아래에 돕는 이가 없으니 천하의 험함을 구제할 수 있는 자가 아니나, 그 높은 지위에 있기 때문에 신하가 되어 험함에 대처하는 방도를 말하였다. 대신(大臣)이 험난한 때를 당하여 오직 지성(至誠)으로 군주에게 신임을 받아서 교분이 견고하여 이간질할 수 없고, 또 능히 군주의 마음을 열어 밝게 하면 무구(无咎)를 보전할 수 있다.

 윗사람이 자신을 돈독히 신임하기를 바란다면 오직 질실(質實)을 다할 뿐이니, 의식이 많고 꾸밈을 숭상함은 연향(燕享)의 예(禮)보다 더한 것이 없다. 그러므로 연향으로 비유하였으니, 마땅히 부화(浮華)한 꾸밈을 숭상하지 말고 오직 질실로

21 詩云天之牖民……毛公訓牖爲道 : 모공(毛公)은 《시경》을 주해(註解)한 모형(毛亨)과 모장(毛萇)을 가리키는 바, 위의 내용은 《시경》〈대아(大雅) 판(板)〉에 보인다.

··· 樽 : 술단지 준 簋 : 그릇 궤 缶 : 질장구 부 牖 : 들창 유 壎 : 질나팔 훈 篪 : 젓대 지 況 : 비유할 황

써 해야 함을 말한 것이다. 한 동이의 술과 두 그릇의 밥을 사용하되 다시 질그릇을 용기(用器)로 삼는다면 질박함이 지극한 것이다.

그 질실함이 이와 같고, 또 모름지기 맺음을 들이되 상대방이 잘 통하는 곳으로부터 하여야 하니, '납약(納約)'은 군주에게 나아가 맺는 방도를 말하고, '유(牖)'는 열어 통하게 하는 뜻이다. 방이 어둡기 때문에 유(牖:창문)를 설치하니, 통명(通明)하기 위한 것이다. '자유(自牖)'는 상대방이 통명한 곳으로부터 들어감을 말한 것이니, 군주의 마음에 밝은 곳을 비유한다. 《시경》에 "하늘이 백성을 인도함이 훈(壎:질나팔)과 같고 지(篪:피리)와 같다." 하였는데, 모공(毛公)은 유(牖)를 도(導:인도함)로 풀이하였으니, 또한 개통함을 이른다.

인신(人臣)이 충신(忠信)과 선(善)한 방도로 군주의 마음을 맺으려 한다면 반드시 임금이 밝게 아는 곳으로부터 하여야 비로소 들어갈 수 있다. 사람의 마음은 가리운 바가 있고 통한 바가 있으니, 가리운 바는 어두운 곳이고 통한 바는 밝게 아는 곳이니, 마땅히 밝게 아는 곳에 나아가 말해주어서 신임하기를 구하면 쉽다. 그러므로 '납약자유(納約自牖)'라 한 것이니, 이와 같이 하면 비록 어렵고 험한 때라도 끝내 무구(无咎)를 얻을 것이다.

且如君心이 蔽於荒樂은 唯其蔽也故爾니 雖力詆其荒樂之非라도 如其不省何오 必於所不蔽之事에 推而及之면 則能悟其心矣라 自古로 能諫其君者 未有不因其所明者也라 故訐(알)直强勁者는 率多取忤하고 而溫厚明辯者는 其說多行이라 且如漢祖愛戚姬하여 將易太子하니 是其所蔽也라 羣臣爭之者衆矣니 嫡庶之義와 長幼〔一作少長〕之序를 非不明也로되 如其蔽而不察何오 四老者는 高祖素知其賢而重之하니 此其不蔽之明心也라 故因其所明而及其事엔 則悟之如反手라 且四老人之力이 孰與張良羣公卿及天下之士며 其言之切이 孰與周昌、叔孫通[22]

. . . . . .

22 四老者……孰與周昌叔孫通:네 노인(老人)은 상산 사호(商山四皓)로 진(秦)나라 말기 상산(商山)에 은둔하여 살던 네 노인인바, 곧 기리계(綺里季), 하황공(夏黃公), 동원공(東園公), 녹리(甪里) 선생을 이른다. 한(漢)나라 고조(高祖)인 유방(劉邦)은 적처(嫡妻)인 여후(呂后)의 아들 혜제(惠帝)를 처음에 태자(太子)로 세웠으나 척부인(戚夫人)을 사랑하여 그녀의 소생인 조왕(趙王) 여의(如意)를 후계자로 삼으려 하였다. 이에 주창(周昌)과 숙손통(叔孫通) 등이 강력히 반대하였으나 고조는 듣지 않았다. 고조는 일찍이 상산 사호의 뛰어난 인품을 사모하여 여러 차례 이들을 초청하였으나 이들은 모두 숨고 나오지 않았었다. 이때 장량(張良)은 태자(太子)인 혜제로

. . . 荒 : 빠질 황 詆 : 비방할 저 訐 : 들추어낼 알 勁 : 굳셀 경 忤 : 거스를 오

이리오 **然而不從彼而從此者**는 **由攻其蔽與就其明之異耳**니라

　　또 예컨대 군주의 마음이 황락(荒樂:일락(逸樂)에 빠짐)에 가려짐은 오직 마음에 가리워졌기 때문이니, 비록 황락의 나쁨을 강력히 비판하더라도 군주가 살펴보지 않음에 어찌겠는가. 반드시 가리워지지 않은 일에 미루어 언급하면 그 마음을 깨우칠 수 있는 것이다. 예로부터 군주에게 간하는 자는 군주가 밝게 아는(통명한) 바를 인하지 않은 경우가 있지 않았다. 그러므로 알직(訐直:잘못을 곧바로 지적함)하고 강경(强勁)한 자는 대부분 거스름을 취하고(당하고), 온후(溫厚)하고 밝게 변론하는 자는 그 말이 행해짐이 많았다.

　　또 예컨대 한 고조(漢高祖)가 척희(戚姬)를 사랑하여 장차 태자(太子)를 바꾸려 하였으니, 이는 사랑에 가리워진 것이다. 군신(羣臣)들이 간쟁한 자가 많았으니, 적서(嫡庶)의 의리와 장유(長幼)의 차례를 밝히지 않은 것이 아니었으나, 임금(고조)이 사랑에 가리워져 살펴보지 않음에 어찌겠는가. 네 노인(老人)은 고조(高祖)가 평소에 그들의 어짊을 알고 소중히 여겼으니, 이는 그 가리워지지 않은 밝은 마음이다. 그러므로 밝게 아는 바를 인하여 그 일을 언급하자, 깨우치기를 손을 뒤집는 것처럼 쉬웠던 것이다. 또 네 노인의 힘이 어찌 장량(張良) 등의 여러 공경(公卿)과 천하의 선비만 하겠으며, 말의 간절함이 어찌 주창(周昌)과 숙손통(叔孫通)만 하였겠는가. 그런데도 고조가 저들을 따르지 않고 이들(네 노인)을 따른 것은 그 가리워진 것을 공격함과 그 밝게 아는 것에 나아감의 차이 때문이다.

　　又如趙王太后愛其少子長安君하여 不肯使質於齊하니 此其蔽於私愛也라 大臣諫之雖强이나 旣曰蔽矣니 其能聽乎아 愛其子而欲使之長久富貴者는 其心之所明也라 故左師觸龍이 因其〔一有所字〕明而導之以長久之計²³라 故其聽也如響이라

••••••
하여금 상산 사호를 초빙하여 태자궁(太子宮)에 두고 태자를 모시게 하였다. 그 결과, 고조는 이들이 태자를 따라 보필하는 것을 보고 태자를 교체하려던 계획을 포기하여 혜제가 즉위할 수 있었다.

23　趙王太后……因其明而導之以長久之計:조왕(趙王)의 태후(太后)는 전국시대 혜문왕(惠文王)의 후비(后妃)인 위후(威后)를 가리킨다. 혜문왕이 죽고 효성왕(孝成王)이 즉위하자, 모후(母后)인 태후가 권력을 행사하였다. 이때 조(趙)나라는 진(秦)나라의 공격을 받아 위급하였으므로 제(齊)나라에게 구원을 요청하였으나 제나라에서는 효성왕의 동모제(同母弟)이며 태후의 막내아들인 장안군(長安君)을 인질로 보내야만 원병(援兵)을 보내겠다고 하였다. 이에 왕과 대신(大臣)들은 장안군을 제나라에 보낼 것을 청하였으나 태후는 나이 어린 막내아들을 사랑하여 이를 듣지

•••　響:울릴 향, 메아리 향

非惟告於君者如此요 爲敎者亦然이라 夫敎는 必就人之所長이니 所長者는 心之 所明也라 從其心之所明而入然後에 推及其餘니 孟子所謂成德達才[24]是也니라

또 예컨대 조왕(趙王)의 태후(太后)가 작은 아들인 장안군(長安君)을 사랑하여 제(齊)나라에 인질로 보내려고 하지 않았으니, 이는 사사로운 사랑에 가리워진 것이다. 대신들이 간(諫)하기를 비록 강력히 하였으나 이미 마음이 가리워졌으니, 어찌 그 말을 듣겠는가. 아들을 사랑하여 장구히 부귀하게 하고자 하는 것은 그 마음에 밝게 아는 것이었다. 그러므로 좌사(左師)인 촉룡(觸龍)이 태후의 밝게 아는 것을 인하여 장구한 계책으로 인도하였다. 이 때문에 그 말을 따름이 메아리처럼 빨랐던 것이다.

이는 다만 군주에게 아뢰는 자가 이와 같이 할 뿐만이 아니요, 사람을 가르치는 자 또한 그러하다. 가르침은 반드시 그 사람이 잘하는 바에 나아가야 하니, 잘하는 것(장점)은 마음에 밝게 아는 것이다. 그 마음에 밝게 아는 바를 따라 들어간 뒤에야 미루어 그 나머지에 미칠 수 있으니, 《맹자》〈진심 상(盡心上)〉에 이른바 "덕(德)을 이루게 하고 재주를 통달하게 한다."는 것이 이것이다.

本義 │ 晁(晁)氏云 先儒讀樽酒簋爲一句하고 貳用缶爲一句라하니 今從之하노라 貳는 益之也라 周禮에 大祭三貳[25]라하고 弟子職에 左執虛豆하고 右執挾匕하여 周旋而貳 是也라 九五는 尊位어늘 六四近之하니 在險之時에 剛柔相際라 故有但用

• • • • • •

않았다. 이에 좌사(左師)인 촉룡(觸龍)은 태후를 찾아뵙고 자신의 막내아들을 태후에게 부탁하여 태후의 마음을 회유하는 한편, 장안군이 장구(長久)하게 부귀(富貴)를 누리려면 이러한 기회에 인질로 나가 국가에 크게 공헌해야 함을 넌지시 말하였다. 이에 태후는 장안군을 제나라에 인질로 보냈으며, 그 결과 제나라의 원병(援兵)이 출동하여 진군(秦軍)을 물리칠 수 있었다. 이 내용은 《사기》〈조세가(趙世家)〉와 《전국책(戰國策)》〈조책(趙策)〉에 모두 보이는데, 《전국책》에는 촉룡이 촉섭(觸讋)으로 되어 있다.

24 孟子所謂成德達才 : 성덕(成德)은 덕을 이루는 것이고 달재(達才)는 재능을 발달시키는 것으로, 《맹자》〈진심 상(盡心上)〉에 "군자가 가르치는 것이 다섯 가지이니, 단비가 식물을 변화시키는 것과 같은 자가 있으며, 덕을 이루게 하는 자가 있으며 재능을 발전시키는 자가 있다.〔君子之所以敎者五, 有如時雨化之者; 有成德者; 有達財者.〕"라고 보인다. 재(財)는 재(材)·재(才)와 통하는바, 달재(達才)는 상대방의 장점을 따라 가르침을 이른다.

25 周禮大祭三貳 : 《주례(周禮)》〈천관(天官) 주정(酒正)〉에 "큰 제사에는 세 번 더하고 중간 제사에는 두 번 더하고 작은 제사에는 한 번 더한다.〔大祭三貳, 中祭再貳, 小祭壹貳.〕"라고 보인다.

• • • 晁 : 아침 조 豆 : 나무제기 두 挾 : 젓가락 협 匕 : 숟가락 비

薄禮하고 益以誠心進結自牖之象이라 牖는 非所由之正이요 而室之所以受明也
니 始雖艱阻나 終得无咎라 故其占如此하니라

조씨(晁氏)는 이르기를 "선유(先儒)가 '준주궤(樽酒簋)'를 한 구(句)로 읽고 '이용
부(貳用缶)'를 한 구로 읽었다." 하였으니, 이제 그 말을 따른다. '이(貳)'는 더함이
다. 《주례(周禮)》에 "큰 제사에는 세 번 더한다." 하고, 《관자(管子)》의 〈제자직(弟子
職)〉에는 "왼쪽으로는 빈 그릇을 잡고 오른쪽으로는 협비(挾匕 : 숟가락)를 잡아 주선
(周旋)하여 더한다." 한 것이 이것이다.

구오(九五)는 존위(尊位)인데 육사(六四)가 가까이 있으니, 험한 때에 있어서 강
(剛)과 유(柔)가 서로 교제하므로 다만 박한 예(禮)를 쓰고, 더욱 성심(誠心)으로 나
아가 맺되 유(牖)로부터 하는 상(象)이 있는 것이다. '유(牖)'는 출입하는 바른 문
은 아니고 방이 밝음을 받는 곳(창문)이니, 처음은 비록 어렵고 막히나 끝내 무구
(无咎)를 얻을 것이다. 그러므로 그 점(占)이 이와 같은 것이다.

象曰 樽酒簋貳는 剛柔際也일새라

〈상전〉에 말하였다. "'준주궤이(樽酒簋貳)'는 강(剛)과 유(柔)가 교제하기
때문이다."

傳 | 象에 只擧首句하니 如此比多矣라 樽酒簋貳는 質實之至니 剛柔相際接之道
能如此면 則可終保无咎라 君臣之交 能固而常者는 在誠實而已라 剛柔는 指四
與五니 謂君臣之交際也라

〈상전〉에 다만 첫 구(句)만을 들었으니, 이와 같은 비례(比例)가 많다. '준주궤
이(樽酒簋貳)'는 질실(質實)함이 지극하니, 강(剛)과 유(柔)가 서로 교제하고 접하는
방도가 이와 같으면 끝내 무구(无咎)를 보장할 수 있다. 군신(君臣)의 사귐이 견고
하고 항상할 수 있는 것은 성실(誠實)에 달려 있을 뿐이다. 강과 유는 사(四)와 오
(五)를 가리키니, 군신간의 교제를 이른다.

本義 | 晁氏日 陸氏釋文本[26]에 无貳字라하니 今從之하노라

　조씨(晁氏)가 말하기를 "육씨(陸氏)의 석문본(釋文本)에 이(貳) 자가 없다." 하였으니, 이제 이를 따른다."

九五는 坎不盈하니 祗(지)既平[27]하면 无咎리라

　구오(九五)는 구덩이가 차지 못하였으니, 이미 평평함에 이르면 허물이 없으리라.

本義 | 坎不盈이나 祗既平이니

　　구덩이가 차지 못하였으나 이미 평평함에 이르니,

傳 | 九五在坎之中하니 是不盈也니 盈則平而出矣라 祗는 宜音柢니 抵也라 復卦云 无祗悔라하니라 必抵於已平이면 則无咎어니와 既日不盈이면 則是未平而〔一无而字〕向在險中이니 未得无咎也라 以九五剛中之才로 居尊位면 宜可以濟於險이나 然下无助也라 二陷於險中하여 未能出하고 餘皆陰柔하여 无〔一作非〕濟險之才하니 人君雖才나 安能獨濟天下之險이리오 居君位而不能致天下出於險이면 則爲有咎니 必祗既平이라야 乃得无咎니라

　구오(九五)가 감(坎)의 가운데에 있으니, 이는 구덩이가 가득차지 못한 것이니 가득차면 평평하여 구덩이에서 나올 것이다. '지(祗)'는 마땅히 음(音)이 지여야 하니, 이름〔抵〕이다. 복괘(復卦)에 이르기를 "뉘우침에 이르지 않는다.〔无祗悔〕" 하였다. 반드시 이미 평평함에 이르면 허물이 없을 수 있지만 이미 가득차지 않았다고 말했으면 이는 평평하지 못하여 아직도 험한 가운데에 있는 것이니, 무구(无咎)일 수 없다.

　강중(剛中)인 구오(九五)의 재질로 존위(尊位)에 거했으면 마땅히 험함을 구제할 수 있을 것이나 아래에 돕는 이가 없다. 응(應)인 이(二)는 험한 가운데에 빠져 아

••••••
26　陸氏釋文本 : 육씨(陸氏)는 당(唐)나라 고조(高祖) 때의 국자박사(國子博士)였던 육덕명(陸德明)을 가리키며, 석문본(釋文本)은 그가 지은, 경전(經典)의 음독(音讀)을 풀이한 《경전석문(經典釋文)》을 가리킨다.
27　祗既平 : 앞의 복괘(復卦) 초구 효사(初九爻辭)의 《정전》 역주(譯註)에 자세히 보인다.

•••　祗 : 이를 지(저)　柢 : 뿌리 저　抵 : 이를 저(지)

직 탈출하지 못하였고, 나머지는 모두 음유(陰柔)여서 험함을 구제할 재주가 없으니, 인군이 비록 재주가 있으나 어찌 홀로 천하의 험함을 구제하겠는가. 군주의 지위에 있으면서 천하를 험함에서 구출하지 못한다면 유구(有咎:허물이 있음)가 되니, 반드시 이미 평평함에 이르러야 무구(无咎)를 얻게 될 것이다.

本義 | 九五雖在坎中이나 然以陽剛中正으로 居尊位而時亦將出矣라 故其象占如此하니라

　　구오(九五)가 비록 감(坎)의 가운데에 있으나 양강 중정(陽剛中正)으로 존위(尊位)에 거하였으며, 때가 또한 장차 나오게 되었으므로 그 상(象)과 점(占)이 이와 같은 것이다.

象曰 坎不盈은 中이 未大也라

　　〈상전〉에 말하였다. "구덩이가 차지 못하였음은 강중(剛中)이 광대(光大)하지 못한 것이다."

傳 | 九五는 剛中之才而得尊位하니 當濟天下之險難이나 而坎尙不盈하니 乃未能平乎險難이니 是其剛中之道 未光大也라 險難之時에 非君臣協力이면 其能濟乎아 五之道未大는 以无臣也라 人君之道는 不能濟天下之險難이면 則爲未大니 不稱其位也라

　　구오(九五)는 강중(剛中)의 재질로 존위(尊位)를 얻었으니 마땅히 천하의 험난함을 구제하여야 하나, 구덩이가 아직 차지 않았으니 바로 험난함을 평평하게 하지 못한 것이니, 이는 강중의 도(道)가 아직 광대(光大)하지 못한 것이다. 험난한 때에 인군과 신하가 협력함이 아니면 어찌 능히 구제할 수 있겠는가. 오(五)의 도(道)가 광대하지 못함은 신하가 없기 때문이다. 인군의 도는 천하의 험난함을 구제하지 못하면 광대하지 못함이 되니, 그 지위에 걸맞지 않은 것이다.

本義 | 有中德而未大라

　　중덕(中德)이 있으나 크지 못하다.

上六은 係用徽纆²⁸하여 寘(置)于叢棘하여 三歲라도 不得이니 凶하니라

상육(上六)은 옭아매되 휘묵(徽纆:동아줄)을 사용하여 가시나무 숲속에 가둬두어 삼 년이 되어도 면하지 못하니, 흉하다.

傳 | 上六이 以陰柔而居險之極하니 其陷之深者也니 以其陷之深이라하여 取牢獄爲喩라 如係縛之以徽纆하여 囚寘於叢棘之中하니 陰柔而陷之深하여 其不能出矣라 故云 至于三歲之久라도 不得免也라하니 其凶可知니라

상육(上六)이 음유(陰柔)로서 험(險)의 극(極)에 처하여 그 빠짐이 깊은 자이니, 그 빠짐이 깊기 때문에 뇌옥(牢獄:감옥)을 취하여 비유하였다. 이는 마치 죄인을 동아줄로 붙잡아 매서 가시나무 숲 속에 가둬둔 것과 같으니, 음유로서 빠짐이 깊어 나올 수가 없다. 그러므로 '3년의 오램에 이르러도 면할 수 없다.'고 말하였으니, 그 흉함을 알 수 있다.

本義 | 以陰柔로 居險極이라 故其象占如此하니라

음유(陰柔)로서 험의 극에 처하였다. 그러므로 그 상(象)과 점(占)이 이와 같은 것이다.

象曰 上六失道는 凶三歲也리라

〈상전〉에 말하였다. "상육(上六)이 도(道)를 잃음은 흉함이 삼 년에 이르리라."

傳 | 以陰柔而自處極險之地하니 是其失道也라 故其凶이 至于三歲也라 三歲之久而不得免焉하니 終凶之辭也라 言久에 有曰十, 有曰三하니 隨其事也라 陷于獄하여 至于三歲는 久之極也라 他卦에 以年數言者도 亦各以其事也니 如三歲不興, 十年乃字²⁹是也라

•••••••
28 係用徽纆 : 사계는 "휘(徽)는 삼규승(三糾繩:세 겹으로 꼰 노끈)이고 묵(纆)은 양고삭(兩股索: 두 가닥으로 꼰 새끼줄)이다." 하였다.
29 三歲不興 十年乃字 : 동인괘(同人卦) 구삼 효사(九三爻辭)에 "병사들을 숲속에 숨겨두고 높은

··· 徽 : 줄 휘 纆 : 노끈 묵 寘 : 둘 치 叢 : 숲 총 棘 : 가시나무 극 牢 : 우리 뢰, 감옥 뢰 囚 : 가둘 수

음유(陰柔)로서 스스로 지극히 험한 자리에 처하였으니, 이는 그 도(道)를 잃은 것이다. 그러므로 그 흉함이 3년에 이른 것이다. 3년의 오램에도 면하지 못하였으니, 끝내 흉하다는 말이다. 오램을 말할 적에 10이라 말한 경우가 있고 3년이라 말한 경우가 있으니, 그 일에 따른 것이다. 옥(獄)에 빠져 3년에 이름은 오램이 지극한 것이다. 다른 괘에 연수(年數)로 말한 것도 또한 각기 그 일에 따른 것이니, 예를 들면 동인괘(同人卦)의 "3년이 되어도 일어나지 못한다.〔三歲不興〕"는 것과 준괘(屯卦)의 "10년이 되어서야 생육한다.〔十年乃字〕"는 것이 이것이다.

......

언덕에 올라가서 3년이 되어도 일어나지 못한다.〔伏戎于莽, 升其高陵, 三歲不興.〕"라고 보이고, 준괘(屯卦) 육이(六二) 〈상전(象傳)〉에 "육이의 어려움은 강을 타고 있기 때문이요, 10년이 되어서야 시집가서 자녀를 생육함은 상도(常道)로 돌아온 것이다.〔六二之難, 乘剛也, 十年乃字, 反常也.〕"라고 보인다. 그러나 《본의》에는 '十年乃字'를 10년이 되어서야 시집감을 허락하여 비로소 계례(笄禮)를 하고 자(字)를 짓는 것으로 풀이하였다.

傳 │ 離는 序卦에 坎者는 陷也니 陷必有所麗(리)라 故受之以離하니 離者는 麗也라하니라 陷於險難之中이면 則必有所附麗는 理自然也니 離所以次坎也라 離는 麗也요 明也니 取其陰麗於上下之陽이면 則爲附麗之義요 取其中虛면 則爲明義라 離爲火하고 火體虛하니 麗於物而明者也요 又爲日하니 亦以虛明之象이라

리괘(離卦)는 〈서괘전〉에 "감(坎)은 빠짐이니, 빠지면 반드시 붙는(걸리는) 바가 있다. 그러므로 리괘로 받았으니, 리(離)는 붙음이다." 하였다. 험난한 가운데에 빠지면 반드시 붙는 바가 있음은 자연의 이치이니, 리괘가 이 때문에 감괘(坎卦☵)의 다음이 된 것이다. 리(離)는 붙음이요 밝음이니, 음이 위아래의 양에 붙어 있음을 취하면 부리(附麗)의 뜻이 되고, 가운데가 허(虛)함을 취하면 밝은 뜻이 된다. 리(離)는 불〔火〕이 되고, 불의 체(體)는 비었으니 물건에 붙어 밝은 것이며, 또 해(태양)가 되니 또한 허명(虛明)을 쓰는 상이다.

離는 利貞하니 亨하니 畜(휵)牝牛하면 吉하리라
리(離)는 정(貞)함이 이로우니 형통하니, 암소를 기르듯 하면 길하리라.

傳 │ 離는 麗也라 萬物이 莫不皆有所麗하니 有形則有麗矣라 在人則爲〔一无爲字〕所親附之人과 所由之道와 所主之事하니 皆其所麗也라 人之所麗는 利於貞正하니 得其正이면 則可以亨通이라 故曰離利貞亨이라하니라 畜牝牛吉은 牛之性順이요 而又牝焉은 順之至也라 旣附麗於正이면 必能順於正道니 如牝牛則吉也라 畜牝牛는 謂養其順德〔一无德字〕이니 人之順德은 由養以成하나니 旣麗於正이면 當養習以成其順德也라

리(離)는 붙음이다. 만물은 모두 붙는 것이 있으니, 형체가 있으면 붙음이 있다. 사람에게 있어서는 친히 붙는(따르는) 바의 사람과 행하는 바의 도(道)와 주장하는 바의 일이 되니, 모두 붙는 것이다. 사람의 붙음은 정정(貞正)함이 이로우니,

··· 離 : 붙을 리, 밝을 리 麗 : 붙을 리 畜 : 기를 휵 牝 : 암컷 빈

바름을 얻으면 형통하다. 그러므로 '리(離)는 바름이 이로우니, 형통하다.'라고 말한 것이다.

암소를 기르듯 하면 길하다는 것은 소의 성질은 순하고 또 암놈은 순함이 지극하다. 이미 바름에 붙었으면 반드시 정도(正道)에 순종하여야 하니, 암소와 같이 순하면 길한 것이다. 암소를 기르듯 한다는 것은 순한 덕을 기름을 이른다. 사람의 순한 덕은 기름으로 말미암아 이루어지니, 이미 바름에 붙었다면 마땅히 기르고 익혀서 순한 덕을 이루어야 한다.

本義 | 離는 麗也니 陰麗於陽이라 其象爲火하니 體陰而用陽也라 物之所麗는 貴乎得正이요 牝牛는 柔順之物也라 故占者能正則亨이요 而畜牝牛則吉也라

리(離)는 붙음이니, 음(陰)이 양(陽)에 붙어 있는 것이다. 그 상(象)은 불이 되니, 체(體)는 음이고 용(用)은 양이다. 물건이 붙는 것은 바름을 얻음을 귀히 여기며, 암소는 유순한 물건이다. 그러므로 점치는 자가 바르면 형통하고, 암소를 기르듯 하면 길한 것이다.

象曰 離는 麗(리)也니 日月이 麗乎天하며 百穀草木이 麗乎土하니

〈단전(彖傳)〉에 말하였다. "리(離)는 붙음이니, 해와 달이 하늘에 붙어 있고 백곡(百穀)과 초목(草木)이 땅에 붙어 있으니,

傳 | 離麗也는 謂附麗也라 如日月則麗於天하고 百穀草木則麗於土하여 萬物이 莫不各有所麗하니 天地之中에 无无麗之物이라 在人에 當審其所麗니 麗得其正이면 則能亨也라

'리리야(離麗也)'는 부리(附麗)를 이른다. 예컨대 해와 달은 하늘에 붙어 있고 백곡과 초목은 땅에 붙어 있어서 만물(萬物)이 각기 붙은 바가 있지 않음이 없으니, 하늘과 땅 가운데 붙어 있지 않은 물건이 없다. 사람에게 있어서는 마땅히 그 붙을 바를 살펴야 하니, 붙음이 올바름을 얻으면 형통할 수 있다.

重明으로 **以麗乎正**하여 **乃化成天下**하나니라

거듭 밝음으로 바름에 붙어서 마침내 천하를 교화하여 이룬다.

··· 穀 : 곡식 곡 審 : 살필 심

傳ㅣ 以卦才言也라 上下皆離는 重明也요 五、二皆處中正은 麗乎正也니 君臣、
上下皆有明德而處中正이면 可以化天下하여 成文明之俗也라

　　괘재(卦才)로써 말하였다. 상·하가 모두 리(離)인 것은 거듭 밝음이요, 오(五)
와 이(二)가 모두 중정(中正)에 처함은 바름에 붙은 것이니, 군(君)·신(臣)과 상(上)
·하(下)가 모두 밝은 덕이 있고 중정에 처한다면 천하를 교화하여 문명(文明)한
풍속을 이룰 수 있다.

本義ㅣ 釋卦名義라
　　괘명(卦名)의 뜻을 해석하였다.

柔麗乎中正이라 故亨하니 是以畜牝牛吉也라

　　유(柔)가 중정(中正)에 붙어 있으므로 형통하니, 이 때문에 암소를 기르
듯 하면 길한 것이다."

傳ㅣ 二、五以柔順으로 麗於中正하니 所以能亨이라 人能養其至順하여 以麗中正
則吉이라 故曰 畜牝牛吉也라하니라 或曰 二則中正矣어니와 五以陰居陽하니 得爲
正乎아 曰 離主於所麗하니 五는 中正之位어늘 六이 麗於正位하니 乃爲正也라 學
者知時義而不失輕重이면 則可以言易矣리라

　　이(二)와 오(五)가 유순함으로 중정(中正)에 붙어 있으니, 이 때문에 형통한 것
이다. 사람이 지극히 순함을 길러서 중정에 붙어있으면 길하다. 그러므로 '암소를
기르듯 하면 길하다.'고 말한 것이다.

　　혹자는 "이(二)는 중정이나, 오(五)는 음효로서 양위(陽位)에 거하였으니 정(正)
이 될 수 있는가?" 하기에, 다음과 같이 대답하였다. "리괘(離卦)는 붙음을 주장하
니, 오(五)는 중정한 자리인데 육(六)이 정위(正位:중정한 자리)에 붙어 있으니, 바로
바름이 되는 것이다. 배우는 자가 때와 의(義)를 알아 경중(輕重)을 잃지 않는다면
역(易)을 말할 수 있을 것이다."

本義ㅣ 以卦體로 釋卦辭라
　　괘체(卦體)로써 괘사(卦辭)를 해석하였다.

95

重
火
離

象曰 明兩이 作離하니 大人이 以하여 繼明하여 照于四方하나니라

〈상전〉에 말하였다. "밝음이 둘인 것이 리(離)가 되니, 대인(大人)이 보고서 밝음을 이어 사방을 비춘다."

本義ㅣ 明兩作이 離니

　　밝음이 두 번 일어난 것이 리(離)이니,

傳ㅣ 若云兩明이면 則是二明이니 不見繼明之義라 故云明兩이니 明而重兩은 謂相繼也라 作離는 明兩而爲離하니 繼明之義也라 震、巽之類도 亦取洊隨之義[30]나 然離之義尤重也라 大人은 以德言則聖人이요 以位言則王者라 大人이 觀離明相繼之象하여 以世繼其明德하여 照臨于四方이라 大凡以明相繼는 皆繼明也로되 擧其大者라 故以世襲繼照로 言之하니라

만약 '량명(兩明)'이라고 말하면 이는 두 개의 밝음이니, 밝음을 잇는 뜻을 볼 수 없다. 그러므로 '명량(明兩)'이라고 말하였으니, 밝음이 거듭하여 둘인 것은 서로 이음을 이른다. '작리(作離)'는 밝음이 둘인 것이 리(離)가 되는 것이니, 밝음을 잇는 뜻이다. 진괘(震卦 ☳)와 손괘(巽卦 ☴) 따위도 또한 거듭하고 따르는 뜻을 취하였으나, 리괘(離卦)의 뜻이 더욱 중하다.

대인(大人)은 덕으로 말하면 성인(聖人)이고 지위로 말하면 왕자(王者)이다. 대인은 리명(離明)이 서로 잇는 상(象)을 보고서 대대로 그 밝은 덕(德)을 이어서 사방에 비추어 임한다. 대체로 밝음으로 서로 잇는 것은 모두 밝음을 잇는 것인데, 그 큰 것을 들었으므로 군위(君位)를 세습(世襲)하여 이어 비추는 것으로 말하였다.

本義ㅣ 作은 起也라

　　'작(作)'은 일어남이다.

......

30　震巽之類 亦取洊隨之義 : 천(洊)은 거듭이고 수(隨)는 뒤따름이다. 진괘(震卦) 〈상전(象傳)〉에 "거듭된 우레가 진이다.〔洊雷震〕"하였고, 손괘(巽卦) 〈단전〉에는 "거듭된 손으로 명령을 거듭한다.〔重巽以申命〕"하였고 또 〈상전(象傳)〉에는 "뒤따르는 바람이 손이다.〔隨風巽〕"하였으므로 말한 것이다.

···　洊 : 거듭 천　襲 : 이을 습

初九는 **履錯然**하니 **敬之**면 **无咎**리라

　초구(初九)는 발자국이 착연(錯然;교착(交錯))함이니, 공경하면 허물이 없으리라.

傳｜ 陽固好動이요 又居下而離體라 陽居下則欲進하고 離性炎上하니 志在上麗하여 幾於躁動하여 其履錯然이니 謂交錯也라 雖未進而跡已動矣니 動則〔一无則字〕失居下之分而有咎也라 然其剛明之才로 若知其義而敬愼之면 則不至於咎矣리라 初는 在下하여 无位者也니 明其身之進退 乃所麗之道也라 其志旣動이어늘 不能敬愼則妄動이니 是는 不明所麗니 乃有咎也라

　양(陽)은 진실로 동하기를 좋아하며 또 아래에 거하고 리체(離體)이다. 양이 아래에 거하면 나아가고자 하고 리(離)의 성질은 불타오르니, 뜻이 위로 붙음에 있어서 조급히 동함에 가까워 그 발자국이 착연(錯然)한 것이니, 〈착연은〉 교착(交錯;발자국이 여기저기에 있음)함을 이른다. 비록 나아가지 않았으나 발자국이 이미 동하였으니, 동하면 아래에 있는 분수를 잃어 허물이 있는 것이다. 그러나 그 강명(剛明)한 재질로 만약 이러한 의리를 알고 공경하여 삼간다면 허물에 이르지 않을 것이다. 초(初)는 아래에 있어 지위가 없는 자이니, 그 몸의 진퇴를 분명히 하는 것이 바로 붙는 바의 도이다. 그 뜻이 이미 동하였는데 공경하고 삼가지 않는다면 망동(妄動)이니, 이는 붙는 바를 분명히 하지 못한 것이니, 바로 허물이 있는 것이다.

本義｜ 以剛居下而處明體하여 志欲上進이라 故有履錯然之象이니 敬之則无咎矣리라 戒占者宜如是也라

　강(剛)으로서 아래에 거하고 명체(明體)에 처하여, 뜻이 위로 나아가고자 하므로 '리착연(履錯然)'의 상(象)이 있으니, 공경하면 허물이 없을 것이다. 점치는 자에게 마땅히 이와 같이 하라고 경계한 것이다.

象曰 履錯之敬은 **以辟(避)咎也**라

　〈상전〉에 말하였다. "리착지경(履錯之敬)'은 허물을 피하는 것이다."

⋯ 履 : 밟을 리, 신 리　錯 : 어긋날 착　辟 : 피할 피(避通)

傳 | 履錯然欲動이로되 而知敬愼하여 不敢進은 所以求辟(피)免過咎也라 居明而剛이라 故知而能辟하니 不剛明則妄動矣리라

발자국이 교착하여 동하고자 하나 공경하고 삼갈 줄을 알아 감히 나아가지 않음은 과구(過咎)를 피하고 면하기를 구하는 것이다. 밝음에 거하고 강(剛)이므로 알아서 피할 수 있는 것이니, 강명(剛明)하지 않다면 망동(妄動)할 것이다.

六二는 黃離니 元吉하니라

육이(六二)는 황색(黃色)에 붙음이니, 크게 선(善)하고 길(吉)하다.

本義 | 元吉이리라

크게 길하리라.

傳 | 二居中得正하니 麗於中正也라 黃은 中之色이요 文之美也니 文明中正은 美之盛也라 故云黃離라 以文明中正之德으로 上同於文明中順之君하니 其明如是하고 所麗如是면 大善之吉也라

이(二)가 중(中)에 거하고 정(正)을 얻었으니, 중정(中正)에 붙어 있는 것이다. '황(黃)'은 중앙(토(土))의 색이고 문채가 아름다우니, 문명(文明)하고 중정함은 아름다움이 성한 것이다. 그러므로 '황리(黃離)'라 말한 것이다. 문명하고 중정한 덕으로 위로 문명하고 중순(中順)한 군주와 함께 하니, 그 밝음이 이와 같고 붙은 바가 이와 같다면 대선(大善)의 길함이다.

本義 | 黃은 中色이니 柔麗乎中而得其正이라 故其象占如此하니라

'황(黃)'은 중앙의 색이니, 유(柔)가 중(中)에 붙어 있고 그 정(正)을 얻었으므로 그 상(象)과 점(占)이 이와 같은 것이다.

象曰 黃離元吉은 得中道也라

〈상전〉에 말하였다. "'황리원길(黃離元吉)'은 중도를 얻었기 때문이다."

傳 | 所以元吉者는 以其得中道也니 不云正者는 離以中爲重일새라 所以成文明은 由中也니 正은 在其中矣니라

크게 선(善)하고 길한 까닭은 중도(中道)를 얻었기 때문이니, 정(正)을 말하지 않은 것은 리(離)는 중(中)을 중하게 여기기 때문이다. 문명(文明)을 이룬 까닭은 중 때문이니, 정(正)은 이 가운데에 포함되어 있는 것이다.

九三은 日昃(측)之離니 不鼓缶而歌면 則大耋(질)之嗟라 凶하리라

구삼(九三)은 기운 해가 〈서쪽에〉 걸려 있음이니, 질장구를 두드려 즐겁게 노래하지 않으면 대질(大耋;해가 기우는 것으로 사람이 늙어 죽음을 비유함)을 서글퍼함이다. 흉하리라.

傳 | 八純卦[31]는 皆有二體之義하니 乾은 內外皆健이요 坤은 上下皆順이요 震은 威震相繼요 巽은 上下順隨요 坎은 重險相習이요 離는 二明繼照요 艮은 內外皆止요 兌는 彼己相說이로되 而離之義 在人事最大라 九三은 居下體之終하니 是前明將盡, 後明當繼之時니 人之始終이요 時之革易也라 故爲日昃之離니 日下昃之明也니 昃則將没矣라 以理言之하면 盛必有衰하고 始必有終이 常道也니 達者는 順理爲樂이라 缶는 常用之器也니 鼓缶而歌는 樂其常也라 不能如是면 則以大耋爲嗟憂하리니 乃爲凶也라 大耋은 傾没也라 人之終盡에 達者則知其常理하여 樂天而已하여 遇常皆樂하니 如鼓缶而歌라 不達者는 則恐怛有將盡之悲하니 乃大耋之嗟라 爲其凶也니 此는 處死生之道也라 耋은 與昳同이라

여덟 순괘(純卦)는 모두 두 체(體)의 뜻이 있으니, 건괘(乾卦)는 내·외가 모두 군셈이요, 곤괘(坤卦)는 상·하가 모두 순함이요, 진괘(震卦)는 위엄과 진동이 서로 이음이요, 손괘(巽卦)는 상·하가 순히 따름이요, 감괘(坎卦)는 중험(重險)이 서로 거듭함이요, 리괘(離卦)는 두 밝음이 계속하여 비춤이요, 간괘(艮卦)는 내·외가 모두 멈춤이요, 태괘(兌卦)는 피(彼)·기(己)가 서로 기뻐함인데, 리괘(離卦)의 뜻이 사람의 일에 있어 가장 크다.

구삼(九三)은 하체(下體)의 종(終)에 거하였으니, 이는 앞의 밝음이 장차 다하고 뒤의 밝음이 마땅히 계속하여야 할 때이니, 사람의 시작과 종말이요 때가 변역하

------

31 八純卦:순괘(純卦)는 상괘(上卦)와 하괘(下卦)가 모두 같은 괘로 이루어진 것으로 바로 뒤에 나오는 건(乾)·곤(坤)·진(震)·손(巽) 등의 여덟 괘(卦)를 가리킨다.

••• 昃 : 기울 측 耋 : 늙은이 질 習 : 거듭할 습 昳 : 해기울 일 鼓 : 두드릴 고 缶 : 질장구 부

는 것이다. 그러므로 기우는 해가 서산에 걸려 있음이 되니, 해가 아래로 기울 때의 밝음이니, 해가 기울면 장차 지게 된다.

이치로 말하면 성하면 반드시 쇠함이 있고, 시작하면 반드시 종말이 있는 것이 떳떳한 도(道)이니, 이치를 통달한 자는 이치에 순종하여 즐거워한다. '부(缶)'는 항상 쓰는 그릇이니, 질그릇을 두드리며 노래함은 그 떳떳함을 즐거워하는 것이다. 능히 이와 같이 하지 못하면 대질(大耋)을 서글퍼하고 근심할 것이니, 마침내 흉함이 되는 것이다. 대질은 해가 기울고 지는 것이다.

사람이 장차 마칠(죽을) 적에 이치를 통달한 자는 그 떳떳한 이치를 알아 천명(天命)을 즐거워할 뿐이어서 떳떳한 일을 만남에 모두 즐거워하니, 마치 질그릇을 두드리며 노래함과 같은 것이다. 이치를 통달하지 못한 자는 죽음을 두려워하고 슬퍼하여 항상 장차 다하는 슬픔이 있으니, 이는 바로 대질을 서글퍼하는 것으로 흉함이 되니, 이는 사생(死生)에 대처하는 방도이다. '질(耋)'은 질(眰)과 같다.

本義 | 重離之間은 前明將盡이라 故有日昃之象이라 不安常以自樂이면 則不能自處而凶矣니 戒占者宜如是也라

중리(重離)의 사이는 앞의 밝음이 장차 다하려 하므로 해가 기우는 상(象)이 있는 것이다. 떳떳함을 편안히 여겨 스스로 즐거워하지 않으면 스스로 편안히 대처하지 못하여 흉하니, 점치는 자에게 마땅히 이와 같이 하라고 경계한 것이다.

象曰 日昃之離 何可久也리오

〈상전〉에 말하였다. "해가 기울어 서산에 걸려 있음이 어찌 오래갈 수 있겠는가."

傳 | 日旣傾昃하니 明能久乎아 明者는 知其然也라 故求人以繼其事하고 退處以休其身하여 安常處順하니 何足以爲凶也리오

해가 이미 기울었으니, 밝음이 능히 오래갈 수 있겠는가. 현명한 자는 이러한 이치를 안다. 그러므로 자기를 대신할 인물을 구하여 그 일을 계속하게 하고, 물러나 처하여 그 몸을 쉬면서 떳떳함을 편안히 여기고 순리에 처하니, 어찌 흉함이 되겠는가.

九四는 **突如其來如**라 **焚如**니 **死如**며 **棄如**니라

　구사(九四)는 돌연(突然;급하게)히 오는지라 기염이 불타는 듯하니, 죽으며 버림을 받는다.

本義 | **突如其來如**니 **焚如**며

　　　　돌연(突然)히 오니, 불타며

傳 | **九四**는 **離下體而升上體**하니 **繼明之初**라 **故言繼承之義**하니 **在上而近君**은 **繼承之地也**라 **以陽居離體而處四**하여 **剛躁而不中正**하고 **且重剛**이니 **以不正而剛盛之勢**로 **突如而來**는 **非善繼者也**라 **夫善繼者**는 **必有巽讓之誠**과 **順承之道**니 **若舜、啓然**[32]이어늘 **今四突如其來**하니 **失善繼之道也**라 **又承六五陰柔之君**하여 **其剛盛陵爍**(삭)[33]**之勢**가 **氣焰如焚然**이라 **故云焚如**라 **四之所行**이 **不善如此**하니 **必被禍害**라 **故曰死如**요 **失繼紹之義, 承上之道**는 **皆逆德也**니 **衆所棄絕**이라 **故云棄如**라 **至於死棄**는 **禍之極矣**라 **故不假言凶也**하니라

　구사(九四)가 하체(下體)를 떠나 상체(上體)로 올라왔으니, 밝음을 계승하는 초기이다. 그러므로 계승하는 뜻을 말하였으니, 위에 있으면서 군주를 가까이 함은 계승하는 자리이다. 양(陽)으로 리(離)의 체(體)에 거하고 사(四)에 처하여, 강하고 조급하고 중정(中正)하지 못하며 또 거듭된 강(剛)이니, 바르지 못하면서 강성(剛盛)한 세(勢)로 돌연히 옴은 잘 계승하는 자가 아니다.

　잘 계승하는 자는 반드시 공손하고 겸양하는 정성과 순히 받드는 도가 있어야 하니, 순(舜)과 계(啓)처럼 하여야 하는데 이제 사(四)가 돌연히 오니, 잘 계승하는

• • • • • •

32　若舜啓然 : 계(啓)는 하(夏)나라 우왕(禹王)의 아들이다. 요(堯)가 늙어 순(舜)이 섭정하였는데 요가 별세하자 순은 요의 삼년상을 마치고 요의 아들인 단주(丹朱)를 피하여 남하(南河)의 남쪽으로 가니, 천하의 제후와 백성들은 단주에게 가지 않고 모두 순에게 왔으므로 순은 부득이 제위(帝位)에 올랐다. 그 후 우왕은 후계자로 백익(伯益)을 지목하였는데 우왕이 별세하자 백익은 삼년상을 마치고 계(啓)를 피하여 기산(箕山)의 북쪽으로 가니, 천하의 제후와 백성들은 백익에게 가지 않고 계에게 가면서 말하기를 "우리 임금님의 아들이다." 하였으므로 계가 부득이 즉위하였다. 《孟子 萬章下》 뒤의 '연(然)'은 위의 약(若) 자를 보조하는 글자로 '태연자약(泰然自若)'의 '약'과 같다.

33　剛盛陵爍 : 삭(爍)은 불에 녹인다는 뜻으로 아랫구의 '氣焰如焚然'에 맞는 듯하나, 일반적으로 능삭(陵爍)은 보이지 않고 능력(陵轢)만 보이는바, '爍'은 '轢'의 오자인 듯하다. 능력(陵轢)은 남을 능멸함을 이른다.

••• 突 : 갑자기 돌　焚 : 태울 분　爍 : 녹일 삭　轢 : 업신여길 력　焰 : 불꽃 염

도리를 잃은 것이다.

또 육오(六五)의 음유(陰柔)한 군주를 받들어 그 강성하여 능멸하는 형세가 기염이 불타는 듯하므로 '분여(焚如)'라고 말하였다. 사(四)의 행하는 바가 선(善)하지 못함이 이와 같으니, 반드시 화해(禍害)를 입을 것이므로 '사여(死如)'라고 말하였고, 계승하는 의리와 윗사람을 받드는 도(道)를 잃은 것은 모두 패역(悖逆)의 덕(德:행위)이니, 사람들이 버리고 끊는 바이므로 '기여(棄如)'라고 말하였다. 죽고 버림받음에 이름은 화가 지극하다. 그러므로 흉함을 말할 필요가 없는 것이다.

本義ㅣ 後明將繼之時에 而九四以剛迫之라 故其象如此하니라

뒤의 밝음이 장차 계승하려는 때에 구사(九四)가 강(剛)으로 핍박하기 때문에 그 상(象)이 이와 같은 것이다.

象曰 突如其來如는 无所容也니라

〈상전〉에 말하였다. "돌여기래여(突如其來如)'는 용납할 곳이 없는 것이다."

傳ㅣ 上陵其君하여 不順所承하니 人惡(오)衆棄하여 天下所不容也라

위로 그 군주를 능멸하여 계승하는 바를 순히 하지 않으니, 사람들이 미워하고 무리들이 버려서 천하가 용납하지 않는 것이다.

本義ㅣ 无所容은 言焚、死、棄也라

'용납할 곳이 없다'는 것은 불타며 죽고 버림받음을 말한 것이다.

六五는 出涕沱(체타)若하며 戚嗟若이니 吉하리라

육오(六五)는 줄줄 눈물을 흘리며 슬퍼함이니, 길하리라.

本義ㅣ 戚嗟若이면

근심하고 두려워하면

傳ㅣ 六五居尊位而守中하고 有文明之德하니 可謂善矣라 然以柔居上하고 在下无助하여 獨附麗於剛强之間하니 危懼之勢也라 唯其明也故로 能畏懼之深하여

··· 涕 : 눈물 체 沱 : 눈물흘릴 타 戚 : 슬퍼할 척

至於出涕하고 憂慮之深하여 至於戚嗟하니 所以能保其吉也라 出涕、戚嗟는 極言其憂懼之深耳니 時當然也라 居尊位而文明하고 知憂畏如此라 故得吉이라 若自恃其文明之德與所麗中正하고 泰然不懼〔一作慮〕하면 則安能保其吉也리오

　　육오(六五)는 존위(尊位)에 거하여 중(中)을 지키고 문명(文明)한 덕(德)이 있으니, 선(善)하다고 이를 만하다. 그러나 유(柔)로서 윗자리에 거하고 아래에 있는 자가 도와줌이 없으면서 홀로 강강(剛强)의 사이에 붙어 있으니, 위태롭고 두려운 형세이다. 오직 밝기 때문에 두려워함이 깊어서 눈물을 흘림에 이르고, 우려함이 깊어서 슬퍼함에 이르니, 이 때문에 그 길함을 보존하는 것이다. 눈물을 흘리고 슬퍼함은 근심하고 두려워함이 깊음을 극언한 것이니, 때가 당연한 것이다.

　　존위에 거하여 문명하고, 근심하고 두려워할 줄을 앎이 이와 같기 때문에 길함을 얻는 것이다. 만약 스스로 문명한 덕과 붙어 있는 바가 중정(中正)함을 믿고서 태연히 두려워하지 않는다면 어떻게 그 길함을 보존하겠는가.

本義 | 以陰居尊하고 柔麗乎中이라 然不得其正하고 而迫於上下之陽이라 故憂懼如此然後에 得吉이니 戒占者宜如是也라

　　음효(陰爻)로서 존위(尊位)에 거하고 유(柔)가 중(中)에 붙어 있다. 그러나 바름을 얻지 못하고 위아래의 양(陽)에게 핍박당하므로 근심하고 두려워하기를 이와 같이 한 뒤에야 길함을 얻는 것이니, 점치는 자에게 마땅히 이와 같이 하라고 경계한 것이다.

象曰 六五之吉은 離王公也일새라

　　〈상전〉에 말하였다. "육오(六五)의 길함은 왕공(王公)의 자리에 붙어 있기 때문이다."

傳 | 六五之吉者는 所麗得王公之正位也일새라 據在上之勢하여 而明察事理하여 畏懼憂虞以持之하니 所以能吉也라 不然이면 豈能安乎아

　　육오(六五)가 길한 것은 붙어 있는 바가 왕공(王公)의 바른 자리를 얻었기 때문이다. 위에 있는 형세를 점거하여 사리를 밝게 살펴서 두려워하고 근심하여 유지하니, 이 때문에 능히 길할 수 있는 것이다. 그렇지 않으면 어찌 편안하겠는가.

... 恃 : 믿을 시 虞 : 생각할 우

上九는 王用出征이면 有嘉니

　상구(上九)는 왕(王)이 출정하면 아름다움이 있는 것이니,

傳｜九以陽居上하여 在離之終하니 剛明之極者也라 明則能照하고 剛則能斷이니
能照면 足以察邪惡이요 能斷이면 足以行威刑이라 故王者宜用如是剛明하여 以辨
天下之邪惡하여 而行其征伐이면 則有嘉美之功也라 征伐은 用刑之大者라

　구(九)가 양(陽)으로서 상(上)에 거하여 리(離)의 종(終)에 있으니, 강명(剛明)함
이 지극한 자이다. 밝으면 비추고 강하면 결단할 수 있으니, 비추면 사악(邪惡)함
을 살필 수 있고, 결단하면 위엄과 형벌을 행할 수 있다. 그러므로 왕자(王者)가
마땅히 이와 같은 강함과 밝음을 써서 천하의 사악함을 구별하여 정벌을 행한다
면 아름다운 공이 있는 것이다. 정벌은 형벌을 씀이 큰 것이다.

折首하고 獲匪其醜면 无咎리라

　괴수만 잡고 잡은 것이 일반 무리가 아니면 허물이 없으리라.

本義｜王用出征하여 有嘉折首요 獲匪其醜니

　　왕이 출정하여 괴수만 잡음을 가상히 여기고 잡은 것이 일반 무리
　　가 아니니,

傳｜夫明極則无微不照요 斷極則无所寬宥니 不約之以中이면 則傷於嚴察矣라
去天下之惡에 若盡究其漸染註(와)誤하면 則何可勝誅리오 所傷殘이 亦甚矣라 故
但當折取其魁首요 所執獲者 非其醜類면 則无殘暴之咎也라 書曰 殲厥渠魁하고
脅從罔治라하니라

　밝음이 지극하면 작은 것도 비추지 않음이 없고, 결단함이 지극하면 너그럽게
용서하는 바가 없으니, 중도(中道)로 요약하지 않으면 엄하고 살핌에 상한다(잘못
된다). 천하의 악(惡)을 제거할 적에 만약 악에 물들어 그릇된 자들을 끝까지 구명
(究明)한다면 어찌 이루 다 주벌(誅伐)할 수 있겠는가. 상하고 해치는 바가 또한 심
하다. 그러므로 다만 그 괴수만을 꺾어 취할 것이요, 잡은 것이 일반 무리가 아니
면 잔포(殘暴)한 허물이 없는 것이다. 《서경》〈하서(夏書) 윤정(胤征)〉에 "큰 괴수를

••• 折 : 꺾을 절 獲 : 잡을 획 醜 : 무리 추 註 : 그릇될 와 殘 : 해칠 잔 魁 : 으뜸 괴 殲 : 죽일 섬 渠 : 클 거
　　脅 : 위협할 협 罔 : 없을 망

섬멸하고, 위협에 따른 자들은 다스리지 말라." 하였다.

本義 | 剛明及遠하고 威震而刑不濫하니 无咎之道也라 故其象占如此하니라

　　강명(剛明)함이 먼 곳에까지 미치고 위엄이 진동하되 형벌이 지나치지 않으니, 허물이 없는 방도이다. 그러므로 그 상(象)과 점(占)이 이와 같은 것이다.

象曰 王用出征은 以正邦也라

　　〈상전〉에 말하였다. "'왕용출정(王用出征)'은 나라를 바로잡는 것이다."

傳 | 王者用此上九之德하여 明照而剛斷하여 以察除天下之惡은 所以正治其邦國이니 剛明은 居上之道也라

　　왕자가 이 상구(上九)의 덕(德)을 써서 밝게 비추고 강하게 결단하여 천하의 악(惡)을 살펴 제거함은 나라를 바로잡아 다스리는 것이니, 강하고 밝음은 위에 거하는 방도이다.

傳 | 咸은 序卦에 有天地然後有萬物하고 有萬物然後有男女하고 有男女然後有
夫婦하고 有夫婦然後有父子하고 有父子然後有君臣하고 有君臣然後有上下하고
有上下然後禮義有所錯라하니라 天地는 萬物之本이요 夫婦는 人倫之始라 所以上
經은 首乾、坤하고 下經은 首咸하고 繼以恒也라 天地二物이라 故二卦分爲天地
之道요 男女交合而成夫婦라 故咸與恒이 皆二體合爲夫婦之義라 咸은 感也니 以
說爲主하고 恒은 常也니 以正爲本이요 而說之道自有正也라 正之道는 固有說焉
이니 巽而動과 剛柔皆應은 說也라 咸之爲卦 兌上艮下하니 少女、少男也니 男女
相感之深이 莫如少者라 故二少爲咸也라 艮體篤實하고 止爲誠慤之義하니 男志
篤實以下交하면 女心說而上應하니 男은 感之先也라 男先以誠感이면 則女說而
應也라

　　함괘(咸卦)는 〈서괘전〉에 "천(天)·지(地)가 있은 연후에 만물(萬物)이 있고 만
물이 있은 연후에 남(男)·녀(女)가 있고 남·녀가 있은 연후에 부(夫)·부(婦)가
있고 부·부가 있은 연후에 부(父)·자(子)가 있고 부·자가 있은 연후에 군(君)
·신(臣)이 있고 군·신이 있은 연후에 상(上)·하(下)가 있고 상·하가 있은 연후
에 예의(禮義)를 둘 곳이 있다." 하였다. 천·지는 만물의 근본이요 부·부는 인륜
(人倫)의 시작이다. 이 때문에 상경(上經)은 건괘(乾卦)와 곤괘(坤卦)를 첫머리에 놓
았고, 하경(下經)은 함괘(咸卦)를 첫머리에 놓고 항괘(恒卦)를 뒤에 이은 것이다.
천·지는 두 물건이므로 두 괘가 나뉘어 천·지의 도(道)가 되었고, 남·녀가 교
합하여 부·부를 이루므로 함(咸)과 항(恒)이 모두 두 체(體)가 합하여 부·부의
뜻이 된 것이다.

　　함(咸)은 감동함이니 기뻐함을 주장으로 삼고, 항(恒)은 항상함이니 바름을 근
본으로 삼으며, 기뻐하는 도(道)는 본래 바름이 있는 것이다. 바른 도는 진실로 기
뻐함이 있으니, 공손히 동함과 강(剛)·유(柔)가 모두 응함은 기뻐함이다. 함괘(咸
卦)는 태(兌 ☱)가 위에 있고 간(艮 ☶)이 아래에 있으니, 소녀(少女:兌)와 소남(少

男;艮)이다. 남·녀가 서로 감동함의 깊음은 소(少:소남·소녀)보다 더한 것이 없다. 그러므로 두 소(少)가 함(咸)이 된 것이다. 간의 체(體)는 독실하고, 그침은 성각(誠 慤:정성스러움)의 뜻이 되니, 남자가 뜻이 독실하여 아래를 사귀면 여자가 마음에 기뻐하여 위로 응하니, 남자는 감동함의 먼저이다. 남자가 먼저 정성으로 감동시 키면 여자가 기뻐하여 응하는 것이다.

咸은 亨하니 利貞하니 取(娶)女면 吉하리라
함(咸)은 형통하니 정(貞)함이 이로우니, 여자를 취하면 길(吉)하리라.

傳 | 咸은 感也니 不曰感者는 咸有皆義하여 男女交相感也일새라 物之相感이 莫 如男女하고 而少復甚焉이라 凡君臣、上下以至萬物히 皆有相感之道하니 物之 相感이면 則有亨通之理라 君臣能相感이면 則君臣之道通하고 上下能相感이면 則 上下之志通하며 以至父子、夫婦、親戚、朋友에 皆情意相感이면 則和順而亨 通하니 事物皆然이라 故咸有亨之理也라 利貞은 相感之道 利在於正也니 不以正 이면 則入於惡矣라 如夫婦之以淫姣(교)와 君臣之以媚說과 上下之以邪僻은 皆 相感之不以正也라 取女吉은 以卦才言也라 卦有柔上剛下하여 二氣感應相與하 며 止而說, 男下女之義하니 以此義取女면 則得正而吉也라

함(咸)은 감동함이니, 감(感)이라고 말하지 않은 것은 함에는 '모두'의 뜻이 있 어 남·녀가 서로 감동하기 때문이다. 물건이 서로 감동함은 남·녀만한 것이 없 는데 소(少)이면 더욱 심하다. 무릇 군·신과 상·하로부터 만물에 이르기까지 모두 서로 감동하는 방도가 있으니, 물건이 서로 감동하면 형통할 이치가 있다. 군·신이 서로 감동하면 군·신의 도가 통하고, 상·하가 서로 감동하면 상·하 의 뜻이 통하며, 부·자와 부·부, 친척과 붕우(朋友)에 이르기까지 모두 정의(情 意)가 서로 감동하면 화순(和順)하여 형통하니, 사물이 모두 그러하다. 이 때문에 함(咸)에 형통할 이치가 있는 것이다.

'이정(利貞)'은 서로 감동하는 도는 이로움이 바름에 있으니, 바름으로써 하지 않으면 악(惡)으로 들어간다. 부부간에 음란함으로 좋아함과 군신간에 아첨하여 기뻐함과 상하간에 사벽(邪僻)으로 대함은 모두 서로 감동하기를 바름으로써 하 지 않는 것이다. '취녀길(取女吉)'은 괘(卦)의 재질로써 말한 것이다. 괘에 유(柔)가

위에 있고 강(剛)이 아래에 있어서 두 기운이 감응하여 서로 친하며 그치고 기뻐하며 남자가 여자에게 낮추는 뜻이 있으니, 이러한 뜻으로 여자를 취하면 바름을 얻어 길하다.

本義 | 咸은 交感也라 兌柔在上하고 艮剛在下하여 而交相感應하며 又艮止則感 之專이요 兌說則應之至라 又艮以少男으로 下於兌之少女하니 男先於女는 得男 女之正, 婚姻之時라 故其卦爲咸이라 其占이 亨而利貞하니 取女則吉이라 蓋感有 必通之理나 然不以貞이면 則失其亨而所爲皆凶矣리라

함(咸)은 서로 감동함이다. 태(兌)의 유(柔)는 위에 있고 간(艮)의 강(剛)은 아래에 있어 서로 감응하며, 또 간(艮)은 그침이니 감동함이 전일하고, 태(兌)는 기뻐함이니 응함이 지극하다. 또 간(艮)이 소남(少男)으로 태(兌)의 소녀(少女)에게 낮추니, 남자가 여자에게 먼저함은 남·녀의 바름과 혼인(婚姻)의 때를 얻은 것이다. 그러므로 이 괘가 함(咸)이 된 것이다. 그 점(占)은 형통하고 정(貞)함이 이로우니, 여자를 취하면 길하다. 감동함은 반드시 통하는 이치가 있으나 정도(貞道)로써 하지 않으면 형통함을 잃어 하는 바가 모두 흉할 것이다.

彖曰 咸은 感也니

〈단전(彖傳)〉에 말하였다. "함(咸)은 감동함이니,

本義 | 釋卦名義라

괘명(卦名)의 뜻을 해석하였다.

柔上而剛下하여 二氣感應以相與하여 止而說하고 男下女라 是以 亨利貞 取女吉也니라

유(柔)가 위에 있고 강(剛)이 아래에 있어서 두 기운이 감응(感應)하여 서로 친해서 그치고 기뻐하며 남자가 여자에게 낮춘다. 이 때문에 형통하고 정함이 이로우니, 여자를 취하면 길한 것이다.

傳 | 咸之義는 感也라 在卦則柔爻上而剛爻下하며 柔上變剛而成兌하고 剛下變

柔而成艮하여 陰陽相交하니 爲男女交感之義요 又兌女在上하고 艮男居下하니 亦
柔上剛下也라 陰陽二氣相感相應而和合이면 是相與也라 止而說은 止於說이니
爲堅慤(각)之意라 艮止於下는 篤誠相下也요 兌說於上은 和說相應也요 以男下
女는 和之至也라 相感之道如此라 是以能亨通而得正하니 取女如是則吉也라 卦
才如此요 大率感道利於正也라

　　함(咸)의 뜻은 감동함이다. 괘에 있어서는 유효(柔爻)가 올라가고 강효(剛爻)
가 내려왔으며, 유(柔)가 위로 올라가 강(剛)을 변하여 태(兌)를 이루고, 강(剛)이
아래로 내려와 유(柔)를 변하여 간(艮)을 이루어서 음(陰)·양(陽)이 서로 사귀니
남·녀가 서로 감동하는 뜻이 되며, 또 태녀(兌女)가 위에 있고 간남(艮男)이 아래
에 있으니, 또한 유(柔)가 위에 있고 강(剛)이 아래에 있는 것이다. 음·양의 두 기
운이 서로 감동하고 서로 응하여 화합하면 이는 서로 친한 것이다. '그치고 기뻐
함[止而說]'은 기뻐함에 그침이니, 견고하고 정성스러운(진실한) 뜻이 된다. 간이
아래에서 그침은 독실한 정성으로 상대에게 낮춤이요, 태가 위에서 기뻐함은 화
열(和說)함으로 상대에게 응함이요, 남자가 여자에게 낮춤은 화함이 지극한 것이
다. 서로 감동하는 도(道)가 이와 같기 때문에 능히 형통하여 정(正)을 얻은 것이
니, 여자를 취할 때에 이와 같으면 길하다. 괘의 재질이 이와 같고, 대체로 감동하
는 도(道)는 바름이 이로운 것이다.

本義 │ 以卦體卦德卦象으로 釋卦辭라 或以卦變言柔上剛下之義曰 咸自旅來하
여 柔上居六하고 剛下居五也라하니 亦通이라

　　괘체(卦體)와 괘덕(卦德)과 괘상(卦象)으로써 괘사(卦辭)를 해석하였다. 혹은 괘
변(卦變)으로 '유상강하(柔上剛下)'의 뜻을 말하기를 "함(咸)이 려(旅 ☲)로부터 와서
유(柔)가 올라가 육(六)에 거하고 강(剛)이 내려와 오(五)에 거했다." 하니, 또한 통
한다.

天地感而萬物化生하고 聖人이 感人心而天下和平하나니 觀其所
感而天地萬物之情을 可見矣리라
　　천·지가 감동하면 만물이 화생(化生)하고 성인이 인심을 감동시키면

천하가 화평(和平)하니, 감동하는 바를 보면 천지 만물의 정(情)을 볼 수 있으리라."

傳 | 旣言男女相感之義하고 復推極感道하여 以盡天地之理, 聖人之用이라 天地二氣交感하여 而化生萬物하고 聖人至誠以感億兆之心하여 而天下和平하니 天下之心所以和平은 由聖人感之也라 觀天地交感化生萬物之理와 與聖人感人心致和平之道하면 則天地萬物之情을 可見矣리라 感通之理는 知道者默而觀之可也니라

　이미 남·녀가 서로 감동하는 뜻을 말하였고, 다시 감동하는 도를 미루어 지극히 해서 천·지의 이치와 성인의 용(用)을 다한 것이다. 천·지의 두 기운이 서로 감동하여 만물을 화생(化生)하고, 성인이 지성(至誠)으로 억조의 마음을 감동시켜 천하가 화평하니, 천하의 마음이 화평한 까닭은 성인이 감동시키기 때문이다. 천·지가 서로 감동하여 만물을 화생하는 이치와 성인이 인심(人心)을 감동시켜 화평을 이루는 도를 보면 천지 만물의 정(情)을 볼 수 있다. 감통(感通)의 이치는 도를 아는 자가 묵묵히 관찰하여야 한다.

本義 | 極言感通之理라
　감통(感通)의 이치를 극언(極言)하였다.

象曰 山上有澤이 咸이니 君子以하여 虛受人하나니라
　〈상전〉에 말하였다. "산 위에 못이 있는 것이 함(咸)이니, 군자가 보고서 마음을 비워 남의 의견을 받아들인다."

傳 | 澤性潤下하고 土性受潤하니 澤在山上而其漸潤通徹은 是二物之氣相感通也라 君子觀山澤通氣之象하여 而虛其中하여 以受於人하나니 夫人中虛則能受요 實則不能入矣라 虛中者는 无我也니 中无私主면 則无感不通이라 以量而容之하고 擇合[一作交]而受之는 非聖人有感必通之道也라

　못의 성질은 적셔주고 내려가고 흙의 성질은 적셔줌을 받으니, 못이 산 위에 있어 적셔주어 통철(通徹)함은 이는 두 물건의 기운이 서로 감통(感通)하는 것이

다. 군자가 산(山)과 못이 기운을 통하는 상(象)을 관찰하고서 마음을 비워 남의 의견을 받아들이니, 사람이 마음을 비우면 받아들일 수 있고, 꽉 차면 받아들이지 못한다. 마음을 비운다는 것은 아집(我執)을 없애는 것이니, 마음에 사사로운 주장이 없으면 감동함에 통하지 않음이 없다. 헤아려서 수용하고 합할 상대를 가려 받아들임은 성인이 감동함에 반드시 통하는 도(道)가 아니다.

本義 ㅣ 山上有澤하니 以虛而通也라

산 위에 못이 있으니, 비워 통한다.

初六은 咸其拇(무)라

초육(初六)은 감동함이 그 엄지발가락이다.(그 엄지발가락을 감동시킴이다.)

傳 ㅣ 初六이 在下卦之下하여 與四相感이나 以微處初하여 其感未深하니 豈能動於人이리오 故如人拇之動하여 未足以進也라 拇는 足大指라 人之相感은 有淺深輕重之異하니 識其時勢하면 則所處不失其宜矣리라

초육(初六)이 하괘(下卦)의 아래에 있어 사(四)와 서로 감동하나 미약함으로서 초효(初爻)에 처하여 그 감동함이 깊지 않으니, 어떻게 남을 감동시키겠는가? 그러므로 사람의 엄지발가락이 동하여 나아갈 수 없는 것과 같은 것이다. '무(拇)'는 발의 엄지발가락이다. 사람이 서로 감동함은 천(淺)·심(深)과 경(輕)·중(重)의 차이가 있으니, 때와 형세를 알면 대처하는 바가 마땅함을 잃지 않을 것이다.

本義 ㅣ 拇는 足大指也라 咸은 以人身取象하니 感於最下는 咸拇之象也라 感之尙淺하여 欲進未能이라 故不言吉凶이라 此卦雖主於感이나 然六爻 皆宜靜而不宜動也라

'무(拇)'는 발의 엄지발가락이다. 함(咸)은 사람의 몸을 가지고 상(象)을 취했으니, 가장 아래에서 감동함은 '함무(咸拇)'의 상이다. 감동함이 아직 얕아서 나아가려고 하나 능하지 못하다. 그러므로 길(吉)·흉(凶)을 말하지 않은 것이다. 이 괘는 비록 감동함을 주장하나 여섯 효(爻)가 모두 정(靜)함이 마땅하고 동(動)함은 마땅하지 않다.

··· 拇 : 엄지발가락 무

象曰 咸其拇는 志在外也라

〈상전〉에 말하였다. "감동함이 그 엄지발가락인 것은 뜻이 밖에 있는 것이다."

傳ㅣ 初志之動은 感於四也라 故曰在外라 志雖動而感未深하니 如拇之動하여 未足以進也라

초(初)의 뜻이 동함은 사(四)에 감동되기 때문이다. 그러므로 '밖에 있다'고 한 것이다. 뜻이 비록 동하였으나 감동함이 깊지 않으니, 엄지발가락이 동하는 것과 같아 나아갈 수 없는 것이다.

六二는 咸其腓(비)면 凶하니 居하면 吉하리라

육이(六二)는 감동함이 그 장딴지이면(그 장딴지를 감동시키면) 흉하니, 그대로 있으면 길하리라.

本義ㅣ 咸其腓니

감동함이 그 장딴지이니,

傳ㅣ 二以陰在下하여 與五爲應이라 故設咸腓之戒라 腓는 足肚(두)니 行則先動이요 足乃擧之하니 非如腓之自動也라 二若不守道하여 待上之求하고 而如腓之動이면 則躁妄自失이니 所以凶也요 安其居而不動하여 以待上之求면 則得進退之道而吉也라 二는 中正之人이로되 以其在咸而應五라 故爲此戒하고 復云居吉이라 하니 若安其分하여 不自動則吉也라

이(二)는 음(陰)으로서 아래에 있어 오(五)와 응(應)이 되므로 함비(咸腓)의 경계를 한 것이다. '비(腓)'는 발의 장딴지이니, 걸어가면 장딴지가 먼저 동하고 발이 그제야 들리니, 〈발은〉 비(腓)가 스스로 동함과는 같지 않다. 이(二)가 만약 도를 지켜 윗사람의 구함을 기다리지 않고 장딴지가 동하듯이 하면 조급하고 경망하여 스스로 잃으니 흉함이 될 것이요, 거처를 편안히 여기고 동하지 않아 윗사람의 구함을 기다리면 진퇴(進退)의 도를 얻어 길하다. 이(二)는 중정(中正)한 사람이나 함(咸)의 때에 있고 오(五)와 응(應)하기 때문에 이러한 경계를 하였고, 또 '그대

··· 腓 : 장딴지 비 肚 : 밥통 두, 길쭉한물건의가운데볼록한부분 두 躁 : 성급할 조

로 있으면 길하다.' 하였으니, 만일 분수를 편안히 여겨 스스로 동하지 않으면 길한 것이다.

本義 | 腓는 足肚也라 欲行則先自動하니 躁妄而不能固守者也라 二當其處요 又以陰柔不能固守라 故取其象이라 然有中正之德하여 能居其所라 故其占이 動凶而靜吉也라

'비(腓)'는 발의 장딴지이다. 장딴지는 가고자 하면 먼저 스스로 동하니, 조급하고 경망하여 굳게 지키지 못하는 자이다. 이(二)가 그 자리에 해당하고 또 음유(陰柔)여서 굳게 지키지 못하기 때문에 그 상을 취한 것이다. 그러나 중정(中正)의 덕(德)이 있어 그 자리에 그대로 머물러 있기 때문에 그 점(占)이 동(動)하면 흉하고 정(靜)하면 길한 것이다.

象曰 雖凶居吉은 順하면 不害也라

〈상전〉에 말하였다. "비록 흉하나 그대로 있으면 길함은 순리(順理)대로 하면 해롭지 않은 것이다."

傳 | 二居中得正하고 所應이 又中正이니 其才本善이로되 以其在咸之時하여 質柔而上應이라 故戒以先動求君則凶이요 居以自守則吉이라 象復明之云 非戒之不得相感이요 唯順理則不害라하니 謂守道不先動也라

이(二)가 중(中)에 거하고 정(正)을 얻었고 응하는 바가 또 중정(中正)이니, 그 재질이 본래 선(善)하나 함(咸)의 때에 있어 질(質)이 유순하고 위로 응하기 때문에 먼저 동하여 군주를 구하면 흉하고 그대로 머물러 스스로 지키면 길하다고 경계한 것이다. 〈상전〉에는 다시 밝히기를 '서로 감동시키지 못함을 경계한 것이 아니요 오직 순리대로 하면 해롭지 않다.'고 하였으니, 도를 지키고 먼저 동하지 않음을 말한 것이다.

九三은 咸其股(고)라 執其隨니 往하면 吝하리라

구삼(九三)은 감동함이 그 다리(허벅지)이다.(그 다리를 감동시킴이다.) 잡

··· 股 : 넓적다리 고

아 지킴을 상대방을 따라서 하니, 그대로 나아가면 부끄러우리라.

傳ㅣ 九三이 以陽居剛하니 有剛陽之才하여 而爲主於內하고 居下之上하니 是宜自
得於正道하여 以感於物이어늘 而乃應於上六하니 陽好上而說陰하고 上居感說之
極이라 故三感而從之라 股者는 在身之下, 足之上하여 不能自由하고 隨身而動者
也라 故以爲象이라 言九三不能自主하여 隨物而動을 如股然하여 其所執守者 隨
於物也라 剛陽之才 感於所說而隨之하니 如此而往이면 可羞吝也라

　　구삼(九三)은 양효(陽爻)로서 강위(剛位)에 거하였으니, 강양(剛陽)의 재질을 가
지고 있으면서 안에 주장이 되고 하괘(下卦)의 위에 거하였으니, 이는 마땅히 스
스로 정도(正道)에 맞게 하여 물건(物)을 감동시켜야 할 것인데, 도리어 상육(上六)
과 응하니, 양은 위를 좋아하고 음을 기뻐하며, 상(上)은 감동하고 기뻐함의 극
(極)에 처했기 때문에 삼(三)이 감동하여 따르는 것이다. '다리[股]'는 몸의 아래,
발의 위에 있어 자유롭게 행동하지 못하고 몸을 따라 동하는 것이므로 상을 삼은
것이다. 구삼(九三)이 스스로 주장하지 못하여 물건을 따라 동하기를 다리와 같이
하여, 그 잡아 지킴을 상대방을 따름을 말한 것이다. 강양(剛陽)의 재질로 기뻐하
는 바에 감동되어 따르니, 이와 같이 하여 그대로 나아가면 부끄러운 것이다.

本義ㅣ 股는 隨足而動하여 不能自專者也라 執者는 主當持守之意라 下二爻皆欲
動者요 三亦不能自守而隨之하니 往則吝矣라 故其象占如此하니라

　　'고(股)'는 발을 따라 동하여 스스로 오로지 하지 못하는 자이다. '집(執)'은 주
장하여 담당하고 잡아 지키는 뜻이다. 아래의 두 효(爻)가 모두 동하고자 하고 삼
(三) 또한 스스로 능히 지키지 못하여 따르니, 그대로 나아가면 부끄럽다. 그러므
로 그 상(象)과 점(占)이 이와 같은 것이다.

象曰 咸其股는 亦不處也니 志在隨人하니 所執이 下也라
　　〈상전〉에 말하였다. "감동함이 그 다리인 것은 또한 그대로 머물러 있
지 않음이니, 뜻이 남을 따름에 있으니, 지키는 바가 매우 낮다."

傳│ 云亦者는 蓋象辭〔一作體〕本不與易相比하고 自作一處라 故諸爻之象辭 意有相續者라 此言亦者는 承上爻〔一有象字〕辭也니 上云咸其拇는 志在外也요 雖凶居吉은 順하면 不害也라하니라 咸其股亦不處也는 前〔一作下〕二陰爻 皆有感而動하고 三雖陽爻나 亦然이라 故云亦不處也라하니 不處는 謂動也라 有剛陽之質이로되 而不能自主〔一作立 一作處〕하여 志反在於隨人이면 是所操執者 卑下之甚也라

역(亦)이라고 말한 것은 상사(象辭;상전의 글)가 본래 역(易)의 경문(經文)과 서로 나란히 있지 않고 따로 한 곳에 있었다. 그러므로 여러 효(爻)의 상사가 뜻이 서로 이어짐이 있는 것이다. 여기에 역(亦)이라고 말한 것은 위 효의 상사를 이어받은 것이니, 위에 이르기를 "엄지발가락을 감동시킴은 뜻이 밖에 있음이요, 비록 흉하나 그대로 머물러 있으면 길함은 순리대로 하면 해롭지 않은 것이다." 하였고, '함기고 역불처야(咸其股亦不處也)'는 앞에 두 음효(陰爻)가 모두 감동함이 있어 동하였는데, 삼(三)은 비록 양효(陽爻)이나 또한 그러하기 때문에 '그대로 머물러 있지 않다.'고 말한 것이니, 그대로 머물러 있지 않음은 동함을 이른다. 강양(剛陽)의 재질이 있으면서 스스로 주장하지 못하여 뜻이 도리어 남을 따름에 있다면 이는 잡아 지키는 것이 심히 비하(卑下)한 것이다.

本義│ 言亦者는 因前二爻皆欲動而云也라 二爻陰躁하니 其動也宜어니와 九三은 陽剛으로 居止之極하니 宜靜而動은 可吝之甚也라

역(亦)이라고 말한 것은 앞의 두 효(爻)가 모두 동하고자 함을 인하여 말한 것이다. 두 효는 음(陰)으로 조급하니 동함이 마땅하지만, 구삼(九三)은 양강(陽剛)으로 그침의 극(極)에 거하였으니, 마땅히 정(靜)하여야 할 터인데 동함은 심히 부끄러울 만한 것이다.

九四는 貞이면 吉하여 悔亡하리니 憧憧往來면 朋從爾思리라
구사(九四)는 정(貞)하면 길하여 뉘우침이 없으리니, 왕래하기를 동동(憧憧;자주 왕래함)히 하면 벗만이 네 생각을 따르리라.

傳│ 感者는 人之動也라 故皆就人身取象이라 拇는 取在下而動之微요 腓는 取先動이요 股는 取其隨라 九四는 无所取하여 直言感之道하고 不言咸其心하니 感乃心

也라 四在中而居上하여 當心之位라 故爲感之主而言感之道하니 貞正則吉而悔亡이요 感不以正則有悔也라 又四說體居陰而應初라 故戒於貞하니 感之道는 无所不通이로되 有所私係면 則害於感通하니 乃有悔也라 聖人感天下之心이 如寒暑、 雨暘하여 无不通, 无不應者는 亦貞而已矣니 貞者는 虛中无我之謂也라 憧憧往來 朋從爾思는 夫貞一則所感无不通이요 若往來憧憧然하여 用其私心以感物이면 則思之所及者는 有能感而動이어니와 所不及者는 不能感也니 是其朋類則從其思也라 以有係之私心으로 旣主於一隅一事면 豈能廓然无所不通乎아

감(感)은 사람이 동하는 것이다. 그러므로 모두 사람의 몸을 가지고 상(象)을 취하였다. 엄지발가락은 아래에 있으면서 동함이 미미함을 취하였고, 장딴지는 먼저 동함을 취하였고, 다리는 따라서 움직임을 취하였다. 구사(九四)는 취할 것이 없어 다만 감동하는 방도를 말하고 마음을 감동했다고 말하지 않았으니, 감동하는 것은 바로 마음이다. 사(四)가 중(中)에 있고 상(上)에 거하여 마음(심장)의 위치에 해당한다. 그러므로 감동함의 주체가 되어서 감동하는 방도를 말하였으니, 정정(貞正)하면 길하여 뉘우침이 없을 것이요, 감동하기를 바름으로써 하지 않으면 뉘우침이 있는 것이다.

또 사(四)가 열(說)의 체(體)로 음위(陰位)에 거하고 초(初)와 응하기 때문에 정(貞)하라고 경계하였으니, 감동하는 도(道)는 통하지 않는 것이 없으나 사사로이 매이는 바가 있으면 감통(感通)함에 해로우니, 이는 바로 뉘우침이 있는 것이다. 성인이 천하의 마음을 감동시킴이 추위와 더위, 비옴과 햇볕남과 같아서 통하지 않음이 없고 응하지 않음이 없는 것은 또한 정(貞)하기 때문일 뿐이니, 정은 마음을 비워 아집(我執)이 없음을 이른다.

'동동왕래 붕종이사(憧憧往來朋從爾思)'는 바르고 한결같으면 감동하는 바가 통하지 않음이 없을 것이요, 만일 왕래하기를 동동(憧憧)히 하여 사심(私心)을 써서 남을 감동시키면 자기 생각에 미치는 것은 감동시킬 수가 있지만 미치지 못하는 것은 감동시키지 못하니, 이는 붕류(朋類)만이 그 생각을 따르는 것이다. 매임이 있는 사심으로 이미 한 귀퉁이와 한 가지 일을 주장하면 어찌 확연(廓然)히 통하지 않는 바가 없겠는가?

繫辭曰 天下何思何慮리오 天下同歸而殊塗하며 一致而百慮하나니 天下何思何

··· 暘 : 햇볕날 양　廓 : 넓을 확(곽)　塗 : 길 도

慮리오하니 夫子因咸하사 極論感通之道라 夫以思慮之私心感物이면 所感狹矣라
天下之理一也니 塗雖殊而其歸則同이요 慮雖百而其致〔一有極字 一作極致〕則一이
니 雖物有萬殊하고 事有萬變이나 統之以一이면 則无能違也라 故貞其意면 則窮
天下无不感通焉이라 故曰天下何思何慮리오하니 用其思慮之私心이면 豈能无所
不感也리오 日往則月來하고 月往則日來하야 日月相推而明生焉하며 寒往則暑來
하고 暑往則寒來하야 寒暑相推而歲成焉하니 往者는 屈也요 來者는 信(伸)也니 屈
信相感而利生焉이라하니 此는 以往來、屈信으로 明感應之理니 屈則有信하고 信
則有屈은 所謂感應也라 故日月相推而明生하고 寒暑相推而歲成하니 功用由是
而成이라 故曰屈信相感而利生焉이라하니 感은 動也니 有感이면 必有應이라 凡有
動은 皆爲感이니 感則必有應하고 所應이 復爲感〔一作所字〕하고 感復有應하니 所以
不已也라

　　〈계사전 하〉에 이르기를 "천하가 무엇을 생각하며 무엇을 생각하겠는가. 천하
가 돌아감은 같으나 길은 다르며, 이치는 하나이나 생각은 백 가지이니, 천하가
무엇을 생각하며 무엇을 생각하겠는가?" 하였으니, 부자(夫子)가 함(咸)을 인하여
감통하는 방도를 지극히 논하신 것이다. 저 사려(思慮)하는 사심(私心)으로 남을
감동시키면 감동시키는 바가 좁다. 천하의 이치는 하나이니, 길은 비록 다르나 돌
아감은 같고 생각은 비록 백 가지이나 그 극치는 하나이니, 비록 물건이 만 가지
다름이 있고 일이 만 가지 변함이 있으나 하나로써 통일시키면 어길 수가 없는 것이
다. 그러므로 그 뜻을 바르게 하면 천하를 다하여 감통하지 않음이 없는 것이
다. 그러므로 〈계사전 하〉에 '천하가 무엇을 생각하며 무엇을 생각하겠는가.'라
고 하였으니, 사려하는 사심을 쓴다면 어찌 감동시키지 못하는 바가 없겠는가.

　　〈〈계사전 하〉에〉 "해가 가면 달이 오고 달이 가면 해가 와서 해와 달이 서로 미
루어 밝음이 생기며, 추위가 가면 더위가 오고 더위가 가면 추위가 와서 추위와
더위가 서로 미루어 한 해가 이루어지며, 가는 것은 굽힘이요 오는 것은 폄이니,
굽힘과 폄이 서로 감동하여 이로움이 생긴다." 하였으니, 이는 왕(往)·래(來)와
굴(屈)·신(伸)으로 감응(感應)의 이치를 밝힌 것이다. 굽히면 폄이 있고 펴면 굽힘
이 있음이 이른바 '감응'이란 것이다. 그러므로 해와 달이 서로 미루어 밝음이 생
기고, 추위와 더위가 서로 미루어 한 해가 이루어지니, 공용(功用)이 이 때문에 이
루어지므로 '굽힘과 폄이 서로 감동하여 이로움이 생긴다.'고 한 것이다.

··· 狹 : 좁을 협

'감(感)'은 동함이니, 감동함이 있으면 반드시 응함이 있다. 무릇 동함이 있는 것은 모두 감동함이 되니, 감동하면 반드시 응함이 있고, 응하는 바가 다시 감동함이 되며 감동하면 다시 응함이 있으니, 이 때문에 끝이 없는 것이다.

尺蠖之屈은 以求信(伸)也요 龍蛇之蟄은 以存身也요 精義入神은 以致用也요 利用安身은 以崇德也니 過此以往은 未之或知也[34]라하니 前云屈信之理矣요 復取物以明之라 尺蠖之行은 先屈而後信하나니 蓋不屈則无信이요 信而後有屈이니 觀尺蠖則知感應之理矣라 龍蛇之藏은 所以存息其身이니 而後能奮迅也요 不蟄則不能奮矣니 動息相感은 乃屈信也라 君子潛心精微之義하여 入於神妙는 所以致其用也니 潛心精微는 積也요 致用은 施也니 積與施는 乃屈信也라 利用安身以崇德也는 承上文致用而言이니 利其施用하고 安處其身은 所以崇大其德業也라 所爲合理면 則事正而身安이니 聖人[一作賢]能事 盡於此矣라 故云 過此以往은 未之或知也라하니라 窮神知化는 德之盛也라하니 旣云過此以往은 未之或知라하고 更以此語終之하사 云窮極至神之妙하여 知化育之道는 德之至盛也 无加於此矣라하시니라

《계사전 하》에 "자벌레가 몸을 굽힘은 펴기를 구하기 위해서요, 용과 뱀이 칩거(蟄居)함은 몸을 보존하기 위해서요, 의(義)를 정밀히 연구하여 신묘(神妙)한 경지에 들어감은 씀을 지극히 하기 위해서요, 씀을 이롭게 하여 몸을 편안히 함은 덕을 높이기 위해서이니, 이것을 지난 이후는(이 이상은) 혹 알지 못한다." 하였으니, 앞에서는 굴신(屈伸)의 이치를 말하였고 다시 물건을 취하여 밝힌 것이다.

자벌레가 감은 먼저 굽힌 뒤에 펴니, 굽히지 않으면 펼 수가 없고 편 뒤에 굽힘이 있는 것이니, 자벌레를 보면 감응(感應)의 이치를 알 수 있다. 용과 뱀이 숨음(칩거함)은 그 몸을 보존하고 쉬기 위한 것이니, 이렇게 한 뒤에야 능히 떨치고 빠

••••••
34 過此以往 未之或知也 : '혹 알지 못함[未之或知]'에 대하여, 주자는 "'다만 이것을 따르고자 하나 말미암을 데가 없다.[雖欲從之, 末由也已.]'라는 말과 같다."고 하였다. 이 말은 안연(顏淵)이 스승 공자(孔子)의 경지를 두고 한 말로, 스승의 경지가 너무 높아서 아무리 노력을 해도 닿을 수가 없다는 뜻이다. 여기에서는, '정의(精義)'와 '이용(利用)'은 공부를 통해 도달하는 경지지만, 이보다 더 높은 경지인 '궁신 지화(窮神知化)'는 공부를 통해 도달하는 경지가 아니라 저절로 도달하게 되는 경지임을 말한 것이다.

••• 蠖 : 자벌레 확 蟄 : 숨을 칩 迅 : 빠를 신

르게 날 수 있으며 숨어 있지 않으면 떨치지 못하니, 동(動)과 식(息:정(靜))이 서로 감동함이 바로 굴신(屈伸)이다. 군자가 정미(精微)한 의(義)에 마음을 잠겨 신묘한 경지에 들어감은 그 씀을 지극히 하기 위한 것이니, 마음을 정미한 데에 잠김은 쌓음이요 씀을 지극히 함은 베풂이니, 쌓음과 베풂이 바로 굴신이다.

'씀을 이롭게 하여 몸을 편안히 함은 덕을 높이기 위해서이다.'라는 것은 상문(上文)의 씀을 지극히 함을 이어서 말한 것이니, 그 시용(施用)을 이롭게 하여 그 몸을 편안히 처함은 덕업(德業)을 높이고 크게 하기 위한 것이다. 하는 바가 도리에 합하면 일이 바루어져 몸이 편안하니, 성인(聖人)의 능사(能事)가 이에서 극진해진다. 그러므로 '이것을 지난 이후(以後)는 혹 알지 못한다.'고 한 것이다.

"신묘(神妙)한 이치를 궁구하여 조화를 앎은 덕(德)의 성대함이다." 하였으니, 이미 '이것을 지난 이후는 혹 알지 못한다.' 하였고, 다시 이 말로써 뜻을 끝맺어 지극히 신통한 묘리(妙理)를 궁극(窮極)하여 화육(化育)의 도(道)를 앎은 덕이 지극히 성대함이 이보다 더할 수 없다고 말씀한 것이다.

本義 | 九四居股之上, 腜(매)之下하고 又當三陽之中하니 心之象이요 咸之主也라 心之感物은 當正而固라야 乃得其理어늘 今九四乃以陽居陰하니 爲失其正而不能固라 故因占設戒하여 以爲能正而固면 則吉而悔亡이요 若憧憧往來하여 不能正固而累於私感이면 則但其朋類從之요 不復能及遠矣라하니라

구사(九四)가 다리의 위, 등살의 아래에 거하고 또 세 양(陽)의 가운데에 해당하니, 마음의 상(象)이요 감동하는 주체이다. 마음이 물건에 감동함은 마땅히 바르고 굳어야 그 이치에 맞을 수 있는데, 이제 구사(九四)는 양효(陽爻)로서 음위(陰位)에 거하였으니, 그 바름을 잃어 견고하지 못함이 된다. 그러므로 점(占)을 인하여 경계해서 '능히 바르고 굳으면 길하여 뉘우침이 없을 것이요, 만일 왕래(往來)하기를 동동(憧憧)히 하여 정고(正固)하지 못하고 사사로운 감동에 얽매이면 다만 그 붕류(朋類)만이 따를 것이요 다시는 멂에 미치지 못한다.' 한 것이다.

象曰 貞吉悔亡은 未感害也요 憧憧往來는 未光大也라

〈상전〉에 말하였다. "'정길회망(貞吉悔亡)'은 사사로운 감동에 해(害)를 당하지 않음이요 '동동왕래(憧憧往來)'는 광대(光大)하지 못한 것이다."

··· 腜 : 등살 매

傳│ 貞則吉而悔亡은 未爲私感所害也니 係私應則害於感矣라 憧憧往來는 以私心相感이니 感之道狹矣라 故云未光大也라하니라

정(貞)하면 길하여 뉘우침이 없음은 사사로운 감동에 해를 당하지 않는 것이니, 사사로운 응(應)에 얽매이면 감동에 해가 된다. '동동왕래(憧憧往來)'는 사심(私心)으로 서로 감동함이니, 감동하는 도가 좁기 때문에 광대(光大)하지 못하다고 한 것이다.

本義│ 感害는 言不正而感則有害也라

'감해(感害)'는 바르지 못하면서 감동하면 해(害)가 있음을 말한 것이다.

九五는 咸其脢(매)니 无悔리라

구오(九五)는 감동함이 그 등살이니(그 등살을 감동시킴이니), 뉘우침이 없으리라.

傳│ 九居尊位하니 當以至誠感天下어늘 而應二比上하니 若係二而說上이면 則偏私淺狹하여 非人君之道니 豈能感天下乎아 脢는 背肉也니 與心相背而所不見也라 言能背其私心하여 感非其所見而說者면 則得人君感天下之正而无悔也라

구(九)는 존위(尊位)에 거하였으니, 마땅히 지성으로 천하를 감동시켜야 할 터인데, 이(二)와 응(應)하고 상(上)과 가까이 있으니, 만일 이(二)에 매이고 상(上)을 좋아하면 편벽되고 얕고 좁아서 인군의 도리가 아니니, 어찌 천하를 감동시키겠는가. '매(脢)'는 등살이니, 심장과 서로 등져서 보이지 않는 곳이다. 사심(私心)을 등져서 보고 좋아하는 자가 아닌 사람을 감동시키면 인군이 천하를 감동시키는 바름을 얻어 뉘우침이 없을 것이다.

本義│ 脢는 背肉이니 在心上而相背하여 不能感物而无私係하니 九五適當其處라 故取其象하고 而戒占者以能如是면 則雖不能感物이나 而亦可以无悔也라

'매(脢)'는 등살이니, 심장(心臟)의 위에 있어 서로 등져서 남을 감동시키지 못하여 사사로이 매임이 없으니, 구오(九五)가 마침 그 자리에 해당하므로 그 상(象)을 취하고, 점치는 자에게 이와 같이 하면 비록 남을 감동시키지 못하나 또한 뉘

••• 比 : 가까울 비   適 : 다만 적

우침이 없다고 경계한 것이다.

象曰 咸其脢는 志末也일새라

〈상전〉에 말하였다. "감동함이 그 등살인 것은 뜻이 낮기 때문이다."

本義 | 志末也라

　　　뜻이 낮은 것이다.

傳 | 戒使背其心而咸脢者는 爲其存心〔一作志〕淺末하여 係二而說上하여 感於私欲也일새라

　　그 심장을 등져 등살을 감동시키라고 경계한 것은 마음을 둠이 얕고 낮아서 이(二)에 매이고 상(上)을 좋아하여 사사로움에 감동하기 때문이다.

本義 | 志末은 謂不能感物이라

　　'지말(志末)'은 남을 감동시키지 못함을 이른다.

上六은 咸其輔、頰(협)、舌이라

　　상육(上六)은 감동함이 광대뼈와 뺨과 혀이다.(광대뼈와 뺨과 혀를 감동시킴이다.)

傳 | 上은 陰柔而說體로 爲說之主하고 又居感之極하니 是其欲感物之極也라 故不能以至誠感物하여 而發見(현)於口舌之間하니 小人、女子之常態也라 豈能動於人乎아 不直云口而云輔、頰、舌은 亦猶今人謂口過日脣吻(순문), 日頰舌也라 輔、頰、舌은 皆所用以言也라

　　상(上)은 음유(陰柔)이고 열체(說體)로 기뻐함의 주체가 되고 또 감동함의 극(極)에 처했으니, 이는 남을 감동시키고자 함이 지극한 것이다. 그러므로 지성으로 남을 감동시키지 못하여 구설(口舌)의 사이에 나타난 것이니, 이는 소인과 여자의 떳떳한(일반적인) 태도이다. 〈구설로〉 어찌 남을 감동시킬 수 있겠는가. 다만 구(口)라고 말하지 않고 보(輔:광대뼈)·협(頰:뺨)·설(舌:혀)이라고 말한 것은 또한 지금 사람들이 구과(口過:잘못된 말)를 '순문(脣吻)'이라 하고 '협설(頰舌)'이라고 하는

··· 輔 : 광대뼈 보 頰 : 뺨 협 吻 : 입술 문

것과 같다. 보·협·설은 모두 사용하여 말을 하는 것이다.

本義 | 輔、頰、舌은 皆所以言者而在身之上하니 上六이 以陰居說之終하고 處咸之極하여 感人以言而无其實이요 又兌爲口舌이라 故其象如此하니 凶咎可知니라

　　보(輔)·협(頰)·설(舌)은 모두 말을 하는 것인데 몸의 위에 있으니, 상육(上六)이 음효(陰爻)로서 열(說)의 끝에 거하고 함(咸)의 극에 처하여, 사람을 말로써 감동시켜 그 실상이 없는 것이요, 또 태(兌)는 입과 혀가 되기 때문에 그 상(象)이 이와 같으니, 흉구(凶咎)를 알 수 있다.

象曰 咸其輔、頰、舌은 滕(騰)口說也라

　　〈상전〉에 말하였다. "감동함이 광대뼈와 뺨과 혀인 것은 입에 말로만 올리는 것이다."

傳 | 唯至誠이라야 爲能感人이어늘 乃以柔說로 騰揚於口舌言說하니 豈能感於人乎아

　　오직 지성이라야 남을 감동시킬 수 있는데 유순함과 기뻐함으로써 구설(口舌)과 언설(言說)에만 올리니, 어찌 능히 남을 감동시키겠는가.

本義 | 滕騰通用이라

　　'등(滕)'과 '등(騰)'은 통용(通用)된다.

··· 滕 : 말떠벌릴 등　騰 : 오를 등

傳 | 恒은 序卦에 夫婦之道는 不可以不久也라 故受之以恒하니 恒은 久也라하니라 咸은 夫婦之道니 夫婦〔一有之道字〕는 終身不〔一有可字〕變者也라 故咸之後에 受之以恒也라 咸은 少男이 在少女之下하니 以男下女는 是男女交感之義요 恒은 長男이 在長女之上하니 男尊女卑는 夫婦居室之常道也라 論交感之情이면 則少爲親切이요 論尊卑之序면 則長當謹正이라 故兌艮爲咸而震巽爲恒也라 男在女上하여 男動于外하고 女順于內는 人理之常이라 故爲恒也라 又剛上柔下하고 雷風相與하며 巽而動하고 剛柔相應이 皆恒之義也라

항괘(恒卦)는 〈서괘전〉에 "부(夫)·부(婦)의 도(道)는 오래하지 않을 수 없다. 그러므로 항괘로 받았으니, 항(恒)은 오램이다." 하였다. 함(咸)은 부·부의 도(道)이니, 부·부는 종신토록 변치 않는 자이다. 그러므로 함괘(咸卦☷)의 뒤에 항괘로 받은 것이다. 함(咸)은 소남(少男)이 소녀(少女)의 아래에 있으니 남자가 여자에게 낮춤은 이는 남(男)·녀(女)가 서로 감동하는 뜻이요, 항(恒)은 장남(長男)이 장녀(長女)의 위에 있으니 남자가 높고 여자가 낮음은 부·부가 집에 거처하는 상도(常道)이다. 서로 감동하는 정(情)을 논하면 소(少;소남과 소녀)가 친절함이 되고, 존비(尊卑)의 차례를 논하면 장(長;장남과 장녀)은 마땅히 삼가고 바루어야 한다. 그러므로 태(兌)와 간(艮)은 함(咸)이 되고 진(震)과 손(巽)은 항(恒)이 된 것이다. 남자가 여자의 위에 있어서 남자는 밖에서 동(動)하고 여자는 안에서 순(順)함은 인리(人理;인도(人道))의 떳떳함이다. 그러므로 항(恒)이라 한 것이다. 또 강(剛)이 위에 있고 유(柔)가 아래에 있고, 우레와 바람이 서로 더불며, 공손하고 동하고 강(剛)과 유(柔)가 서로 응함이 모두 항(恒)의 뜻이다.

恒은 **亨**하여 **无咎**하니 **利貞**하니 **利有攸往**하니라
항(恒)은 형통하여 허물이 없으니, 정(貞)함이 이로우니, 가는 바를 둠이 이롭다.

本義 | 无咎하나
허물이 없으나

傳 | 恒者는 常久也니 恒之道는 可以亨通이라 恒而能亨이면 乃无咎也요 恒而不可以亨이면 非可恒之道也니 爲有咎矣라 如君子之恒於善은 可恒之道也요 小人恒於惡은 失可恒之道也라 恒所以能亨은 由貞正也라 故云利貞이라 夫所謂恒은 謂可恒久之道요 非守一隅而不知變也라 故利於有往이니 唯其有往이라 故能恒也니 一定則不能常矣라 又常久之道 何往不利리오

항(恒)은 상구(常久:항상하고 오래함)함이니, 항(恒)의 도(道)는 형통할 수 있다. 항상하여 형통하면 바로 허물이 없으며, 항상하되 형통할 수 없으면 항상할 수 있는 방도가 아니니 허물이 있음이 된다. 예컨대 군자가 선(善)에 항상함은 항상할 수 있는 도이고, 소인이 악(惡)에 항상함은 항상할 수 있는 도를 잃은 것이다. 항(恒)이 형통할 수 있는 까닭은 정정(貞正)하기 때문이다. 그러므로 '이정(利貞)'이라 한 것이다. 이른바 항(恒)은 항구(恒久)할 수 있는 도를 이른 것이요, 한 귀퉁이만 지켜서 변통할 줄을 알지 못하는 것이 아니다. 그러므로 가는 바를 둠이 이로우니, 감이 있기 때문에 항상할 수 있는 것이니, 일정하면(한 곳에 고정되면) 항상하지 못한다. 또 상구(常久)의 도가 어디를 간들 이롭지 않겠는가.

本義 | 恒은 常久也라 爲卦震剛在上하고 巽柔在下하며 震雷、巽風이 二物相與하고 巽順、震動이 爲巽而動이며 二體六爻가 陰陽相應하니 四者는 皆理之常이라 故爲恒이라 其占이 爲能久於其道면 則亨而无咎라 然又必利於守貞이니 則乃爲得所常久之道하여 而利有所往也라

항(恒)은 항상하고 오래함이다. 괘됨이 진강(震剛)은 위에 있고 손유(巽柔)는 아래에 있으며, 진뢰(震雷)와 손풍(巽風)은 두 물건이 서로 더불고, 손순(巽順)과 진동(震動)은 공손하고 동함이 되며, 두 체(體)의 여섯 효(爻)가 음과 양이 서로 응하니, 네 가지는 모두 이치의 떳떳함이다. 그러므로 항(恒)이라 한 것이다. 그 점(占)이 도(道)에 오래하면 형통하여 허물이 없음이 된다. 그러나 또 반드시 정도(正道)를 지킴이 이로우니, 이렇게 하면 항상하고 오래하는 바의 도를 얻어 가는 바를 둠이 이로운 것이다.

彖曰 恒은 久也니

〈단전(彖傳)〉에 말하였다. "항(恒)은 오래함이니,

傳 | 恒者는 長久之義也라

항(恒)은 장구(長久)한 뜻이다.

剛上而柔下하고 雷風이 相與하고 巽而動하고 剛柔皆應이 恒이니

강(剛)이 위에 있고 유(柔)가 아래에 있으며, 우레와 바람이 서로 더불며, 공손하고 동하며, 강(剛)과 유(柔)가 모두 응함이 항(恒)이니,

傳 | 卦才有此四者하여 成恒之義也라 剛上而柔下는 謂乾之初上居於四하고 坤之初[一作四]下居於初하여 剛爻上而柔爻下也라 二爻易處則成震、巽하니 震上巽下는 亦剛上而柔下也니 剛處上而柔居下는 乃恒道也라 雷風相與는 雷震則風發하니 二者相須하여 交助其勢라 故云相與하니 乃其常也라 巽而動은 下巽順하고 上震動하니 爲以巽而動이라 天地造化 恒久不已者는 順動而已니 巽而動은 常久之道也라 動而不順이면 豈能常也리오 剛柔皆應은[一有恒字] 一卦剛柔之爻 皆相應하니 剛柔相應은 理之常也라 此四者는 恒之道也니 卦所以爲恒也라

괘재(卦才)에 이 네 가지가 있어, 항(恒)의 뜻을 이룬 것이다. '강(剛)이 위에 있고 유(柔)가 아래에 있다.'는 것은 건(乾)의 초효(初爻)가 올라가 사(四)에 거하고 곤(坤)의 초효(初爻)가 아래로 내려와 초(初)에 거하여, 강효(剛爻)가 올라가고 유효(柔爻)가 내려옴을 이른다. 두 효(爻)가 처소(자리)를 바꾸면 진(震)·손(巽)을 이루니, 진(震)이 위에 있고 손(巽)이 아래에 있음은 또한 강(剛)이 위에 있고 유(柔)가 아래에 있는 것이니, 강이 위에 처하고 유가 아래에 거함은 바로 항상하는 방도이다.

'우레와 바람이 서로 더분다.'는 것은 우레가 진동하면 바람이 일어나니, 두 가지가 서로 기다려 서로 그 세(勢)를 돕기 때문에 서로 더분다고 말하였으니, 이는 바로 그 떳떳함이다. '공손하고 동한다.'는 것은 아래는 손순(巽順)이고 위는 진동(震動)이니, 공손함으로써 진동함이 된다. 천지의 조화가 항구(恒久)하고 그치지 않음은 순하게 동해서일 뿐이니, 공손히 동함은 상구(常久)의 도(道)이다. 동하되 순하지 않으면 어찌 능히 항상할 수 있겠는가. '강(剛)과 유(柔)가 모두 응한다.'는

것은 한 괘의 강·유의 효가 모두 서로 응하니, 강과 유가 서로 응함은 이치의 떳떳함이다. 이 네 가지는 항(恒)의 도(道)이니, 괘를 이 때문에 항(恒)이라 한 것이다.

本義 | 以卦體卦象卦德으로 釋卦名義라 或以卦變으로 言剛上柔下之義曰 恒自豐來하여 剛上居二하고 柔下居初也라하니 亦通이라

괘체(卦體)와 괘상(卦象)과 괘덕(卦德)으로써 괘명(卦名)의 뜻을 해석하였다. 혹자는 괘변(卦變)으로써 '강상유하(剛上柔下)'의 뜻을 말하기를 "항(恒)이 풍괘(豐卦䷶)로부터 와서 강(剛)이 올라가 이(二)에 거하고 유(柔)가 내려와 초(初)에 거했다." 하니, 또한 통한다.

恒亨无咎利貞은 久於其道也니

'항형무구 이정(恒亨无咎利貞)'은 그 도(道)를 오래하는 것이니,

傳 | 恒之道 可致亨而无過咎로되 但所恒이 宜得其正이니 失正則非可恒之道也라 故曰久於其道라하니 其道는 可恒之正道也라 不恒其德과 與恒於不正은 皆不能亨而有咎也라

항(恒)의 도(道)는 형통함을 이루고 허물이 없을 수 있으나, 다만 항상하는 바가 그 바름을 얻어야 하니, 바름을 잃으면 항상할 수 있는 방도가 아니다. 그러므로 '그 도를 오래한다.' 하였으니, 그 도는 항상할 수 있는 정도(正道)이다. 그 덕(德)을 항상하지 않음과 부정(不正)함에 항상함은 모두 형통하지 못하여 허물이 있는 것이다.

天地之道는 恒久而不已也니라

천지(天地)의 도(道)는 항구(恒久)하여 그치지 않는다.

傳 | 天地之所以不已는 蓋有恒久之道하니 人能恒於可恒之道면 則合天地之理也라

천지가 그치지 않는 까닭은 항구(恒久)의 도(道)가 있어서이니, 사람이 항상할 수 있는 도에 항상하면 천지의 이치에 합한다.

本義 | 恒은 固能亨이요 且无咎矣라 然必利於正이라야 乃爲久於其道니 不正則久非其道矣라 天地之道所以長久는 亦以正而已矣니라

　　항(恒)은 진실로 형통할 수 있고 또 허물이 없다. 그러나 반드시 바름에 마땅하여야 비로소 도(道)를 오래할 수 있으니, 바르지 않으면 도가 아닌 것에 오래하는 것이다. 천지의 도가 장구한 까닭은 또한 정도로써 하기 때문이다.

利有攸往은 終則有始也일새니라

　　'이유유왕(利有攸往)'은 끝마치면 시작함이 있기 때문이다.

傳 | 天下〔一作地〕之理 未有不動而能恒者也라 動則終而復始하니 所以恒而不窮이라 凡天地所生之物은 雖山嶽之堅厚라도 未有能不變者也라 故恒은 非一定之謂也니 一定則不能恒矣라 唯隨時變易이 乃常道也라 故云利有攸往이라하니 明理之如是하니 懼人之泥於常也라

　　천하의 이치가 동(動)하지 않고서 항상할 수 있는 것은 있지 않다. 동하면 종(終)이 되어 다시 시작(始作)되니, 이 때문에 항상하고 다하지 않는 것이다. 무릇 천지가 내는 물건은 비록 산악(山嶽)의 견고하고 후(厚)한 것이라도 변하지 않는 것은 있지 않다. 그러므로 항(恒)은 일정함을 말하는 것이 아니니, 일정하면 항상하지 못한다. 오직 때에 따라 변역(變易)함이 바로 항상하는 방도이다. 그러므로 '가는 바를 둠이 이롭다.'고 하였으니, 이치가 이와 같음을 밝힌 것이니, 이는 사람들이 항상(일정)함에 빠질까 두려워해서이다.

本義 | 久於其道는 終也요 利有攸往은 始也라 動靜相生은 循環之理나 然必靜爲主也니라

　　그 도(道)를 오래함은 '종(終)'이요, 가는 바를 둠이 이로움은 '시(始)'이다. 동(動)과 정(靜)이 상생(相生)함은 순환의 이치이나 반드시 정(靜)이 주장이 된다.

日月이 得天而能久照하며 四時變化而能久成하며 聖人이 久於其道而天下化成하나니 觀其所恒而天地萬物之情을 可見矣리라

　　해와 달이 천리를 얻어 오랫동안 비추며, 사시(四時)가 변화하여 오랫

동안 이루며, 성인(聖人)이 도(道)를 오래하여 천하가 교화되어 이루어지니, 그 항상하는 바를 보면 천지 만물의 정(情)을 알 수 있으리라."

傳 | 此는 極言常理라 日月은 陰陽之精〔一有二字〕氣耳니 唯其順天之道하여 往來盈縮이라 故能久照而不已니 得天은 順天理也라 四時는 陰陽之氣耳니 往來變化하여 生成萬物은 亦以得天이라 故常久不已라 聖人은 以常久之道로 行之有常하여 而天下化之하여 以成美俗也라 觀其所恒은 謂觀日月之久照와 四時之久成과 聖人之道의 所以能常久之理니 觀此則天地萬物之情理를 可見矣라 天地常久之道와 天下常久之理를 非知道者면 孰能識之리오

　이는 항상하는 이치를 극언한 것이다. 해와 달은 음·양의 정기(精氣)이니, 하늘의 도를 따라 가고 오고 차고 이지러진다. 그러므로 오랫동안 비추어 그치지 않는 것이니, '득천(得天)'은 천리(天理)에 순한 것이다. 사시(四時)는 음·양의 기운이니, 왕래하고 변화하여 만물을 생성함은 또한 천리에 맞기 때문이다. 그러므로 항상하고 오래하여 그치지 않는 것이다. 성인(聖人)은 상구(常久)의 도(道)로 행함에 항상함이 있어서 천하가 교화되어 아름다운 풍속을 이룬다. '그 항상하는 바를 본다.'는 것은 해와 달이 오래 비춤과 사시가 오래 이룸과 성인의 도(道)가 상구하는 이치를 봄을 이르니, 이것을 보면 천지 만물의 실정과 이치를 알 수 있다. 천지의 상구하는 도와 천하의 상구하는 이치는 도를 아는 자가 아니면 누가 이것을 알겠는가.

本義 | 極言恒久之道라
　항구(恒久)의 도(道)를 극언하였다.

象曰 雷風이 恒이니 君子以하여 立不易方하나니라
　〈상전〉에 말하였다. "우레와 바람이 항(恒)이니, 군자가 보고서 서서 방소(方所)를 바꾸지 않는다."

傳 | 君子觀雷風相與成恒之象하여 以常久其德하여 自立於大中常久之道하여 不變易其方所也라

··· 縮 : 줄어들 축

군자가 우레와 바람이 서로 더불어 항(恒)을 이루는 상(象)을 관찰하여 그 덕(德)을 항상하고 오래해서 대중(大中) 상구(常久)의 도(道)에 스스로 서서 그 방소를 변역(變易)하지 않는다.

初六은 浚恒이라 貞하여 凶하니 无攸利하니라
초육(初六)은 깊은 항(恒)이다. 정고(貞固)하여 흉하니, 이로운 바가 없다.

本義 | 貞이라도 凶하여
바르더라도 흉하여

傳 | 初居下而四爲正應하니 柔暗之人은 能守常而不能度(탁)勢하며 四는 震體而陽性이라 以剛居高하여 志上而不下하며 又爲二、三所隔하여 應初之志 異乎常矣어늘 而初乃求望之深하니 是知常而不知變也라 浚은 深之也니 浚恒은 謂求恒之深也라 守常而不度(탁)勢하고 求望於上之深하여 堅固守此면 凶之道也니 泥常如此면 无所往而利矣라 世之責望故素而致悔咎〔一作咎〕者는 皆浚恒者也라 志旣上求之深이면 是不能恒安其處者也요 柔微而不恒安其處는 亦致凶之道라 凡卦之初終은 淺與深, 微與盛之地也[35]니 在下而求深은 亦不知時矣니라

초(初)는 아래에 거하고 사(四)와 정응(正應)이 되었으니, 유암(柔暗)한 사람이 떳떳함(상도(常道))을 지키기만 하고 형세를 헤아리지 못하는 것이며, 사(四)는 진체(震體)로 양성(陽性)이니, 강(剛)함으로 높은 자리에 처하여 뜻이 올라가고 내려오지 못하는 것이다. 또 이효(二爻)와 삼효(三爻)에게 막혀서 초(初)와 응하는 뜻이 정상과 다른데, 초(初)가 마침내 구하고 바라기를 깊게 하니, 이는 떳떳함만 알고 변통함을 알지 못하는 것이다.

'준(浚)'은 깊게 하는 것이니, '준항(浚恒)'은 항상함을 구하기를 깊이 하는 것이다. 떳떳함을 지키기만 하고 형세를 헤아리지 못하며, 윗사람에게 구하고 바라기를 깊이 하여 견고히 이를 지키면 흉한 방도이니, 떳떳함에 빠짐이 이와 같으면 가는 곳마다 이로움이 없는 것이다. 세상의 고소(故素:평소 친한 사람)를 책망하

雷風恒

---

35 凡卦之初終⋯⋯微與盛之地也:효(爻)에 있어 초(初)는 천(淺)과 미(微)의 자리이고 종(終)은 심(深)과 성(盛)의 자리이므로 말한 것이다.

••• 浚 : 깊을 준 泥 : 빠질 니, 진흙 니

여(요구하고 바람) 뉘우침과 허물을 이루는 자는 모두 준항(浚恒)인 자이다. 〈아래에 있으면서〉 뜻이 이미 위에 구하기를 깊이 하면 이는 그 거처를 항상하고 편안히 하지 못하는 것이며, 유약하면서 거처를 항상하고 편안히 하지 못함은 또한 흉함을 이루는(부르는) 방도이다. 무릇 괘(卦)의 처음과 끝은 얕음과 깊음, 미약함과 성함의 자리이니, 아래에 있으면서 구하기를 깊이 함은 또한 때를 알지 못하는 것이다.

本義 | 初與四爲正應하니 理之常也라 然初居下而在初하여 未可以深有所求요 四震體而陽性이라 上而不下하며 又爲二、三所隔하여 應初之意 異乎常矣어늘 初之柔暗이 不能度(탁)勢하고 又以陰居巽下하여 爲巽之主하여 其性務入이라 故深以常理求之하니 浚恒之象也라 占者如此면 則雖貞이라도 亦凶而无所利矣리라

초(初)는 사(四)와 정응(正應)이 되니, 이치의 떳떳함이다. 그러나 초는 아래에 거하고 초에 있어 깊이 구하는 바가 있어서는 안 되며, 사(四)는 진체(震體)로 양성(陽性)이니 올라가고 내려오지 못하며, 또 이효(二爻)와 삼효(三爻)에게 막힘을 당하여 초와 응하는 뜻이 정상과 다르다. 그런데 초의 유암(柔暗)함이 형세를 헤아리지 못하고, 또 음(陰)으로 손(巽)의 아래에 거하여 손의 주체가 되어서 그 성질이 들어가기를 힘쓰기 때문에 떳떳한 이치로써 깊이 구하니, 이는 준항(浚恒)의 상(象)이다. 점치는 자가 이와 같으면 비록 바르더라도 흉하여 이로운 바가 없을 것이다.

象曰 浚恒之凶은 始에 求深也일새라

〈상전〉에 말하였다. "준항(浚恒)의 흉함은 처음에 구하기를 깊이 하기 때문이다."

傳 | 居恒之始〔一作常〕而求望於上之深은 是知常而不知〔一无知字〕度勢之甚也라 所以凶이니 陰暗하여 不得恒之宜也라

항(恒)의 처음에 있으면서 윗사람에게 구하고 바라기를 깊이 하니, 이는 떳떳함만 알고 형세를 헤아릴 줄 모름이 심한 것이다. 이 때문에 흉하니, 음암(陰暗)하여 항상함의 마땅함을 얻지 못한 것이다.

九二는 **悔亡**하리라

구이(九二)는 뉘우침이 없어지리라.

傳ㅣ 在恒之義에 居得其正則常道也라 九는 陽爻居陰位하니 非常理也니 處非其常이면 本當有悔로되 而九二以中德而應於五하고 五復居中하여 以中而應中하니 其處與動이 皆得中也니 是能恒久於中也라 能恒久〔一无久字〕於中이면 則不失正矣라 中은 重於正하니 中則正矣어니와 正은 不必中也라 九二以剛中之德而應於中하니 德之勝也니 足以亡其悔矣라 人能識重輕之勢하면 則可以言易矣리라

항(恒)의 뜻에 있어 거함이 그 바름을 얻으면 상도(常道)이다. 구(九)는 양효(陽爻)가 음위(陰位)에 거하였으니 떳떳한 이치가 아니니, 처함이 떳떳한 자리가 아니면 본래는 마땅히 뉘우침이 있을 것이나, 구이(九二)가 중덕(中德)으로 오(五)와 응하고 오가 다시 중(中)에 거하여 중으로 중에 응하니, 그 거처함과 동함이 모두 중을 얻었으니, 이는 중에 항구(恒久:항상하고 오래함)한 것이다. 중에 항구하면 바름〔正〕을 잃지 않는다. 중(中)은 정(正)보다 중(重)하니, 중(中)하면 정(正)이 될 수 있지만 정은 반드시 중하지는 못하다. 구이(九二)는 강중(剛中)의 덕으로 중에 응하니, 덕이 우세한 바, 충분히 그 뉘우침을 없앨 수 있는 것이다. 사람이 경중(輕重)의 형세를 잘 알면 역(易)을 말할 수 있을 것이다.

本義ㅣ 以陽居陰은 本當有悔로되 以其久中이라 故得亡也라

양효(陽爻)로서 음위(陰位)에 거함은 본래는 마땅히 뉘우침이 있을 것이나, 중(中)에 오래하기 때문에 뉘우침이 없어지는 것이다.

象曰 九二悔亡은 **能久中也**일새라

〈상전〉에 말하였다. "구이(九二)가 뉘우침이 없어짐은 중(中)에 오래하기 때문이다."

傳ㅣ 所以得悔亡者는 由其能恒久於中也니 人能恒久於中이면 豈止亡其悔리오 德之善也니라

뉘우침이 없어질 수 있는 까닭은 중(中)에 항구(恒久)하기 때문이니, 사람이 중에 항구하면 어찌 다만 뉘우침이 없어질 뿐이겠는가. 덕의 좋음이다."

九三은 不恒其德이라 或承之羞니 貞이면 吝하리라
　구삼(九三)은 그 덕(德)을 항상하지 않으니, 부끄러움이 혹 이를 것이니, 정고(貞固)히 지키면 부끄러우리라.

本義｜ 或承之羞니 貞이라도 吝이리라
　　　혹자가 부끄러움을 받들어 올림이니, 바르더라도 부끄러우리라.

傳｜　三은 陽爻居陽位하여 處得其位하니 是其常處也어늘 乃志從於上六하니 不唯陰陽相應이라 風復從雷하여 於恒處而不處하니 不恒之人也라 其德不恒이면 則羞辱或承之矣니 或承之는 謂有時而至也라 貞吝은 固守不恒以爲恒이면 豈不可羞吝乎아

　삼(三)은 양효(陽爻)가 양위(陽位)에 거하여 처함이 제자리를 얻었으니 이는 떳떳한 거처인데 마침내 뜻이 상육(上六)을 따르니, 다만 음·양이 서로 응할 뿐만 아니라 바람이 다시 우레를 따라 항구하게 처할 곳에 처하지 않으니, 항상하지 못하는 사람이다. 그 덕이 항상하지 못하면 수욕(羞辱;치욕)이 혹 이를 것이니, '혹승지(或承之)'는 때로 이름이 있음을 이른다. '정린(貞吝)'은 항상하지 않은 것을 굳게 지켜 항상함으로 삼는다면 어찌 부끄럽지 않겠는가.

本義｜　位雖得正이나 然過剛不中하고 志從於上하여 不能久於其所라 故爲不恒其德 或承之羞之象이라 或者는 不知其何人之辭요 承은 奉也니 言人皆得奉而進之하여 不知其所自來也라 貞吝者는 正而不恒은 爲可羞吝이니 申戒占者之辭라

　자리가 비록 정위(正位)를 얻었으나 지나치게 강(剛)하고 중(中)하지 못하며 뜻이 상(上)을 따라 그 자리에 오래하지 못한다. 이 때문에 그 덕(德)을 항상하지 못하여 혹자가 부끄러움을 받들어 올리는 상(象)이 되는 것이다. '혹(或)'은 어떤 사람인지 알지 못하는 말이요, '승(承)'은 받듦이니 사람들이 모두 받들어 올려서 어디로부터 온 것인지 알지 못하는 것이다. '정린(貞吝)'은 바르되 항상하지 못함은 부끄러울 만함이 되는 것이니, 점치는 자를 거듭 경계한 말이다.

象曰 不恒其德하니 无所容也로다

《상전》에 말하였다. "그 덕을 항상하지 못하니, 용납할 곳이 없도다."

傳 ㅣ 人旣无恒이면 何所容處리오 當處之地를 旣不能恒하여 處非其據면 豈能恒哉아 是不恒之人이 无所容處其身也니라

사람이 이미 항상함이 없으면 어느 곳에 용납하여 처하겠는가. 마땅히 처해야 할 곳에 이미 항상하지 못하여 처함이 그 머물 곳이 아니라면 어찌 항상하겠는가. 이는 항상하지 못하는 사람은 그 몸을 용납하여 처할 곳이 없는 것이다.

九四는 田无禽이니라

구사(九四)는 사냥하나 짐승을 잡지 못하는 것이다.

傳 ㅣ 以陽居陰하여 處非其位하니 處非其所면 雖常何益이리오 人之所爲 得其道면 則久而成功이어니와 不得其道면 則雖久何益이리오 故以田爲喩라 言九之居四는 雖使恒久라도 如田獵而无禽獸之獲이니 謂徒用力而无功也라

양효(陽爻)로서 음위(陰位)에 거하여 처함이 제자리가 아니니, 처함이 제자리가 아니라면 비록 항상한들 무슨 유익함이 있겠는가. 사람이 하는 바가 그 도(道)에 맞으면 오래하여 성공할 수 있으나, 그 도에 맞지 않으면 비록 오래한들 무슨 유익함이 있겠는가. 그러므로 사냥으로 비유한 것이다. 구(九)가 사(四)에 거함은 비록 항구(恒久)하더라도 전렵(田獵)을 하나 금수(禽獸)를 잡지 못하는 것과 같다고 말하였으니, 한갓 힘만 쓰고 공(功)이 없음을 말한 것이다.

本義 ㅣ 以陽居陰하여 久非其位라 故爲此象이라 占者田无所獲이요 而凡事亦不得其所求也라

양효(陽爻)로서 음위(陰位)에 거하여 제자리가 아닌 곳에 오래하기 때문에 이 상(象)이 된 것이다. 점치는 자가 사냥하면 짐승을 잡지 못할 것이요, 모든 일 또한 구하는 바를 얻지 못할 것이다.

··· 田 : 사냥할 전 禽 : 날짐승 금

象曰 久非其位어니 **安得禽也**리오

　〈상전〉에 말하였다. "제자리가 아닌 곳에 오래하니, 어찌 짐승을 잡겠는가."

傳 | 處非其位하니 雖久나 何所得乎아 以田爲喩라 故云安得禽也리오하니라

　제자리가 아닌 곳에 처하니, 비록 오래 머문들 무엇을 얻겠는가. 사냥으로 비유하였기 때문에 '어찌 짐승을 잡겠는가.'라고 한 것이다.

六五는 **恒其德**이면 **貞**하니 **婦人**은 **吉**하고 **夫子**는 **凶**하니라

　육오(六五)는 〈유순한〉 덕을 항구히 하면 정(貞)하니, 부인(婦人)은 길하고 부자(夫子;남자)는 흉하다.

本義 | 恒其德이니 貞하나

　　유순의 덕을 항상함이니, 정(貞)하나

傳 | 五應於二하니 以陰柔而應陽剛하고 居中而所應又中하니 陰柔之正也라 故恒久其德則爲貞也〔一則字在其字上〕라 夫以順從爲恒者는 婦人之道니 在婦人則爲貞이라 故吉이어니와 若丈夫而以順從於人爲恒이면 則失其剛陽之正이니 乃凶也라 五君位而不以君道言者는 如六五之義는 在丈夫猶凶이어든 況〔一作豈〕人君之道乎아 在他卦엔 六居君位而應剛이 未爲失也로되 在恒故로 不可耳라 君道豈可以柔順爲恒也리오

　오(五)는 이(二)와 응하니, 음유(陰柔)로서 양강(陽剛)에 응하며 중(中)에 거하고 응하는 바가 또 중이니, 음유의 바름이다. 그러므로 그 덕을 항구(恒久)히 하면 정(貞)이 되는 것이다. 순종(順從)을 항상함으로 삼는 것은 부인(婦人)의 도리이니, 부인에 있어서는 정(貞)이 되기 때문에 길하나, 만일 장부(丈夫)로서 남에게 순종함을 항상함으로 삼으면 강양(剛陽)의 바름을 잃으니, 흉한 것이다. 오(五)는 군주의 자리인데 군주의 도리로써 말하지 않은 것은, 육오(六五)와 같은 의(義)는 장부에 있어서도 오히려 흉한데 하물며 군주의 도리에 있어서이겠는가. 다른 괘에 있어서는 육(六)이 군위(君位)에 거하여 강(剛)에 응함이 잘못이 되지 않으나, 항(恒)에 있기 때문에 불가한 것이다. 군주의 도가 어찌 유순함을 항상함으로 삼겠는가.

本義 | 以柔中而應剛中하여 常久不易하니 正而固矣라 然乃婦人之道요 非夫子
之宜也라 故其象占如此하니라

유중(柔中)으로서 강중(剛中)에 응하여 상구(常久)하고 변치 않으니, 바르고 견
고하다. 그러나 이는 바로 부인의 도리요, 부자(夫子;남자)의 마땅함이 아니다. 그
러므로 그 상(象)과 점(占)이 이와 같은 것이다.

象曰 婦人은 貞吉하니 從一而終也일새요 夫子는 制義어늘 從婦하
면 凶也라

〈상전〉에 말하였다. "부인은 정(貞)하여 길하니 남편 한 사람을 따라 생
(生)을 마치기 때문이요, 부자는 의(義)로 제재하는데 부인의 도를 따르
면 흉한 것이다."

傳 | 如五之從二는 在婦人則爲正而吉이라 婦人은 以從爲正하고 以順爲德하니
當終守於從一이어니와 夫子則以義制者也어늘 從婦人之道면 則爲凶也라

오(五)가 이(二)를 따름과 같음은 부인에게 있어서는 정(正)하여 길함이 된다.
부인은 따름을 정(正)으로 삼고 순함을 덕(德)으로 삼으니, 마땅히 끝내 남편 한
사람만 따름을 지켜야 하지만, 부자(夫子)는 의(義)로써 제재하는 자인데, 부인의
도를 따르면 흉함이 되는 것이다.

上六은 振恒이니 凶하니라

상육(上六)은 진동(振動)하는 항(恒)이니, 흉하다.

傳 | 六은 居恒之極하고 在震之終하니 恒極則不常이요 震終則動極이라 以陰居
上하여 非其安處요 又陰柔不能堅固其守하니 皆不常之義也라 故爲振恒이니 以
振爲恒也라 振者는 動之速也니 如振衣, 如振書하니 抖擻運動之意라 在上而其
動无節하여 以此爲恒이면 其凶이 宜矣라

육(六)은 항(恒)의 극(極)에 거하고 진(震)의 종(終)에 있으니, 항이 극에 이르면
항상하지 못하고, 진(震)의 종극(終極)에 있으면 동함이 지극하다. 음(陰)으로서 상
(上)에 거하여 자기의 편안한 곳이 아니요, 또 음유(陰柔)는 그 지킴을 견고히 하지

못하니, 이는 모두 항상하지 못하는 뜻이다. 그러므로 '진항(振恒)'이라 하였으니, 진동함을 항상함으로 삼는 것이다. '진(振)'은 동하기를 속히 하는 것이니, '진의(振衣:옷의 먼지를 털어냄)'와 '진서(振書:책의 먼지를 털어냄)'와 같으니, 두수(抖擻:흔듦)하고 운동하는 뜻이다. 상(上)에 있으면서 그 동함이 절도가 없어 이것을 항상함으로 삼으면 그 흉함이 마땅하다.

本義 | 振者는 動之速也라 上六이 居恒之極하고 處震之終하니 恒極則不常이요 震終則過動이며 又陰柔不能固守하니 居上은 非其所安이라 故有振恒之象이요 而其占則凶也라

'진(振)'은 동하기를 속히 함이다. 상육(上六)이 항(恒)의 극에 거하고 진(震)의 종(終)에 처했으니, 항(恒)이 지극하면 떳떳하지 못하고 진(震)이 종(終)에 이르면 지나치게 동하며, 또 음유(陰柔)라서 굳게 지키지 못하니, 상(上)에 거함은 편안한 곳이 아니다. 그러므로 진항(振恒)의 상이 있고 그 점(占)이 흉한 것이다.

象曰 振恒在上하니 大无功也로다

〈상전〉에 말하였다. "진항(振恒)으로 위에 있으니, 크게 공(功)이 없도다."

傳 | 居上之道는 必有恒德이라야 乃能有功이어늘 若躁動不常이면 豈能有所成乎아 居上而不恒이면 其凶甚矣라 象又言其不能有所成立이라 故曰大无功也라하니라

상(上)에 거하는 방도는 반드시 떳떳한 덕이 있어야 공(功)이 있을 수 있는데, 만일 조급히 동(動)하여 떳떳하지 못하다면 어찌 이루는 바가 있겠는가. 상(上)에 거하여 항상하지 못하면 그 흉함이 심하다. 〈상전〉에는 또 성립하는 바가 있지 못하기 때문에 '크게 공이 없다.'고 말한 것이다.

傳 | 遯은 序卦에 恒者는 久也니 物不可以久居其所라 故受之以遯하니 遯者는 退也라하니라 夫久則有去는 相須之理也니 遯所以繼恒也라 遯은 退也요 避也니 去之之謂也라 爲卦 天下有山하니 天은 在上之物이요 陽性上進이며 山은 高起之物이요 形雖高起나 體乃止物이라 有上陵之象而止不進하고 天乃上進而去之하여 下陵而上去하니 是相違遯이라 故爲遯去之義라 二陰生於下하여 陰長將盛하고 陽消而退하니 小人漸盛에 君子退而避之〔一作避而去之〕라 故爲遯也라

돈괘(遯卦)는 〈서괘전〉에 "항(恒)은 오래함이니, 물건은 오랫동안 한 곳에 머물 수 없으므로 돈괘로 받았으니, 돈(遯)은 물러감이다." 하였다. 오래되면 떠나감이 있음은 서로 기다리는 이치이니, 돈괘가 이 때문에 항괘(恒卦 ䷟)를 이은 것이다. 돈은 물러감이요 피함이니, 떠나감을 이른다. 괘됨이 하늘 아래에 산(山)이 있으니, 하늘은 위에 있는 물건이고 양(陽)의 성질은 위로 나아가며, 산은 높이 일어난 물건이고 형체가 비록 높이 일어났으나 체(體)는 바로 멈추는 물건이다. 위로 능멸하는 상이 있고 멈추어 나가지 않으며 하늘은 위로 나아가 떠나가서, 아래는 능멸하고 위는 떠나가니, 이는 서로 떠나가는 것이다. 그러므로 돈거(遯去)의 뜻이 된 것이다. 두 음이 아래에서 생겨나서 음은 자라나 장차 성하고 양은 사라져 물러가니, 소인이 점점 성함에 군자가 물러가 피한다. 그러므로 돈(遯)이라 한 것이다.

遯은 亨하니 小利貞³⁷하니라

돈(遯)은 형통하니, 조금 정(貞)함(바로잡음)이 이롭다.

• • • • • •

36 돈(遯) : 원음이 '돈'이며 《언해(諺解)》에도 '돈'으로 표기되었으므로 이를 따랐으나, 세속에서는 대부분 '둔'으로 읽으며 일부 자전(字典)에도 '둔괘 둔'으로 표기되어 있다. 다만 은둔(隱遯)으로 읽는 점을 감안하여 '은둔'은 그대로 두었음을 밝혀둔다.

37 小利貞 : 사계(沙溪)는 소(小) 자를 해석함에 있어 《정전》과 《본의》가 똑같지 않음을 밝히고 "《정전》이 더 옳은 듯하다." 하였다. 《經書辨疑》

••• 遯 : 숨을 돈(둔)   違 : 떠날 위

本義 | 小는 利貞하니라
　　　　소인은 정(貞)함이 이롭다.

傳 | 遯者는 陰長陽消하니 君子遯藏之時也라 君子退藏하여 以伸其道하니 道不
屈則爲亨이라 故遯所以有亨也라 在事에 亦有由遯避而亨者라 雖小人道長之時
나 君子知幾退避는 固善也라 然事有不齊하여 與時消息하니 无必同也라 陰柔方
長이나 而未至於甚盛하여 君子尙有遲遲致力之道하니 不可大貞이나 而尙利小貞
也라

　　돈(遯)은 음이 자라나고 양이 사라지니, 군자가 은둔하여 숨을 때이다. 군자가
물러가 숨어서 그 도(道)를 펴니, 도가 굽히지 않으면 형통함이 된다. 그러므로 돈
에 형통함이 있는 것이다. 일에 있어서도 또한 은둔하고 피함으로 말미암아 형통
하는 경우가 있다. 비록 소인의 도가 자라날 때이나 군자가 기미를 알아 물러가
피함은 진실로 좋은 일이다. 그러나 일이 똑같지 아니하여 때에 따라 소식(消息;나
아가고 물러감)하여야 하니, 반드시 똑같지는 않다. 음유(陰柔)가 막 자라나나 아직
매우 성함에는 이르지 아니하여 군자가 오히려 지지(遲遲;오랫동안 머묾)하게 머물
러 힘을 다할 방도가 있으니, 크게 바로잡을 수는 없으나 오히려(그래도) 조금 바
로잡음이 이로운 것이다.

本義 | 遯은 退避也라 爲卦二陰浸長하니 陽當退避라 故爲遯하니 六月之卦也라
陽雖當遯이나 然九五當位하고 而下有六二之應하여 若猶可以有爲로되 但二陰이
浸長於下면 則其勢不可以不遯이라 故其占이 爲君子能遯則身雖退而道亨이요
小人則利於守正이니 不可以浸長之故而遂侵迫於陽也라 小는 謂陰柔小人也라
此卦之占은 與否之初、二兩爻로 相類[38]라

　　돈(遯)은 물러가 피함이다. 괘됨이 두 음이 점점 자라니, 양이 마땅히 물러가
피하여야 한다. 그러므로 돈(遯)이라 하였으니, 유월(六月)의 괘이다. 양이 비록 물

- - - - - -

38　此卦之占 與否之初二兩爻 相類:비괘(否卦 ䷋)의 초육 효사(初六爻辭)에는 "초육은 띠풀의
뿌리를 뽑는 것이다. 그 동류들과 함께 함이니, 바르면 길하여 형통하리라.〔初六拔茅茹, 以其彙,
貞, 吉亨.〕" 하였으며, 육이 효사(六二爻辭)에는 "육이는 포용하며 받듦이니, 소인은 길하고 대인은
비색하여야 형통하리라.〔六二包承, 小人吉, 大人否, 亨.〕" 하였으므로 말한 것이다.

···　遲:더딜 지　浸:점점 침

러가야 하나 구오(九五)가 존위(尊位)를 당하였고 아래에 육이(六二)의 응(應)이 있어서 그래도 일을 할 수 있을 듯하다. 다만 두 음이 아래에서 점점 자라나면 그 형세가 물러가지 않을 수 없으므로 그 점(占)이 군자가 능히 은둔하면 몸은 비록 물러가나 도(道)는 형통하고, 소인은 정도(正道)를 지킴이 이로움이 되니, 점점 자라난다고 하여 마침내 양을 침해하고 핍박해서는 안 된다. 소(小)는 음유(陰柔)의 소인을 이른다. 이 괘의 점(占)은 비괘(否卦)의 초효(初爻)·이효(二爻) 두 효와 서로 유사하다.

彖曰 遯亨은 遯而亨也니
〈단전〉에 말하였다. "돈형(遯亨)'은 은둔하여 형통하나

本義 | 遯而亨也니
　　은둔하여 형통함이니,

傳 | 小人道長之時에 君子遯退는 乃其道之亨也니 君子遯藏은 所以伸道也라 此는 言處遯之道요 自剛當位而應以下는 則論時與卦才하니 尙有可爲之理也라
　　소인의 도가 자라날 때에 군자가 은둔하여 물러감은 바로 그 도가 형통한 것이니, 군자가 은둔하여 숨음은 도를 펴기 위한 것이다. 이는 돈(遯)에 대처하는 도리를 말한 것이요, '강당위이응(剛當位而應)'으로부터 그 이하는 때와 괘의 재질을 논하였으니, 오히려 할 수 있는 이치가 있는 것이다.

剛當位而應이라 與時行也니라
강(剛)이 존위(尊位)를 당하여 응하므로 때에 따라 행한다.

本義 | 與時行也요
　　때에 따라 행함이요

傳 | 雖遯之時라도 君子處之면 未有必遯之義라 五以剛陽之德으로 處中正之位하고 又下與六二로 以中正相應하니 雖陰長之時라도 如卦之才면 尙當隨時消息이니 苟可以致其力이면 无不至誠自盡以扶持其道요 未必於遯[一作退]藏而不爲라 故曰與時行也라하니라

139

天山遯

비록 돈(遯)의 때라도 군자가 이에 처하면 반드시 은둔하는 의(義)가 있는 것은 아니다. 오(五)가 강양(剛陽)의 덕(德)으로 중정(中正)의 자리에 처하고 또 아래에 육이(六二)와 중정으로 서로 응하니, 비록 음이 자라날 때라도 괘의 재질과 같다면 오히려 때에 따라 소식(消息:진퇴)하여야 한다. 만일 그 힘을 다할 수 있다면 지성(至誠)으로 스스로 다하지 않음이 없어서 그 도를 부지(扶持)할 것이요, 반드시 은둔하고 숨을 때라 하여 하지 않는 것은 아니다. 그러므로 '때에 따라 행한다.'고 말한 것이다.

本義 | 以九五一爻로 釋亨義라

구오(九五)의 한 효로 형(亨)의 뜻을 해석하였다.

小利貞은 浸而長也일새니

'소이정(小利貞)'은 음(陰)이 점점 자라기 때문이니,

本義 | 以下二陰으로 釋小利貞이라

아래의 두 음(陰)으로써 '소인의 이정(利貞)'을 해석하였다.

遯之時義 大矣哉라

돈(遯)의 때와 의(義)가 크다."

傳 | 當陰長之時하여 不可大貞이로되 而尙小利貞者는 蓋陰長이 必以浸漸이요 未能遽盛하여 君子尙可小貞其道니 所謂小利貞은 扶持하여 使未遂亡也라 遯者는 陰之始長이니 君子知微라 故當深戒나 而聖人之意는 未便〔一作使〕遽已也라 故有與時行小利貞之敎라 聖賢之於天下에 雖知道之將廢나 豈肯坐視其亂而不救리오 必區區致力於未極之間하여 强此之衰하고 艱彼之進하여 圖其暫安하여 苟得爲之면 孔孟之所屑爲也시니 王允、謝安之於漢、晉[39]이 是也라 若有可變之道,

‥‥‥‥
39 王允謝安之於漢晉:왕윤(王允)은 후한(後漢) 말기의 사도(司徒)였고 사안(謝安)은 동진(東晉)의 재상이었는데, 왕윤은 역신(逆臣)인 동탁(董卓) 등을 제거하고 한실(漢室)을 부흥시키려 노

可亨之理면 更(갱)不假言也니 此는 處遯時之道也라 故로 聖人이 贊其時義大矣
哉하시니 或久, 或速이 其義皆大也라

　음(陰)이 자라날 때를 당하여 크게 바로잡을 수는 없으나 그래도 조금 바로잡음이 이로운 것은, 음의 사람이 반드시 점점하고 대번에 성하지는 못하여 군자가 오히려 그 도를 조금 바로잡을 수 있으니, 이른바 '소이정(小利貞)'은 도를 부지(扶持)하여 마침내 망하지 않게 하는 것이다. 돈(遯)은 음이 처음 자라는 것이니, 군자는 기미를 알기 때문에 마땅히 깊이 경계하여야 하나 성인(聖人)의 뜻은 대번에 그만두지 않으므로 때에 따라 행하고 조금 바로잡음이 이롭다는 가르침이 있는 것이다.

　성현(聖賢)이 천하에 대하여 비록 도가 장차 폐해질 줄을 알지만, 어찌 그 혼란함을 그대로 앉아서 보기만 하고 구원하지 않겠는가. 반드시 음이 아직 지극하지 않을 때에 구구하게 힘을 다하여 이것(군자)의 쇠함을 강하게 하고 저것(소인)의 나옴을 어렵게 하여 잠시의 편안함을 도모한다. 그리하여 만일 할 수 있으면 공자와 맹자께서 기꺼이 하신 것이니, 왕윤(王允)과 사안(謝安)이 한(漢)나라와 진(晉)나라에 있어서가 이것이다. 만일 변할 수 있는 방도와 형통할 수 있는 이치가 있다면 다시 말할 필요가 없으니, 이는 돈의 때에 대처하는 방도이다. 그러므로 성인이 때와 의(義)가 크다고 칭찬하신 것이니, 혹 오래 머물거나 혹 속히 떠나감이 그 의가 모두 큰 것이다.

本義 | 陰方浸長하여 處之爲難이라 故其時義爲尤大也라
　음(陰)이 막 점점 자라서 이에 대처하기가 어렵다. 그러므로 그때와 의(義)가 더욱 큰 것이다.

象曰 天下有山이 遯이니 君子以하여 遠小人호되 不惡而嚴하나니라
　〈상전〉에 말하였다. "하늘 아래에 산이 있는 것이 돈(遯)이니, 군자가 보고서 소인을 멀리하되 험악한(나쁜) 말로 대하지 않고 위엄이 있게 한다."

・・・・・・
력하였으며, 사안은 안으로는 발호하는 환온(桓溫)을 억제하고 밖으로는 강성한 전진(前秦:부견(苻堅))의 침공을 막으려고 노력하였으므로 말한 것이다.

傳 │ 天下有山하니 山下〔一作上〕起而乃止하고 天上進而相違하니 是遯避之象也
라 君子觀其象하여 以避遠乎小人하나니 遠小人之道는 若以惡聲厲色이면 適足以
致其怨忿이니 唯在乎矜莊威嚴하여 使知敬畏면 則自然遠矣리라

하늘 아래에 산(山)이 있으니, 산은 아래에서 일어나 멈추고 하늘은 위로 나아
가 서로 어긋나니, 이는 돈피(遯避)의 상(象)이다. 군자가 이 상을 관찰하여 소인을
피하고 멀리하니, 소인을 멀리하는 방도는 만약 나쁜 말과 사나운 낯빛으로 대하
면 다만 원망과 분노를 이룰 뿐이다. 오직 긍장(矜莊)하고 위엄이 있어서 소인으
로 하여금 공경하고 두려워할 줄을 알게 함에 있으니, 이렇게 하면 자연히 멀어질
것이다.

本義 │ 天體无窮하고 山高有限하니 遯之象也라 嚴者는 君子自守之常이로되 而小
人自不能近이니라

하늘의 체(體)는 무궁하고 산의 높음은 유한(有限)하니, 돈(遯)의 상이다. 엄(嚴)
은 군자가 스스로 지키는 떳떳한 도리인데 소인이 저절로 가까이 하지 못한다.

初六은 遯尾라 厲하니 勿用有攸往이니라
초육(初六)은 돈(遯)의 꼬리라 위태로우니, 가는 바를 두지 말아야 한다.

傳 │ 他卦는 以下爲初로되 遯者는 往遯也니 在前者先進이라 故初乃爲尾니 尾는
在後之物也라 遯而在後면 不及者也니 是以危也라 初以柔處微하여 旣已後矣면
不可往也니 往則危矣라 微者는 易於晦藏하니 往旣有危면 不若不往之无災也라

다른 괘는 아래를 시초로 삼으나 돈(遯)은 가서 은둔함이니, 앞에 있는 자가 먼
저 나아가기 때문에 초(初)가 바로 꼬리가 되니, 꼬리는 뒤에 있는 물건이다. 은둔
하면서 뒤에 있으면 미치지 못하는 자이니, 이 때문에 위태로운 것이다. 초(初)가
유(柔)로서 미약(미천)함에 처하여 이미 뒤쳐졌다면 갈 수가 없는 것이니, 가면 위
태롭다. 미약한 자는 숨어 감추기가 쉬우니, 감에 이미 위태로움이 있다면 가지
않음이 재앙이 없는 것만 못하다.

本義 │ 遯而在後는 尾之象이니 危之道也라 占者不可以有所往이요 但晦處靜俟

••• 厲 : 사나울 려 晦 : 어두울 회

하여 可免災耳니라

　　은둔하면서 뒤에 있음은 꼬리의 상(象)이니, 위태로운 방도이다. 점치는 자는
가는 바를 두어서는 안 되고, 다만 숨어 처하고 고요히 기다려 재앙을 면할 뿐
이다.

象曰 遯尾之厲는 不往이면 何災也리오

　　〈상전〉에 말하였다. "돈미(遯尾)의 위태로움은 가지 않으면 무슨 재앙이
있겠는가."

傳｜　見幾先遯이면 固爲善也어늘 遯而爲尾는 危之道也라 往旣有危면 不若不往
而晦藏하여 可免於災니 處微故也라 古人處微下하여 隱亂世而不去者 多矣니라

　　기미를 보고 먼저 은둔하면 진실로 좋은데 은둔하면서 꼬리가 됨은 위태로운
방도이다. 감에 이미 위태로움이 있으면 가지 않고 숨어 감추어 재앙을 면할 수
있는 것만 못하니, 미약함에 처했기 때문이다. 고인(古人)이 미천하고 낮은 지위
에 있으면서 난세(亂世)에 은둔하여 떠나가지 않은 자가 많았다.

六二는 執之用黃牛之革이라 莫之勝說(설)[40]이니라

　　육이(六二)는 황소 가죽으로써 잡아매니, 견고함을 이루 말할 수 없다.

本義｜ 莫之勝說(脫)이니라

　　　　벗길 수 없다.

傳｜　二與五爲正應하니 雖在相違遯之時나 二以中正으로 順應於五하고 五以中
正으로 親合於二하여 其交自固라 黃은 中色이요 牛는 順物이요 革은 堅固之物이라
二、五以中正順道相與하니 其固如執係之以牛革也라 莫之勝說은 謂其交之固
하여 不可勝言也라 在遯之時라 故極言之하니라

‥‥‥‥‥

40　莫之勝說：《정전》에는 승설(勝說)을 승언(勝言)의 뜻으로 보아 "견고함을 이루 말할 수 없는
것"으로 해석하였으나 《본의》에는 설(說)을 탈(脫) 자로 보아 "황소 가죽으로 견고히 동여매어 벗
길 수 없는 것"으로 해석하였는바, 설(說)은 탈(脫)과 종종 통용된다.

‥‥　說 : 벗을 탈

이(二)는 오(五)와 정응(正應)이 되니, 비록 서로 떠나 은둔하는 때에 있으나 이(二)가 중정(中正)으로 오(五)에 순히 응하고 오(五)가 중정으로 이(二)에 친히 합하여 그 사귐이 저절로 견고하다. '황(黃)'은 중앙의 색이요, 소는 순한 물건이요, 가죽은 견고한 물건이다. 이(二)와 오(五)가 중정하고 순한 도리로 서로 더부니, 그 견고함이 마치 소가죽으로 잡아맨 것과 같다. '막지승설(莫之勝說)'은 그 사귐이 견고하여 이루 말할 수 없음을 이른다. 돈(遯)의 때에 있기 때문에 지극히 말한 것이다.

本義ㅣ 以中順自守하여 人莫能解必遯之志也라 占者固守를 亦當如是니라

중정(中正)하고 순(順)함으로 스스로 지켜서 사람들이 반드시 은둔하려는 뜻을 풀 수 없는 것이다. 점치는 자가 굳게 지키기를 마땅히 이와 같이 하여야 한다.

象曰 執用黃牛는 固志也라

〈상전〉에 말하였다. "황소 가죽으로써 잡아맴은 뜻이 견고한 것이다."

傳ㅣ 上下以中順之道相固結하여 其心志甚〔一作其〕堅하니 如執之以牛革也라

위와 아래가 중정하고 순한 도(道)로 서로 굳게 맺어서 그 마음과 뜻이 매우 견고하니, 소가죽으로써 잡아맨 것과 같다.

九三은 係遯이라 有疾하여 厲하니 畜(휵)臣妾에는 吉하니라

구삼(九三)은 매어 있는 은둔이다. 병이 있어 위태로우니, 신첩(臣妾)을 기름에는 길하다.

傳ㅣ 陽志說陰하니 三與二切比하여 係乎二者也라 遯은 貴速而遠이니 有所係累면 則安能速且遠也리오 害於遯矣라 故爲有疾也요 遯而不速이라 是以危也라 臣妾은 小人、女子이니 懷恩而不知義하여 親愛之則忠其上하나니 係戀之私恩은 懷小人、女子之道也라 故以畜養臣妾이면 則得其心爲吉也라 然君子之待小人은 亦不如是也라 三與二非正應이어늘 以暱(닐)比相親이면 非待君子之道라 若以正

··· 畜 : 기를 휵 暱 : 친할 닐

이면 則雖係나 不得爲有疾이니 蜀先主之不忍棄士民[41]이 是也니 雖危나 爲无咎 矣라

　양의 뜻은 음을 좋아하니, 삼(三)은 이(二)와 매우 가까워 이(二)에게 매어 있는 자이다. 은둔함은 속히 떠나가고 멀리함을 귀히 여기니, 매인 바가 있으면 어찌 속히 떠나가고 또 멀리하겠는가. 은둔에 해(害)가 되기 때문에 병이 있는 것이요, 은둔하면서 속히 떠나가지 않기 때문에 위태로운 것이다. 신첩(臣妾)은 소인과 여자이니, 은혜를 그리워하고 의(義)를 알지 못하여 친애하면 윗사람에게 충성하니, 사사로운 은혜로 얽어매어 사랑함은 소인과 여자를 감싸주는 방도이다. 그러므로 이것으로써 신첩을 기르면 그 마음을 얻어 길함이 되는 것이다. 그러나 군자가 소인을 대함은 또한 이와 같이 하지 않는다. 삼(三)은 이(二)와 정응(正應)이 아닌데 가까이 있다 하여 서로 친하면 군자를 대하는 도리가 아니다. 만일 정도(正道)로써 하면 비록 매어 있더라도 병이 있음이 되지 않으니, 촉한(蜀漢)의 선주(先主)가 차마 선비와 백성을 버리지 못한 것이 이것이니, 비록 위태롭더라도 허물이 없음이 된다.

本義 | 下比二陰하여 當遯而有所係之象이니 有疾而危之道也라 然以畜臣妾則吉이라 蓋君子之於小人에 惟臣妾은 則不必其賢而可畜耳라 故其占如此하니라

　아래로 두 음을 가까이 하여 마땅히 은둔하여야 하는데 매인 바가 있는 상이니, 병이 있어 위태로운 방도이다. 그러나 이것으로 신첩(臣妾)을 기르면 길하다. 군자가 소인에 대해서 오직 신첩은 굳이 어진 자여야만 기를 수 있는 것이 아니다. 그러므로 그 점(占)이 이와 같은 것이다.

象曰 係遯之厲는 有疾하여 憊也요 畜臣妾吉은 不可大事也니라

　〈상전〉에 말하였다. "계돈(係遯)이 위태로움은 병이 있어 피곤함이요, 신첩(臣妾)을 기름이 길함은 큰 일은 할 수 없는 것이다."

- - - - - - -

41　蜀先主之不忍棄士民 : 촉한(蜀漢)의 선주(先主)는 소열제(昭烈帝)인 유비(劉備)인 바, 건안(建安) 8년 신야(新野)에서 조조(曹操)에게 쫓겨 강릉(江陵)으로 도망할 적에 따라오는 선비와 백성들을 차마 버리지 못하였다가 곤경에 빠진 일을 가리킨 것이다.

… 憊 : 지칠 비

傳ㅣ 遯而有係累면 必以困憊致危하리니 其有疾은 乃憊也니 蓋力亦不足矣라 以此暱愛之心으로 畜養臣妾則吉이어니와 豈可以當大事乎아

　　은둔하면서 매임이 있으면 반드시 피곤하여 위태로움을 이룰 것이니, 그 병이 있음이 바로 피곤함이니, 힘 또한 부족하다. 이처럼 친압하고 사랑하는 마음으로 신첩을 기르면 길하나, 어찌 큰 일에 합당하겠는가.

九四는 **好遯**이니 **君子**는 **吉**하고 **小人**은 **否**(비)하니라

　　구사(九四)는 좋아하면서도 은둔함이니, 군자는 길하고 소인은 비색하다(나쁘다).

本義ㅣ 否(부)하리라

　　소인은 그렇지 못하리라.

新譯周易傳義中

傳ㅣ 四與初爲正應하니 是所好愛者也라 君子는 雖有所好愛나 義苟當遯이면 則去而不疑하니 所謂克己復禮, 以道制欲이니 是以吉也라 小人則不能以義處하여 暱於所好하고 牽於所私하여 至於陷辱其身而不能已라 故在小人則否也니 否는 不善也라 四는 乾體니 能剛斷者로되 聖人以其處陰而有係라 故設小人之戒하시니 恐其失於正也니라

　　사(四)는 초(初)와 정응(正應)이 되니, 이는 좋아하고 사랑하는 바이다. 군자는 비록 좋아하고 사랑하는 바가 있으나 의리에 진실로 떠나가야 하면 떠나가고 의심하지 않으니, 이른바 '사사로움을 이겨 예(禮)로 돌아감'과 '도(道)로써 욕망을 제재한다.'는 것이니, 이 때문에 길한 것이다. 소인은 의(義)로써 대처하지 못하여 좋아하는 바에 친압하고 사사로운 바에 끌려서 그 몸을 빠뜨리고 욕되게 함에 이르러도 그치지 못한다. 그러므로 소인에 있어서는 나쁜 것이니, '비(否)'는 불선(不善:나쁨)이다. 사(四)는 건(乾)의 체(體)이니, 강(剛)하고 결단할 수 있는 자이나, 음위(陰位)에 처하고 매임이 있기 때문에 성인이 소인의 경계를 두신 것이니, 정(正)을 잃을까 두려워한 것이다.

本義ㅣ 下應初六이로되 而乾體剛健하니 有所好而能絶之以遯之象也라 惟自克之君子能之요 而小人不能이라 故로 占者君子則吉이요 而小人否(부)也니라

… 否 : 막힐 비, 아닐 부

아래로 초육(初六)과 응하나 건(乾)의 체(體)로 강건(剛健)하니, 좋아하는 바가 있으면서도 능히 끊고서 은둔하는 상(象)이다. 오직 스스로 이기는 군자만이 이에 능하고 소인은 능하지 못하다. 이 때문에 점치는 자가 군자이면 길하고 소인은 그렇지 못한 것이다.

象曰 君子는 好遯하고 小人은 否也니라

〈상전〉에 말하였다. "군자는 좋아하면서도 은둔하고 소인은 나쁘다."

傳 | 君子는 雖有好而能遯하여 不失於義요 小人則不能勝其私意하여 而至於不善也라

군자는 비록 좋아함이 있으나 능히 은둔하여 의(義)를 잃지 않고, 소인은 사사로운 마음을 이기지 못하여 불선(不善)함에 이른다.

九五는 嘉遯이니 貞하여 吉하니라

구오(九五)는 아름다운 은둔이니, 정(貞)하여 길(吉)하다.

本義 | 貞하면 吉하리라

정(貞)하면 길하리라.

傳 | 九五는 中正이니 遯之嘉美者也라 處得中正之道하여 時止時行이 乃所謂嘉美也라 故爲貞正而吉이라 九五非无係應이나 然與二皆以中正自處하니 是其心志及乎動止 莫非中正하여 而无私係之失하니 所以爲嘉也라 在彖則槪言遯時라 故云與時行小利貞이라하니 尙有濟遯之意요 於爻에 至五면 遯將極矣라 故唯以中正處遯言之라 遯〔一无遯字〕은 非人君之事라 故不主君位言이라 然人君之所避遠은 乃遯也니 亦在中正而已니라

구오(九五)는 중정(中正)이니, 은둔하기를 아름답게 하는 자이다. 처함이 중정의 도를 얻어서 때에 맞게 멈추고 행함이 이른바 아름다움이란 것이다. 그러므로 정정(貞正)하여 길함이 된다. 구오가 얽매이고 응한 바가 없는 것은 아니나 이(二)와 더불어 모두 중정으로 자처하니, 이는 마음과 뜻 및 동하고 멈춤이 중정 아님이 없어서 사사로이 얽매이는 잘못이 없으니, 이 때문에 아름다움이 된 것이다.

〈단전(彖傳)〉에 있어서는 돈(遯)의 때를 개략적으로 말했기 때문에 '때에 따라 행하고 조금 정(貞)함이 이롭다.'고 말하였으니, 오히려 은둔을 구제할 뜻이 있는 것이요, 효(爻)에서는 오(五)에 이르면 은둔할 시기가 장차 극(極)에 이르게 되었으므로 오직 중정한 도리로 은둔함에 처함을 가지고 말한 것이다. 돈(遯)은 인군의 일이 아니므로 군위(君位)를 주장하여 말하지 않았다. 그러나 인군이 피하여 멀리하는 것은 바로 은둔함이니, 또한 중정에 있을 뿐이다.

本義 | 剛陽中正으로 下應六二하니 亦柔順而中正하여 遯之嘉美者也라 占者如是而正則吉矣리라

　　강양 중정(剛陽中正)으로 아래 육이(六二)와 응하니, 육이 또한 유순하고 중정하여 은둔하기를 아름답게 하는 자이다. 점치는 자가 이와 같이 하여 바르면 길하리라.

象曰 嘉遯貞吉은 以正志也라

　　〈상전〉에 말하였다. "'가돈정길(嘉遯貞吉)'은 뜻을 바르게 하기 때문이다."

傳 | 志正則動必由正이니 所以爲遯之嘉也라 居中得正而應中正이면 是其志正也니 所以爲吉이라 人之遯也止也는 唯在正其志而已矣니라

　　뜻이 바르면 동함에 반드시 바름을 따를 것이니, 이 때문에 은둔하기를 아름답게 함이 되는 것이다. 중(中)에 거하고 정(正)을 얻었고 중정(中正)에 응한다면 이는 그 뜻이 바른 것이니, 이 때문에 길하다. 사람이 은둔하고 그침은 오직 그 뜻을 바르게 함에 있을 뿐이다.

上九는 肥遯이니 无不利하니라

　　상구(上九)는 여유로운 은둔이니, 이롭지 않음이 없다.

傳 | 肥者는 充大寬裕之意니 遯者唯飄然遠逝하여 无所係滯之爲善이라 上九乾體剛斷으로 在卦之外矣요 又下无所係하니 是遯之遠而无累니 可謂寬綽(작)有餘

‥‥ 飄 : 흩날릴 표　綽 : 너그러울 작

裕也라 遯者는 窮困之時也니 善處則爲肥矣라 其遯如此면 何所不利리오

'비(肥)'는 충대(充大)하고 관유(寬裕)한 뜻이니, 은둔하는 자는 오직 표연(飄然)히 멀리 떠나가서 얽매이고 지체하는 바가 없는 것을 선(善)으로 여긴다. 상구(上九)는 건체(乾體)의 강단(剛斷)으로 괘의 밖에 있고 또 아래에 얽매인 바가 없으니, 이는 은둔하기를 멀리하여 얽매임이 없는 것이니, 너그러워 여유가 있다고 이를 만하다. 은둔하는 것은 곤궁한 때이니, 잘 대처하면 비(肥)가 된다. 그 은둔함이 이와 같으면 어느 것인들 이롭지 않겠는가.

本義 | 以剛陽居卦外하고 下无係應하니 遯之遠而處之裕者也라 故其象占如此하니라 肥者는 寬裕自得之意라

강양(剛陽)으로서 괘의 밖에 있고 아래에 계응(係應)이 없으니, 은둔하기를 멀리하여 처하기를 여유롭게 하는 자이다. 그러므로 그 상(象)과 점(占)이 이와 같은 것이다. 비(肥)는 관유(寬裕)하여 자득(自得:스스로 만족해 함)해 하는 뜻이다.

象曰 肥遯 无不利는 无所疑也라

〈상전〉에 말하였다. "여유있는 은둔이니, 이롭지 않음이 없음은 의심하는 바가 없는 것이다."

傳 | 其遯之遠은 无所疑滯也니 蓋在外則已遠이요 无應則无累라 故爲剛決无疑也라

은둔하기를 멀리함은 의심하여 지체하는 바가 없는 것이니, 밖에 있으면 이미 멀고 응(應)이 없으면 얽매임이 없다. 그러므로 강하게 결단하여 의심함이 없는 것이 된다.

••• 滯 : 머무를 체

34 │ 뢰천雷天 대장(大壯) ䷡ 건하진상乾下震上

傳 │ 大壯은 序卦에 遯者는 退也니 物不可以終遯이라 故受之以大壯이라하니라 遯爲違去之義요 壯爲進盛之義니 遯者는 陰長而陽遯也요 大壯은 陽之壯盛也라 衰則必盛하여 消息〔一作長〕相須라 故旣遯則必壯하니 大壯所以次遯也라 爲卦 震上乾下하니 乾剛而震動하여 以剛而動이 大壯之義也라 剛陽은 大也니 陽長已過中矣는 大者壯盛也요 又雷之威震而在天上은 亦大壯之義也라

대장괘(大壯卦)는 〈서괘전〉에 "돈(遯)은 물러감이니, 사물은 끝내 물러갈 수만은 없으므로 대장괘로 받았다." 하였다. 돈(遯)은 떠나가는 뜻이 되고 장(壯)은 나아가기를 성하게 하는 뜻이 되니, 돈은 음이 자라남에 양이 물러가는 것이요, 대장(大壯)은 양이 장성(壯盛)한 것이다. 쇠하면 반드시 성하여 소(消)·식(息)이 서로 기다리기 때문에 이미 물러가면 반드시 장성한 것이니, 대장괘가 이 때문에 돈괘 ䷠의 다음이 된 것이다. 괘됨이 진(震 ☳)이 위에 있고 건(乾 ☰)이 아래에 있으니, 건은 강(剛)하고 진은 동하여 강(剛)으로써 동함이 대장(大壯)의 뜻이다. 강양(剛陽)은 큰 것이니, 양(陽)의 자람이 이미 중(中)을 지났음은 큰 것이 장성함이요, 또 우레의 위엄과 진동으로 하늘 위에 있음은 또한 대장의 뜻이다.

大壯은 利貞하니라
대장(大壯)은 정(貞)함이 이롭다.

傳 │ 大壯之道는 利於貞正也라 大壯而不得其正이면 强猛之爲耳요 非君子之道壯盛也라

대장(大壯)의 도(道)는 정정(貞正)함이 이롭다. 크게 장성(壯盛)하면서 그 바름을 얻지 못하면 강(强)하고 사나움을 할 뿐이요, 군자의 도가 장성한 것은 아니다.

本義 │ 大는 謂陽也니 四陽盛長이라 故爲大壯하니 二月之卦也라 陽壯則占者吉

亨을 不假言이요 但利在正固而已라

　대(大)는 양(陽)을 이르니, 네 양이 성하게 자라기 때문에 대장(大壯)이라 하였으니, 이월(二月)의 괘이다. 양이 장성하면 점치는 자의 길하고 형통함을 굳이 말할 것이 없고, 다만 이로움이 정고(正固)함에 있을 뿐이다.

彖曰 大壯은 大者壯也니 剛以動이라 故로 壯하니

　〈단전(彖傳)〉에 말하였다. "대장(大壯)은 큰 것(양)이 장성함이니, 강(剛)으로써 동하기 때문에 장성한 것이니,

傳 │ 所以名大壯者는 謂大者壯也라 陰爲小요 陽爲大하니 陽長以盛은 是大者壯也라 下剛而上動하니 以乾之至剛而動이라 故爲大壯이니 爲大者壯과 與壯之大也라

　대장(大壯)이라 이름한 까닭은 큰 것(양)이 장성함을 이른다. 음은 작은 것이 되고 양은 큰 것이 되니, 양이 장성하여 성함은 이는 큰 것이 장성한 것이다. 아래는 강(剛)하고 위는 동(動)하니, 건(乾)의 지극히 강함으로써 동하기 때문에 대장이라 한 것이니, 큰 것이 장성함과 장성함이 큰 것이 된다.

本義 │ 釋卦名義라 以卦體言이면 則陽長過中하니 大者壯也요 以卦德言이면 則乾剛震動하니 所以壯也라

　괘명(卦名)의 뜻을 해석하였다. 괘체(卦體)로써 말하면 양(陽)의 자람이 중(中)을 지났으니 큰 것이 장성한 것이요, 괘덕(卦德)으로써 말하면 건(乾)은 강(剛)하고 진(震)은 동(動)하니, 이 때문에 장성한 것이다.

大壯利貞은 大者正也니 正大而天地之情을 可見矣리라

　'대장이정(大壯利貞)'은 큰 것이 바른 것이니, 바르고 큼에 천지(天地)의 실정을 볼 수 있다."

傳 │ 大者旣壯이면 則利於貞正하니 正而大者는 道也라 極正大之理면 則天地之情을 可見矣라 天地之道 常久而不已者는 至大至正也니 正大之理를 學者默識

心通이 可也라 不云大正而云正大⁴²는 恐疑爲一事也라

큰 것이 이미 장성하면 정정(貞正)함이 이로우니, 바르고 큰 것은 도(道)이다. 바르고 큰 이치를 지극히 하면 천지의 실정을 볼 수 있다. 천지의 도가 항상하고 오래하여 그치지 않음은 지극히 크고 지극히 바르기 때문이니, 바르고 큰 이치를 배우는 자가 묵묵히 알고 마음으로 통달하여야 한다. '대정(大正)'이라 말하지 않고 '정대(正大)'라 말한 것은 한 가지 일이라고 의심할까 두려워해서이다.

本義 | 釋利貞之義而極言之라

'이정(利貞)'의 뜻을 해석하여 극언(極言)하였다.

象曰 雷在天上이 大壯이니 君子以하여 非禮弗履하나니라

〈상전〉에 말하였다. "우레가 하늘 위에 있는 것이 대장(大壯)이니, 군자가 보고서 예(禮)가 아니면 행하지 않는다."

傳 | 雷震於天上은 大而壯也라 君子觀大壯之象하여 以行其壯하니 君子之大壯者는 莫若克己復禮라 古人云自勝之謂强이라하고 中庸에 於和而不流와 中立而不倚에 皆曰强哉矯⁴³라하니 赴湯火, 蹈白刃은 武夫之勇可能也어니와 至於克己復禮하여는 則非君子之大壯이면 不可能也라 故云君子以非禮弗履라하니라

우레가 하늘 위에서 진동함은 크고 장성한 것이다. 군자가 대장(大壯)의 상(象)을 보고서 그 장성함을 행하니, 군자가 크게 장성함은 극기복례(克己復禮:사사로움을 이겨 예로 돌아감)보다 더한 것이 없다. 옛사람이 이르기를 "스스로 사욕을 이겨냄을 강이라 한다." 하였고, 《중용》에 화(和)하면서도 흐르지 않음과 중립(中立)하여 한쪽에 기울지 않음에 모두 "강하다 꿋꿋함이여!" 하였으니, 끓는 물과 불에 달려들고 흰 칼날을 밟는 것은 무부(武夫)의 용맹으로 가능하지만 극기복례에 이

......

42 不云大正而云正大:대정(大正)이라고 하면 대(大)와 정(正), 두 가지로 보지 않고 '크게 바르다'라고 풀이하여 한 가지 일로 생각하기 때문에 정대(正大)로 표현했음을 말한 것이다.

43 中庸……皆曰强哉矯:교(矯)는 강하고 꿋꿋한 모양인 바, 《중용장구》 10장에 "군자는 화하면서도 흐르지 않으니, 강하다 꿋꿋함이여! 중립하여 한쪽에 기울지 않으니, 강하다 꿋꿋함이여![君子和而不流, 强哉矯, 中立而不倚, 强哉矯.]"라 하였으므로 말한 것이다.

••• 矯:씩씩할 교 赴:달려들 부 蹈:밟을 도

르러서는 군자의 대장(大壯)이 아니면 불가능하다. 그러므로 '군자가 이것을 보고 서 예(禮)가 아니면 행하지 않는다.'고 한 것이다.

本義 | 自勝者强이라
　스스로 사사로움을 이겨내는 자는 강하다.

初九는 壯于趾니 征하면 凶이 有孚리라
　초구(初九)는 발에 장성함이니, 가면 흉함이 틀림없으리라.

傳 | 初는 陽剛乾體而處下하여 壯于進者也니 在下而用壯은 壯于趾也라 趾는 在下而進動之物이라 九在下用壯하고 而不得其中하니 夫以剛處壯은 雖居上이라 도 猶不可行이온 況在下乎아 故征則其凶有孚라 孚는 信也니 謂以壯往이면 則得 凶可必也라
　초(初)는 양강 건체(陽剛乾體)로 아래에 처하여 나아가기를 장성하게 하는 자이 니, 아래에 있으면서 장성함을 씀은 발에 장성한 것이다. 발은 아래에 있으면서 나아가 동하는 물건이다. 구(九)가 아래에 있으면서 장성함을 쓰고 그 중(中)을 얻 지 못했으니, 강(剛)으로서 장(壯)에 처함은 비록 위에 있더라도 오히려 행할 수 없는데 하물며 아래에 있음에랴. 그러므로 가면 흉함이 틀림없는 것이다. '부(孚)' 는 믿음이니, 장성함으로써 가면 흉함을 얻음이 틀림없음을 이른다.

本義 | 趾는 在下而進動之物也라 剛陽處下而當壯時하니 壯于進者也라 故有此 象이요 居下而壯于進이면 其凶必矣라 故其占又如此하니라
　'지(趾)'는 아래에 있으면서 나아가 동하는 물건이다. 강양(剛陽)으로 아래에 처 하여 장성할 때를 당하였으니, 나아가기를 장성하게 하는 자이다. 이 때문에 이 상(象)이 있는 것이요, 아래에 있으면서 나아가기를 장성하게 하면 그 흉함이 틀 림없다. 이 때문에 그 점이 또 이와 같은 것이다.

象曰 壯于趾하니 其孚窮也로다
　〈상전〉에 말하였다. "발에 장성하니, 그 궁함을 자신할 수 있다."

··· 趾 : 발꿈치 지

傳| 在最下而用壯以行이면 可必信其窮困而凶也라

　　가장 낮은 자리에 있으면서 장성함을 써서 가면 반드시 그 곤궁하여 흉함을
자신할 수 있다.

本義| 言必窮困이라

　　반드시 곤궁함을 말한 것이다.

九二는 貞하여 吉하니라

　　구이(九二)는 정(貞)하여 길하다.

本義| 貞하여야 吉하리라

　　　정(貞)하여야 길하리라.

傳| 二雖以陽剛으로 當大壯之時나 然居柔而處中하니 是剛柔得中하여 不過於
壯하여 得貞正而吉也라 或曰 貞은 非以九居二爲戒乎아 曰 易取所勝爲義하니 以
陽剛健體로 當大壯之時하여 處得中道하니 无不正也요 在四則有不正之戒하니
人能識時義之輕重이면 則可以學易矣리라

　　이(二)는 비록 양강(陽剛)으로 대장(大壯)의 때를 당했으나 유위(柔位)에 거하고
중(中)에 처했으니, 이는 강(剛)·유(柔)가 중도(中道)를 얻어 지나치게 장성하지
않아서 정정(貞正)함을 얻어 길한 것이다.

　　혹자는 말하기를 "정(貞)은 구(九:양효)가 이(二:음위)에 거한 것을 경계한 것이
아닌가?" 하기에, 다음과 같이 대답하였다. "역(易)에서는 우세한 바를 취하여 뜻
을 삼으니, 양강 건체(陽剛健體)로 대장의 때를 당하여 처함이 중도를 얻었으니 바
르지 않음이 없으며, 사(四)에 있으면 바르지 않은 경계가 있으니, 사람이 때와 의
(義)의 경중(輕重)을 알면 역(易)을 배울 수 있을 것이다."

本義| 以陽居陰하여 已不得其正矣나 然所處得中하니 則猶可因以不失其正이라
故戒占者使因中以求正然後에 可以得吉也라

　　양효(陽爻)로 음위(陰位)에 거하여 이미 그 바름을 얻지 못하였으나 처한 바가
중(中)을 얻었으니, 오히려 인하여 그 바름을 잃지 않을 수 있다. 그러므로 점치는

자에게 중(中)으로 인하여 정(正)을 구한 뒤에야 길함을 얻을 수 있다고 경계한 것이다.

象曰 九二貞吉은 以中也라

〈상전〉에 말하였다. "구이(九二)의 정길(貞吉)은 중도로써 하기 때문이다."

傳 │ 所以貞正而吉者는 以其得中道也라 中則不失正이니 況陽剛〔一有壯字〕而乾體乎아

정정(貞正)하여 길한 까닭은 중도를 얻었기 때문이다. 중도에 맞으면 바름을 잃지 않으니, 하물며 양강(陽剛)으로 건체(乾體)임에 있어서랴.

九三은 小人은 用壯이요 君子는 用罔이니 貞이면 厲하니 羝(저)羊이 觸藩하여 羸(리)其角이로다

구삼(九三)은 소인은 용장(用壯;용맹을 쓰는 것)이요 군자는 용망(用罔;멸시함을 쓰는 것)이니, 정(貞)하면 위태로우니, 숫양이 울타리를 받아 그 뿔이 곤궁하도다.

本義 │ 貞이라도

　　　바르더라도

傳 │ 九三이 以剛居陽而處壯하고 又當乾體之終하니 壯之極者也라 極壯如此하니 在小人則爲用壯이요 在君子則爲用罔이라 小人尙力이라 故用其壯勇이요 君子志剛이라 故用罔하니 罔은 无也니 猶云蔑也니 以其至剛하여 蔑視於事而无所忌憚也라 君子、小人은 以地言이니 如君子有勇而无義爲亂[44]이라 剛柔得中이면 則不折不屈하여 施於天下而无不宜요 苟剛之太過면 則无和順之德하여 多傷莫與하니 貞固守此면 則危道也라 凡物이 莫不用其壯하니 齒者齧(설)하고 角者觸하고

· · · · · · ·

44 如君子有勇而无義爲亂 : 《논어》 〈양화(陽貨)〉에 "군자가 용맹만 있고 의가 없으면 난을 일으킨다.〔君子有勇而無義, 爲亂〕"라고 보이는바, 여기의 군자는 지위로 말한 것이다. 만일 덕이 있는 군자라면 의(義)가 없는 경우가 없는 것이다.

··· 罔 : 없을 망　羝 : 숫양 저　觸 : 부딪힐 촉　藩 : 울타리 번　羸 : 지칠 리　蔑 : 업신여길 멸　齧 : 깨물 설

蹄者踶(제)라 羊壯於首하고 羝爲喜觸이라 故取爲象하니라 羊은 喜觸藩籬하니 以
藩籬當其前也라 蓋所當必觸하니 喜用壯如此면 必羸(리)困其角矣라 猶人尙剛壯
하여 所當必用이면 必至摧困也라 三이 壯甚如此而不至凶은 何也오 曰 如三之爲
는 其往이 足以致凶이로되 而方言其危라 故未及於凶也라 凡可以致凶而未至者
는 則曰厲也라하니라

구삼(九三)이 강효(剛爻)로서 양위(陽位)에 거하고 장(壯)에 처했으며 또 건체(乾
體)의 종(終)을 당했으니, 장성함이 지극한 자이다. 지극히 장성함이 이와 같으니,
소인에게 있어서는 용맹을 씀이 되고, 군자에게 있어서는 멸시함을 씀이 된다. 소
인은 힘을 숭상하기 때문에 장용(壯勇)을 쓰는 것이요, 군자는 뜻이 강(剛)하기 때
문에 멸시함을 쓰는 것이다. '망(罔)'은 무시함이니, 멸시라는 말과 같으니, 지극
히 강하여 일을 멸시해서 기탄(忌憚)하는 바가 없는 것이다.

군자와 소인은 지위로써 말한 것이니, '군자가 용맹만 있고 의(義)가 없으면 난
을 일으킨다.'는 것의 군자와 같다. 강(剛)·유(柔)가 중도를 얻으면 꺾이지 않고
굽히지 않아 천하에 베풂에 마땅하지 않음이 없고, 만일 강함이 너무 지나치면 화
순(和順)한 덕(德)이 없어서 많이 상하여 상대하는 이가 없으니, 정고(貞固)히 이것
을 지키면 위태로운 방도이다.

모든 물건은 그 힘을 쓰지 않음이 없으니, 이빨이 있는 놈은 물고 뿔이 있는 놈
은 떠받고 발굽이 있는 놈은 찬다. 양(羊)은 머리가 강하고 숫양은 떠받기를 좋아
하니, 이 때문에 취하여 상(象)을 삼은 것이다. 양은 울타리를 떠받기를 좋아하니,
울타리가 그 앞을 막고 있기 때문이다. 양은 앞을 막는 것을 반드시 떠받으니, 힘
을 쓰기를 좋아함이 이와 같으면 반드시 그 뿔이 곤궁하게 된다. 이는 마치 사람
이 강함과 용맹을 숭상하여 당하는 곳마다 반드시 강장(剛壯)을 쓰면 반드시 꺾이
고 곤궁함에 이르는 것과 같다.

"삼(三)은 심히 장성함이 이와 같은데도 흉함에 이르지 않음은 어째서인가?"
"삼(三)과 같은 행위는 그 감이 흉함을 이룰 수 있으나 그 위태로움을 말했기 때문
에 아직 흉함에는 미치지 않은 것이다." 무릇 흉함을 이룰 수 있으나 아직 흉함에
이르지 않은 것은 '려(厲)'라고 말한다.

本義 | 過剛不中하여 當壯之時하니 是小人用壯而君子則用罔也라 罔은 无也니

••• 蹄 : 발굽 제 踶 : 뒷발질할 제 離 : 울타리 리 摧 : 꺾일 최

視有如无니 君子之過於勇者也라 如此則雖正亦危矣라 羝羊은 剛壯喜觸之物이라 藩은 籬也요 羸는 困也니 貞厲之占이 其象如此하니라

    지나치게 강(剛)하고 중(中)하지 못하면서 장성할 때를 당하였으니, 이는 소인은 용맹을 쓰고 군자는 멸시함을 쓰는 것이다. '망(罔)'은 무(无)이니, 있는 것을 보기를 없는 것처럼 여기는 것이니, 군자로서 용맹에 지나친 자이다. 이와 같으면 비록 바르더라도 또한 위태롭다. 숫양은 강(剛)하고 용맹하여 떠받기를 좋아하는 동물이다. '번(藩)'은 울타리요 '리(羸)'는 곤궁함이니, '정려(貞厲)'의 점(占)이 그 상(象)이 이와 같은 것이다.

象曰 小人은 用壯이요 君子는 罔也라
  〈상전〉에 말하였다. "소인은 힘을 쓰고 군자는 멸시하는 것이다."

傳 | 在小人則爲用其强壯之力이요 在君子則爲用罔이니 志氣剛强하여 蔑視於事하여 靡所顧憚也라

    소인에 있어서는 강장(强壯)의 힘을 씀이 되고 군자에 있어서는 멸시함을 씀이 되니, 뜻과 기운이 강강(剛强)하여 일을 멸시해서 돌아보고 두려워하는 바가 없는 것이다.

本義 | 小人은 以壯敗하고 君子는 以罔困이니라
    소인은 강장(强壯)으로 패하고 군자는 멸시로 곤궁하게 된다.

九四는 貞이면 吉하여 悔亡하리니 藩決不羸하며 壯于大輿之輹이로다
  구사(九四)는 정(貞)하면 길하여 뉘우침이 없어지리니, 울타리가 터져서 곤궁하지 않으며, 큰 수레의 바퀴통(당토)이 건장(健壯)하도다.

傳 | 四는 陽剛長盛하여 壯已過中하니 壯之甚也라 然居四하여 爲不正하니 方君子道長之時하여 豈可有不正也리오 故戒以貞則吉而悔亡이라 蓋方道長之時하여 小失則害亨進之勢하니 是有悔也라 若在他卦엔 重剛而居柔 未必不爲善也니 大

過是也⁴⁵라 藩은 所以限隔也니 藩籬決開면 不復羸困其壯也라 高大之車는 輪輹
强壯하니 其行之利를 可知라 故云壯于大輿之輹이라하니 輹은 輪之要處也라 車之
敗는 常在折輹하니 輹壯則車强矣라 云壯于輹은 謂壯于進也니 輹은 與輻同이라

사(四)는 양강(陽剛)이 자라나 성하여 장성함이 이미 중(中)을 지났으니, 장성함
이 심한 것이다. 그러나 사(四)에 거하여 바르지 못함이 되니, 군자의 도가 자라날
때를 당하여 어찌 바르지 않음이 있겠는가. 그러므로 '정(貞)하면 길하여 뉘우침
이 없어진다.'고 경계한 것이다. 도(道)가 자라날 때를 당하여 조금 잘못하면 형통
하여 나아가는 형세를 해치니, 이는 뉘우침이 있는 것이다. 만일 다른 괘에 있다
면 중강(重剛)으로 유위(柔位)에 거함이 반드시 좋음이 되지 않는 것은 아니니, 대
과(大過☲)가 이것이다.

울타리는 한격(限隔)하는 것이니, 울타리가 터져 열리면 다시는 그 건장함을
곤궁하게 하지 않는다. 높고 큰 수레는 바퀴와 바퀴통(당토)이 강장(强壯)하니, 그
감의 편리함을 알 수 있다. 그러므로 큰 수레의 바퀴통이 건장하다고 말하였으니,
복(輹)은 바퀴의 중요한 부분이다. 수레가 부서짐은 항상 바퀴통이 꺾임(부서짐)에
있으니, 바퀴통이 건장하면 수레가 강하다. 바퀴통이 건장하다고 말한 것은 나아
가기를 건장하게 하는 것이니, '복(輹)'은 복(輻)과 같다.

本義 | 貞吉悔亡은 與咸九四同占⁴⁶이라 藩決不羸는 承上文而言也니 決은 開也
라 三前有四는 猶有藩焉이요 四前二陰은 則藩決矣라 壯于大輿之輹은 亦可進之
象也니 以陽居陰하여 不極其剛이라 故其象占如此하니라

'정길회망(貞吉悔亡)'은 함괘(咸卦☲) 구사효(九四爻)의 점(占)과 같다. 울타리가
터져 곤궁하지 않다는 것은 상문(上文)을 이어 말한 것이니, '결(決)'은 열림이다.
삼(三)의 앞에 구사(九四)가 있음은 마치 울타리가 있는 것과 같고, 사(四)의 앞에
있는 두 음(陰)은 울타리가 열린 것이다. 큰 수레의 바퀴통이 건장함은 또한 나아

45 大過是也 : 대과괘(大過卦)의 구사(九四) 역시 양호가 음위에 있는바, 효사(爻辭)에 "들보기
둥이 높으면 길하고 딴 마음을 두면 부끄럽다.〔棟隆吉, 有它, 吝.〕" 하였으므로 말한 것이다.
46 貞吉悔亡 與咸九四同占 : 함괘(咸卦)의 구사 효사(九四爻辭)에도 "九四, 貞吉悔亡."이라 하였
으므로 말한 것이다.

··· 輪 : 수레바퀴 륜 輹 : 수레바퀴살 복

갈 수 있는 상(象)이니, 양효(陽爻)로서 음위(陰位)에 거하여 그 강(剛)함을 지극히 하지 않기 때문에 그 상과 점이 이와 같은 것이다.

象曰 藩決不羸는 尚往也일새라

〈상전〉에 말하였다. "울타리가 열려 곤궁하지 않음은 아직도 가기 때문이다."

傳 | 剛陽之長이 必至於極하니 四雖已盛이나 然其往未止也라 以至盛之陽으로 用壯而進이라 故莫有當之하여 藩決開而不羸困其力也라 尚往은 其進不已也라

강양(剛陽)의 자라남이 반드시 극(極)에 이르니, 사(四)가 비록 이미 성(盛)하나 그 감이 멈추지 않는다. 지극히 성한 양(陽)으로 장성함을 써서 나아가기 때문에 막는 것이 없어, 울타리가 터지고 열려 그 힘을 곤궁하게 하지 않는 것이다. '상왕(尚往)'은 그 나아감이 그치지 않는 것이다.

六五는 喪羊于易(이)면 无悔리라

육오(六五)는 양(羊;강(剛))을 화이(和易)함에 잃게 하면 뉘우침이 없으리라.

本義 | 喪羊于易나

양(羊)을 쉽게 잃으나

傳 | 羊은 羣行而喜觸하니 以象諸陽竝進이라 四陽이 方長而竝進하니 五以柔居上하여 若以力制면 則難勝而有悔요 唯和易以待之면 則羣陽이 无所用其剛하니 是喪其壯于和易也니 如此則可以无悔라 五以位言則正이요 以德言則中이라 故能用和易之道하여 使羣陽雖壯이나 无所用也라

양(羊)은 떼지어 다니고 떠받기를 좋아하니, 여러 양(陽)이 함께 나옴을 상징한 것이다. 네 양이 막 자라나 함께 나오니, 오(五)가 유(柔)로 위에 거하여 만일 힘으로써 제재하려 하면 이기기 어려워 뉘우침이 있을 것이요, 오직 화이(和易)로써 대하면 여러 양이 그 강(剛)함을 쓸 곳이 없으니, 이는 그 장성함을 화이함에 잃는 것이니, 이와 같이 하면 뉘우침이 없을 수 있다. 오(五)는 지위(자리)로 말하면 정(正)이고 덕으로 말하면 중(中)이다. 그러므로 능히 화이(和易)의 도(道)를 써서 여

··· 易 : 화할 이

러 양이 비록 장성하나 쓸 곳이 없게 하는 것이다.

本義 | 卦體似兌[47]하여 有羊象焉하니 外柔而內剛者也라 獨六五以柔居中하여 不能抵觸하여 雖失其壯이나 然亦无所悔矣라 故其象如此하고 而占亦與咸九五同[48]이라 易는 容易之易니 言忽然不覺其亡也라 或作疆場(역)之場하니 亦通이라 漢食貨志에 場作易하니라

괘의 체(體)가 태(兌)와 비슷하여 양(羊)의 상(象)이 있으니, 양은 밖은 유순하고 안은 강(剛)한 자이다. 홀로 육오(六五)가 유(柔)로서 중(中)에 거하여 저촉(抵觸:떠받음)하지 못해서 비록 강장(强壯)함을 잃었으나 또한 뉘우칠 바가 없다. 그러므로 그 상이 이와 같고 점 또한 함괘(咸卦)의 구오효(九五爻)와 같은 것이다. '이(易)'는 용이하다는 이(易) 자이니, 갑작스러워 그 없어짐을 깨닫지 못함을 발한 것이다. 혹은 강역(疆場:국경)의 역(場) 자로 쓰기도 하니, 또한 통한다.《한서(漢書)》〈식화지(食貨志)〉에는 역(場)을 역(易)으로 썼다.

象曰 喪羊于易는 位不當也일새라

〈상전〉에 말하였다. "'상양우이(喪羊于易)'는 자리가 합당하지 않기 때문이다."

傳 | 所以必用柔和者는 以陰柔居尊位故也라 若以陽剛中正으로 得〔一作居〕尊位면 則下无壯矣로되 以六五位不當也라 故設喪羊于易之義라 然大率治壯은 不可用剛이라 夫君臣上下之勢 不相侔也니 苟君之權이 足以制乎下면 則雖有强壯跋扈之人이나 不足謂之壯也요 必人君之勢有所不足然後에 謂之治壯이라 故治壯之道 不可以剛也니라

••••••

47 卦體似兌 : 괘효(卦爻)에 있어 육획괘(六畫卦:육십사괘)의 초효(初爻)와 이효(二爻)는 삼획괘(三畫卦:팔괘)의 초효와 함께 지위(地位)에 해당하고, 육획괘의 삼효(三爻)와 사효(四爻)는 삼획괘의 이효와 함께 인위(人位)에 해당하고, 육획괘의 오효(五爻)와 상효(上爻)는 삼획괘의 삼효와 함께 천위(天位)에 해당하는 바, 대장괘(大壯卦☳)는 팔괘의 태(兌☱)와 비슷하므로 말한 것이다.

48 占亦與咸九五同 : 함괘(咸卦)의 구오 효사(九五爻辭)에 "咸其脢, 无悔."라 하였으므로 말한 것이다.

••• 抵 : 들이받을 저 疆 : 지경 강 場 : 지경 역 侔 : 비길 모 跋 : 날뛸 발 扈 : 통발 호

반드시 유화(柔和)를 쓰는 까닭은 음유(陰柔)로 존위(尊位)에 거했기 때문이다. 만일 양강 중정(陽剛中正)으로 존위를 얻었다면 아래에 강장(强壯)한 자가 없을 것이나, 육오(六五)의 자리가 합당하지 않기 때문에 양(羊)을 화이(和易)함에 잃는 뜻을 베푼(말한) 것이다. 그러나 대체로 강장을 다스림은 강(剛)을 써서는 안 된다. 군신간과 상하간의 권세는 서로 대등하지 못하니, 만일 군주의 권세가 아랫사람을 제재할 만하다면 비록 강장하고 발호(跋扈)하는 사람(신하)이 있더라도 강장하다고 이를 수 없고, 반드시 인군의 권세가 부족한 바가 있은 뒤에야 강장을 다스린다고 이른다. 그러므로 강장을 다스리는 도는 강(剛)해서는 안 되는 것이다.

上六은 **羝羊**이 **觸藩**하여 **不能退**하며 **不能遂**하여 **无攸利**하니 **艱則吉**하리라

상육(上六)은 숫양이 울타리를 떠받아 물러가지도 못하고 나아가지도 못하여 이로운 바가 없으니, 어려우면 길하리라.

본의 | 어렵게 여기면

傳 | **羝羊**은 **但取其用**〔一无用字〕**壯**이라 **故陰爻亦稱之**라 **六**은 **以陰處震終而當壯極**하니 **其過可知**니 **如羝羊之觸藩籬**하여 **進則礙身**하고 **退則妨角**하여 **進退皆不可也**라 **才本陰柔**라 **故不能勝己以就義**하니 **是不能退也**요 **陰柔之人**은 **雖極用壯之心**이나 **然必不能終其壯**하여 **有摧必縮**하니 **是不能遂也**라 **其所爲如此**하면 **无所往而利也**라 **陰柔處壯**하여 **不能固其守**하니 **若遇艱困**이면 **必失其壯**이니 **失其壯**이면 **則反得**〔一有其字〕**柔弱之分矣**니 **是艱則得吉也**라 **用壯則不利**요 **知艱而處柔則吉也**니 **居壯之終**하여 **有變之義也**라

숫양은 다만 강장(强壯)을 씀을 취하였다. 그러므로 음효(陰爻) 또한 숫양을 칭한 것이다. 육(六)은 음으로 진(震)의 종(終)에 처하고 장(壯)의 극에 당하였으니, 그 지나침을 알 수 있으니, 숫양이 울타리를 떠받고 있어서 나아가려면 몸이 막히고 물러가려면 뿔이 방해되어 진(進)・퇴(退)가 모두 불가한 것과 같다. 재질이 본래 음유(陰柔)이기 때문에 자신을 이겨 의리에 나아가지 못하니 이는 물러가지 못하는 것이요, 음유의 사람은 비록 강장을 쓰려는 마음이 지극하나 반드시 강장함을 끝까지 마치지 못하여 꺾임이 있으면 반드시 위축되니 이는 나아가지 못하는

··· 礙 : 막힐 애

것이다. 그 하는 바가 이와 같으면 가는 곳마다 이로움이 없는 것이다.

음유가 강장에 처하여 그 지킴을 굳게 하지 못하니, 만일 어려움과 곤궁함을 만나면 반드시 그 강장함을 잃을 것이다. 강장함을 잃으면 도리어 유약한 분수에 맞으니, 이는 어려우면 길함을 얻는 것이다. 강장을 쓰면 불리(不利)하고 어려움을 알아 유(柔)에 처하면 길하니, 장(壯)의 종(終)에 거하여 변하는 뜻이 있다.

本義 | 壯終動極이라 故觸藩而不能退라 然其質本柔라 故又不能遂其進也라 其象如此하니 其占可知나 然猶幸其不剛이라 故能艱以處면 則尙可以得吉也라

장(壯)의 종(終)이고 동(動)의 극(極)이기 때문에 울타리를 떠받고 있어서 물러가지 못하는 것이다. 그러나 재질이 본래 음유(陰柔)이기 때문에 또 그 나아감을 이루지 못하는 것이다. 그 상(象)이 이와 같으니 그 점(占)을 알 수 있다. 그러나 오히려 다행히 강(剛)하지 않기 때문에 능히 어렵게 여겨 처하면 오히려 길함을 얻을 수 있는 것이다.

象曰 不能退, 不能遂는 不詳也요 艱則吉은 咎不長也일새라

〈상전〉에 말하였다. "물러가지 못하고 나아가지 못함은 자세히 살피지 않았기 때문이요, 어려우면 길함은 허물이 커지지 않기 때문이다."

傳 | 非其處而處라 故進退不能이니 是其自處之不詳愼也라 艱則吉은 柔遇艱難하고 又居壯終하니 自當變矣라 變則得其分하여 過咎不長하리니 乃吉也라

자기의 처할 곳이 아닌데 처했기 때문에 진·퇴가 불가능한 것이니, 이는 자처(自處)하기를 자세히 하고 삼가지 못한 것이다. 어려우면 길하다는 것은 유(柔)가 어려움을 만나고 또 장(壯)의 종(終)에 처하였으니, 본래 마땅히 변하여야 한다. 변하면 그 분수에 맞아 허물이 커지지 않을 것이니, 이것이 바로 길한 것이다.

傳┃ 晉은 序卦에 物不可以終壯이라 故受之以晉하니 晉者는 進也라하니라 物无壯而終止之理하니 旣盛壯則必進이니 晉所以繼大壯也라 爲卦 離在坤上하니 明出地上也라 日出於地하여 升而益明이라 故爲晉하니 晉은 進而光明盛大之意〔一作義〕也라 凡物漸盛爲進이라 故象云 晉은 進也라하니라 卦有有德者하고 有无德者하니 隨其宜也라 乾坤之外에 云元亨者는 固有也요 云利貞者는 所不足而可以有功也라 有不同者는 革、漸이 是也니 隨卦可見⁴⁹이라 晉之盛而无德者는 无用有也니 晉之明盛이라 故更不言亨이요 順乎大明하니 无用戒正也라

진괘(晉卦)는 〈서괘전〉에 "사물은 끝까지 장성할 수만은 없으므로 진괘로 받았으니, 진(晉)은 나아감이다." 하였다. 사물은 장성하고서 끝내 멈추는 이치가 없으니, 이미 장성하면 반드시 나아가니, 진괘가 이 때문에 대장괘(大壯卦☳)를 이은 것이다. 괘됨이 리(離☲)가 곤(坤☷)의 위에 있으니, 밝음이 지상(地上)으로 나오는 것이다. 해가 땅에서 나와 올라가 더욱 밝으므로 진(晉)이라 하였으니, 진(晉)은 나아가 광명하고 성대한 뜻이다. 무릇 사물은 점점 성함을 진(進)이라 한다. 이 때문에 〈단전(彖傳)〉에 "진(晉)은 나아감이다." 하였다.

괘에는 덕이 있는 것이 있고 덕이 없는 것이 있으니, 그 마땅함에 따른다. 건괘(乾卦)·곤괘(坤卦) 이외에 '원형(元亨)'이라고 말한 것은 바로 그 덕을 원래 갖고 있는 것이요, '이정(利貞)'이라고 말한 것은 정(貞)이 부족하지만 공(功)이 있을 수 있는 것이다. 똑같지 않은 경우는 혁괘(革卦☱)와 점괘(漸卦☶)가 이것이니, 괘에

••••••
49 乾坤之外……隨卦可見 : 괘사(卦辭)에 '원형이정(元亨利貞)'이라고 말한 것이 있고, '원형(元亨)'만 말한 것이 있는바, 원형이정을 정이천(程伊川)은 건괘(乾卦)와 곤괘(坤卦)는 사덕(四德)으로 풀이하고 나머지 괘는 '크게 형통하고 정(貞)함이 이롭다.'라고 풀이하여, 정이 부족하기 때문에 경계한 것으로 보았으나, 혁괘(革卦)의 '이정(利貞)'은 정도(正道)에 이로운 것이고, 점괘(漸卦)의 '이정(利貞)'은 바른 덕이 있어 이롭다.'고 해석하였다. 또한 '원형(元亨)' 두 글자만 있을 경우에는 '크게 선(善)하여 형통하다.' 하여 '이정'이 있는 것보다 더욱 좋은 것으로 풀이하였다.

••• 晉 : 나아갈 진, 밝을 진

따라 볼 수 있다. 나아감이 성한데도 덕을 말함이 없는 것은 있을 필요가 없어서이니, 〈진괘는〉 나아감이 밝고 성하기 때문에 다시 형통함을 말하지 않았고, 크게 밝음에 순종하니 바름을 경계할 필요가 없어서이다.

晉은 康侯를 用錫馬蕃庶하고 晝日三接이로다

진(晉)은 나라를 편안히 하는 제후(諸侯)에게 말을 하사(下賜)하기를 많이 하고 낮에 세 번 접견(接見)함이로다.

傳 | 晉爲進盛之時하니 大明在上而下體順附는 諸侯承王之象也라 故爲康侯하니 康侯者는 治安之侯也라 上之大明而能同德以順附는 治安之侯也라 故受其寵數하여 錫之馬衆多也라 車馬는 重賜也요 蕃庶는 衆多也라 不唯錫與之厚라 又見親禮하여 晝日之中에 至於三接하니 言寵遇之至也라 晉은 進盛之時니 上明下順하여 君臣相得이라 在上而言이면 則進於明盛이요 在臣而言이면 則進升高顯하여 受其光寵也라

진(晉)은 나아가 성한 때가 되니, 크게 밝음으로 위에 있고 하체(下體)가 순히 따름은 제후가 왕(王)을 받드는 상이다. 그러므로 강후(康侯)라 하였으니, 강후는 나라를 다스리고 백성을 편안하게 하는 제후이다. 위가 크게 밝은데 덕(德)을 함께 하여 순히 따름은 나라를 다스리고 백성을 편안히 하는 제후이다. 그러므로 총애와 예수(禮數)를 받아서 말을 하사함이 많은 것이다. '차마(車馬)'는 중한 하사이고 '번서(蕃庶)'는 많음이다. 하사하기를 후하게 할 뿐만 아니라 또 친애(親愛)와 예우(禮遇)를 받아 낮(하루) 가운데에 세 번 접견함에 이르렀으니, 총애와 대우가 지극함을 말한 것이다.

진(晉)은 나아가 성한 때이니, 위가 밝고 아래가 순하여 군(君)·신(臣)의 뜻이 서로 맞다. 상(上:군주)의 입장에서 말하면 광명(光明)함이 성대한 데 나아가는 것이고, 신하의 입장에서 말하면 높고 드러난 지위에 나아가서 그 광총(光寵:영광)을 받는 것이다.

本義 | 晉은 進也요 康侯는 安國之侯也라 錫馬蕃庶, 晝日三接은 言多受大賜而顯被親禮也라 蓋其爲卦 上離下坤하여 有日出地上之象과 順而麗(리)乎大明之

德이며 又其變이 自觀而來하여 爲六四之柔 進而上行하여 以至于五하니 占者有
是三者면 則亦當有是寵也니라

　진(晉)은 나아감이요 강후(康侯)는 나라를 편안히 하는 제후이다. 말을 하사함
이 많고 낮에 세 번 접견한다는 것은 큰 하사를 많이 받고 친애(親愛)와 예우를 드
러나게 입음을 말한 것이다. 괘됨이 위는 리(離 ☲)이고 아래는 곤(坤 ☷)이어서
해가 지상(地上)으로 나오는 상과 순히 하여 크게 밝음에 붙는 덕이 있으며, 또 괘
변(卦變)이 관괘(觀卦 ☷)로부터 와서 육사(六四)의 유(柔)가 나아가 상행(上行)하여
오(五)에 이름이 되니, 점치는 자가 이 세 가지 덕이 있으면 또한 마땅히 이러한
은총이 있을 것이다.

彖曰 晉은 進也니

　〈단전〉에 말하였다. "진(晉)은 나아감이니,

本義 | 釋卦名義라
　괘명(卦名)의 뜻을 해석하였다.

明出地上하여 順而麗(리)乎大明하고 柔進而上行이라 是以康侯用錫馬蕃庶 晝日三接也라

　밝음이 지상에 나와 순히 하여 크게 밝음에 붙고 유(柔)가 나아가 위로
간다. 이 때문에 나라를 편안히 하는 제후에게 말을 하사함이 많고 낮에
세 번 접견하는 것이다."

傳 | 晉進也는 明進而盛也라 明出於地하여 盆進而盛이라 故爲晉하니 所以不
謂之進者는 進爲前進이요 不能包明盛之義일새라 明出地上은 離在坤上也라 坤
麗於離하여 以順麗於大明하니 順德之臣이 上附於大明之君也라 柔進而上行은
凡卦離在上者는 柔居君位하여 多云柔進而上行하니 噬嗑、睽、鼎이 是也[50]라

· · · · · · ·
50　柔進而上行……是也: 규괘(睽卦)와 정괘(鼎卦)의 〈단전(彖傳)〉에는 모두 '유진이상행(柔進而
上行)'이라 하였고, 서합괘(噬嗑卦)의 〈단전〉에는 '유득중이상행(柔得中而上行)'이라 하였으므로

六五以柔居君位하여 明而順麗하니 爲能待下寵遇親密之義라 是以爲康侯用錫馬蕃庶, 晝日三接也라 大明之君은 安天下者也라 諸侯能順附天子之明德하니 是康民安國之侯也라 故謂之康侯라 是以享寵錫而見親禮하여 晝日之間에 三接見於天子也라 不曰公卿而曰侯는 天子는 治於上者也요 諸侯는 治於下者也니 在下而順附於大明之君은 諸侯之象也라

'진진야(晉進也)'는 밝음이 나아가 성한 것이다. 밝음이 땅에서 나와 더욱 나아가 성하므로 진(晉)이라 하였으니, 〈괘 이름을〉 진(進)이라고 이르지 않은 까닭은 진(進)은 전진(前進)하는 것만 되고 광명 성대(光明盛大)의 뜻을 포함하지 못하기 때문이다. '명출지상(明出地上)'은 리(離)가 곤(坤)의 위에 있는 것이다. 곤(坤)이 리(離)에 붙어서 순함으로써 크게 밝음에 붙어 있으니, 순덕(順德)의 신하가 위로 크게 밝은 군주를 따르는 것이다. '유진이상행(柔進而上行)'은 무릇 괘에 리(離)가 위에 있는 것은 유(柔)가 군위(君位)에 거하였기에 '유진이상행(柔進而上行)'이라고 많이 말하였으니, 서합괘(噬嗑卦 ☰)와 규괘(睽卦 ☰)·정괘(鼎卦 ☰)가 이것이다.

육오(六五)가 유(柔)로서 군위에 거하여 밝고 순히 따르니, 아랫사람을 대함에 총애하고 예우하고 친밀(親密)히 하는 뜻이 된다. 이 때문에 나라를 편안히 하는 제후에게 말을 하사함이 많고 낮에 세 번 접견함이 되는 것이다. 크게 밝은 군주는 천하를 편안히 하는 자이다. 제후가 천자의 밝은 덕(德)에 순히 따르니, 이는 백성을 편안히 하고 나라를 편안히 하는 제후이다. 그러므로 강후(康侯)라고 이른 것이다. 이 때문에 은총과 하사를 누리고 친애(親愛)와 예우(禮遇)를 받아서 낮 사이에 세 번이나 천자를 접견하는 것이다. 공경(公卿)이라 말하지 않고 후(侯)라 말한 것은 천자는 위에서 다스리는 자이고 제후는 아래에서 다스리는 자이니, 아래에 있으면서 크게 밝은 군주를 순히 따름은 제후의 상(象)이다.

本義 | 以卦象卦德卦變으로 釋卦辭라

괘상(卦象)과 괘덕(卦德)과 괘변(卦變)으로써 괘사(卦辭)를 해석하였다.

......
말한 것이다.

象曰 明出地上이 **晉**이니 **君子以**하여 **自昭明德**하나니라

〈상전〉에 말하였다. "밝음이 지상(地上)에 나옴이 진(晉)이니, 군자가 보고서 스스로 밝은 덕을 밝힌다."

傳 | 昭는 明之也라 傳曰 昭德塞違는 昭其度也라하니라 君子觀明出地上而益明盛之象하여 而以自昭其明德이라 去蔽致知는 昭明德於己也요 明明德於天下는 昭明德於外也라 明明德은 在己라 故云自昭라

'소(昭)'는 밝힘이다. 전(傳:《춘추좌씨전》 환공(桓公) 2년)에 이르기를 "덕(德)을 밝히고 잘못을 막음은 그 법도를 밝힘이다." 하였다. 군자가 밝음이 지상(地上)으로 나와 더욱 광명 성대(光明盛大)한 상(象)을 보고서 스스로 밝은 덕을 밝힌다. 가리움을 제거하고 지식을 지극히 함은 밝은 덕을 자신에게 밝힘이요, 명덕(明德)을 천하에 밝힘은 밝은 덕을 밖에 밝히는 것이다. 명덕을 밝힘은 자신에게 달려있기 때문에 스스로 밝힌다고 말한 것이다.

本義 | 昭는 明之也라

'소(昭)'는 밝힘이다.

初六은 **晉如摧如**에 **貞**이면 **吉**하고 **罔孚**라도 **裕**면 **无咎**리라

초육(初六)은 나아가거나 물러감에 정(貞)하면 길하고 믿어주지 않더라도 여유로우면 허물이 없으리라.

本義 | **晉如摧如**니

나아가다가 꺾임이니,

傳 | 初居晉之下하니 進之始也라 晉如는 升進也요 摧如는 抑退也니 於始進而言하되 遂其進, 不遂其進에 唯得正則吉也라하니라 罔孚者는 在下而始進하니 豈遽能深見信於上이리오 苟上未見信이면 則當安中自守하고 雍容寬裕하여 无急於求上之信也라 苟欲信之心切인댄 非汲汲以失其守면 則悻悻以傷於義矣니 皆有咎也라 故裕則无咎하니 君子處進退之道也라

초(初)는 진(晉)의 아래에 거하였으니, 나아감의 시초이다. '진여(晉如)'는 올라

··· 裕 : 넉넉할 유 雍 : 화락할 옹 汲 : 힘쓰는모양 급 悻 : 성낼 행

감이요, '최여(摧如)'는 꺾여 물러남이니, 처음 나아갈 때에 말하기를 "나아감을 이루거나 나아감을 이루지 못하거나 오직 정도(正道)를 얻으면 길하다." 한 것이다. '믿어주지 않는다.〔罔孚〕'는 것은 아래에 있으면서 처음 나아가니, 어찌 대번에 윗사람에게 깊이 믿음(신임)을 받겠는가. 만일 윗사람이 믿어주지 않으면 마땅히 중도(中道)를 편안히 여기고 스스로 지키며 옹용(雍容:온화함)하고 관유(寬裕)하여 윗사람이 믿어주기를 구함에 급하게 여기지 말아야 한다. 만일 믿어주기를 바라는 마음이 간절하다면, 급급히 하여 그 지킴을 잃지 않으면 행행(悻悻)하여 의(義)를 상하게 되니, 이는 모두 허물이 있는 것이다. 그러므로 여유로우면 허물이 없는 것이니, 군자가 진퇴에 대처하는 도(道)이다.

本義 │ 以陰居下하여 應不中正하니 有欲進見摧之象이라 占者如是로되 而能守正則吉이요 設不爲人所信이라도 亦當處以寬裕則无咎也라

음효(陰爻)로서 아래에 거하여 응(應)이 중정(中正)하지 못하니, 나아가고자 하다가 꺾임을 당하는 상(象)이 있다. 점치는 자가 이와 같은데도 능히 정도(正道)를 지키면 길하고, 설령 남에게 믿음을 받지 못하더라도 또한 마땅히 관유(寬裕)함으로 대처하면 허물이 없을 것이다.

象曰 晉如摧如는 獨行正也요 裕无咎는 未受命也일새라

〈상전〉에 말하였다. "진여최여(晉如摧如)'는 홀로 바름을 행함이요, 여유로우면 허물이 없음은 명령을 받지 않았기 때문이다."

傳 │ 无進无抑이요 唯獨行正道也라 寬裕則无咎者는 始欲進而未當位故也라 君子之於進退에 或遲或速이 唯義所當이니 未嘗不裕也라 聖人이 恐後之人不達寬裕之義하여 居位者廢職失守以爲裕라 故特云 初六裕則无咎者는 始進에 未受命當職任故也라 若有官守에 不信於上而失其職이면 一日不可居也라 然事非一概니 久速唯時요 亦容有爲之兆者[51]니라

......
51 亦容有爲之兆者:용(容)은 용혹(容或)인 바, 혹 도(道)를 행할 수 있는 조짐을 보이기 위하여 다소 지조(志操)를 굽힘을 이른다. 맹자는 공자가 노(魯)나라에서 벼슬하실 때에 노나라 사람들에

나아가거나 억눌림을 막론하고 오직 홀로 정도(正道)를 행하여야 한다. 관유(寬裕)하면 허물이 없다는 것은 처음 나아가고자 하여 아직 지위를 담당하지 않았기 때문이다. 군자가 진·퇴함에 혹 더디게 머뭇거리고 혹 빠르게 떠나감을 오직 의(義)에 합당하게 하니, 일찍이 여유롭지 않은 적이 없다. 성인은 후세 사람들이 관유(寬裕)의 뜻을 통달하지 못하여 지위에 있는 자가 직책을 폐하고 지킴을 잃는 것을 유(裕)라고 여길까 염려하셨다. 그러므로 특별히 말씀하기를 "초육(初六)이 여유로우면 허물이 없다는 것은 처음 나아감에 아직 명령을 받아 직임(職任)을 담당하지 않았기 때문이다. 만일 관수(官守:맡은 관직)가 있는데 윗사람에게 신임을 받지 못한다 하여 직분을 잃는다면 하루라도 머물러서는 안 된다. 그러나 일은 일개(一槪:한결같음)가 아니니, 오래 머물고 속히 떠나감을 오직 때에 맞게 하여야 하고 또한 혹 도(道)를 행할 수 있는 조짐을 보이기도 한다." 하신 것이다.

本義 | 初居下位하여 未有官守之命이라

초(初)가 하위(下位)에 거하여 아직 관수(官守)의 명령이 있지 않은 것이다.

六二는 晉如愁如나 貞이면 吉하리니 受玆介福于其王母리라

육이(六二)는 나아감이 근심스러우나 정(貞)하면 길하리니, 큰 복(福)을 왕모(王母:조모(祖母))에게 받으리라.

傳 | 六二在下하여 上无應援하고 以中正柔和[一作順]之德하니 非强於進者也라 故於進에 爲可憂愁하니 謂其進之難也라 然守其貞正則當得吉이라 故云晉如愁如貞吉이라하니라 王母는 祖母也니 謂陰之至尊者니 指六五也라 二以中正之道로 自守면 雖上无應援하여 不能自進이나 然其中正之德이 久而必彰하여 上之人이 自當求之리라 蓋六五大明之君이 與之同德하니 必當求之하여 加之寵祿하리니 受介福於王母也라 介는 大也라

· · · · · ·
게 도를 행할 수 있는 조짐을 보이기 위하여 그들과 어울려 엽각(獵較)을 하셨음을 말씀하였다. 엽각은 자세한 내용을 알 수 없으나 사냥한 다음 잡은 짐승을 비교하여 승부를 겨루는 것으로 점잖지 못한 행위라 한다. 《孟子 萬章下》

· · · 介 : 클 개 彰 : 드러날 창

육이(六二)가 아래에 있어 위에 응원(應援)이 없고 중정 유화(中正柔和)의 덕(德)을 쓰니, 나아감에 강한 자가 아니다. 그러므로 나아감에 근심스러울 만하니, 나아감이 어려움을 말한 것이다. 그러나 정정(貞正)을 지키면 마땅히 길함을 얻을 것이다. 그러므로 '진여수여정길(晉如愁如貞吉)'이라 한 것이다.

왕모(王母)는 조모(祖母)이니, 음(陰)의 지극히 높은 자를 이르니, 육오(六五)를 가리킨다. 이(二)가 중정(中正)의 도로 스스로 지키면 비록 위에 응원(應援)이 없어 스스로 나아갈 수 없으나 중정한 덕이 오래되면 반드시 드러나니, 윗사람이 스스로 마땅히 구할 것이다. 육오(六五)의 크게 밝은 군주가 자기와 더불어 덕이 같으니, 반드시 마땅히 이러한 자신을 구하여 총록(寵祿)을 가해 줄 것이니, 큰 복(福)을 왕모(王母)에게 받는 것이다. '개(介)'는 큼이다.

本義 | 六二中正이요 上无應援이라 故欲進而愁하니 占者如是而能守正이면 則吉而受福于王母也라 王母는 指六五니 蓋享先妣之吉占이요 而凡以陰居尊者 皆其類也라

육이(六二)가 중정(中正)이고 위에 응원이 없으므로 나아가고자 하나 근심하니, 점치는 자가 이와 같은데도 정도를 지키면 길하여 복을 왕모(王母)에게 받을 것이다. 왕모는 육오(六五)를 가리키니, 선비(先妣;돌아가신 어머니)를 제향하는 길점(吉占)이요, 무릇 음(陰)으로서 존위(尊位)에 거한 자가 모두 그 류(類)이다.

象曰 受茲介福은 以中正也라

〈상전〉에 말하였다. "큰 복을 받음은 중정(中正)하기 때문이다."

傳 | 受茲介福은 以中正之道也라 人能守中正之道면 久而必亨이온 況大明在上而同德하니 必受大福也라

이 큰 복을 받음은 중정(中正)의 도(道)를 행하기 때문이다. 사람이 중정의 도를 지키면 오래면 반드시 형통할 터인데, 하물며 크게 밝은 군주가 위에 있고 덕이 같으니, 반드시 큰 복을 받을 것이다.

··· 妣 : 할머니 비

六三은 衆允이라 悔亡하니라

육삼(六三)은 무리가 믿어주니, 뉘우침이 없다.

傳 │ 以六居三하여 不得中正하니 宜有悔咎〔一作吝〕로되 而三在順體之上하니 順之極者也요 三陰이 皆順上者也라 是三之順上은 與衆同志하여 衆所允從이니 其悔所以亡也라 有順上向明之志而衆允從之면 何所不利리오 或曰 不由中正而與衆同이 得爲善乎아 曰 衆所允者는 必至當也라 況順上之大明하니 豈有不善也리오 是以悔亡이니 蓋亡其不中正之失矣라 古人曰 謀從衆則合天心이라하니라

육(六)으로서 삼(三)에 거하여 중정(中正)을 얻지 못하였으니, 마땅히 뉘우침과 허물이 있을 것이나 삼(三)이 순체(順體)의 위에 있으니 순함이 지극한 자이고, 세음(陰)이 모두 위에 순종하는 자이다. 삼(三)이 위에 순종함은 무리와 뜻을 함께 하여 무리가 믿어 따르는 바이니, 뉘우침이 없게 된 이유이다. 위에 순종하고 밝음을 향하는 뜻이 있고 무리가 믿고 따라준다면 어느 것인들 이롭지 않겠는가.

혹자는 말하기를 "중정을 따르지 않고 무리와 함께 함이 선(善)이 될 수 있는가?" 하기에, 다음과 같이 대답하였다. "무리가 믿는 것은 반드시 지극히 합당한 것이다. 하물며 위의 크게 밝음에 순종하니, 어찌 불선(不善)함이 있겠는가. 이 때문에 뉘우침이 없는 것이니, 중정하지 못한 잘못이 없는 것이다. 옛사람의 말에 '계책은 여러 사람을 따르면 천심(天心)에 부합한다.' 하였다."

本義 │ 三不中正하여 宜有悔者로되 以其與下二陰으로 皆欲上進이라 是以로 爲衆所信而悔亡也라

삼(三)이 중정하지 못하여 마땅히 뉘우침이 있을 것이나 아래 두 음과 함께 모두 위로 나아가고자 하기 때문에 무리에게 믿음(신임)을 받아 뉘우침이 없는 것이다.

象曰 衆允之志는 上行也라

〈상전〉에 말하였다. "무리가 믿어주는 뜻은 위로 가기 때문이다."

傳 │ 上行은 上順麗於大明也라 上從大明之君은 衆志之所同也라

··· 允 : 믿을 윤

위로 감은 위로 크게 밝음에 순히 붙는 것이다. 위로 크게 밝은 군주를 따름은 무리의 뜻이 같은 것이다.

九四는 晉如鼫(석)鼠니 貞이면 厲하리라

구사(九四)는 나아감이 석서(鼫鼠:다람쥐의 일종)이니 정고(貞固)하면 위태로우리라.

本義 | 貞하나

　　　바르더라도

傳 | 以九居四는 非其位也니 非其位而居之는 貪據其位者也라 貪處高位는 旣非所安이요 而又與上同德하여 順麗於上하고 三陰이 皆在己下하여 勢必上進이라 故其心畏忌之하니 貪而畏人者는 鼫鼠也라 故云晉如鼫鼠라하니 貪於非據而存畏忌之心이니 貞固守此면 其危可知라 言貞厲者는 開有改之道也라

구(九)가 사(四)에 거함은 제자리가 아니니, 제자리가 아닌데 거함은 그 지위를 탐하여 차지한 것이다. 높은 지위를 탐하여 처함은 이미 편안한 바가 아니요, 또 상(上)과 덕(德)이 같아서 위에 순히 붙고 세 음이 모두 자신의 아래에 있어 형세가 반드시 위로 나아갈 것이다. 그러므로 그 마음에 두려워하고 꺼리니, 탐하면서 사람을 두려워하는 것은 석서(鼫鼠)이다. 그러므로 '진여석서(晉如鼫鼠)'라 말하였으니, 차지할 자리가 아닌 것을 탐하여 두려워하고 꺼리는 마음을 두니, 정고(貞固)하게 이를 지키면 그 위태로움을 알 수 있다. '정려(貞厲)'라고 말한 것은 고칠 수 있는 길을 열어 놓은 것이다.

本義 | 不中不正하여 以竊高位하고 貪而畏人은 蓋危道也라 故爲鼫鼠之象이니 占者如是면 雖正亦危리라

중정(中正)하지 못하면서 높은 지위를 도둑질하고 탐하면서 사람을 두려워하는 것은 위태로운 방도이다. 그러므로 석서(鼫鼠)의 상(象)이 되니, 점치는 자가 이와 같이 하면 비록 바르더라도 위태로울 것이다.

··· 鼫 : 석서 석 鼠 : 쥐 서

象曰 鼫鼠貞厲는 位不當也일새라

〈상전〉에 말하였다. "'석서정려(鼫鼠貞厲)'는 자리가 합당하지 않기 때문이다."

傳ㅣ 賢者는 以正德하니 宜在高位어니와 不正而處高位면 則爲非據라 貪而懼失則畏人이니 固處其地면 危可知也라

현자(賢者)는 바른 덕을 쓰니 마땅히 높은 지위에 있어야 하나 바르지 못하면서 높은 지위에 처하면 차지할(점거할) 자리가 아닌 것이 된다. 탐하여 잃을 것을 두려워하면 사람을 두려워하니, 그 자리에 굳게 처하면 위태로움을 알 수 있다.

六五는 悔亡인댄 失得을 勿恤이니 往吉하여 无不利리라

육오(六五)는 뉘우침이 없을진댄 잃고 얻음을 근심하지 말 것이니, 감에 길하여 이롭지 않음이 없으리라.

本義ㅣ 悔亡하니 失得을 勿恤하면 往吉하여

뉘우침이 없으니, 잃고 얻음을 근심하지 않으면 감에 길하여

傳ㅣ 六以柔居尊位하여 本當有悔로되 以大明而下皆順附라 故其悔得亡也라 下旣同德順附면 當推誠委任하여 盡衆人之才하고 通天下之志요 勿復自任其明하여 恤其失得이니 如此而往이면 則吉而无不利也라 六五는 大明之主니 不患其不能明照요 患其用明之過하여 至於察察하여 失委任之道라 故戒以失得勿恤也라 夫私意偏任하여 不察則有蔽어니와 盡天下之公이면 豈當〔一作得〕復用私察也리오

육(六)이 유효(柔爻)로서 존위(尊位)에 거하여 본래 마땅히 뉘우침이 있을 것이나 크게 밝으면서 아래가 모두 순히 따르기 때문에 그 뉘우침이 없어질 수 있는 것이다. 아래가 이미 덕이 같고 순히 따르면 마땅히 정성을 미루어 위임하여 중인(衆人)의 재주를 다하고 천하의 뜻을 통할 것이요, 다시 그 밝음을 자임(自任)하여 그 잃고 얻음을 근심하지 말 것이니, 이와 같이 하여 가면 길하여 이롭지 않음이 없을 것이다.

육오(六五)는 크게 밝은 군주이니, 밝게 비추지 못함을 근심하지 않고, 밝음을

씀이 지나쳐 너무 살피고 살핌에 이르러 위임하는 도를 잃을까 염려된다. 그러므로 잃고 얻음을 근심하지 말라고 경계한 것이다. 사사로운 뜻으로 편벽되게 맡겨서 살피지 않으면 가리움이 있겠지만 천하의 공정함을 다한다면 어찌 다시 사사로운 살핌을 쓰겠는가.

本義 │ 以陰居陽하여 宜有悔矣로되 以大明在上하여 而下皆順從이라 故占者得之면 則其悔亡이라 又一切去其計功謀利之心이면 則往吉而无不利也라 然亦必有其德이라야 乃應其占耳라

음효(陰爻)로서 양위(陽位)에 거하여 마땅히 뉘우침이 있을 것이나, 크게 밝음으로 위에 있어 아래가 모두 순종하기 때문에 점치는 자가 이 효를 얻으면 뉘우침이 없는 것이다. 또 일절 공(功)을 계산하고 이익을 도모하는 마음을 버리면 감에 길하여 이롭지 않음이 없을 것이다. 그러나 또한 반드시 이러한 덕이 있어야 이 점(占)에 응할 것이다.

象曰 失得勿恤은 往有慶也리라

〈상전〉에 말하였다. "잃고 얻음을 근심하지 않음은 감에 복경(福慶)이 있을 것이다."

傳 │ 以大明之德으로 得下之附하여 推誠委任이면 則可以成天下之大功이니 是往而有福慶也라

크게 밝은 덕(德)으로 아래의 따름을 얻어 정성을 미루어 위임하면 천하의 대공(大功)을 이룰 수 있으니, 이는 감에 복경(福慶)이 있는 것이다.

上九는 晉其角이니 維用伐邑이면 厲하나 吉하고 无咎어니와 貞엔 吝하니라

상구(上九)는 뿔에 나아감이니, 오직 사읍(私邑)을 정벌하는데 사용하면 사나우나 길하고 허물이 없지만 정도(貞道)엔 부끄럽다.

本義 │ 貞이라도 吝하리라

바르더라도 부끄러우리라.

傳│ 角은 剛而居上之物이라 上九以剛居卦之極이라 故取角爲象하니 以陽居上
은 剛之極也요 在晉之上은 進之極也니 剛極則有强猛之過하고 進極則有躁急之
失이라 以剛而極於進이면 失中之甚也니 无所用而可요 維獨用於伐邑이면 則雖
厲나 而吉且无咎也라 伐四方者는 治外也요 伐其居邑者는 治內也니 言伐邑은 謂
內自治也라 人之自治 剛極則守道愈固요 進極則遷善愈速이니 如上九者 以之
自治면 則雖傷於厲나 而吉且无咎也라 嚴厲는 非安和之道로되 而於自治則有功
也라 復云貞吝하여 以盡其義하니 極於剛進이면 雖自治有功이나 然非中和之德이
라 故於貞正之道에 爲可吝也라 不失中正이 爲貞이라

　뿔은 강(剛)하고 위에 있는 물건이다. 상구(上九)가 강(剛)으로서 괘(卦)의 극
에 처하였으므로 뿔을 취하여 상을 삼았으니, 양효(陽爻)로서 상(上)에 거함은 강
(剛)이 지극함이요 진(晉)의 위에 있음은 나아감이 지극한 것이니, 강함이 지극하
면 강맹(强猛:강하고 사나움)의 잘못이 있고, 나아감이 지극하면 조급한 실수가 있
다. 강함으로서 나아감에 지극하면 중(中)을 잃음이 심하니, 쓰는 데마다 가(可)함
이 없고, 오직 사읍(私邑)을 정벌하는데 사용하면 비록 사나우나 길하고 또 허물
이 없을 것이다. 사방을 정벌함은 밖을 다스림이요 거주하는 사읍을 정벌함은 안
을 다스림이니, 읍을 정벌한다고 말함은 안으로 스스로 다스림을 말한 것이다.

　사람이 스스로 다스림은 강함이 지극하면 도를 지킴이 더욱 굳고 나아감이 지
극하면 선(善)으로 옮김이 더욱 빠르니, 상구(上九)와 같은 자는 이것으로 스스로
다스리면 비록 사나움에 상(傷)하나, 길하고 또 허물이 없는 것이다. '엄려(嚴厲)'
는 편안하고 온화한 방도가 아니나 스스로 다스림에는 공(功)이 있는 것이다. 다
시 '정린(貞吝)'이라고 말하여 그 뜻을 다하였으니, 강하고 나아감에 지극하면 비
록 스스로 다스림에는 공(功)이 있으나 중화(中和)의 덕이 아니기 때문에 정정(貞
正)의 도(道)에 부끄러울 만한 것이다. 중정을 잃지 않음이 정(貞)이 된다.

本義│ 角은 剛而居上하니 上九剛進之極하여 有其象矣라 占者得之하여 而以伐
其私邑이면 則雖危而吉且无咎라 然以極剛治小邑하니 雖得其正이라도 亦可吝矣라

　뿔은 강(剛)하고 위에 있으니, 상구(上九)가 강하게 나아감이 지극하여 이러한
상이 있는 것이다. 점치는 자가 이것을 얻어 그 사읍(私邑)을 정벌하면 비록 위태
로우나 길하고 또 허물이 없을 것이다. 그러나 지극히 강함으로써 작은 고을을 다

스리니, 비록 바름을 얻더라도 또한 부끄러울 만하다.

象曰 維用伐邑은 道未光也일새라

〈상전〉에 말하였다. "오직 사읍(私邑)을 정벌함에 씀은 도(道)가 광대(光大)하지 못하기 때문이다."

傳 | 維用伐邑이면 旣得吉而无咎어늘 復云貞吝者는 貞道未光大也니 以正理言之하면 尤可吝也라 夫道旣光大면 則无不中正이니 安有過也리오 今以過剛自治면 雖有功矣나 然其道未光大라 故亦可吝이니 聖人言盡善之道하시니라

　　오직 사읍을 정벌함에 쓰면 이미 길함을 얻고 허물이 없는데 다시 '정린(貞吝)'이라고 말한 것은 정도(貞道)가 광대(光大)하지 못하기 때문이니, 정리(正理)로 말하면 더욱 부끄러울 만하다. 도(道)가 이미 광대하면 중정(中正)하지 않음이 없으니, 어찌 지나침이 있겠는가. 지금 지나치게 강(剛)함으로써 스스로 다스리면 비록 공(功)이 있으나 그 도가 광대하지 못하다. 그러므로 또한 부끄러울 만하니, 성인이 진선(盡善)의 도를 말씀한 것이다.

傳│ 明夷는 序卦에 晉者는 進也니 進必有所傷이라 故受之以明夷하니 夷者는 傷
也라하니라 夫進之〔一作而〕不已면 必有所傷은 理自然也니 明夷所以次晉也라 爲
卦 坤上離下하니 明入地中也라 反晉이면 成明夷라 故義與晉正相反하니 晉者는
明盛之卦니 明君在上하여 羣賢並進之時也요 明夷는 昏暗之卦니 暗君在上하여
明者見傷之時也라 日入於地中이면 明傷而昏暗也라 故爲明夷라

　명이괘(明夷卦)는 〈서괘전〉에 "진(晉)은 나아감이니, 나아가면 반드시 상(傷)하
는 바가 있으므로 명이괘로 받았으니, 이(夷)는 상(傷)함이다." 하였다. 나아가기
를 그치지 않으면 반드시 상하는 바가 있음은 이치에 자연함이니, 명이괘가 이 때
문에 진괘(晉卦 ䷢)의 다음이 된 것이다. 괘됨이 곤(坤)이 위에 있고 리(離)가 아래
에 있으니, 밝음이 지중(地中)으로 들어간 것이다. 진(晉 ䷢)을 뒤집으면 명이(明
夷)가 되므로 뜻이 진(晉)과 정반대이니, 진(晉)은 밝음이 성한 괘이니 명군(明君)
이 위에 있어 여러 현자(賢者)가 함께 나아가는 때이고, 명이(明夷)는 혼암(昏暗)의
괘이니 혼암한 군주가 위에 있어 밝은 자가 상(傷)함을 당하는 때이다. 해가 지중
으로 들어가면 밝음이 상하여 혼암하기 때문에 명이(明夷)라 한 것이다.

明夷는 利艱貞하니라
　명이(明夷)는 어려울 때에 정(貞)함이 이롭다.
　본의│ 어렵게 여겨 정(貞)함이 이롭다.

傳│ 君子當明夷之時하여 利在知艱難而不失其貞正也라 在昏暗艱難之時하여
而能不失其正은 所以爲明이니〔一有爲字〕君子也라

　군자(君子)가 명이(明夷)의 때를 당하여 이로움이 어려움을 알아 그 정정(貞正)
함을 잃지 않음에 있다. 혼암(昏暗)하고 어려운 때에 바름을 잃지 않음은 밝음이
되는 것이니, 군자이다.

··· 夷 : 상할 이　暗 : 어두울 암

本義ㅣ 夷는 傷也라 爲卦下離上坤하니 日入地中하여 明而見傷之象이라 故爲明夷요 又其上六이 爲暗之主어늘 六五近之라 故占者利於艱難以守正하여 而自晦其明也라

이(夷)는 상(傷)함이다. 괘됨이 아래는 리(離 ☲)이고 위는 곤(坤 ☷)이니, 해가 지중(地中)으로 들어가서 밝으나 상함을 당하는 상(象)이다. 그러므로 명이(明夷)라 한 것이요 또 상육(上六)이 혼암(昏暗)의 주체가 되었는데 육오(六五)가 가까이 있다. 그러므로 점치는 자가 어렵게 여겨 바름을 지켜서 스스로 그 밝음을 감춤이 이로운 것이다.

彖曰 明入地中이 明夷니

〈단전〉에 말하였다. "밝음이 지중으로 들어감이 명이(明夷)이니,

本義ㅣ 以卦象으로 釋卦名이라

괘상(卦象)으로써 괘명(卦名)을 해석하였다.

內文明而外柔順하여 以蒙大難이니 文王이 以之하시니라

안은 문명하고 밖은 유순하여 큰 환난(患難)을 무릅쓰니, 문왕(文王)이 이것을 사용하셨다.

傳ㅣ 明入於地는 其明이 滅也라 故爲明夷라 內卦離니 離者는 文明之象이요 外卦坤이니 坤者는 柔順之象이니 爲人內有文明之德而外能柔順也라 昔者文王如是라 故曰文王以之라하니라 當紂之昏暗하니 乃明夷之時어늘 而文王이 內有文明之德하고 外柔順以事紂하사 蒙犯大難이로되 而內不失其明聖하고 而外足以遠禍患〔一作害〕하시니 此文王所用之道也라 故曰文王以之라하니라

밝음이 땅으로 들어감은 그 밝음이 멸(滅)하는 것이므로 명이(明夷)라 하였다. 내괘(內卦)는 리(離)이니 리(離)는 문명의 상(象)이요, 외괘(外卦)는 곤(坤)이니 곤은 유순한 상이니, 사람이 안은 문명한 덕이 있고 밖은 유순함이 된다. 옛날 문왕(文王)이 이와 같이 하셨기 때문에 문왕이 사용하셨다고 말한 것이다. 주(紂)의 혼암(昏暗)함을 당하였으니 바로 명이(明夷:밝음이 상함)의 때인데, 문왕이 안에는 문명

한 덕이 있고 밖은 유순하여 주(紂)를 섬겨서 큰 환난(患難)을 무릅쓰고 범하였으나 안으로는 밝고 성스러움을 잃지 않고 밖으로는 화환(禍患)을 멀리하셨으니, 이는 문왕이 사용하신 방도이다. 그러므로 문왕이 사용하셨다고 말한 것이다.

本義 | 以卦德으로 釋卦義라 蒙大難은 謂遭紂之亂而見囚也라

괘덕(卦德)으로써 괘의 뜻을 해석하였다. '몽대난(蒙大難)'은 〈문왕이〉 주(紂)의 난(亂)을 만나 〈유리(羑里)의 옥에〉 갇힘을 당함을 이른다.

利艱貞은 **晦其明也**라 **內難而能正其志**하니 **箕子以之**하시니라

어려울 때에 정(貞)함이 이로움은 그 밝음을 감춘 것이다. 안이 어려웠으나 그 뜻을 바르게 하였으니, 기자(箕子)가 이것을 사용하셨다."

傳 | 明夷之時엔 利於處艱厄而不失其貞正이니 謂能晦藏其明也라 不晦其明이면 則被禍患이요 不守其正이면 則非賢明이라 箕子當紂之時하여 身處其國內하여 切近其難이라 故云內難이라 然箕子能〔一无能字〕藏晦其明하여 而自守其正志하시니 箕子所用之道也라 故曰箕子以之라하니라

명이(明夷)의 때에는 간액(艱厄)에 처하더라도 정정(貞正)을 잃지 않음이 이로우니, 그 밝음을 감춤을 이른다. 그 밝음을 감추지 않으면 화환(禍患)을 입을 것이요, 그 바름을 지키지 않으면 현명함이 아니다. 기자(箕子)가 주(紂)의 때를 당하여 몸이 국내(國內)에 처하여 환난(患難)에 매우 가까웠으므로 내난(內難)이라 이른 것이다. 그러나 기자가 그 밝음을 감추어 스스로 바른 뜻을 지키셨으니, 기자가 사용한 방도이다. 그러므로 기자가 사용하셨다고 말한 것이다.

本義 | 以六五一爻之義로 釋卦辭라 內難은 謂爲紂近親하여 在其國內니 如六五之近於上六也라

육오(六五) 한 효(爻)의 뜻으로 괘사(卦辭)를 해석하였다. 내난(內難)은 〈기자가〉 주(紂)의 가까운 친척이 되어 국내에 있음을 이르니, 육오가 상육(上六)에 가까운 것과 같은 것이다.

象曰 明入地中이 **明夷**니 **君子以**하여 **莅衆**에 **用晦而明**하나니라

〈상전〉에 말하였다. "밝음이 지중(地中)으로 들어감이 명이(明夷)이니, 군자가 보고서 무리를 대할 때에 어둠을 써서 밝게 한다."

傳│ 明은 所以照니 君子无所不照나 然用明之過則傷於察이요 太察則盡事而无含弘之度라 故君子觀明入地中之象하여 於莅衆也에 不極其明察而用晦니 然後에 能容物和衆하여 衆親而安하나니 是用晦乃所以爲明也라 若自任其明하여 无所不察이면 則已不勝其忿疾하여 而无寬厚含容〔一作弘〕之德하여 人情睽疑而不安하여 失莅衆之道니 適所以爲不明也라 古之聖人이 設前旒屛樹者[52]는 不欲明之盡乎隱也니라

밝음은 비추는 것이니, 군자는 비추지 않는 바가 없으나 밝음을 씀이 지나치면 너무 살핌에 상(傷)하고(잘못되고), 너무 살피면 일을 다하여 포용하고 큰 도량이 없다. 그러므로 군자가 밝음이 지중으로 들어가는 상(象)을 보아 무리를 대할 적에 밝음과 살핌을 지극히 하지 않고 어둠을 쓰는 것이니, 이렇게 한 뒤에야 남을 용납하고 무리를 화합(和合)하여 무리가 친애하고 편안하니, 이는 어둠을 쓰는 것이 바로 밝음이 되는 것이다.

만일 자신의 밝음을 자임(自任)하여 살피지 않는 바가 없으면 이미 분함과 미워하는 마음을 이기지 못하여 관후(寬厚)하고 함용(含容)하는 덕(德)이 없어서 인정(人情)이 반목(反目)하고 의심하여 불안해서 무리를 대하는 도리를 잃을 것이니, 이렇게 되면 오직 밝지 못함이 될 뿐이다. 옛 성인이 면류관에 앞 술을 달고 문 앞을 가리개로 가린 것은 밝음을 숨겨진 곳에 다하지 않고자 한 것이다.

初九는 **明夷于飛**에 **垂其翼**이니 **君子于行**에 **三日不食**하여 **有攸往**에 **主人**이 **有言**이로다

초구(初九)는 명이(明夷)에 날아감에 날개를 늘어뜨림이니, 군자가 떠나

······
52 設前旒屛樹者 : 전류(前旒)는 군주의 면류관에 앞술이 있어 앞이 자세히 보이지 않게 한 것이며, 병수(屛樹)는 내실의 문에 판자로 된 가로막이를 설치하여 내실이 보이지 않게 한 것으로, 《논어(論語)》〈팔일(八佾)〉의 "管氏亦樹塞門"은 바로 병수를 가리킨 것이다.

··· 莅 : 임할 리 旒 : 면류관술 류

감에 삼 일 동안 먹지 못하여 가는 바를 둠에 주인이 나무라는 말을 하도다.

傳 l 初九는 明體而居明夷之初하니 見傷之始也라 九는 陽明上升者也라 故取飛象이라 昏暗在上하여 傷陽之明하여 使不得上進하니 是는 于飛而傷其翼也라 翼見傷이라 故垂朶(타)하니 凡小人之害君子는 害其所以行者라 君子于行 三日不食은 君子明照하여 見事之微하니 雖始有見傷之端未顯也나 君子則能見之矣라 故行去避之라 君子于行은 謂去其祿位而退藏也요 三日不食은 言困窮之極也라 事未顯而處甚艱하니 非見幾之明이면 不能也라 夫知幾者는 君子之獨見이요 非衆人所能識也라 故明夷之始에 其見傷未顯而去之면 則世俗孰不疑怪리오 故有所往適이면 則主人有言也라 然君子不以世俗之見怪라하여 而遲疑其行也라 若俟衆人盡識이면 則傷已及而不能去矣니 此는 薛方所以爲明이요 而揚雄所以不獲其去也[53]라

초구(初九)는 밝음의 체(體)인데 명이(明夷)의 초(初)에 거하였으니, 상(傷)함을 당하는 시초이다. 구(九)는 양명(陽明)으로 상승(上升)하는 자이다. 이 때문에 날아가는 상(象)을 취한 것이다. 혼암(昏暗)하면서 위에 있어 양(陽)의 밝음을 상해서 위로 나아가지 못하게 하니, 이는 날아감에 그 날개를 상한 것이다. 날개가 상함을 당했기 때문에 늘어뜨리는 것이니, 무릇 소인이 군자를 해침은 감(도를 행함)을 해치는 것이다.

'군자우행 삼일불식(君子于行三日不食)'은 군자는 밝게 비추어 일의 기미를 보니, 비록 처음 상(傷)함을 당하는 단서가 아직 드러나지 않았으나 군자는 능히 이것을 보기 때문에 떠나가 피하는 것이다. '군자가 떠나간다'는 것은 그 녹(祿)과 지위를 버리고 물러가 감춤이요, '3일 동안 먹지 못한다'는 것은 곤궁함이 지극함

• • • • • • •
53 薛方所以爲明 而揚雄所以不獲其去也 : 설방(薛方)은 전한(前漢) 말기 제(齊) 지방 사람으로 자(字)는 자용(子容)인데 왕망(王莽)이 제위(帝位)를 찬탈하고 부르자, "위에 요(堯)·순(舜)과 같은 성군(聖君)이 계시면 아래에 소부(巢父)·허유(許由)와 같은 은사(隱士)가 있다.〔上有堯舜, 下有巢由.〕" 하니, 왕망이 그의 말에 기뻐하여 강제로 데려가지 않았다. 양웅(揚雄)은 당시의 유명한 학자로 《법언(法言)》과 《태현경(太玄經)》을 지었으나 왕망에게 아첨하여 《극신론(劇新論)》을 지었으므로 말한 것이다.

••• 朶 : 늘어질 타 怪 : 괴이할 괴

을 말한 것이다. 일이 아직 드러나지 않았고 처함이 매우 어려우니, 기미(幾微)를 보는 밝음이 아니면 능하지 못하다. 기미를 아는 것은 군자만 홀로 보는 것이요 중인(衆人)은 알 수 있는 바가 아니다. 그러므로 명이(明夷)의 시초에 상함을 당함이 드러나기 전에 떠나가면 세속에서 누가 의심하고 괴이하게 여기지 않겠는가. 그러므로 가는 바를 두면 주인(主人)이 나무라는 말을 하는 것이다. 그러나 군자는 세속에서 괴이하게 여긴다고 하여 그 떠나감을 지체하고 의심하지 않는다. 만일 중인들이 다 알기를 기다린다면 상(傷)함이 이미 미쳐서 떠날 수 없을 것이니, 이는 설방(薛方)은 현명함이 되고 양웅(揚雄)은 그 떠나감을 얻지 못함이 되는 것이다.

或曰 傷至於垂翼이면 傷已明矣니 何得衆人猶未識也리오 曰 初는 傷之始也라 云垂其翼은 謂傷其所以飛爾니 其事則未顯也리 君子見幾라 故亟(극)去之요 世俗之人은 未能見也라 故異而非之라 如穆生之去楚에 申公、白公도 且非之[54]어든 況世俗之人乎아 但譏其責小禮하고 而不知穆生之去 避胥靡[55]之禍也니 當其言曰 不去면 楚人將鉗(겸)我於市라하여 雖二儒者라도 亦以爲過甚之言也라 又如袁閎[56]이 於黨事未起之前에 名德之士 方鋒起로되 而獨潛身土室이라 故人以爲狂生이나 卒免黨錮之禍[57]하니 所往而人有言을 胡足怪也리오

혹자가 말하기를 "상함이 날개를 늘어뜨림에 이르렀으면 상함이 이미 분명하

• • • • • •

54 穆生之去楚 申公白公且非之:목생(穆生)과 신공(申公)·백공(白公)은 모두 전한(前漢) 초기의 학자인데, 세 사람은 부구백(浮丘白)에게 시(詩)를 배웠는바, 특히 신공은 신공배(申公培)로 시학(詩學)에 통달하여 《노시(魯詩)》를 지었다. 초(楚)의 원왕(元王)은 이들을 중대부(中大夫)로 삼고 특별히 예우하였는데, 목생이 술을 좋아하지 않으므로 술자리를 베풀 때마다 특별히 목생을 위하여 단술을 준비해 놓았다. 그러다가 이왕(夷王)을 거쳐 왕무(王戊)가 왕위(王位)를 계승한 뒤로는 종종 단술을 준비하지 않았다. 이에 목생이 떠나가려 하니, 신공과 백공은 "우리들은 선왕에게 극진한 예우를 받았는데, 이제 왕이 조금 결례했다 하여 당장 떠나가는 것은 너무 지나치다." 하고 만류하였으나 목생은 "내가 떠나가지 않으면 초나라 사람(왕)은 나를 죄인으로 만들어 부역을 시킬 것이다." 하고는 그대로 떠나가고 말았다. 그 후 왕무는 오(吳)나라와 내통하여 반란을 도모하였다가 패하여 죽었으며, 떠나가지 않던 신공과 백공도 모두 죄인이 되어 형벌을 받았다.

55 胥靡:노예나 죄인이 되어 복역(服役)함을 이른다.

56 袁閎:후한(後漢) 말기의 은사(隱士)로 세상에 출입하지 않고 토굴 속에서 살며 어머니를 효성으로 받드니, 황건적(黃巾賊)들도 그의 글 읽는 소리를 듣고는 차마 해치지 못하고 피해 갔다 한다.

57 黨錮之禍:후한의 환제(桓帝)와 영제(靈帝) 때에 환관(宦官)들이 진번(陳蕃)·이응(李膺)·범방(范滂) 등의 명사(名士)들을 당인(黨人)이라고 몰아 죽이거나 금고(禁錮)시킨 일을 가리킨다.

••• 亟:빠를 극 鉗:재갈 겸 閎:성 굉 閎:클 굉 鋒:날카로울 봉 錮:가둘 고

니, 어찌 중인(衆人)들이 아직도 알지 못하겠는가?" 하기에, 다음과 같이 대답하였다. "초(初)는 상함의 시초이다. 그러므로 그 날개를 늘어뜨림은 나는 것을 상함을 이를 뿐이니, 그 일은 아직 드러나지 않은 것이다. 군자는 기미를 보기 때문에 빨리 떠나가고, 세속의 사람들은 기미를 보지 못하기 때문에 괴이하게 여겨 비난하는 것이다. 목생(穆生)이 초(楚)나라를 떠날 적에 신공(申公)과 백공(白公)도 비난하였으니, 하물며 세속의 사람에 있어서랴. 다만 그 작은 예(禮)를 책망한다고 비난하였고, 목생의 떠남이 서미(胥靡)의 화(禍)를 피하려는 것임을 알지 못하였으니, 그가 '떠나지 않으면 초(楚)나라 사람이 장차 나를 죄인으로 삼아 시장에서 재갈 먹일 것이다.'라고 말했을 때를 당해서는 비록 두 유자(儒者)라 해도 지나치고 심한 말이라고 여겼었다.

또 원굉(袁閎)은 당고(黨錮)의 일이 일어나지 않았을 때에 명망과 덕이 있는 선비들이 막 봉기(蜂起)하였으나 홀로 토굴 속[土室]에 몸을 숨겼다. 그러므로 사람들이 그를 광생(狂生:미친 사람)이라 하였으나 끝내 당고의 화(禍)를 면하였으니, 가는 바에 사람들이 나무라는 말을 함을 어찌 괴이하게 여기겠는가."

本義 | 飛而垂翼은 見傷之象이니 占者行而不食하고 所如不合하니 時義當然이라 不得而避也니라

날아감에 날개를 늘어뜨림은 상함을 당한 상(象)이니, 점치는 자가 떠나감에 먹지 못하고 가는 곳마다 합하지 못하니, 때와 의(義)가 당연하여 피할 수 없는 것이다.

象曰 君子于行은 義不食也라
〈상전〉에 말하였다. "군자가 떠나감은 의리상 먹지 않는 것이다."

傳 | 君子遯藏而困窮은 義當然也라 唯義之當然故로 安處而无悶하니 雖不食이라도 可也라

군자가 은둔하고 숨어 곤궁함은 의리상 당연한 것이다. 의리에 당연하기 때문에 편안히 처하고 근심함이 없는 것이니, 비록 먹지 않더라도 가(可)하다.

本義 | 唯義所在엔 不食이 可也라

오직 의리가 있는 곳에는 먹지 않는 것이 옳다.

六二는 明夷에 夷于左股니 用拯馬壯하면 吉하리라

육이(六二)는 명이(明夷)에 왼쪽 다리(허벅지)를 상(傷)함이니, 구원하는 말이 건장하면 길하리라.

傳 | 六二以至明之才로 得中正而體順하니 順時自處는 處之至善也라 雖君子自處之善이나 然當陰闇小人傷明之時하여 亦不免爲其所傷이로되 但君子自處有道라 故不能深相傷害하여 終能違避之爾라 足者는 所以行也니 股는 在脛足之上하여 於行之用에 爲不甚切이요 左는 又非便用者라 手足之用은 以右爲便이요 唯蹶(궐)張用左하니 蓋右立爲本也라 夷于左股는 謂傷害其行이나 而不甚切也라 雖然이나 亦必自免有道하니 拯用〔一作其〕壯健之馬면 則獲免之速而吉也라 君子爲陰闇所傷에 其自處有道라 故其傷不甚하고 自拯有道라 故獲免之疾이니 用拯之道는 不壯이면 則被傷深矣라 故云馬壯則吉也라 二以明居陰闇之下하니 所謂吉者는 得免傷害而已니 非謂可以有爲於斯時也라

육이(六二)가 지극히 밝은 재주로서 중정(中正)을 얻고 체(體)가 순하니, 때에 순응하여 자처함은, 처하기를 지극히 잘하는 것이다. 비록 군자가 자처하기를 잘하나 음암(陰闇)의 소인이 밝음을 상(傷)하는 때를 당하여, 또한 그 상함을 당함을 면치 못하나 다만 군자는 자처함에 도(道)가 있기 때문에 깊이 서로 상해하지 못하여 끝내 떠나가 피할 뿐이다.

발은 걸어가는 것이니, 다리는 정강이와 발의 위에 있어서 걸어가는데 씀에 그리 간절하지 않고, 왼쪽은 또 쓰기에 편한 것이 아니다. 수족(手足)을 씀은 오른쪽을 편하게 여기고 오직 궐장(蹶張;발로 쇠뇌를 잡아당김)할 때에만 왼쪽을 쓰니, 오른쪽으로 서는 것을 근본으로 삼는다. 왼쪽 다리를 상했다는 것은 그 감을 상해하나 심히 절박하지 않음을 이른다.

그러나 또한 반드시 스스로 면(免)할 길이 있으니, 구원함에 건장한 말을 쓰면 면함을 얻음이 속하여 길한 것이다. 군자가 음암(陰闇)에게 상함을 당할 적에 자처함에 방도가 있으므로 그 상함이 심하지 않고 스스로 구원함에 방도가 있는 것

··· 拯 : 구원할 증 闇 : 어두울 암 脛 : 정강이 경 蹶 : 밟을 궐

이다. 이 때문에 면함을 얻음이 빠른 것이니, 구원하는 방도가 건장하지 않으면 상함을 입음이 깊다. 그러므로 '말이 건장하면 길하다.'고 한 것이다. 이(二)는 밝음으로 음암(陰闇)의 아래에 거하였으니, 이른바 길하다는 것은 상해를 면하는 것일 뿐이니, 이때에 훌륭한 일을 할 수 있다고 말한 것은 아니다.

本義 | 傷而未切하니 救之速則免矣라 故其象占如此하니라

상(傷)하나 절박하지 않으니, 구원하기를 속히 하면 상함을 면한다. 그러므로 그 상(象)과 점(占)이 이와 같은 것이다.

象曰 六二之吉은 順以則也일새라

〈상전〉에 말하였다. "육이(六二)의 길함은 순하고 법칙에 맞기 때문이다."

傳 | 六二之得吉者는 以其順處而有法則也니 則은 謂中正之道라 能順而得中正은 所以處明傷之時而能保其吉也라

육이(六二)가 길함을 얻음은 순히 대처하고 법칙이 있기 때문이니, '칙(則)'은 중정(中正)의 도(道)를 이른다. 순하고 중정을 얻음은 밝음이 상하는 때에 처하여 길함을 보존할 수 있는 것이다.

九三은 明夷于南狩하여 得其大首니 不可疾貞이니라

구삼(九三)은 명이(明夷)에 남쪽으로 사냥하여 대수(大首;괴수)를 얻음이니, 빨리 바로잡아서는 안 된다.

傳 | 九三은 離之上이니 明之極也요 又處剛而進하며 上六은 坤之上이니 暗之極也라 至明居下而爲下之上하고 至暗在上而處窮極之地하여 正相敵應하니 將以明去暗者也라 斯義也는 其湯、武之事乎인저 南은 在前而明方也요 狩는 畋(전)而去害之事也니 南狩는 謂前進而除害也라 當克獲其大首니 大首는 謂暗之魁首니 上六也라 三與上은 正相應이니 爲至明克至暗之象이라 不可疾貞은 謂誅其元惡이요 舊染污俗은 未能遽革하여 必有其漸이니 革之遽면 則駭懼而不安이라 故酒

··· 畋 : 사냥할 전 駭 : 놀랄 해

誥⁵⁸云 惟殷之迪諸臣惟工이 乃湎(면)于酒어든 勿庸殺之하고 姑惟教之라하고 至
於旣久에도 尙曰餘風未殄⁵⁹ 이라하니 是漸漬(지)之俗을 不可以遽革也라 故曰不可
疾貞이라하니 正之를 不可急也라 上六이 雖非君位나 以其居上而暗之極이라 故爲
暗之主니 謂之大首라

　　구삼(九三)은 리(離)의 위이니 밝음이 지극하고 또 강(剛)에 처하여 나아가며,
상육(上六)은 곤(坤)의 위이니 어둠이 지극하다. 구삼이 지극히 밝으면서 아래에
거하여 하체(下體)의 위가 되고, 상육이 지극히 어두우면서 위에 있어 궁극(窮極)
한 자리에 처하여 바로 서로 적(敵)으로 응하니, 장차 밝음으로 어둠을 제거하는
것이다. 이 뜻은 탕(湯)·무(武)의 일일 것이다. 남쪽은 앞에 있어 밝은 방소(方所)
이고 '수(狩)'는 사냥하여 해로움을 제거하는 일이니, 남쪽으로 사냥함은 전진하
여 해로움을 제거함을 이른다. 마땅히 대수(大首)를 이겨 사로잡을 것이니, 대수
는 어둠의 괴수를 이르는바 상육(上六)이다.

　　삼(三)과 상(上)은 바로 서로 응하니, 지극히 밝음이 지극히 어둠을 이기는 상
(象)이 된다. '빨리 바로잡아서는 안 된다.'는 것은 원악(元惡;괴수)을 벨 뿐이요, 옛
날에 물든 더러운 풍속은 갑자기 고칠 수 없어 반드시 그 점진적으로 하여야 하
니, 급히 고치면 사람들이 놀라고 두려워하여 편안하지 못하다. 그러므로 〈주고
(酒誥)〉에 "은(殷)나라가 인도한 여러 신하와 백공(百工;백관)들이 마침내 술에 빠지
거든 죽이지 말고 우선 가르쳐라." 하였고, 이미 오램에 이르러도 오히려 '남은 풍
속이 끊기지 않았다.' 하였으니, 이는 오래 물든 풍속을 대번에 고칠 수 없는 것이
다. 그러므로 빨리 바로잡아서는 안 된다고 한 것이니, 바로잡기를 급하게 해서는
안 된다. 상육(上六)은 비록 군위(君位)가 아니나 상(上)에 거하고 어둠의 극(極)이
기 때문에 어둠의 주체가 되니, 대수라 이른 것이다.

••••••
58　酒誥:〈주고(酒誥)〉는 《서경》의 편명(篇名)으로 주(周)나라 무왕(武王)이 아우인 강숙(康叔)
을 위(衛)나라에 봉(封)하면서 술 마시는 것을 경계한 글이다. 위나라 지역은 본래 은왕(殷王) 주
(紂)의 옛 도성이었는바, 주가 술에 빠져 백성들이 모두 교화되었으므로 특별히 경계한 것이다.
59　至於旣久 尙曰餘風未殄:《서경》〈필명(畢命)〉에 "상나라 풍속이 사치하고 화려하여 말 잘하는
것을 어질게 여겼는데, 남은 풍속이 아직도 끊지 않았으니, 공(公)은 이것을 생각하라.〔商俗靡
靡, 利口惟賢, 餘風未殄, 公其念哉.〕"라고 보인다. 〈필명〉은 강왕(康王)이 필공에게 성주(成周)인
낙읍(洛邑)을 다스리게 하면서 책명(册命)한 내용인데, 낙읍에 상나라의 백성들을 이주시켰으므
로 특별히 지시한 것이다.

•••　迪 : 인도할 적　湎 : 빠질 면　殄 : 끊을 진　漬 : 물들 지(자)

本義 | 以剛居剛하고 又在明體之上하여 而屈於至暗之下하여 正與上六闇主로 爲應이라 故有向明除害에 得其首惡之象이나 然不可以極也라 故有不可疾貞之 戒라 成湯起於夏臺하고 文王興於羑(유)里[60]는 正合此爻之義요 而小事亦有然者 니라

강효(剛爻)로서 강위(剛位)에 거하고 또 밝은 체(體)의 위에 있으면서 지극히 어 두운 자의 아래에 굽혀 바로 상육(上六)의 혼암(昏暗)한 군주와 응이 된다. 그러므 로 밝음을 향하고 해를 제거하여 수악(首惡)을 얻는 상(象)이 있는 것이다. 그러나 지극히 해서는 안 되기 때문에 빨리 바로잡아서는 안 된다는 경계가 있는 것이다. 성탕(成湯)이 하대(夏臺)에서 일어나고 문왕(文王)이 유리(羑里)에서 일어남은 바로 이 효(爻)의 뜻에 부합하며, 작은 일도 그러한 경우가 있다.

象曰 南狩之志를 乃大得也로다
〈상전〉에 말하였다. "남쪽으로 사냥하는 뜻을 크게 얻도다."

傳 | 夫以下之明으로 除上之暗엔 其志在去害而已니 如商、周之湯、武 豈有意 於利天下乎아 得其大首는 是能去害而大得其志矣니 志苟不然이면 乃悖亂之事 也라

아래의 밝음으로서 위의 어둠을 제거함에는 그 뜻이 해(害)를 제거함에 있을 뿐이니, 상(商)나라와 주(周)나라의 탕왕(湯王)과 무왕(武王)이 어찌 천하를 탐함에 뜻이 있었겠는가. 그 대수(大首)를 얻음은, 이는 해를 제거하여 그 뜻을 크게 얻은 것이니, 뜻이 만일 그렇지 않다면 패란(悖亂)의 일이다.

六四는 入于左腹하여 獲明夷之心하여 于出門庭이로다
육사(六四)는 왼쪽 배(뱃속)로 들어가 명이(明夷;밝음을 상(傷)함)의 마음 을 얻어서 문정(門庭)에 나오도다.

• • • • • •
60 成湯起於夏臺 文王興於羑里 : 하대(夏臺)는 하(夏)나라의 감옥 이름이고 유리(羑里)는 지명 으로, 상(商)나라의 성탕은 걸(桀)에게 미움을 받아 하대에 갇혔으나 성탕은 이로부터 더욱 흥왕 하였고, 주(周)나라의 문왕(文王)은 주(紂)에게 미움을 받아 유리라는 마을의 감옥에 갇혔으나 이로부터 더욱 흥왕하였다. 문왕은 유리의 감옥에 갇혔을 때 《주역》의 괘사(卦辭)를 지었다 한다.

••• 羑 : 유리옥 유

本義 | 入于左腹이니 獲明夷之心을 于出門庭이로다

　　왼쪽 배로 들어감이니, 명이(明夷)의 마음을 얻어 문정에 나와서
　　하도다.

傳 | 六四以陰居陰而在陰柔之體하여 處近君之位하니 是陰邪小人이 居高位하
여 以柔邪順於君者也라 六五는 明夷之君位니 傷明之主也어늘 四以柔邪順從之
하여 以固其交하니 夫小人之事君에 未有由顯明以道合者也요 必以隱僻之道로
自結於上이라 右當用故로 爲明顯之所요 左不當用故로 爲隱僻之所라 人之手足
은 皆以右爲用하니 世謂僻所爲僻左라하니 是左者는 隱僻之所也라 四由〔一有是
字〕隱僻之道하여 深入其君이라 故云入于左腹이니 入腹은 謂其交深也라 其交之
深故로 得其心이라 凡姦邪之見信於其君은 皆由奪其心也니 不奪其心이면 能无
悟乎아 于出〔一作出于〕門庭은 旣信之於心〔一作旣奪其心〕而後에 行之於外也라 邪
臣之事暗君에 必先蠱其心而後에 能行於外니라

　　육사(六四)가 음효(陰爻)로서 음위(陰位)에 거하고, 음유(陰柔)의 체(體)에 있어
군주와 가까운 자리에 처하였으니, 이는 음사(陰邪)의 소인이 높은 지위에 있으면
서 유순함과 간사함으로 군주에게 순종하는 자이다. 육오(六五)는 명이(明夷)의 군
위(君位)이니 밝음을 상(傷)하는 주체인데, 사(四)가 유순함과 간사함으로 순종하
여 그 사귐을 견고히 하니, 소인이 군주를 섬길 때에 드러나고 밝음을 따라 도(道)
로써 합하는 자는 있지 않고, 반드시 은미하고 사벽한 길로 스스로 윗사람에게 결
탁한다. 오른쪽은 쓰기에 마땅하기 때문에 명현(明顯)한 곳이 되고, 왼쪽은 쓰기
에 마땅하지 않기 때문에 은벽(隱僻)한 곳이 된다. 사람의 수족(手足)은 모두 오른
쪽을 쓰니, 세속에서 궁벽한 곳을 벽좌(僻左)라 하는 바, 왼쪽은 은벽한 곳이다.

　　사(四)가 은벽한 길을 따라 그 군주에게 깊이 들어가기 때문에 왼쪽 배[腹]로
들어갔다고 말한 것이니, 배로 들어갔다는 것은 그 사귐이 깊음을 이른다. 그 사
귐이 깊기 때문에 그(군주의) 마음을 얻은 것이다. 무릇 간사한 자가 군주에게 신
임을 받는 것은 모두 군주의 마음을 빼앗기 때문이니, 그 마음을 빼앗지 않는다면
군주가 깨닫지 않겠는가. 문정(門庭)에 나온다는 것은 이미 군주의 마음에 믿게
한 뒤에 밖에 행하는 것이다. 간사한 신하가 혼암(昏暗)한 군주를 섬길 적에 반드
시 먼저 그 마음을 고혹(蠱惑)시킨 뒤에 밖에서 행한다.

本義 ┃ 此爻之義는 未詳이라 竊疑左腹者는 幽隱之處요 獲明夷之心于出門庭者는 得意於遠去之義니 言筮而得此者는 其自處를 當如是也라 蓋離體는 爲至明之德이요 坤體는 爲至闇之地며 下三爻는 明在闇外라 故隨其遠近、高下하여 而處之不同이라 六四는 以柔正으로 居闇地而尙淺故로 猶可以得意於遠去요 五는 以柔中으로 居闇地而已迫故로 爲內難正志以晦其明之象이요 上則極乎闇矣라 故로 爲自傷其明하여 以至於闇이요 而又足以傷人之明이라 蓋下五爻는 皆爲君子요 獨上一爻 爲闇君也라

이 효(爻)의 뜻은 미상이다. 적이 의심컨대 좌복(左腹)은 은벽(隱僻)한 곳이요, 명이(明夷)의 마음을 얻기를 문정(門庭)에 나와서 한다는 것은 멀리 떠나는 의(義)에 뜻을 얻는 것인 듯하니, 점을 쳐서 이 효를 얻은 자는 자처하기를 마땅히 이와 같이 하여야 함을 말한 것이다. 리(離)의 체(體)는 지극히 밝은 덕이 되고 곤(坤)의 체는 지극히 어두운 자리가 되며, 아래의 세 효는 밝음이 어둠의 밖에 있다. 그러므로 그 원근(遠近)과 고하(高下)에 따라 대처함이 똑같지 않은 것이다.

육사(六四)는 유정(柔正)으로 어두운 자리에 처하였으나 아직 얕기 때문에 오히려 멀리 떠남에 뜻을 얻을 수 있고, 오(五)는 유중(柔中)으로 어두운 자리에 거하여 이미 임박하였기 때문에 안이 어려우나 뜻을 바르게 하여 그 밝음을 감추는 상(象)이 되고, 상(上)은 어둠이 지극하기 때문에 스스로 그 밝음을 상하여 어둠에 이르고 또 남의 밝음을 상함이 되는 것이다. 아래의 다섯 효는 모두 군자가 되고 홀로 위의 한 효만이 어두운 군주가 된다.

象曰 入于左腹은 獲心意也라

〈상전〉에 말하였다. "왼쪽 배로 들어감은 마음과 뜻을 얻은 것이다."

傳 ┃ 入于左腹은 謂以邪僻之道로 入于君而得其心意也니 得其心이라 所以終不悟也라

왼쪽 배로 들어갔다는 것은 사벽(邪僻)한 길로 군주에게 들어가서 그 마음과 뜻을 얻음을 이르니, 그 마음을 얻었기 때문에 끝내 깨닫지 못하는 것이다.

六五는 箕子之明夷니 利貞하니라

육오(六五)는 기자(箕子)의 밝음을 상(傷)함이니, 정(貞)함이 이롭다.

傳 | 五爲君位는 乃常也라 然易之取義 變動隨時라 上六은 處坤之上而明夷之極이니 陰暗傷明之極者也어늘 五切近之하니 聖人이 因以五爲切近至暗之人이라 하여 以見處之之義라 故不專以君位〔一作義〕言이요 上六은 陰暗傷明之極이라 故以爲明夷之主라 五切近傷明之主하니 若顯其明이면 則見傷害必矣라 故當如箕子之自晦藏이면 則可以〔一无以字〕免於難이라 箕子는 商之舊臣而同姓之親이니 可謂切近於紂矣니 若不自晦其明이면 被禍可必也라 故佯狂爲奴하여 以免於害라 雖晦藏其明이나 而內守其正하니 所謂內難而能正其志니 所以謂之仁與明也라 若箕子면 可謂貞矣라 以五陰柔라 故爲之戒云利貞이라하니 謂宜如箕子之貞固也라 若以君道言이라도 義亦如是하니 人君有當含晦之時하니 亦外晦其明而內正其志也라

오(五)가 군위(君位)가 됨은 바로 떳떳한(정상적인) 일이다. 그러나 역(易)의 뜻을 취함은 변동하여 때에 따른다. 상육(上六)은 곤(坤)의 위에 처하였고 명이(明夷)의 극(極)이니, 음암(陰暗)으로 밝음을 상(傷)함이 지극한 자인데, 오(五)가 매우 가까이 있으니, 성인(聖人)이 오(五)가 지극히 어두운 사람과 매우 가깝다고 하여 이에 대처하는 의(義)를 나타내었다. 그러므로 오로지 군위로써 말씀하지 않았고, 상육(上六)은 음암으로 밝음을 상함이 지극하기 때문에 밝음을 상하는 군주라 한 것이다.

오(五)가 밝음을 상하는 군주와 매우 가까이 있으니, 만약 그 밝음을 드러내면 상해(傷害)를 당함이 틀림없다. 그러므로 마땅히 기자(箕子)가 스스로 감추듯이 하면 난(難)을 면할 수 있는 것이다. 기자는 상(商)나라의 옛 신하이고 동성(同姓)의 친족이니, 주(紂)와 매우 가깝다고 이를 만하니, 만일 스스로 그 밝음을 감추지 않았다면 화(禍)를 입음이 틀림없다. 그러므로 기자가 거짓으로 미친 체하여 노예가 되어서 해(害)를 면했던 것이다. 비록 그 밝음을 감추었으나 안으로 그 바름을 지켰으니, 이른바 '안이 어려우나 그 뜻을 바르게 하였다.'는 것이니, 이 때문에 인(仁)하고 밝다고 이른 것이다. 기자와 같이 하면 정(貞)하다고 이를 만하다.

오(五)가 음유(陰柔)이기 때문에 경계하기를 '정(貞)함이 이롭다.'고 하였으니, 마땅히 기자의 정고(貞固)함과 같이 하여야 함을 말한 것이다. 만일 군주의 도리

··· 佯 : 거짓 양

로 말하더라도 의(義)가 또한 이와 같으니, 인군이 마땅히 머금고 감추어야 할 때가 있으니, 또한 밖으로 그 밝음을 감추고 안으로 그 뜻을 바르게 하여야 한다.

本義 | 居至闇之地하여 近至闇之君이로되 而能正其志하니 箕子之象也니 貞之至也라 利貞은 以戒占者라

　　지극히 어두운 자리에 거하여 지극히 어두운 군주를 가까이 하면서도 능히 그 뜻을 바르게 하니, 기자(箕子)의 상(象)이니 바름이 지극하다. 정고(貞固)함이 이롭다는 것은 점치는 자를 경계한 것이다.

象曰 箕子之貞은 明不可息也라

　　〈상전〉에 말하였다. "기자의 정(貞)함은 밝음이 종식될 수 없는 것이다."

傳 | 箕子晦藏하여 不失其貞固하니 雖遭患難이나 其明自存하여 不可滅息也라 若逼禍患하여 遂失其所守면 則是亡其明이니 乃滅息也라 古之人如揚雄者是也[61]라

　　기자(箕子)는 숨고 감추어 그 정고(貞固)함을 잃지 않았으니, 비록 환난을 당하더라도 그 밝음이 그대로 보존되어 멸식(滅息)할 수 없는 것이다. 만일 화환(禍患)에 핍박당하여 마침내 그 지키는 바를 잃는다면 이는 그 밝음을 잃은 것이니, 바로 밝음을 멸식한 것이다. 옛 사람 중에 양웅(揚雄)과 같은 자가 이것이다.

上六은 不明하여 晦니 初登于天하고 後入于地로다

　　상육(上六)은 밝지 못하여 어두우니, 처음에는 하늘에 오르고 뒤에는 땅속으로 들어가도다.

傳 | 上居卦之終하여 爲明夷〔一作夷明〕之主요 又爲明夷之極이라 上은 至高之地니 明在至高면 本當遠照어늘 明旣夷傷이라 故不明而反昏晦也라 本居於高하여

61　古之人如揚雄者是也 : 양웅(揚雄)은 전한(前漢) 말기의 학자로 자가 자운(子雲)인데, 자학(字學)과 문장에 능하여 《태현경(太玄經)》과 《법언(法言)》 등을 저술하였으나, 왕망(王莽)이 권력을 잡고 찬탈하는 때를 당하여 은둔하지 못하고 왕망을 찬양하는 《극신론(劇新論)》을 지어 비판을 받았다.

明當及遠은 初登于天也요 乃夷傷其明而昏暗은 後入于地也라 上은 明夷之終이
요 又坤陰之終이니 明傷之極者也라

　　상(上)이 괘의 종(終)에 거하여 명이(明夷)의 주체가 되고 또 명이의 지극함이
된다. 상(上)은 지극히 높은 곳이니, 밝음이 지극히 높은 곳에 있으면 본래 마땅히
멀리 비칠 터인데 밝음이 이미 상했기 때문에 밝지 못하여 도리어 어두운 것이다.
본래 높은 곳에 거하여 밝음이 멀리 미침은 처음에는 하늘에 올라간 것이요, 밝음
을 상하여 어두워짐은 뒤에는 땅속으로 들어간 것이다. 상(上)은 명이의 종(終)이
고 또 곤음(坤陰)의 종(終)이니, 밝음을 상함이 지극한 자이다.

本義 | 以陰居坤之極하니 不明其德하여 以至於晦라 始則處高位하여 以傷人之
明하고 終必至於自傷而墜厥命이라 故其象如此요 而占亦在其中矣라

　　음(陰)으로서 곤(坤)의 극(極)에 처하였으니 그 덕(德)을 밝히지 못하여 어둠
에 이른 것이다. 처음에는 높은 지위에 처하여 남의 밝음을 상(傷)하였고, 종말에
는 스스로 상하여 그 목숨을 실추함에 이른다. 그러므로 그 상(象)이 이와 같고 점
(占) 또한 이 가운데 들어 있는 것이다.

象曰 初登于天은 照四國也요 後入于地는 失則也라

　　〈상전〉에 말하였다. "처음에 하늘에 오름은 사방 나라에 비추는 것이
요, 뒤에 땅 속으로 들어감은 법을 잃은 것이다."

傳 | 初登于天은 居高而明이면 則當照及四方也어늘 乃被傷而昏暗하니 是後入
于地니 失明之道也라 失則은 失其道也라

　　처음에 하늘에 올라감은 높은 곳에 거하여 밝으면 마땅히 비춤이 사방에 미칠
터인데, 마침내 상(傷)함을 입어 어두우니 이는 뒤에는 땅 속으로 들어간 것이니,
밝음의 도(道)를 잃은 것이다. 실칙(失則)은 그 도를 잃은 것이다.

本義 | 照四國은 以位言이라
　　사방 나라에 비춤은 지위로써 말한 것이다.

傳ㅣ 家人은 序卦에 夷者는 傷也니 傷於外者는 必反於家라 故로 受之以家人이라
하니라 夫傷困於外면 則必反於內하나니 家人所以次明夷也라 家人者는 家內之
道니 父子之親과 夫婦之義와 尊卑、 長幼之序로 正倫理, 篤恩義는 家人之道也
라 卦外巽內離하니 爲風自火出이니 火熾則風生이라 風生自火는 自內而出也니
自內而出은 由家而〔一无而字〕及於外之象이라 二與五 正男女之位於內外하여 爲
家人之道하니 明於內而巽於外는 處家之道也라 夫人有諸身者는 則能施於家하
고 行於家者는 則能施於國하여 至於天下治하나니 治天下之道는 蓋治家之道를
推而行之於外耳라 故取自內而出之象이 爲家人之義也라 文中子[62]書에 以明內
齊外爲義어늘 古今善之나 非取象之意也라 所謂齊乎巽은 言萬物潔齊於巽方이
요 非巽有齊義也니 如戰乎乾[63]은 乾非有戰義也라

가인괘(家人卦)는 〈서괘전〉에 "이(夷)는 상(傷)함이니, 밖에서 상한 자는 반드시
집으로 돌아온다. 그러므로 가인괘로 받았다." 하였다. 밖에서 상하고 곤궁하면
반드시 안으로 돌아오니, 가인괘가 이 때문에 명이괘(明夷卦䷣)의 다음이 된 것이
다. 가인(家人)은 집안의 도(道)이니, 부자(父子)의 친함과 부부(夫婦)의 의(義)와 존
비(尊卑)·장유(長幼)의 차례로 윤리(倫理)를 바르고 은의(恩義)를 돈독히 함이 가
인의 도(道)이다. 괘가 밖은 손(巽☴)이고 안은 리(離☲)이니, 바람이 불[火]에서
나옴이 되니, 불이 치성(熾盛)하면 바람이 나온다. 바람이 불에서 나옴은 안으로
부터 나옴이니, 안으로부터 나옴은 집으로부터 밖에 미치는 상(象)이다.

• • • • • •
62　文中子:수(隋)나라 때의 학사인 왕통(王通)의 시호로 자는 중엄(仲淹)이다. 하분(河汾) 지방
에서 제자들을 가르쳐 당(唐)나라의 명재상인 방현령(房玄齡)·두여회(杜如晦) 등이 모두 그에게
수학하였다. 저서로《중설(中說)》이 세상에 전한다.

63　齊乎巽……如戰乎乾:모두 〈설괘전〉 5장에 보이는 바, '제호손(齊乎巽)'은 '손에서 깨끗해진
다.'는 뜻으로 봄의 청명(淸明) 시절에 해당하고 '전호건(戰乎乾)'은 '건에서 싸운다.'는 뜻으로 건은
서북쪽에 해당하는데 초겨울에 서북풍이 매섭게 몰아붙이므로 '건에서 싸운다.'고 말한 것이다.

•••　熾 : 성할 치

이(二:중녀)와 오(五:중남)가 남·녀의 위치를 안과 밖에서 바르게 하여 가인의 도가 되니, 안에 밝고 밖에 손순(巽順)함은 집안에 처하는 도리이다. 사람이 자기 몸에 〈도를〉 소유한 자는 집안에 시행할 수 있고 집안에 시행하는 자는 나라에 시행할 수 있어 천하가 다스려짐에 이르니, 천하를 다스리는 방도는 집안을 다스리는 방도를 미루어 밖에 행할 뿐이다. 그러므로 안으로부터 나오는 상을 취함이 가인의 뜻이 되는 것이다.

문중자(文中子)의 책(중설(中說))에는 〈가인괘를〉 안을 밝게 하고 밖을 깨끗이 함을 뜻으로 삼았는데, 고금(古今)에 이를 좋게 여기나 상(象)을 취한 뜻이 아니다. 이른바 '제호손(齊乎巽)'은 만물이 손방(巽方)에서 깨끗해짐을 말한 것이요, 손(巽)에 깨끗하다는 뜻이 있는 것은 아니니, '전호건(戰乎乾)'은 건(乾)에 싸운다는 뜻이 있는 것이 아닌 것과 같다.

家人은 利女貞하니라
가인(家人)은 여자의 바름이 이롭다.

傳 | 家人之道는 利在女正이니 女正則家道正矣라 夫夫、婦婦而家道正이어늘 獨云利女貞者는 夫正者는 身正也요 女正者는 家正也니 女正則男正을 可知矣니라

가인(家人)의 도(道)는 이로움이 여자의 바름에 있으니, 여자가 바르면 가도(家道)가 바르게 된다. 남편은 남편답고 부인은 부인다움에 가도가 바루어지는데, 홀로 여정(女貞)이 이롭다고만 말한 것은 남편이 바름은 자기 몸이 바른 것이요, 여자가 바름은 집안이 바른 것이니, 여자가 바르면 남자가 바름을 알 수 있다.

本義 | 家人者는 一家之人이니 卦之九五、六二 內外各得其正이라 故爲家人이라 利女貞者는 欲先正乎內也니 內正則外无不正矣리라

가인(家人)은 한 집안의 사람이니, 괘의 구오(九五)와 육이(六二)가 내·외에서 각각 그 바름을 얻었기 때문에 가인이라 한 것이다. 여정(女貞)이 이롭다는 것은 먼저 안을 바루고자 한 것이니, 안이 바르면 밖은 바르지 않음이 없는 것이다.

象曰 家人은 女正位乎內하고 男正位乎外하니 男女正이 天地之大義也라

〈단전〉에 말하였다. "가인(家人)은, 여자는 안에서 자리를 바르고 남자는 밖에서 자리를 바르니, 남·녀가 바름이 천지의 대의(大義)이다.

傳ㅣ 彖은 以卦才而言이라 陽居五는 在外也요 陰居二는 處內也니 男女各得其正位也라 尊卑、內外之道는 正合天地、陰陽之大義也라

〈단전〉은 괘재(卦才)로써 말하였다. 양이 오(五)에 거함은 밖에 있는 것이요, 음이 이(二)에 거함은 안에 처한 것이니, 남·녀가 각각 바른 자리를 얻은 것이다. 존비(尊卑)와 내외(內外)의 도(道)는 바로 천지와 음양의 대의(大義)에 합한다.

本義ㅣ 以卦體九五、六二로 釋利女貞之義라

괘체(卦體)의 구오(九五)와 육이(六二)로써 '이녀정(利女貞)'의 뜻을 해석하였다.

家人에 有嚴君焉하니 父母之謂也라

가인(家人)에 엄군(嚴君)이 있으니, 부모를 말한다.

傳ㅣ 家人〔一无人字〕之道 必有所尊嚴而君長者하니 謂父母也라 雖一家之小라도 无尊嚴則孝敬衰요 无君長則法度廢라 有嚴君而後家道正이니 家者는 國之則也라

가인의 도는 반드시 존엄하여 군장(君長) 노릇하는 자가 있으니, 부모를 말한다. 비록 작은 한 집안이라도 존엄함이 없으면 효도(孝道)와 공경(恭敬)이 쇠하고 군장 노릇하는 자가 없으면 법도(法度)가 폐지된다. 엄군(嚴君)이 있은 뒤에 가도(家道)가 바루어지니, 집안은 나라의 법(모범)이다.

本義ㅣ 亦謂二、五라

또한 이효(二爻)와 오효(五爻)를 이른 것이다.

父父、子子、兄兄、弟弟、夫夫、婦婦而家道正하리니 正家而天下定矣리라

　아버지는 아버지답고 자식은 자식답고 형은 형답고 아우는 아우답고 남편은 남편답고 부인은 부인다움에 가도(家道)가 바르게 되리니, 집안을 바르게 하면 천하가 정해지리라."

傳┃父子、兄弟、夫婦 各得其道면 則家道正矣니 推一家之道면 可以及天下라 故家正則天下定矣라

　부(父)·자(子)와 형(兄)·제(弟)와 부(夫)·부(婦)가 각각 그 도리를 얻으면 가도(家道)가 바루어지니, 한 집안의 도를 미루면 천하에 미칠 수 있다. 그러므로 집안이 바루어지면 천하가 안정되는 것이다.

本義┃上은 父요 初는 子며 五、三은 夫요 四、二는 婦며 五는 兄이요 三은 弟니 以卦畫推之하면 又有此象이라

　상(上)은 아버지이고 초(初)는 자식이며, 오(五)와 삼(三)은 남편이고 사(四)와 이(二)는 부인(婦人)이며, 오(五)는 형이고 삼(三)은 아우이니, 괘획(卦畫)으로 미루어 보면 또 이러한 상(象)이 있다.

象曰 風自火出이 家人이니 君子以하여 言有物而行有恒하나니라

　〈상전〉에 말하였다. "바람이 불에서 나옴이 가인이니, 군자가 보고서 말에 사실(실중함)이 있고 행실에 항상함이 있게 한다."

傳┃正家之本은 在正其身이니 正身之道는 一言一動을 不可易也라 君子觀風自火出之象하여 知事之由內而出이라 故所言必有物하고 所行必有恒也라 物은 謂事實이요 恒은 謂常度法則也라 德業之著於外는 由言行之謹於內也니 言愼行修면 則身正而家治矣라

　집안을 바로잡는 근본은 몸을 바르게 함에 달려있으니, 몸을 바르게 하는 방도는 한 마디 말과 한 가지 행동을 쉽게(함부로) 하지 않아야 한다. 군자가 바람이 불에서 나오는 상(象)을 보고서 일이 안으로부터 나옴을 안다. 그러므로 말하는

바에 반드시 사실이 있고 행하는 바에 반드시 항상함이 있는 것이다. '물(物)'은 사실을 이르고 '항(恒)'은 떳떳한 법도와 법칙을 이른다. 덕업(德業)이 밖에 드러남은 언(言)·행(行)을 안에서 삼가기 때문이니, 말을 삼가고 행실을 닦으면 몸이 바루어져 집안이 다스려질 것이다.

本義│ 身修則家治矣라

몸이 닦여지면 집안이 다스려진다.

初九는 閑有家면 悔亡하리라

초구(初九)는 유가(有家;집안)의 초기에 방한(防閑;예법으로 막음)하면 뉘우침이 없어지리라.

本義│ **閑有家니 悔亡**하니라

집안의 초기에 방한(防閑)함이니, 뉘우침이 없다.

傳│ 初는 家道之始也요 閑은 謂防閑法度也라 治其有家之始에 能以法度爲之防閑이면 則不至於悔矣라 治家者는 治乎衆人也니 苟不閑之以法度면 則人情流放하여 必至於有悔하여 失長幼之序하고 亂男女之別하여 傷恩義, 害倫理하여 无所不至요 能以法度閑之於始면 則无是矣라 故悔亡也라 九는 剛明之才니 能閑其家者也로되 不云无悔者는 羣居必有悔어늘 以能閑故로 亡耳라

'초(初)'는 가도(家道)의 시작이요 '한(閑)'은 법도로 방한(防閑;미리 방비함)함을 이른다. 집안을 다스리는 초기에 능히 법도로 방한하면 뉘우침에 이르지 않을 것이다. 집안을 다스리는 것은 여러 사람을 다스리는 것이니, 만일 법도로써 방한하지 않으면 인정(人情)이 방탕한 데로 흘러 반드시 뉘우침이 있음에 이르러, 장유(長幼)의 질서를 잃고 남·녀의 분별을 어지럽혀 은의(恩義)를 상(傷)하고 윤리(倫理)를 해쳐 이르지 않는(못하는) 바가 없을 것이요, 능히 법도로써 초기에 방한하면 이런 일이 없을 것이다. 그러므로 뉘우침이 없어진다고 한 것이다.

구(九)는 강명(剛明)한 재질이니, 집안을 방한할 수 있는 자인데, 무회(无悔)라고 말하지 않은 것은 여럿이 거처함엔 반드시 뉘우침이 있을 것이나 능히 방한하기 때문에 뉘우침이 없어지는 것이다.

··· 閑 : 막을 한

本義 | 初九는 以剛陽으로 處有家之始하여 能防閑之하니 其悔亡矣라 戒占者當如是也라

초구(初九)는 강양(剛陽)으로 유가(有家)의 초기에 처하여 능히 방한하니 그 뉘우침이 없어진다. 점치는 자에게 마땅히 이와 같이 하라고 경계한 것이다.

象曰 閑有家는 志未變也라

〈상전〉에 말하였다. "유가(有家)를 방한함은 뜻이 아직 변치 않았을 때에 하는 것이다."

傳 | 閑之於始는 家人志意未變動之前也니 正志未流散變動而閑之면 則不傷恩하고 不失義하리니 處家之善也라 是以悔亡이라 志變而後治면 則所傷多矣니 乃有悔也라

초기에 방한함은 집안사람들의 의지가 아직 변동하기 전이니, 바른 뜻이 유산(流散)하고 변동하지 않았을 때에 방한하면 은혜를 상(傷)하지 않고 의(義)를 잃지 않을 것이니, 집안에 처하기를 잘하는 것이다. 이 때문에 뉘우침이 없어지는 것이다. 뜻이 변한 뒤에 다스리면 상하는 바가 많으니, 이는 바로 뉘우침이 있는 것이다.

本義 | 志未變而豫防之라

뜻이 아직 변하기 전에 미리 방비(防備)하는 것이다.

六二는 无攸遂요 在中饋면 貞吉하리라

육이(六二)는 이루는 바가 없고 규중(閨中)에 있으면서 음식을 장만하면 정(貞)하여 길하리라.

本義 | 在中饋니

규중에 있으면서 음식을 장만함이니,

傳 | 人之處家에 在骨肉父子之間하여는 大率以情勝禮하고 以恩奪義하나니 唯剛立之人은 則能不以私愛失其正理라 故家人卦는 大要以剛爲善이니 初、三、上이 是也라 六二以陰柔之才而居柔하여 不能治於家者也라 故无攸遂니 无所爲而

可也라 夫以英雄之才로도 尙有溺情愛而不能自守者어든 況柔弱之人이 其能勝
妻子之情乎아 如二之才는 若爲婦人之道면 則其正也라 以柔順處中〔他本无此五
字〕正은 婦人之道也라 故在中饋면 則得其正而吉也니 婦人은 居中而主饋者也라
故云中饋라

사람이 집안에 거처할 적에 골육간(骨肉間;친족)과 부자간에는 대체로 정(情)이
예(禮)를 이기고 은혜가 의(義)를 빼앗는데, 오직 강(剛)하게 서는 사람은 사사로
운 사랑으로 정리(正理)를 잃지 않는다. 그러므로 가인괘는 대요(大要)가 강(剛)함
을 선(善)으로 여기니, 초(初)와 삼(三)과 상(上)이 이것이다. 육이(六二)는 음유(陰
柔)의 재질로 유위(柔位)에 거하여 집안을 다스리지 못하는 자이다. 그러므로 이루
는 바가 없으니, 하는 바에 가(可)함이 없는 것이다.

영웅(英雄)의 재질로도 오히려 정(情)과 사랑에 빠져 스스로 지키지 못하는 자
가 있는데, 하물며 유약한 사람이 처자(妻子)의 정을 이길 수 있겠는가. 이(二)와
같은 재질은 만약 부인의 도를 행하면 바른 것이다. 유순함으로 중정(中正)에 처
함은 부인의 도이다. 그러므로 규중에 있으면서 음식을 장만하면 그 바름을 얻어
길한 것이니, 부인은 규중에 있으면서 음식을 주관하는 자이다. 그러므로 중궤(中
饋)라 이른 것이다.

本義┃ 六二柔順中正하니 女之正位乎內者也라 故其象占如此하니라

육이(六二)가 유순하고 중정(中正)하니, 여자로서 안에서 자리를 바르는 자이
다. 그러므로 그 상(象)과 점(占)이 이와 같은 것이다.

象曰 六二之吉은 順以巽也일새라

〈상전〉에 말하였다. "육이(六二)의 길함은 순하여 공손하기 때문이다."

傳┃ 二以陰柔居中正하여 能順從而卑巽者也라 故爲婦人之貞吉也라

이(二)가 음유(陰柔)로서 중정(中正)에 거해서 능히 순종하여 자기 몸을 비손(卑
巽)하는 자이다. 그러므로 부인의 정길(貞吉)이 되는 것이다.

九三은 家人이 嗃(학)嗃하니 悔厲나 吉하니 婦子嘻(희)嘻면 終吝하리라

구삼(九三)은 가인(家人)이 원망하니 엄함에 뉘우치나 길하니, 부인(婦人)과 자식이 (처자식과) 희희락락(嘻嘻樂樂)하면 끝내 부끄러우리라.

傳ㅣ嗃嗃은 未詳字義나 然以文義及音意觀之하면 與嗷(오)嗷相類하고 又若〔一作人若〕急束〔一作速〕之意라 九三이 在內卦之上하여 主治乎內者也라 以陽居剛而不中하니 雖得正而過乎剛者也라 治內過剛이면 則傷於嚴急이라 故家人嗃嗃然이니 治家過嚴이면 不能无傷이라 故必悔於嚴厲하니 骨肉은 恩勝이어늘 嚴過故로 悔也라 雖悔於嚴厲하여 未得寬猛之中이나 然而家道齊肅하고 人心祗畏하니 猶爲家之吉也요 若婦子嘻嘻면 則終至羞吝矣리라 在卦에 非有嘻嘻之象이요 蓋對嗃嗃而言이니 謂與其失於放肆론 寧過於嚴也라 嘻嘻는 笑樂无節也니 自恣无節이면 則終至敗家하리니 可羞吝也라 蓋嚴謹之過면 雖於人情에 不能无傷이나 然苟法度立하고 倫理正이면 乃恩義之所存也라 若嘻嘻无度면 乃法度之所由廢요 倫理之所由亂이니 安能保其家乎아 嘻嘻之甚이면 則致敗家之凶이어늘 但云吝者는 可吝之甚이면 則至於凶이라 故未遽言凶也라

'학학(嗃嗃)'은 자의(字義)가 자세하지 않으나 글 뜻과 음의 뜻을 관찰하면 오오(嗷嗷:원망함)와 서로 유사하고 또 급한 뜻인 듯하다. 구삼(九三)은 내괘(內卦)의 위에 있어 안을 다스림을 주장하는 자이다. 양효(陽爻)로서 강위(剛位)에 거하여 중(中)하지 못하니, 비록 정(正)을 얻었으나 지나치게 강(剛)한 자이다. 안을 다스림에 지나치게 강하면 엄하고 급함에 상(傷)하기 때문에 가인(家人)들이 원망하니, 집안을 다스림에 지나치게 엄하면 상함이 없을 수 없다. 그러므로 반드시 엄함에 뉘우치니, 골육간(骨肉間)에는 은혜가 이겨야 하는데 엄함이 지나치기 때문에 뉘우치는 것이다.

비록 엄함에 뉘우쳐 너그러움과 엄함의 중도(中道)를 얻지 못하였으나, 가도(家道)가 가지런해지고 엄숙하고 인심(人心)이 공경하고 두려워하니 오히려 집안의 길함이 되는 것이요, 만일 처자식이 희희(嘻嘻)하면 끝내 부끄러움에 이르게 된다. 괘에 있어 희희의 상이 있는 것이 아니요 학학을 상대하여 말한 것이니, 방사(放肆)함에 잘못되기보다는 차라리 지나치게 엄해야 하는 것이다.

••• 嗃 : 엄할 학 嘻 : 웃을 희 嗷 : 슬프게우는소리 오

'희희(嘻嘻)'는 웃고 즐거워하기를 절도 없이 하는 것이니, 스스로 방자하고 절도가 없으면 마침내 집안을 망침에 이를 것이니, 부끄러운 일이다. 엄하고 삼감이 지나치면 비록 인정(人情)에는 상함이 없을 수 없으나 진실로 법도가 서고 윤리(倫理)가 바르게 되면 이는 바로 은의(恩義)가 보존되는 것이다.

만약 희희하여 절도가 없으면 법도가 이로 말미암아 폐지되고 윤리가 이로 말미암아 어지러워지니, 어떻게 집안을 보존하겠는가. 희희함이 심하면 집안을 망치는 흉(凶)함을 이루는데, 다만 부끄럽다고만 말한 것은 부끄러움이 심해지면 흉함에 이르므로 대번에 흉하다고 말하지 않은 것이다.

本義ㅣ 以剛居剛而不中하여 過乎剛者也라 故有嗃嗃嚴厲之象하니 如是則雖有悔厲而吉也라 嘻嘻者는 嗃嗃之反이니 吝之道也라 占者各以其德爲應이라 故兩言之하니라

강효(剛爻)로서 강위(剛位)에 거하고 중(中)하지 못하여 강에 지나친 자이다. 그러므로 학학엄려(嗃嗃嚴厲)의 상(象)이 있으니, 이와 같으면 비록 엄함에 뉘우침이 있으나 길하다. '희희(嘻嘻;희희락락)'는 학학(嗃嗃;엄함)의 반대이니, 부끄러운 길이다. 점치는 자가 각각 그 덕(德)에 따라 응(應)하기 때문에 두 가지로 말한 것이다.

象曰 家人嗃嗃은 未失也요 婦子嘻嘻는 失家節也라

〈상전〉에 말하였다. "가인(家人)이 원망함은 심한 잘못이 아니요 처와 자식이 (처자식과) 희희(嘻嘻)함은 집안의 절도를 잃은 것이다."

傳ㅣ 雖嗃嗃이나 於治家之道에 未爲甚失이요 若婦子嘻嘻면 是无禮法하여 失家之節하니 家必亂矣라

비록 원망하나 집안을 다스리는 방도에는 심한 잘못이 되지 않고, 만약 처자식이 희희하면 이는 예법(禮法)이 없어 집안의 절도를 잃은 것이니, 집안이 반드시 어지러워질 것이다.

六四는 富家니 大吉하니라

육사(六四)는 집안이 부(富)함이니, 크게 길하다.

··· 祗 : 공경할 지

本義 │ 大吉하리라

　　집안을 부(富)하게 함이니, 크게 길하리라.

傳 │ 六以巽順之體而居四하여 得其正位하니 居得其正은 爲安處之義라 巽順於
事而由正道면 能保有[一无有字]其富者也니 居家之道 能保有[一无有字]其富면 則
爲大吉也라 四高位而獨云富者는 於家而言이니 高位는 家之尊也라 能有其富면
是能保其家也니 吉孰大焉이리오

　　육(六)이 손순(巽順)한 체(體)로 사(四)에 거하여 바른 자리를 얻었으니, 거처함
이 바름을 얻음은 편안히 처하는 뜻이 된다. 일에 손순(巽順)하고 정도(正道)를 따
르면 그 부유(富裕)함을 보유하는 자이니, 집안에 거처하는 도(道)가 그 부유함을
보유한다면 대길(大吉)이 되는 것이다. 사(四)는 높은 지위인데 다만 부(富)하다고
만 말한 것은 집안에 대해 말한 것이니, 높은 자리는 집안의 높은 자리이다. 부유
함을 보유하면 이는 그 집안을 보유하는 것이니, 길함이 무엇이 이보다 크겠는가.

本義 │ 陽은 主義하고 陰은 主利하니 以陰居陰而在上位하여 能富其家者也라

　　양(陽)은 의(義)를 주장하고 음(陰)은 이(利)를 주장하니, 음효(陰爻)로서 음위(陰
位)에 거하고 상위(上位)에 있어 능히 그 집안을 부유하게 하는 자이다.

象曰 富家大吉은 順在位也일새라

　　〈상전〉에 말하였다. "'부가대길(富家大吉)'은 순(順)함으로 바른 자리에
있기 때문이다."

傳 │ 以巽順而居正位하니 正而巽順이면 能保有其富者也니 富家之大吉也라

　　손순(巽順)함으로 정위(正位)에 거하였으니, 바르고 손순하면 그 부유함을 보유
하는 자이니, 부가(富家)의 대길(大吉)이다.

九五는 王假(격)有家니 勿恤하여 吉하리라

　　구오(九五)는 왕(王)이 집안을 둔 도(道)를 지극히 함이니, 근심하지 않
아도 길하리라.

･･･ 假 : 지극할 격, 이를 격

본의 | 왕(王)이 유가(有家)에 이름이니(집안사람들을 감격(感格)시킴이니),

傳 | 九五는 男而在外하고 剛而處陽하고 居尊而中正하며 又其應이 順正於內하니 治家之至正至善者也라 王假有家는 五君位라 故以王言이요 假은 至也니 極乎有家之道也라 夫王者之道는 修身以齊家하나니 家正而天下治矣라 自古聖王이 未有不以恭己正家爲本이라 故有家之道旣至면 則不憂勞而天下治矣니 勿恤而吉也라 五恭己於外하고 二正家於內하여 內外同德하니 可謂至矣로다

구오(九五)는 남자로서 밖에 있고 강(剛)으로서 양위(陽位)에 처했으며, 존위(尊位)에 거하고 중정(中正)하며 또 그 응(應)이 안에서 순하고 바르니, 집안을 다스림에 지극히 바르고 지극히 선(善)한 자이다. '왕격유가(王假有家)'는 오(五)가 군위(君位)이기 때문에 왕으로 말한 것이요, '격(假)'은 지극함이니 집안을 둔 도를 지극히 하는 것이다.

왕자(王者)의 도는 자기 몸을 닦아 집안을 가지런하게 하니, 집안이 바루어지면 천하가 다스려진다. 예로부터 성왕(聖王)은 자기 몸을 공손히 하고 집안을 바로잡음을 근본으로 삼지 않은 적이 없었다. 그러므로 집안을 소유한 도가 이미 지극해지면 근심하거나 수고롭지 않아도 천하가 다스려지니, 이는 근심하지 않아도 길한 것이다. 오(五)가 밖에서 몸을 공손히 하고 이(二)가 안에서 집안을 바로잡아 내·외가 중덕(中德)을 함께 하니, 지극하다고 이를 만하다.

本義 | 假은 至也니 如假于大(太)廟[64]之假이라 有家는 猶言有國也라 九五剛健中正하여 下應六二之柔順中正하니 王者以是至于其家면 則勿用憂恤이라도 而吉可必矣라 蓋聘納后妃之吉占이요 而凡有是德者遇之면 皆吉也라

'격(假)'은 이름이니, '태묘(太廟)에 이른다.'[假于太廟]'는 격(假) 자와 같다. '유가(有家)'는 유국(有國;나라를 소유함)이란 말과 같다. 구오(九五)가 강건 중정(剛健中正)하여 아래로 육이(六二)의 유순 중정(柔順中正)에 응하니, 왕자(王者)가 이로써 그 집안에 이르면(집안사람들을 감격시키면) 근심을 쓰지 않아도 길함을 기필할 수 있

......
64   如假于大(太)廟:태묘(太廟)는 나라의 종묘(宗廟)로《예기(禮記)》〈제의(祭義)〉에 "공이 태묘에 이른다.〔公假于太廟〕"라고 보인다.

... 聘 : 맞이할 빙 妃 : 왕비 비

다. 이는 후비(后妃)를 빙납(聘納)하는 길점(吉占)이요, 무릇 이 덕(德)을 가지고 있는 자가 이 효를 만나면 모두 길하다.

象曰 王假有家는 交相愛也라

〈상전〉에 말하였다. "'왕격유가(王假有家)'는 서로 사랑하는 것이다."

傳 | 王假有家之道者는 非止能使之順從而已라 必致其心化誠合하여 夫愛其內助하고 婦愛其刑家하여 交相愛也니 能如是者는 文王之妃乎인저 若身修法立而家未化면 未得爲假有家之道也라

왕(王)이 집안을 소유한 도(道)를 지극히 함은 다만 집안사람들로 하여금 순종하게 할 뿐만 아니라, 반드시 그 마음이 교화되고 정성이 합하여 남편은 부인의 내조(內助)를 사랑하고 부인은 남편의 형가(刑家;집안의 모범이 됨)를 사랑해서 서로 사랑하여야 하니, 능히 이와 같이 한 자는 문왕(文王)의 비(妃)일 것이다. 만일 몸이 닦여지고 법(法)이 서더라도 집안이 교화되지 않는다면 집안을 소유한 도를 지극히 함이 되지 못한다.

本義 | 程子曰 夫愛其內助하고 婦愛其刑家라하시니라

정자(程子)가 말씀하시기를 "남편은 그 내조(內助)를 사랑하고 부인은 그 형가(刑家)를 사랑한다." 하셨다.

上九는 有孚하고 威如면 終吉하리라

상구(上九)는 정성이 있고 위엄이 있으면 마침내 길하리라.

傳 | 上은 卦之終이니 家道之成也라 故極言治家之本하니 治家之道는 非至誠이면 不能也라 故必中有孚信이면 則能常久하여 而衆人自化爲善이요 不由至誠이면 己且不能常守也니 況欲使〔一作使衆〕人乎아 故治家는 以有孚爲本이라 治家者는 在妻帑情愛之間하니 慈過則无嚴하고 恩勝則掩義라 故家之患은 常在禮法不足而瀆慢生也니 長失尊嚴하고 少忘恭順而家不亂者는 未之有也라 故必有威嚴則能終吉이라 保家之終은 在有孚、威如二者而已라 故於卦終에 言之하니라

··· 帑 : 처자 노 掩 : 가릴 엄 慢 : 소홀히할 만

상(上)은 괘의 종(終)이니, 가도(家道)가 완성된 것이다. 그러므로 집안을 다스리는 근본을 극언하였으니, 집안을 다스리는 방도는 지성(至誠)이 아니면 안 된다. 그러므로 반드시 마음속에 부성(孚誠)이 있으면 능히 항상하고 오래하여 중인(衆人)들이 스스로 교화되어 선(善)을 하게 된다. 지성을 말미암지 않는다면 자기 몸도 떳떳이 지키지 못할 것이니, 하물며 다른 사람으로 하여금 이렇게 하게 하고자 하겠는가. 그러므로 집안을 다스림은 부성(孚誠)이 있음을 근본으로 삼는다.

집안을 다스리는 자는 처노(妻孥:처자식)를 정으로 사랑하는 사이에 있으니, 사랑이 지나치면 엄(嚴)함이 없고 은혜가 앞서면 의(義)를 가리게(엄폐하게) 된다. 그러므로 집안의 병통은 항상 예법(禮法)이 부족하여 설만(褻慢)함이 생김에 있으니, 어른이 존엄(尊嚴)함을 잃고 젊은이가 공손함을 잃고서 집안이 어지럽지 않은 경우는 있지 않다. 그러므로 반드시 위엄이 있으면 끝내 길한 것이다. 집안을 잘 보존하여 끝마침은 유부(有孚)와 위여(威如) 두 가지에 있을 뿐이므로 괘의 끝〔終〕에서 말한 것이다.

本義 | 上九以剛居上하여 在卦之終이라 故言正家久遠之道하니 占者必有誠信嚴威면 則終吉也라

상구(上九)는 강효(剛爻)가 상(上)에 거하여 괘의 종(終)에 있기 때문에 집안을 바로잡음에 오래하는 방법을 말하였으니, 점치는 자가 반드시 성신(誠信)과 위엄이 있으면 마침내 길할 것이다.

象曰 威如之吉은 反身之謂也라

〈상전〉에 말하였다. "위여(威如)의 길함은 자기 몸에 돌이켜 살핌을 말한 것이다."

傳 | 治家之道는 以正身爲本이라 故云反身之謂라 爻辭에 謂治家當有威嚴이라하여늘 而夫子又復戒云當先嚴其身也라하시니라 威嚴이 不先行於己면 則人怨而不服이라 故云威如而吉者는 能自反於身也라하니 孟子所謂身不行道면 不行於妻子也라

집안을 다스리는 방도는 자기 몸을 바로잡음을 근본으로 삼기 때문에 자기 몸

에 돌이킨다고 말한 것이다. 효사(爻辭)에 '집안을 다스림에는 마땅히 위엄이 있어야 한다.'고 말하였는데, 부자(夫子)께서 또다시 "마땅히 먼저 자기 몸을 엄격(嚴格)히 하라."고 경계하신 것이다. 위엄이 먼저 자기 몸에 행해지지 않으면 사람들이 원망하고 복종하지 않는다. 그러므로 '위엄이 있어 길함은 스스로 자기 몸에 돌이키기 때문이다.'라고 하였으니, 《맹자》〈진심 하(盡心下)〉의 이른바 "자신이 도를 행하지 않으면 처자(妻子)에게 명령이 행해지지 않는다."는 것이다.

本義ㅣ 謂非作威也요 反身自治면 則人畏服之矣라

위엄을 일으킴이 아니요 자기 몸에 돌이켜 스스로 다스리면 사람들이 두려워하고 복종함을 말한 것이다.

傳 | 睽는 序卦에 家道窮必乖(괴)라 故受之以睽하니 睽者는 乖也라하니라 家道窮
則睽乖離散은 理必然也라 故家人之後에 受之以睽也라 爲卦 上離下兌하니 離
火炎上하고 兌澤潤下하여 二體相違는 睽之義也라 又中少二女 雖同居나 而所歸
各異하니 是其志不同行也니 亦爲睽義라

　　규괘(睽卦)는 〈서괘전〉에 "가도(家道)는 궁(窮)하면 반드시 어그러지므로(괴리(乖
離)되므로) 규괘로 받았으니, 규(睽)는 어그러짐이다." 하였다. 가도가 궁하면 어그
러지고 이산(離散)됨은 필연적인 이치이다. 그러므로 가인괘(家人卦☲☴)의 뒤에 규
괘로써 받은 것이다. 괘됨이 위는 리(離☲)이고 아래는 태(兌☱)이니, 리(離)의
불은 불타 올라가고 태(兌)의 못은 적시고 내려가서 두 체(體)가 서로 어김이 규
(睽)의 뜻이다. 또 중녀(中女;離)와 소녀(少女;兌) 두 여자가 비록 함께 사나 돌아가
는(시집가는) 바가 각기 다르니, 이는 그 뜻이 한 곳으로 가지 않음이니, 또한 규의
뜻이 된다.

睽는 小事는 吉하리라
　규(睽)는 작은 일은 길하리라.

傳 | 睽者는 睽乖離散之時니 非吉道也로되 以卦才之善하여 雖處睽時나 而小事
吉也라

　　규(睽)는 규괴(睽乖;어긋남)하고 이산하는 때이니, 길(吉)한 방도가 아니나 괘재
(卦才)가 선(善)하기 때문에 규(睽)의 때에 처하여도 작은 일은 길한 것이다.

本義 | 睽는 乖異也라 爲卦上火下澤하여 性相違異하며 中女、少女 志不同歸라
故爲睽라 然以卦德言之하면 內說而外明이요 以卦變言之하면 則自離來者는 柔
進居三하고 自中孚來者는 柔進居五하고 自家人來者는 兼之하며 以卦體言之하면

・・・ 乖 : 어그러질 괴

則六五得中하고 而下應九二之剛이라 是以로 其占이 不可大事나 而小事尚有吉
之道也라

규(睽)는 어긋나고 다름〔乖異〕이다. 괘됨이 위는 불이고 아래는 못이어서 성질
이 서로 어긋나고 다르며 중녀(中女)와 소녀(少女)가 뜻이 한 곳으로 돌아가지 않
는다. 그러므로 규(睽)가 된 것이다. 그러나 괘덕(卦德)으로 말하면 안은 기뻐하고
밖은 밝으며, 괘변(卦變)으로 말하면 리괘(離卦 ☲)로부터 온 것은 유(柔)가 나아가
삼(三)에 거하고, 중부괘(中孚卦 ☴)로부터 온 것은 유(柔)가 나아가 오(五)에 거하
고, 가인괘(家人卦 ☲)로부터 온 것은 이를 겸하였으며, 괘체(卦體)로 말하면 육오
(六五)가 중(中)을 얻고 아래로 구이(九二)의 강(剛)에 응한다. 이 때문에 그 점(占)
이 큰 일은 할 수 없으나 작은 일은 오히려 길할 방도가 있는 것이다.

象曰 睽는 火動而上하고 澤動而下하며 二女同居하나 其志不同行
하나라

〈단전〉에 말하였다. "규(睽)는 불은 움직여 올라가고 못은 움직여 내려
가며, 두 여자(女子)가 함께 사나 그 뜻이 한 곳으로 가지 않는다.

傳 │ 象은 先釋睽〔一无睽字〕義〔一作意〕하고 次言卦才하고 終言合睽之道하고 而贊
其時用之大라 火之性은 動而上하고 澤之性은 動而下하여 二物之性違異라 故爲
睽義요 中少二女 雖同居하나 其志不同行하니 亦爲睽義라 女之少也엔 同處라가
長則各適其歸하니 其志異也라 言睽者는 本同也니 本不同則非睽也라

〈단전(象傳)〉은, 먼저는 규(睽)의 뜻을 해석하고 다음에는 괘재(卦才)를 말하고
끝에는 규를 합하는 방도를 말하고 그 때와 용(用)의 큼을 칭찬하였다. 불의 성질
은 움직여 올라가고 못의 성질은 움직여 내려가서, 두 물건의 성질이 어긋나고 다
르기 때문에 규의 뜻이 되었으며, 중녀(中女)와 소녀(少女) 두 여자가 비록 함께 사
나 그 뜻이 한 곳으로 가지 않으니, 또한 규(睽)의 뜻이 된다. 여자가 어렸을 때에
는 함께 살다가 장성하면 각기 돌아갈(시집갈) 곳으로 가니, 이는 그 뜻이 다른 것
이다. 규라고 말한 것은 본래 같았던 것이니, 본래 같지 않았다면 규가 아니다.

本義 │ 以卦象으로 釋卦名義라

괘상(卦象)으로써 괘명(卦名)의 뜻을 해석하였다.

說而麗(리)乎明하고 柔進而上行하여 得中而應乎剛이라 是以小事 吉이니라

기뻐하고 밝음에 붙으며 유(柔)가 나아가 위로 가서 중(中)을 얻어 강(剛)에 응한다. 이 때문에 작은 일은 길한 것이다.

傳 | 卦才如此하니 所以小事吉也라 兌는 說也요 離는 麗也며 又爲明이라 故爲說 順而附麗於明이라 凡離在上에 而彖欲見(현)柔居尊者면 則曰柔進而上行이라하 니 晉、鼎이 是也[65]라 方睽乖之時하여 六五以柔居尊位하여 有說順麗明之善하고 又得中道而應剛하니 雖不能合天下之睽하여 成天下之大事나 亦可以小濟니 是 於小事吉也라 五以明而應剛이어늘 不能致大吉은 何也오 曰 五는 陰柔니 雖應二 나 而睽之時에 相與之道 未能深固라 故二必遇主于巷하고 五噬膚則无咎也라 天下睽散之時에 必君臣剛陽中正하고 至誠協力而後能合也라

괘재(卦才)가 이와 같으니, 이 때문에 작은 일은 길한 것이다. '태(兌 ☱)'는 기 뻐함이요 '리(離 ☲)'는 붙음이며 또 밝음이 된다. 그러므로 기뻐하고 순종하며 밝 음에 붙음이 되는 것이다. 무릇 리(離)가 위에 있을 적에 〈단전〉에서 유(柔)가 존위 (尊位)에 거함을 나타내고자 하면 유(柔)가 나아가 위로 갔다고 말하니, 진괘(晉卦 ䷢)와 정괘(鼎卦 ䷱)가 이것이다. 규괴(睽乖)의 때를 당하여 육오(六五)가 유(柔)로 서 존위(尊位)에 거하여 기뻐하고 순종하고 밝음에 붙는 선(善)이 있고, 또 중도(中 道)를 얻어 강(剛)에 응하니, 비록 천하의 어긋남(어그러짐)을 합하여 천하의 대사 (大事)를 이루지는 못하나 또한 작은 것은 이룰 수 있으니, 이는 작은 일에는 길한 것이다.

"오(五)가 밝음으로 강(剛)에 응하는데 대길(大吉)을 이루지 못함은 어째서인 가?" "오(五)는 음유(陰柔)이니, 비록 이(二)에 응하나 규(睽)의 때에 서로 함께 하 는 도(道)가 깊고 견고하지 못하다. 그러므로 이효(二爻)는 반드시 군주를 골목에

......

65 彖欲見柔居尊者……是也 : 진괘(晉卦) 〈단전(彖傳)〉에 '柔進而上行'이라고 보이고, 정괘(鼎卦) 〈단전〉에도 '柔進而上行'이라고 보이므로 말한 것이다.

209

火澤睽

... 巷 : 골목 항

서 만나고 오효(五爻)는 살을 깨물듯이 하면 허물이 없는 것이다. 천하가 규산(睽散)하는 때에는 반드시 군주와 신하가 강양 중정(剛陽中正)이고 지성으로 협력한 뒤에야 합할 수 있는 것이다."

本義 | 以卦德卦變卦體로 釋卦辭라

　괘덕(卦德)과 괘변(卦變)과 괘체(卦體)로써 괘사(卦辭)를 해석하였다.

天地睽而其事同也며 男女睽而其志通也며 萬物睽而其事類也니 睽之時用이 大矣哉라

　하늘과 땅이 다르나(어긋나) 그 일이 같으며, 남·녀가 다르나 그 뜻이 통하며, 만물이 다르나 그 일이 같으니, 규(睽)의 때와 용(用)이 크다."

傳 | 推物理之同하여 以明睽之時用하니 乃聖人合睽之道也라 見同之爲同者는 世俗之知(智)也요 聖人則明物理之本同하니 所以能同天下而和合萬類也라 以天地、男女、萬物明之하니 天高地下는 其體睽也라 然陽降陰升하여 相合而成化育之事則同也요 男女異質은 睽也나 而相求之志則通也요 生物萬殊는 睽也나 然而得天地之和하고 禀陰陽之氣則相類也라 物雖異而理本同故로 天下之大와 羣生之衆이 睽散萬殊나 而聖人爲能同之라 處睽之時하여 合睽之用하니 其事至大故로 云大矣哉라하니라

　사물의 이치가 같음을 미루어서 규(睽)의 때와 용(用)을 밝혔으니, 이는 바로 성인(聖人)이 규를 합하는 방도이다. 같음이 같은 것을 보는 것은 세속의 지혜이고, 성인은 사물의 이치가 본래 같음을 밝게 아니, 이 때문에 천하를 함께 하여 만 가지 종류를 화합하게 하는 것이다.

　하늘과 땅과 남·녀와 만물로써 밝혔으니, 하늘은 높고 땅은 낮음은 그 체(體)가 다르나 양(陽)이 내려오고 음(陰)이 올라가서 서로 합하여 화육(化育)의 일을 이룸은 같고, 남·녀가 질(質:형질)이 다름은 다르나 서로 구하는 뜻은 통하며, 생물(生物)이 만 가지로 다름은 다르나 천지의 화(和)를 얻고 음양의 기(氣)를 받음은 서로 같다. 물건이 비록 다르나 이치는 본래 같기 때문에 천하의 큼과 군생(羣生)의 많음이 규산(睽散)하여 만 가지로 다르나 성인이 능히 같게 할 수 있는 것이다.

규(睽)의 때에 처하여 규의 용(用)에 합하니, 그 일이 지극히 크다. 그러므로 '대의재(大矣哉)'라고 말한 것이다.

本義ㅣ 極言其理而贊之라

그 이치를 극언(極言)하고 찬미한 것이다.

象曰 上火下澤이 睽니 君子以하여 同而異하나니라

〈상전〉에 말하였다. "위는 불이고 아래는 못인 것이 규(睽)이니, 군자가 보고서 같으면서도 다르게 한다."

傳ㅣ 上火下澤하여 二物之性違異하니 所以爲睽離之象이라 君子觀睽異之象하여 於大同之中에 而知所當異也라 夫聖賢之處世에 在人理之常하여는 莫不大同이요 於世俗所同者엔 則有時而獨異하니 蓋於秉彝則同矣요 於世俗之失則異也라 不能大同者는 亂常拂理之人也요 不能獨異者는 隨俗習非之人也니 要在同而能異耳라 中庸曰和而不流是也라

위는 불이고 아래는 못이어서 두 물건의 성질이 어긋나고 다르니, 이 때문에 규리(睽離)의 상(象)이 된 것이다. 군자는 규이(睽異)의 상(象)을 보고서 크게 같은 가운데에서 마땅히 달리 할 바를 안다. 성현(聖賢)이 세상에 삶에 사람의 도리의 떳떳함에 있어서는 크게 같지 않음이 없고, 세속의 똑같이 하는 바에 있어서는 때로 홀로 다르게 하는 경우가 있으니, 병이(秉彝)에 있어서는 같고 세속의 잘못에 있어서는 다른 것이다. 크게 같이 하지 못하는 자는 상도(常道)를 어지럽히고 이치를 어기는 사람이요, 홀로 다르게 하지 못하는 자는 세속을 따라 나쁜 것을 익히는 사람이니, 요컨대 같으면서 달리함에 있을 뿐이다. 《중용장구》10장에 '화(和)하면서도 흐르지 않는다.〔和而不流〕'라고 한 것이 이것이다.

本義ㅣ 二卦合體而性不同이라

두 괘가 체(體)는 합하였으나 성질은 같지 않다.

初九는 **悔亡**하니 **喪馬**하고 **勿逐**하여도 **自復**이니 **見惡人**하면 **无咎**리라

초구(初九)는 뉘우침이 없어지니, 말을 잃고 쫓지 않아도 스스로 돌아올 것이니, 악인(惡人;사이가 나쁜 사람)을 만나보면 허물이 없으리라.

本義ㅣ 見惡人이라야

　　　　나쁜 사람을 만나야

傳ㅣ 九居卦初하니 睽之始也라 在睽乖之時하여 以剛動於下하니 有悔可知로되 所以得亡者는 九四在上하여 亦以剛陽으로 睽離无與하여 自然同類相合이요 同是陽爻로 同居下하고 又當相應之位하니 二陽은 本非相應者로되 以在睽故로 合也요 上下相與故로 能亡其悔也라 在睽엔 諸爻皆有應이라 夫合則有睽하니 本異則何睽리오 唯初與四는 雖非應이나 而同德相與라 故相遇라 馬者는 所以行也라 陽은 上行者也로되 睽獨无與하여 則不能行하니 是喪其馬也나 四旣與之合이면 則能行矣니 是勿逐而馬復得也라 惡人은 與己乖異者也요 見者는 與相通也라 當睽之時하여 雖同德者相與나 然小人乖異者至衆하니 若棄絶之면 不幾盡天下以仇君子乎아 如此則失含弘之義하여 致凶咎之道也니 又安能化不善而使之合乎아 故必見惡人이면 則无咎也라 古之聖王이 所以能化姦凶爲善良하고 革仇敵爲臣民者는 由弗絶也니라

구(九)가 괘의 초(初)에 거하였으니, 규(睽)의 초기이다. 규괴(睽乖)의 때에 있어 강(剛)으로서 아래에 동하니, 뉘우침이 있음을 알 수 있으나 뉘우침이 없어지는 까닭은, 구사(九四)가 위에 있어 또한 강양(剛陽)으로 규리(睽離)하여 친한 이가 없어 자연 동류끼리 합하고, 똑같이 양효(陽爻)로 함께 아래에 거하였고, 또 서로 응하는 자리에 당하였으니, 두 양은 본래 서로 응하는 자가 아니나 규의 때에 있기 때문에 합하는 것이요, 상·하가 서로 친하기 때문에 그 뉘우침이 없어지는 것이다. 규괘(睽卦)에 있어서는 여러 효(爻)가 모두 응(應)이 있다. 합하면 떠남이 있으니, 본래 달리 있었다면 무슨 떠남이 있겠는가.

오직 초(初)와 사(四)는 비록 정응(正應)이 아니나 양덕(陽德)이 같아 서로 친하므로 서로 만난 것이다. 말[馬]은 가는 것이다. 양(陽)은 위로 가는 자인데 어긋나고 고독하여 친한 이가 없어 갈 수가 없으니, 이는 그 말을 잃은 것이나 사(四)가 이미 초(初)와 합하면 갈 수가 있으니, 이는 쫓지 않아도 다시 말을 얻은 것이다.

'악인(惡人)'은 자기와 뜻이 어긋나고 다른 자이고, '견(見)'은 더불어 서로 통하는 것이다. 규(睽)의 때를 당하여 비록 덕이 같은 자와 서로 친하나 소인 중에 어그러지고 다른 자가 지극히 많으니, 만일 이들을 버리고 끊는다면 천하를 다하여 군자를 원수로 삼음에 가깝지 않겠는가. 이와 같으면 함홍(含弘)의 뜻을 잃어 흉구(凶咎)를 이루는 길이니, 또 어떻게 불선(不善)한 자들을 교화시켜 합하게 하겠는가. 그러므로 반드시 자기와 사이가 나쁜 사람을 만나보면 허물이 없는 것이다. 옛 성왕(聖王)이 간흉(姦凶)을 교화시켜 선량한 사람을 만들고 원수와 적(敵)을 바꾸어 신민(臣民)으로 만들 수 있었던 것은 끊지 않았기 때문이다.

本義 │ 上无正應하니 有悔也로되 而居睽之時하여 同德相應하여 其悔亡矣라 故有喪馬勿逐而自復之象이라 然亦必見惡人然後에 可以辟(避)咎니 如孔子之於陽貨^{66}也라

　　위에 정응이 없으니 뉘우침이 있을 것이나 규(睽)의 때에 거하여 동덕(同德)으로 서로 응하여 뉘우침이 없어진 것이다. 그러므로 말을 잃음에 쫓지 않아도 저절로 돌아오는 상(象)이 있는 것이다. 그러나 또한 반드시 자기와 사이가 나쁜 사람을 만나본 뒤에야 허물을 피할 수 있으니, 공자가 양화(陽貨)에 있어서와 같은 것이다.

象曰 見惡人은 以辟(避)咎也라

　　〈상전〉에 말하였다. "악인(惡人 : 자기와 사이가 나쁜 사람)을 만나봄은 허물을 피하기 위해서이다."

傳 │ 睽離之時에 人情乖違하니 求和合之라도 且病其不〔一作未〕能得也어든 若以

・・・・・・
66　孔子之於陽貨 : 양화(陽貨)는 춘추시대 노(魯)나라 계손씨(季孫氏)의 가신(家臣)으로 이름은 호(虎)이다. 성질이 포악하여 계손씨를 축출하고 국정(國政)을 독단하였으며, 공자가 찾아와 자신을 만나볼 것을 바랐으나 공자가 찾아오지 않자, 공자가 집에 없을 때를 틈타 삶은 돼지고기를 보내주었다. 선물한 자에게 답례로 방문하는 예의 때문에 공자는 하는수없이 그가 집에 없을 때를 틈타 그의 집을 방문하여 답례하고 돌아오던 중 길에서 그를 만났으나 피하지 않고 상대해 주었는바, 《논어》〈양화〉에 자세히 보인다.

惡人而拒絶之면 則將衆仇於君子하여 而禍咎至矣라 故必見之는 所以免辟(피)怨咎也니 无怨咎면 則有可合之道라

규리(睽離)의 때에는 인정(人情)이 어그러지고 어긋나니, 그와 화합(和合)하기를 구하여도 될 수 없을까 근심하는데 만일 악인(惡人)이라 하여 거절한다면 장차 사람들이 군자를 원수로 삼아 화(禍)와 허물이 이를 것이다. 그러므로 반드시 악인을 만나봄은 원망과 허물을 면하고 피하는 것이니, 원망과 허물이 없으면 합할 수 있는 방도가 있다.

九二는 遇主于巷하면 无咎리라
구이(九二)는 군주를 골목에서 〈은밀히〉 만나면 허물이 없으리라.

本義 | 遇主于巷이라야
군주를 골목에서 만나야

傳 | 二與五正應이니 爲相與者也라 然在睽乖之時하여 陰陽相應之道衰하고 而剛柔相戾之意勝하니 學易者識此면 則知變通矣리라 故二、五雖正應이나 當委曲以相求也라 二以剛中之德居下하여 上應六五之君하니 道合則志行하여 成濟睽之功矣로되 而居睽離之時하여 其交非固하니 二當委曲求於相遇하여 覬(기)其得合也라 故曰遇主于巷이라하니 必能合而後无咎라 君臣睽離면 其咎大矣라 巷者는 委曲之途也요 遇者는 會逢之謂也니 當委曲相求하여 期於會遇하여 與之合也라 所謂委曲者는 以善道宛轉將就하여 使合而已요 非枉己屈道也라

이(二)는 오(五)와 정응이니 서로 친한 자가 되나 규괴(睽乖)의 때에 있어 음·양이 서로 응하는 도가 쇠(衰)하고 강(剛)·유(柔)가 서로 어그러지는 뜻이 우세하니, 역(易)을 배우는 자가 이것을 알면 변통을 알 것이다. 그러므로 이(二)와 오(五)가 비록 정응이나 마땅히 위곡(委曲:곡진)하게 서로 구해야 한다. 이(二)가 강중(剛中)의 덕으로 아래에 거하여 위로 육오(六五)의 군주와 응하니, 도(道)가 합하면 뜻이 행해져서 규(睽)를 구제하는 공(功)을 이룰 수 있으나 규리(睽離)의 때에 거하여 그 사귐이 견고하지 못하니, 이(二)가 마땅히 위곡(委曲)히 서로 만나기를 구하여 합하기를 바라야 한다. 그러므로 군주를 골목에서 만난다 하였으니, 반드시 합한 뒤에야 허물이 없는 것이다. 군(君)·신(臣)이 규리하면 그 허물이 크다.

··· 戾 : 어그러질 려　覬 : 바랄 기　宛 : 완곡할 완

‘항(巷)’은 굽은 길이요 ‘우(遇)’는 모이고 만남을 이르니, 마땅히 위곡히 서로 구하여 모이고 만나기를 기약해서 더불어 합해야 한다. 이른바 위곡은 선(善)한 도로 완전(宛轉:완곡히 돌림)하고 장취(將就:키워주고 성취시킴)하여 합하게 할 뿐이요, 몸을 굽히고 도를 굽히는 것은 아니다.

本義 | 二、五는 陰陽正應이로되 居睽之時하여 乖戾不合하니 必委曲相求而得會遇라야 乃爲无咎라 故其象占如此하니라

이(二)와 오(五)는 음·양의 정응(正應)이나 규(睽)의 때에 거하여 어긋나서 합하지 못하니, 반드시 위곡(委曲)히 서로 구(求)하여 모이고 만나야 허물이 없을 수 있다. 그러므로 그 상(象)과 점(占)이 이와 같은 것이다.

象曰 遇主于巷이 未失道也라

〈상전〉에 말하였다. "군주를 골목에서 만남은 도(道)를 잃는 것이 아니다."

傳 | 當睽之時하여 君心未合하니 賢臣在下에 竭力盡誠하여 期使之信合而已라 至誠以感動之하고 盡力以扶持之하며 明義理以致其知하고 杜蔽惑以誠其意하여 如是宛轉하여 以求其合也라 遇는 非枉道迎逢也요 巷은 非邪僻由徑也라 故夫子特云 遇主于巷이 未失道也라하시니 未는 非必也니 非必謂失道也라

규(睽)의 때를 당하여 군주의 마음이 합하지 않으니, 현신(賢臣)이 아래에 있을 적에 힘을 다하고 정성을 다하여 믿고 합하게 하기를 기약할 뿐이다. 지성으로 감동시키고 힘을 다하여 부지(扶持)하며, 의리를 밝혀 그 앎을 지극히 하고 가리움과 미혹됨을 막아 그 뜻을 성실히 하여, 이와 같이 완전(宛轉)해서 합하기를 구해야 한다. ‘우(遇)’는 도(道)를 굽혀 영봉(迎逢:군주의 뜻에 영합)하는 것이 아니고, ‘항(巷)’은 사벽(邪僻)하여 지름길을 따르는 것이 아니다. 그러므로 부자(夫子)께서 특별히 말씀하시기를 "군주를 골목에서 만남은 도(道)를 잃는 것이 아니다."라고 하셨으니, ‘미(未)’는 반드시가 아니니, 반드시 도를 잃는 것이 아님을 말씀한 것이다.

本義 | 本其正應이요 非有邪也라

본래 정응(正應)이요 사(邪)가 있는 것이 아니다.

六三은 見輿曳(예)하고 其牛掣(체)하며 其人이 天且劓(의)[67]니 无初하고 有終이리라

　육삼(六三)은 수레가 뒤로 끌리고 소가 앞이 가로막히며, 그 사람이 머리가 깎이고 코가 베임을 보니, 초(初)는 없고 종(終)은 있으리라.

傳 | 陰柔는 於平時에도 且不足以自立이어든 況當睽離之際乎아 三居二剛之間하여 處不得其所安하니 其見侵陵을 可知矣라 三以正應在上하여 欲進與上合志로되 而四阻於前하고 二牽於後하니 車牛는 所以行之具也라 輿曳는 牽於後也요 牛掣는 阻於前也니 在後者는 牽曳之而已요 當前者는 進者之所力犯也라 故重傷於上하니 爲四所傷也라 其人天且劓는 天은 髡(곤)首也요 劓는 截鼻也라 三從正應이로되 而四隔止之하니 三雖陰柔나 處剛而志行이라 故力進以犯之하니 是以傷也라 天而又劓는 言重傷也라 三不合於二與四하니 睽之時에 自无合義요 適合居剛守正之道也라 其於正應則睽極하여 有終合之理하니 始爲二陽所厄은 是无初也요 後必得合은 是有終也라 掣는 從制從手하니 執止之義也라

　음유(陰柔)는 평시에도 스스로 설 수가 없는데 하물며 규리(睽離)의 때를 당함에 있어서랴. 삼(三)은 사(四)와 이(二) 두 강효(剛爻)의 사이에 거하여 처함이 편안함을 얻지 못하였으니, 침해와 능멸을 당함을 알 수 있다. 삼(三)은 정응(正應)이 위에 있어 나아가 상(上)과 뜻을 합하고자 하나 사(四)가 앞에서 가로막고 이(二)가 뒤에서 끄니, 수레와 소는 가는 도구이다. '여예(輿曳)'는 뒤에서 끄는 것이요 '우체(牛掣)'는 앞에서 가로막는 것이니, 뒤에 있는 것은 끌 뿐이요 앞을 가로막는 것은 나아가는 자가 힘써 범하므로 위에 거듭 상(傷)하니, 사(四)에게 상함을 당하는 것이다.

　'기인천차의(其人天且劓)'는, '천(天)'은 머리를 깎임이요 '의(劓)'는 코를 베임이다. 삼(三)이 정응을 따르려 하나 사(四)가 가로막아 그치게 하니, 삼(三)이 비록 음유(陰柔)이나 강위(剛位)에 처하여 가는 데에 뜻을 두기 때문에 힘써 나아가 범하

......

67　天且劓 : 사계(沙溪)는 "천(天)은 이(而) 자의 오자(誤字)인 듯하다. 而는 음이 내(奈)로 수염을 깎은 것이다. 전서(篆書)에 이(而) 자와 천(天) 자는 모양이 서로 비슷하다." 하였다. 《經書辨疑》

···　曳 : 끌 예　掣 : 당길 철　劓 : 코벨 의　髡 : 머리깎을 곤　截 : 자를 절

니, 이 때문에 상함을 당하는 것이다. 머리가 깎이고 또 코가 베임은 거듭 상함을 말한 것이다. 삼(三)은 이(二)와 사(四)와 합하지 못하니, 규(睽)의 때에 본래 합하는 뜻이 없고, 다만 강(剛)에 거하여 정(正)을 지키는 도와 합한다. 정응(正應)에 있어서는 규(睽)가 지극하여 끝내 합할 이치가 있으니, 처음에 두 양에게 곤액(困厄)을 당함은 초(初)가 없는 것이요, 뒤에 반드시 정응과 합함은 종(終)이 있는 것이다. '체(掣)'는 제(制)를 따르고 수(手)를 따랐으니, 잡아 멈추는 뜻이다.

本義 | 六三이 上九正應이로되 而三居二陽之間하여 後爲二所曳하고 前爲四所掣하고 而當睽之時하여 上九猜睽方深이라 故又有髡劓之傷이라 然邪不勝正하여 終必得合이라 故其象占如此하니라

육삼(六三)은 상구(上九)와 정응인데 삼(三)이 두 양(구이와 구사)의 사이에 처하여 뒤로는 이(二)에게 끌림을 당하고 앞으로는 사(四)에게 저지를 당하며, 규(睽)의 때를 당하여 상구가 시기(猜忌)하고 원망함이 깊기 때문에 머리가 깎이고 코가 베이는 상(傷)함이 있는 것이다. 그러나 사(邪)는 정(正)을 이기지 못하여 끝내는 반드시 합한다. 이 때문에 그 상(象)과 점(占)이 이와 같은 것이다.

象曰 見輿曳는 位不當也요 无初有終은 遇剛也일새라

〈상전〉에 말하였다. "여예(輿曳)를 당함은 자리가 합당하지 않기 때문이요, 초(初)는 없으나 종(終)이 있음은 강(剛)을 만났기 때문이다."

傳 | 以六居三은 非正也니 非正則不安이요 又在二陽之間하니 所以有如是艱厄이니 由位不當也라 无初〔一有而字〕有終者는 終必與上九相遇而合이니 乃遇剛也라 不正而合이면 未有久而不離者也어니와 合以正道면 自无終睽之理라 故賢者는 順理而安行하고 智者는 知幾而固守하나니라

육(六)으로서 삼(三)에 기함은 정(正)이 아니니 정이 아니면 편안하지 못하고, 또 두 양의 사이에 있으니, 이 때문에 이와 같이 어려움과 곤액이 있는 것이니, 자리가 합당하지 않기 때문이다. 초(初)는 없으나 종(終)이 있다는 것은, 종말에는 반드시 상구(上九)와 서로 만나 합할 것이니, 이는 바로 강(剛)을 만나는 것이다. 바르지 못하면서 합하면 오래됨에 떠나지 않는 자가 없지만 정도(正道)로써 합한

··· 猜 : 시기할 시

다면 자연 끝내 헤어질 이치가 없다. 그러므로 현자(賢者)는 이치를 순히 하여 편안히 행하고, 지혜로운 자는 기미(幾微)를 알아 굳게 지키는 것이다.

九四는 睽孤하여 遇元夫[68]하여 交孚니 厲하나 无咎리라

구사(九四)는 규(睽)에 외로워 훌륭한 선비(남자)를 만나 서로 믿으니, 위태로우나 허물이 없으리라.

本義 | 厲하여야
　　　위태롭게 여겨야

傳 |　九四當睽時하여 居非所安이요 无應而在二陰之間하니 是睽離孤處者也라 以剛陽之德으로 當睽離之時하여 孤立无與하니 必以氣類相求而合이라 是以遇元夫也라 夫는 陽稱이요 元은 善也라 初九當睽之初하여 遂能與同德而亡睽之悔하니 處睽之至善者也라 故目之爲元夫하니 猶云善士也라 四則過中하여 爲睽已甚하니 不若初之善也라 四與初 皆以陽處一卦之下하여 居相應之位하니 當睽乖之時하여 各无應援하여 自然同德相親이라 故會遇也라 同德相遇면 必須至誠相與니 交孚는 各有孚誠也라 上下二陽이 以至誠相合이면 則何時之不能行이며 何危之不能濟리오 故雖處〔一无處字〕危厲而无咎也라 當睽離之時하여 孤居二陰之間하고 處不當位하니 危且有咎也로되 以遇元夫而交孚라 故得无咎也라

구사(九四)가 규(睽)의 때를 당하여 거함이 편안한 곳이 아니요 응이 없으며 두 음의 사이에 있으니, 이는 규리(睽離)에 외롭게 처하는 자이다. 강양(剛陽)의 덕으로 규리의 때를 당해서 고립(孤立)하여 더부는 자가 없으니, 반드시 기류(氣類:뜻이 통하는 자)로써 서로 찾아 합해야 한다. 이 때문에 원부(元夫)를 만난 것이다. '부(夫)'는 양(陽)을 칭하고 '원(元)'은 선(善)이다. 초구(初九)가 규(睽)의 초(初)를 당하여 마침내 구사(九四)와 더불어 덕을 함께 하여 규의 뉘우침을 없앴으니, 규에 지극히 잘 대처한 자이다. 그러므로 지목하여 원부(元夫)라 하였으니, 선사(善士)라는 말과 같다.

사(四)는 중(中)을 지나 규가 됨이 너무 심하니, 초(初)의 선(善)함만 못하다. 사(四)와 초(初)가 모두 양으로 한 괘의 아래에 처하여 서로 응하는 자리에 거하였으니, 규괴(睽乖)의 때를 당하여 각기 응원(應援)이 없어서 자연 덕이 같은 자와 서로 친하기 때문에 회우(會遇)한 것이다. 덕이 같은 자와 서로 만나면 반드시 지성으로 서로 함께 하여야 하니, '교부(交孚)'는 각기 부성(孚誠)이 있는 것이다. 위아래의 두 양이 지성으로 서로 합하면 어느 때인들 행(行)하지 못하며 어떤 위태로움인들 구제하지 못하겠는가. 그러므로 비록 위려(危厲)에 처하나 허물이 없는 것이다. 규리의 때를 당하여 외롭게 두 음의 사이에 거하고, 처함이 자리에 합당하지 않으니, 위태롭고 또 허물이 있을 것이나 원부를 만나 서로 믿기 때문에 허물이 없게 된 것이다.

本義 | 睽孤는 謂无應이요 遇元夫는 謂得初九라 交孚는 謂同德相信이라 然當睽時故로 必危厲라야 乃得无咎니 占者亦如是也라

'규고(睽孤)'는 응이 없음을 이르고 원부(元夫)를 만남은 초구(初九)를 얻음을 이른다. '교부(交孚)'는 덕(德)이 같아 서로 믿음을 이른다. 그러나 규(睽)의 때를 당하였기 때문에 반드시 위태롭게 여기고 두려워해야 허물이 없을 수 있으니, 점치는 자도 이와 같다.

象曰 交孚无咎는 志行也리라
〈상전〉에 말하였다. "서로 믿어 허물이 없음은 뜻이 행해지리라."

傳 | 初、四는 皆陽剛君子니 當睽乖之時하여 上下以至誠相交하여 協志同力이면 則其志可以行이요 不止无咎而已라 (卦)[爻]辭엔 但言无咎[69]어늘 夫子又從而明之云 可以行其志하여 救時之睽也라하시니라 蓋以君子陽剛之才로 而至誠相輔면 何所不能濟也리오 唯有君이면 則能行其志矣리라

초(初)와 사(四)는 모두 양강(陽剛) 군자이니, 규괴(睽乖)의 때를 당하여 상·하

······
69 卦辭但言无咎:'괘사(卦辭)'는 마땅히 '효사(爻辭)'가 되어야 할 듯하다는 사계(沙溪)의 설을 따라 수정하였다. 《經書》

가 지성으로 서로 사귀어 뜻을 합하고 힘을 함께 하면 그 뜻이 행해질 것이요 다만 허물이 없을 뿐만이 아니다. 효사(爻辭)에는 다만 '무구(无咎)'라고 말했는데, 부자(夫子)가 또 따라서 밝히시기를 "그 뜻을 행하여 때의 규리(睽離)를 구제할 수 있다."고 하신 것이다. 군자가 양강(陽剛)의 재질로 지성(至誠)으로 서로 도우면 어느 것인들 이루지 못하겠는가. 오직 훌륭한 군주가 있으면 그 뜻을 행할 수 있는 것이다.

六五는 悔亡하니 厥宗이 噬膚면 往에 何咎리오
육오(六五)는 뉘우침이 없어지니, 그 친족(親族)이 살을 깨물듯이 깊이 하면 감에 무슨 허물이 있겠는가.
本義 | 噬膚니
　　　　살을 깨물듯이 하니,

傳 | 六以陰柔로 當睽離之時하여 而居尊位하니 有悔可知라 然而下有九二剛陽之賢하여 與之爲應以輔翼之라 故得悔亡이라 厥宗은 其黨也니 謂九二正應也요 噬膚는 噬齧其肌膚而深入之也라 當睽之時하여 非入之者深이면 豈能合也리오 五雖陰柔之才나 二輔以陽剛之道而深入之면 則可往而有慶〔一有也字〕이니 復何過咎之有리오 以周成之幼稚로도 而興盛王之治하고 以劉禪[70]之昏弱으로도 而有中興之勢는 蓋由任聖賢之輔하여 而姬公、孔明이 所以入之者深也일새니라

육(六)이 음유(陰柔)로서 규리(睽離)의 때를 당하여 존위(尊位)에 거하였으니, 뉘우침이 있음을 알 수 있다. 그러나 아래에 구이(九二) 강양(剛陽)의 현자(賢者)가 있어 육오(六五)와 더불어 응이 되어 보익(輔翼)하기 때문에 뉘우침이 없어지는 것이다. '궐종(厥宗)'은 그 당(黨)이니 구이(九二)의 정응을 이르며, '서부(噬膚)'는 기부

......
70 劉禪 : 유선(劉禪)은 삼국시대 촉한(蜀漢)의 마지막 군주로 후주(後主)라 칭하는바, 소열제(昭烈帝)인 유비(劉備)를 뒤이어 즉위하였는데, 사람이 매우 혼우(昏愚)하고 나약하였으나 제갈량(諸葛亮)이 보필하여 남만(南蠻)을 평정하고 조비(曹丕)의 위(魏)나라를 공격하여 중흥(中興)의 기반을 구축하였다. 그러나 제갈량과 그가 추천한 인물들이 모두 죽자, 환관(宦官)인 황호(黃皓)에게 빠져 국정을 돌보지 않다가 끝내 위(魏)나라에게 멸망당하고 항복하여 안락공(安樂公)에 봉해졌다.

••• 噬 : 깨물 서 肌 : 살갗 기 稚 : 어릴 치

(肌膚)를 깨물어 깊이 들어가는 것이다. 규(睽)의 때를 당하여 들어감이 깊지 않으면 어찌 합할 수 있겠는가.

오(五)가 비록 음유(陰柔)의 재질이나 이(二)가 양강(陽剛)의 도(道)로 보필(輔弼)하여 깊이 들어가면 감에 복경(福慶)이 있을 것이니, 다시 무슨 허물이 있겠는가. 주(周)나라 성왕(成王)이 어렸는데도 훌륭한 왕의 정치를 이룩하였고, 유선(劉禪)의 혼약(昏弱)함으로도 중흥(中興)의 형세가 있었던 것은 성현(聖賢)의 보필에 맡겨 희공(姬公;주공(周公))과 공명(孔明;제갈량)이 들어가기를 깊이 하였기 때문이었다.

本義 | 以陰居陽은 悔也로되 居中得應이라 故能亡之라 厥宗은 指九二요 噬膚는 言易合이라 六五有柔中之德이라 故其象占如是하니라

음효(陰爻)로서 양위(陽位)에 거함은 뉘우침이나, 중(中)에 거하고 응(應)을 얻었기 때문에 뉘우침이 없어질 수 있는 것이다. '궐종(厥宗)'은 구이(九二)를 가리키고 '서부(噬膚)'는 합하기 쉬움을 말한 것이다. 육오(六五)가 유중(柔中)의 덕(德)이 있기 때문에 그 상(象)과 점(占)이 이와 같은 것이다.

象曰 厥宗噬膚는 往有慶也리라

〈상전〉에 말하였다. "그 친족이 살을 깨물듯이 함은 감에 복경이 있으리라."

傳 | 爻辭엔 但言厥宗噬膚면 則可以往而无咎어늘 象復推明其義하여 言人君雖己才不足이나 若能信任賢輔하여 使以其道深入於己면 則可以有爲니 是往而有福慶也하니라

효사(爻辭)에는 다만 '그 친족이 살을 깨물듯이 하면 감에 허물이 없다.'고만 말하였는데, 〈상전〉에 다시 그 뜻을 미루어 밝혀서 '인군이 비록 자신의 재주가 부족하나 만약 어진 보필(輔弼)을 신임하여 그 도(道)로써 깊이 자신에게 들어오게 하면 훌륭한 일을 할 수 있으니, 이는 감에 복경(福慶)이 있는 것이다.'라고 말하였다.

上九는 睽孤하여 見豕負塗와 載鬼一車라 先張之弧라가 後說(脫)之弧하여 匪寇라 婚媾니 往遇雨하면 則吉하리라

상구(上九)는 규고(睽孤)하여 돼지가 진흙을 진 것과 귀신이 한 수레에 가득히 실려 있는 것을 봄이다. 먼저는 활줄을 당겨 쏘려 하다가 뒤에는 활줄을 풀어놓아, 적이 아니라 혼구(婚媾)이니, 가서 비를 만나면 길하리라.

傳ㅣ 上居卦之終하니 睽之極也요 陽剛居上하니 剛之極也요 在離之上하니 用明之極也라 睽極則咈戾而難合하고 剛極則躁暴而不詳하고 明極則過察而多疑하니 上九有六三之正應하여 實不孤나 而其才性如此하여 自睽孤也라 如人雖有親黨이나 而多自疑猜하여 妄生乖離면 雖處骨肉親黨之間이나 而常孤獨也라 上之與三은 雖爲正應이나 然居睽極하여 无所不疑하여 其見三을 如豕之汚穢而又背負泥塗하니 見其可惡(오)之甚也라 旣惡之甚則猜하여 成其罪惡하여 如見載鬼滿一車也라 鬼本无形이어늘 而見載之一車는 言其以无爲有하니 妄之極也라

상(上)이 괘의 종(終)에 거하였으니 규(睽)가 지극한 것이요, 양강(陽剛)이 상에 거하였으니 강(剛)이 지극한 것이요, 리(離)의 위에 있으니 밝음을 씀이 지극한 것이다. 규가 지극하면 어그러져 합하기 어렵고, 강이 지극하면 조급하여 자세하지 못하고, 밝음이 지극하면 지나치게 살펴 의심함이 많으니, 상구(上九)가 육삼(六三)의 정응이 있어서 실로 외롭지 않으나 그 재주와 성질이 이와 같아 스스로 규고(睽孤)한 것이다. 사람이 비록 친당(親黨)이 있으나 스스로 많이 의심하고 시기하여 망령되이 괴리(乖離)하는 마음을 내면 비록 골육(骨肉)과 친당(親黨)의 사이에 처하더라도 항상 고독한 것과 같다.

상(上)은 삼(三)과 비록 정응이 되나 규의 극에 거하여 의심하지 않는 바가 없어서 삼(三)을 보기를 돼지가 더러운데다가 또 등에 진흙을 지고 있는 것처럼 여기니, 깊이 미워할 만함을 나타낸 것이다. 이미 깊이 미워하면 시기하여 그 죄악을 이루어 마치 귀신이 한 수레에 가득히 실려 있음을 봄과 같은 것이다. 귀신은 본래 형체가 없는데 한 수레 가득히 실려 있음을 봄은 없는 것을 있는 것으로 여김을 말한 것이니, 망령됨이 지극하다.

••• 塗 : 진흙 도 弧 : 활 호 媾 : 혼인구 咈 : 어길 불

物理는 極而必反하니 以近明之하면 如人適東에 東極矣면 動則西也요 如升高에 高極矣면 動則下也니 旣極則動而必反也라 上之睽乖旣極이요 三之所處者正理니 大凡失道旣極이면 則必反正理라 故上於三에 始疑而終必合也라 先張之弧는 始疑惡(오)而欲射(석)之也라 疑之者는 妄也니 妄安能常이리오 故終必復(복)於正이라 三實无惡(악)이라 故後說弧而弗射하니 睽極而反이라 故與三非復(복)爲寇讐요 乃婚媾也라 此匪寇婚媾之語는 與他卦同이나 而義則殊也[71]라 陰陽交而和暢則爲雨하니 上於三에 始疑而睽로되 睽極則不疑而合하나니 陰陽合而益和則爲雨라 故云往遇雨則吉이라 往者는 自此以往也니 謂旣合而益和則吉也라

사물의 이치는 지극하면 반드시 돌아오니, 가까운 일로써 밝히면 사람이 동쪽으로 갈 적에 동쪽이 지극하면 동(動)함에 서쪽이 되는 것과 같고, 높은 곳에 오를 적에 높음이 지극하면 동함에 아래로 내려옴과 같으니, 이미 지극하면 동함에 반드시 돌아온다. 상(上)의 규괴(睽乖)가 이미 지극하고 삼(三)의 처한 것이 정리(正理)이니, 대체로 도를 잃음이 이미 지극하면 반드시 정리로 돌아온다. 그러므로 상(上)이 삼(三)에 대하여 처음에는 의심하나 끝내는 반드시 합하는 것이다.

먼저는 활줄을 당긴다는 것은 처음에 의심하고 미워하여 쏘고자 하는 것이다. 의심함은 망령됨이니, 망령됨이 어찌 항상할 수 있겠는가. 그러므로 끝내는 반드시 정(正)으로 돌아오는 것이다. 삼(三)은 실로 죄악이 없기 때문에 뒤에 활줄을 풀어놓고 쏘지 않는 것이니, 규(睽)가 극에 이르러 돌아왔으므로 삼(三)과 더불어 다시는 구수(寇讐)가 아니요 바로 혼구(婚媾)인 것이다. 여기의 '비구혼구(匪寇婚媾)'란 말은 다른 괘와 내용은 같으나 뜻은 다르다.

음(陰)과 양(陽)이 사귀어 화창(和暢)하면 비가 되니, 상(上)이 삼(三)에 대하여 처음에는 의심하여 규리(睽離)하였으나 규가 지극하면 의심하지 않아 합하니, 음과 양이 합하여 더욱 화(和)하면 비가 된다. 그러므로 가서 비를 만나면 길하다고 말한 것이다. '왕(往)'은 여기에서 감이니, 이미 합하고 더욱 화하면 길함을 말한 것이다.

••••••
71 此匪寇婚媾之語 與他卦同而義則殊也 : '匪寇婚媾'는 준괘(屯卦)와 비괘(賁卦)에도 보이는데, 《정전》에는 "구수(寇讐)가 아니면 혼구(婚媾)이다."라고 해석하여 규괘(睽卦)의 "구수(寇讐)가 아니라 혼구(婚媾)이다."와 다름을 밝힌 것이다. 그러나 《본의》에는 세 곳에 모두 "구수(寇讐)가 아니라 혼구이다."로 해석하여 뜻이 모두 같다.

本義 | 睽孤는 謂六三爲二陽所制하고 而己以剛處明極[72]睽極之地하여 又自猜狠(한)而乖離也라 見豕負塗는 見其汚也요 載鬼一車는 以无爲有也라 張弧는 欲射之也요 說弧는 疑稍釋也요 匪寇婚媾는 知其非寇而實親也요 往遇雨則吉은 疑盡釋而睽合也라 上九之與六三은 先睽後合이라 故其象占如此하니라

규고(睽孤)는 육삼(六三)이 두 양에게 제재를 당하고, 자신이 강(剛)으로서 밝음의 극과 규(睽)가 지극한 자리에 처하여 또 스스로 시기하고 원망해서 괴리(乖離)함을 말한 것이다. 돼지가 진흙을 지고 있음을 보았다는 것은 더러움을 본 것이요, 귀신이 한 수레 가득히 실려있다는 것은 없는 것을 있는 것으로 여기는 것이다. 활줄을 당김은 쏘고자 함이요, 활줄을 풀어놓음은 의심이 약간 풀린 것이요, 적이 아니라 혼구(婚媾)라는 것은 적이 아님을 알고 실로 친함이요, 가서 비를 만나면 길하다는 것은 의심이 모두 풀려 규(睽)가 합한 것이다. 상구(上九)와 육삼(六三)은 먼저는 규리(睽離)하였다가 뒤에는 합하기 때문에 그 상(象)과 점(占)이 이와 같은 것이다.

象曰 遇雨之吉은 羣疑亡也라

〈상전〉에 말하였다. "비를 만남이 길함은 모든 의심이 없어진 것이다."

傳 | 雨者는 陰陽和也니 始睽而能終和라 故吉也라 所以能和者는 以羣疑盡亡也니 其始睽也에 无所不疑라 故云羣疑요 睽極而合이면 則皆亡也라

비는 음(陰)·양(陽)이 화합함이니, 처음에는 규리(睽離)하였다가 끝내는 화합하였기 때문에 길한 것이다. 화합할 수 있는 까닭은 모든 의심이 다 없어졌기 때문이니, 처음 규리할 때에는 의심하지 않는 바가 없었으므로 모든 의심이라 말하였고, 규(睽)가 극에 이르러 합하면 의심이 모두 없어진 것이다.

······
72 而己以剛處明極 : 사계(沙溪)는 己의 음이 '기'임을 밝히고 '자기[己]'는 "상구(上九)를 가리켜 말한 것이다." 하였다. 《經書辨疑》

··· 稍 : 점점 초 狠 : 사나울 한

傳┃ 蹇은 序卦에 睽者는 乖也니 乖必有難이라 故受之以蹇하니 蹇者는 難也라하
니라 睽乖之時엔 必有蹇難하니 蹇所以次睽也라 蹇은 險阻之義라 故爲蹇難이라
爲卦 坎上艮下하니 坎은 險也요 艮은 止也니 險在前而止하여 不能進也라 前有險
陷하고 後有峻阻라 故爲蹇也라

　건괘(蹇卦)는 〈서괘전〉에 "규(睽)는 어긋남이니, 어긋나면 반드시 어려움이 있
다. 이 때문에 건괘로 받았으니, 건(蹇)은 어려움이다." 하였다. 규괴(睽乖)의 때엔
반드시 건난(蹇難:어려움)이 있으니, 건괘가 이 때문에 규괘(睽卦 ䷥)의 다음이 된
것이다. 건(蹇)은 험조(險阻:험하고 막힘)함의 뜻이므로 건난(蹇難)이라 한 것이다.
괘됨이 감(坎 ☵)이 위에 있고 간(艮 ☶)이 아래에 있으니, 감(坎)은 험함이요 간
(艮)은 그침이니, 험함이 앞에 있어 그쳐서 나아가지 못한다. 앞에 험함(險陷)이 있
고 뒤에 높은 산이 막혀 있으므로 건(蹇)이라 한 것이다.

蹇은 利西南하고 不利東北하며 利見大人하니 貞이면 吉하리라
　건(蹇)은 서남(西南)은 이롭고 동북(東北)은 이롭지 않으며 대인(大人)을
만나봄이 이로우니, 정(貞)하면 길하리라.

傳┃ 西南은 坤方이요 坤은 地也니 體順而易하고 東北은 艮方이요 艮은 山也니 體
止而險하니 在蹇難之時하여 利於順處平易之地요 不利止於危險也라 處順易則
難可紓어니와 止於險則難益甚矣라 蹇難之時에 必有聖賢之人이면 則能濟天下
之難이라 故利見大人也요 濟難者는 必以大正之道而堅固其守라 故貞則吉也라
凡處難者는 必在乎〔一无乎字〕守貞正이니 設使難不解라도 不失正德이라 是以吉也
라 若遇難而不能固其守하여 入於邪濫이면 雖使苟免이라도 亦惡德也니 知義命
者는 不爲也니라

　서남(西南)은 곤방(坤方)이요 곤(坤)은 땅이니 체(體)가 순(順)하고 평이하며, 동

··· 蹇 : 어려울 건 紓 : 풀릴 서

북(東北)은 간방(艮方)이요 간(艮)은 산(山)이니 체(體)가 그치고 험하니, 건난(蹇難)의 때에 있어 평이한 땅에 순히 처함이 이롭고, 위험한 곳에 멈춤은 이롭지 않다. 순하고 평이함에 처하면 난(難)을 풀 수 있지만 험함에 멈추어 있으면 난이 더욱 심해진다. 건난(蹇難)의 때에는 반드시 성현(聖賢)의 사람이 있으면 천하의 어려움을 구제할 수 있다. 그러므로 대인(大人)을 만나봄이 이로운 것이요, 어려움을 구제하는 자는 반드시 대정(大正)의 도(道)로써 하고 그 지킴을 견고히 하여야 한다. 그러므로 정(貞)하면 길한 것이다.

무릇 어려움에 처한 자는 반드시 정정(貞正)함을 지킴에 있으니, 가령 어려움이 풀리지 않더라도 바른 덕(德)을 잃지 않는다. 이 때문에 길한 것이다. 만일 어려움을 만나 그 지킴을 견고히 하지 못하여 사악함과 넘침으로 들어간다면 비록 구차히 어려움을 면하더라도 또한 악덕(惡德)이니, 의(義)와 명(命)을 아는 자는 하지 않는다.

本義 | 蹇은 難也니 足不能進하니 行之難也라 爲卦 艮下坎上하여 見險而止라 故爲蹇이라 西南은 平易하고 東北은 險阻하며 又艮方也니 方在蹇中하여 不宜走險이며 又卦自小過(䷽)而來하여 陽이 進則往居五而得中하고 退則入於艮而不進이라 故其占曰 利西南而不利東北이라하니라 當蹇之時하여 必見大人然後에 可以濟難이요 又必守正然後에 得吉이어늘 而卦之九五 剛健中正하여 有大人之象하고 自二以上五爻 皆得正位하니 則又貞之義也라 故其占이 又曰利見大人貞吉이라하니라 蓋見險者는 貴於能止나 而又不可終於止요 處險者는 利於進이나 而不可失其正也니라

건(蹇)은 어려움이니, 발이 나아가지 못하니 가기 어려운 것이다. 괘됨이 간(艮)이 아래에 있고 감(坎)이 위에 있어 험함을 보고 멈춘다. 그러므로 건(蹇)이라 한 것이다. 서남(西南)은 평이하고 동북(東北)은 험조(險阻)하며 또 간방(艮方)이니, 어려운 가운데에 있어서 험한 곳으로 감이 마땅하지 않으며, 또 괘가 소과괘(小過卦 ䷽)로부터 와서 양이 나아가면 가서 오(五)에 거하여 중(中)을 얻고, 물러가면 간(艮)에 들어가 나아가지 못한다. 그러므로 그 점(占)이 '서남은 이롭고 동북은 이롭지 않다.'고 한 것이다.

건(蹇)의 때를 당하여 반드시 대인(大人)을 만나본 뒤에야 어려움을 구제할 수 있고 또 반드시 정도(正道)를 지킨 뒤에야 길한데, 괘의 구오(九五)가 강건 중정(剛健中正)하여 대인의 상이 있고, 이효(二爻)로부터 이상(以上)의 다섯 효(爻)는 모두 바른 자리를 얻었으니, 또 정(貞)의 뜻이다. 그러므로 그 점(占)이 또 '대인을 만나봄이 이로우니, 정(貞)하면 길하다.'고 한 것이다. 험함을 당한 자는 멈춤을 귀하게 여기나 또 끝내 멈추어서는 안 되며, 험함에 처한 자는 나아감을 이롭게 여기나 그 바름을 잃어서는 안 된다.

彖曰 蹇은 難也니 險在前也니

〈단전〉에 말하였다. "건(蹇)은 어려움이니, 험함이 앞에 있으니,

傳ㅣ 蹇難也는 蹇之爲難이 如乾之爲健이니 若易之爲難이면 則義有未足[一作盡]하니 蹇有險阻之義라 屯亦難也요 困亦難也니 同爲難이나 而義則異라 屯者는 始難而未得通이요 困者는 力之窮이요 蹇은 乃險阻艱難之義니 各不同也라 險在前也는 坎險在前하여 下止而不得進이라 故爲蹇이라

'건난야(蹇難也)'는, 건(蹇)이 난(難)이 됨은 건(乾)이 건(健)이 됨과 같으니, 만일 괘(卦) 이름을 바꾸어 난(難)이라고 하면 뜻에 부족함이 있으니, 건(蹇)은 험조(險阻)의 뜻이 있다. 준(屯) 또한 어려움이요 곤(困) 또한 어려움이니, 똑같이 어려움이 되나 뜻은 다르다. 준은 처음에 어려워서 통하지 못함이요, 곤은 힘이 다함이요, 건(蹇)은 바로 험조 간난(險阻艱難)의 뜻이니, 뜻이 각기 다르다. '험재전야(險在前也)'는 감험(坎險)이 앞에 있어서 아래가 멈추어 나아갈 수 없다. 그러므로 건(蹇)이라 한 것이다.

見險而能止하니 知(智)矣哉라

험함을 보고 멈추니 지혜롭다.

傳ㅣ 以卦才로 言處蹇之道也니 上險而下止는 見險而能止也라 犯險而進이면 則有悔咎[一作吝]라 故美其能止爲知也라 方蹇難之時하여 唯能止爲善이라 故諸爻除五與二外엔 皆以往爲失, 來爲得也하니라

괘재(卦才)로써 건(蹇)에 대처하는 방도를 말하였으니, 위가 험하고 아래가 멈춤은 험함을 보고 멈추는 것이다. 험함을 범하고 나아가면 뉘우침과 허물이 있다. 그러므로 능히 멈춤이 지혜롭다고 찬미한 것이다. 건난(蹇難)의 때를 당하여 오직 멈춤이 선(善)함이 된다. 그러므로 여러 효(爻)에 오(五)와 이(二)를 제외하고는 모두 가는 것을 실(失)이라 하고 오는 것을 득(得)이라 하였다.

本義 | 以卦德으로 釋卦名義而贊其美라

괘덕(卦德)으로써 괘명(卦名)의 뜻을 해석하고 그 아름다움을 찬미한 것이다.

蹇利西南은 往得中也요 不利東北은 其道窮也요

건(蹇)이 서남(西南)이 이로움은 가서 중(中)을 얻기 때문이요, 동북(東北)은 이롭지 않음은 그 도(道)가 궁극하기 때문이요,

傳 | 蹇之時엔 利於處平易하니 西南은 坤方이라 爲順易요 東北은 艮方이라 爲險阻며 九上居五하여 而得中正之位하니 是는 往而得平易之地라 故爲利也라 五居坎險之中이로되 而謂之平易者는 蓋卦本坤이어늘 由五往而成坎이라 故但取往而得中이요 不取成坎之義也라 方蹇而又止危險之地면 則蹇益甚矣라 故不利東北이라 其道窮也는 謂蹇之極也라

건(蹇)의 때엔 평이(平易)함에 처함이 이로우니, 서남은 곤방(坤方)이라 순하고 평이함이 되고, 동북은 간방(艮方)이라 험조(險阻)함이 되며, 구(九)가 위로 올라가서 오(五)에 거하여 중정(中正)의 자리를 얻었으니, 이는 가서 평이한 땅을 얻은 것이므로 이로운 것이다. 오(五)가 감험(坎險)의 가운데 처하였으나 평이하다고 이른 것은 괘가 본래 곤(坤)이었는데 오(五)가 감으로 말미암아 감(坎)을 이루었다. 그러므로 다만 가서 중(中)을 얻음을 취하였고, 감(坎)을 이룬 뜻은 취하지 않은 것이다. 어려운 때를 당하여 또 위험한 곳에 멈추면 어려움이 더욱 심해진다. 그러므로 동북은 이롭지 않은 것이다. '기도궁야(其道窮也)'는 건(蹇)이 궁극(窮極)함을 이른다.

利見大人은 往有功也요 當位貞吉은 以正邦也니

대인을 만나봄이 이로움은 가서 공(功)이 있는 것이요 지위를 담당하여
정길(貞吉)함은 나라를 바로잡는 것이니,

傳 | 蹇難之時에 非聖賢〔一有大人字〕이면 不能濟天下之蹇이라 故利於見大人也라
大人當位면 則成濟蹇之功矣리니 往而有功也라 能濟天下之蹇者는 唯大正之道
니 夫子又取卦才而言이라 蹇之諸爻 除初外엔 餘皆當正位라 故爲貞正而吉也라
初六은 雖以陰居陽이나 而處下는 亦陰之正也라 以如〔一作如以〕此正道로 正其邦
이면 可以濟於蹇矣리라

건난(蹇難)의 때에 성현(聖賢)이 아니면 천하의 어려움을 구제하지 못한다. 그
러므로 대인(大人)을 만나봄이 이로운 것이다. 대인이 지위를 담당하면 어려움을
구제하는 공(功)을 이룰 수 있으니, 이는 가서 공이 있는 것이다. 천하의 어려움을
구제할 수 있는 것은 오직 대정(大正)의 도(道)이니, 부자(夫子)가 또 괘의 재질을
취하여 말씀하였다.

건(蹇)의 여러 효(爻) 중에 초(初)를 제외하고는 나머지는 모두 정위(正位)에 해
당한다. 그러므로 정정(貞正)하여 길함이 되는 것이다. 초육(初六)은 비록 음효(陰
爻)로서 양위(陽位)에 거하였으나 음이 아래에 처함은 또한 음의 바름이다. 이와
같은 정도(正道)로 나라를 바로잡는다면 어려움을 구제할 수 있을 것이다.

蹇之時用이 大矣哉라

건(蹇)의 때와 용(用)이 크다."

傳 | 處蹇之時하여 濟蹇之道 其用至大라 故云大矣哉라 天下之難을 豈易平也리
오 非聖賢이면 不能이니 其用이 可謂大矣라 順時而處하고 量險而行하여 從平易之
道하고 由至正之理는 乃蹇之時用也라

건(蹇)의 때에 처하여 건을 구제하는 방도가 그 쓰임이 지극히 크므로 '크다'고
말씀한 것이다. 천하의 난(難)을 어찌 쉽게 평정(平定)할 수 있겠는가. 성현(聖賢)
이 아니면 불가능하니, 그 쓰임이 크다고 이를 만하다. 때에 순응하여 처하고 험함

을 헤아려 가서 평이한 도를 따르고 지극히 바른 이치를 행하는 것이 바로 건(蹇)의 때와 용(用)이다.

本義 | 以卦變卦體로 釋卦辭하고 而贊其時用之大也라

괘변(卦變)과 괘체(卦體)로써 괘사(卦辭)를 해석하고 때와 용(用)의 큼을 찬미한 것이다.

象曰 山上有水蹇이니 君子以하여 反身修德하나니라

〈상전〉에 말하였다. "산 위에 물이 있음이 건(蹇)이니, 군자가 보고서 자기 몸에 돌이켜 덕(德)을 닦는다."

傳 | 山之峻阻에 上復有水하니 坎水爲險陷之象하여 上下險阻라 故爲蹇也라 君子觀蹇難之象하여 而以反身修德하나니 君子之遇艱阻에 必反求諸己而益自修라 孟子曰 行有不得者어든 皆反求諸己라하시니 故遇艱蹇이면 必自省於身하여 有失而致之乎는 是反身也요 有所未善則改之하고 无歉於心則加勉은 乃自修其德也라 君子는 修德以俟時而已니라

산(山)이 높이 막혀있는데 위에 다시 물이 있으니, 감(坎)의 물은 험함(險陷)의 상(象)이 되어 위와 아래가 험하고 막혔으므로 건(蹇)이라 한 것이다. 군자가 건난(蹇難)의 상을 보고서 자기 몸에 돌이켜 덕(德)을 닦으니, 군자가 어려움과 막힘을 만나면 반드시 자기 몸에 돌이켜 구하여 더욱 스스로 닦는다. 《맹자》〈이루 상(離婁上)〉에 "행(行)하고도 얻지 못함이 있으면 모두 자기 몸에 돌이켜 구하라." 하였다. 그러므로 어려움을 만나면 반드시 스스로 자기 몸에 살펴보아 무슨 잘못이 있어 이렇게 되었는가 하고 반성함은 이는 몸에 돌이킴이요, 잘하지 못한 것이 있으면 고치고 마음에 부족함이 없으면 더욱 힘씀은 바로 덕을 닦는 것이다. 군자는 덕을 닦고 때를 기다릴 뿐이다.

初六은 往하면 蹇하고 來하면 譽리라

초육(初六)은 가면 어렵고 오면 칭찬이 있으리라.

··· 歉 : 부족할 겸

傳｜ 六居蹇之初하여 往進則益入於蹇하니 往蹇也라 當蹇之時하여 以陰柔无援
而進이면 其蹇可知라 來者는 對往之辭니 上進則爲往이요 不進則爲來라 止而不
進은 是有見幾知時之美하니 來則有譽也라

육(六)이 건(蹇)의 초기에 거하여 가서 나아가면 더욱 어려움에 들어가니, 이는
가면 어려운 것이다. 건(蹇)의 때를 당하여 음유(陰柔)로서 응원(應援)이 없는데 나
아가면 그 어려움을 알 만하다. '래(來)'는 '왕(往)'과 상대되는 말이니, 위로 나아
가면 왕(往)이 되고, 나아가지 않으면 래(來)가 된다. 멈추고 나아가지 않으면 이
는 기미(幾微)를 보고 때를 아는 아름다움이 있는 것이니, 오면 칭찬이 있는 것이다.

本義｜ 往遇險이요 來得譽라
가면 험함을 만나고 오면 칭찬을 얻는다.

象曰 往蹇來譽는 宜待也니라
〈상전〉에 말하였다. "가면 어렵고 오면 칭찬을 얻음은 마땅히 기다려야
하는 것이다."

傳｜ 方蹇之初하여 進則益蹇하니 時之未可進也라 故宜見幾而止하여 以待時可
行而後行也라 諸爻皆蹇往而善來하니 然則无出蹇之義乎아 曰 在蹇而往則蹇也
요 蹇終則變矣라 故上已〔一作六〕有碩義하니라

건(蹇)의 초기를 당하여 나아가면 더욱 어려워지니, 때가 아직 나아갈 수 없는
것이다. 그러므로 마땅히 기미를 보고 멈추어서 때가 행할(갈) 만하기를 기다린
뒤에 가야 하는 것이다. "여러 효(爻)가 모두 가는 것은 어렵고 오는 것은 선(善)하
니, 그렇다면 어려움을 벗어날 뜻이 없는가?" "건(蹇)의 때에 있어 가면 어렵고 건
(蹇)이 끝나면 변하므로 상효(上爻)는 이미 너그러운 뜻이 있는 것이다."

六二는 王臣蹇蹇[73]이 匪躬之故니라

• • • • • • •
73 王臣蹇蹇 : 사계(沙溪)는《정전》의 '건건(蹇蹇)'을 해석함에 있어 "아래의 건(蹇) 자는 인군(人
君 : 국가)의 어려움이요, 위의 건 자는 인신(人臣)이 어려움에 힘을 다하는 것이다." 하였다. 이에

육이(六二)는 왕의 신하가 어려움에 어렵게 함이 자신의 연고가 아니다.
본의 | 왕의 신하가 어렵고 어려운 것이

傳 | 二以中正之德으로 居艮體하니 止於中正者也요 與五相應하니 是中正之人
이 爲中正之君所信任이라 故謂之王臣이라 雖上下同德이나 而五方在大蹇之中하
여 致力於蹇難之時하니 其艱蹇至甚이라 故爲蹇於蹇也라 二雖中正이나 以陰柔
之才로 豈易勝其任이리오 所以蹇於蹇也라 志在濟君於蹇[一作艱]難之中하니 其
蹇蹇者는 非爲身之故也니 雖使不勝이라도 志義可嘉라 故稱其忠蓋[74]不爲己也라
然其才不足以濟蹇也니 小可濟면 則聖人當盛稱以爲勸矣시리라

이(二)가 중정(中正)의 덕(德)으로 간(艮)의 체(體)에 거하였으니 중정에 멈추는
자이며, 오(五)와 서로 응하니 이는 중정한 사람이 중정한 군주에게 신임을 받는
것이다. 그러므로 왕의 신하[王臣]라 이른 것이다. 비록 상·하가 덕(德)을 함께
하나 오(五)가 크게 어려운 가운데 있어 건난(蹇難)한 때에 힘을 다하니, 그 어려움
이 지극히 심하다. 이 때문에 어려움(어려울 때)에 어렵게 함이 되는 것이다. 이(二)가
비록 중정이나 음유(陰柔)의 재질로 어찌 쉽게 그 임무를 감당하겠는가. 이 때문에
어려움에 어려운 것이다.

뜻이 군주를 건난의 가운데에서 구제함에 있으니, 그 어려움에 어려운 것은
자신을 위한 연고가 아니니, 비록 감당하지 못하더라도 뜻과 의(義)가 가상히 여
길 만하다. 그러므로 그 충신(忠蓋)함이 자기를 위한 것이 아니라고 칭찬한 것이
다. 그러나 그 재주가 어려움을 구제할 수 없으니, 조금이라도 구제할 수 있다면
성인이 마땅히 성(盛)하게 칭찬하여 권면(勸勉)하셨을 것이다.

本義 | 柔順中正으로 正應在上而在險中이라 故蹇而又蹇하여 以求濟之하니 非以
其身之故也라 不言吉凶者는 占者但當鞠躬盡力而已요 至於成敗利鈍하여는 則

......
반해《본의》는 "왕의 신하가 어렵고 어려운 것은 국가 때문이요 자기 한 몸 때문이 아닌 것"으로 해
석하였다.《經書辨疑》

74 故稱其忠蓋 : 충신(忠蓋)에 대하여 사계(沙溪)는《시경》〈대아(大雅) 문왕(文王)〉의 '왕지신신
(王之蓋臣)'을 들고 "신(蓋)은 나아감이니, 충성과 사랑의 독실함이 나아가고 나아가 그침이 없는
것이다." 하였다.《經書辨疑》

••• 蓋 : 나아갈 진(신) 鞠 : 굽힐 국 鈍 : 무딜 둔

非所論也일새라

　　유순 중정(柔順中正)으로 정응(正應)이 위에 있으나 험한 가운데 있기 때문에 어렵고 또 어려우면서 구제하기를 구하니, 이는 그 자신의 연고 때문이 아니다. 길·흉을 말하지 않은 것은 점치는 자가 다만 마땅히 몸을 굽혀 힘을 다할 뿐이요 성패(成敗)와 이둔(利鈍:이해)에 대해서는 논할 바가 아니기 때문이다.

象曰 王臣蹇蹇은 終无尤也리라

　　〈상전〉에 말하였다. "'왕신건건(王臣蹇蹇)'은 끝내 허물이 없으리라."

傳 | 雖艱〔一作蹇〕厄於蹇時나 然其志在濟君難하니 雖未成功이나 然〔一无然字〕終无過尤也라 聖人이 取其志義하여 而謂其无尤라하시니 所以勸忠藎也라

　　비록 건(蹇)의 때에 어려움과 곤액(困厄)을 당하나 그 뜻이 군주의 어려움을 구제함에 있으니, 비록 성공하지 못하더라도 끝내 허물이 없는 것이다. 성인이 그 뜻과 의(義)를 취하여 허물이 없다고 말씀하셨으니, 충신(忠藎:계속되는 충성)을 권면한 것이다.

本義 | 事雖不濟나 亦无可尤라

　　일이 비록 이루어지지 못하나 또한 허물할 수가 없다.

九三은 往하면 蹇하고 來하면 反이리라

　　구삼(九三)은 가면 어렵고 오면 제자리로 돌아오리라.

傳 | 九三은 以剛居正하고 處下體之上하니 當蹇之時하여 在下者皆柔하여 必依於三하리니 是爲下所附者也라 三은 與上爲正應이로되 上陰柔而无位하여 不足以爲援이라 故上往則蹇也라 來는 下來也요 反은 還歸也니 三爲下二陰所喜라 故來爲反其所也니 稍安之地也라

　　구삼(九三)은 강효(剛爻)로서 정위(正位:양위)에 거하고 하체(下體)의 위에 처하였으니, 건(蹇)의 때를 당하여 아래에 있는 자가 모두 유순하여 반드시 삼(三)에게 의지할 것이니, 이는 아래에 있는 자의 귀부(歸附)하는 바가 되는 것이다. 삼(三)은

상(上)과 정응이나 상(上)이 음유로서 지위가 없어 원조가 될 수 없다. 그러므로 위로 가면 어려운 것이다. '래(來)'는 아래로 옴이요 '반(反)'은 제자리로 돌아옴이니, 삼(三)이 아래 두 음(陰)의 좋아하는 바가 되기 때문에 와서 제자리로 돌아오는 것이니, 다소 편안한 자리이다.

本義 | 反就二陰이면 得其所安이라

돌아와 두 음에게 나아가면 편안한 바를 얻는다.

象曰 往蹇來反은 內喜之也일새라

〈상전〉에 말하였다. "가면 어렵고 오면 제자리로 돌아옴은 안이 기뻐하기 때문이다."

傳 | 內는 在下之陰也라 方蹇之時하여 陰柔不能自立이라 故皆附於九三之陽而喜愛之라 九之處三은 在蹇에 爲得其所也니 處蹇而得下之心이면 可以求安이라 故以來爲反이니 猶春秋之言歸也[75]라

'내(內)'는 아래에 있는 음(陰)이다. 건(蹇)의 때를 당하여 음유(陰柔)가 자립할 수 없으므로 모두 구삼(九三)의 양에게 붙어 기뻐하고 사랑하는 것이다. 구(九)가 삼(三)에 치함은 건(蹇)에 있어 제자리를 얻음이 되니, 건(蹇)에 처하여 아래의 마음을 얻으면 편안함을 구할 수 있다. 그러므로 오는 것을 '반(反)'이라 하였으니, 《춘추》에 '귀(歸)'라고 말한 것과 같다.

六四는 往하면 **蹇**하고 **來**하면 **連**이리라

육사(六四)는 가면 어렵고 오면 연합하리라.

. . . . . .
75 猶春秋之言歸也 : 귀(歸)는 일반적으로 '돌아감'으로 해석하나 여기서는 '돌아옴'으로 해석하여야 하는바, 《춘추곡량전(春秋穀梁傳)》 희공(僖公) 28년에 "귀는 그곳으로 돌아오는 것이다.〔歸者, 歸其所也.〕"라고 보이며, 쫓겨났던 군주가 지위를 회복하여 돌아오는 경우도 귀(歸)라고 하는바, 《춘추좌씨전》 성공(成公) 18년에 "무릇 자기 나라를 떠나 있다가 지위를 회복하여 돌아옴을 귀라 한다.〔凡去其國, 復其位回歸.〕"라고 보인다.

傳︱ 往則益入於坎險之深하니 往蹇也라 居蹇難之時하여 同處艱厄者는 其志不謀而同也요 又四居上位하여 而與在下者로 同有得位之正하며 又與三相比하니 相親者也요 二與初同類니 相與者也니 是與下同志하여 衆所從附也라 故日來連이라 來則與在下之衆相連合也니 能與衆合은 得處蹇之道也라

　　가면 더욱 감험(坎險)의 깊음에 들어가니, 가면 어려운 것이다. 건난(蹇難)의 때에 처하여 함께 어려움과 곤액에 처한 자는 그 뜻이 상의하지 않아도 같고, 또 사(四)가 상위(上位)에 거하여 아래에 있는 자와 똑같이 자리의 바름을 얻었으며, 또 삼(三)과 서로 가까우니 서로 친한 자이고, 이(二)와 초(初)는 동류(똑같이 음효임)이니 서로 더부는 자이니, 이는 아래와 뜻을 함께 하여 무리가 따르고 붙는 것이다. 그러므로 오면 연합한다고 말한 것이다. 오면 아래에 있는 무리와 서로 연합하니, 무리와 연합함은 건(蹇)에 처하는 도리를 얻은 것이다.

本義︱ 連於九三하여 合力以濟라

　　구삼(九三)과 연합하여 힘을 합해 구제한다.

象曰 往蹇來連은 當位實也일새라

　　〈상전〉에 말하였다. "가면 어렵고 오면 연합함은 당한 자리가 성실하기 때문이다."

傳︱ 四當蹇之時하여 居上位로되 不往而來하여 與下同志하니 固足以得衆矣요 又以陰居陰하여 爲得其實하니 以誠實與下라 故能連合이요 而下之二、三이 亦各得其實이며 初以陰居下하니 亦其實也라 當同患之時하여 相交以實이면 其合可知라 故來而連者는 當位以實也라 處蹇難에 非誠實이면 何以濟리오 當位를 不日正而日實은 上下之交 主於誠實하니 用各有其所也니라

　　사(四)가 건(蹇)의 때를 당해서 상위(上位)에 처하였으나 가지 않고 와서 아래와 뜻을 함께 하니 진실로 무리를 얻을 수 있고, 또 음효(陰爻)로서 음위(陰位)에 거하여 그 성실함을 얻음이 되니, 성실함으로 아래와 더불기 때문에 연합하며, 아래의 이효(二爻)와 삼효(三爻) 또한 각각 그 실(實:제자리)을 얻었고 초(初)가 음으로서 아래에 거하니, 〈초육이 미천한 자리에 처함은〉 또한 그 실(實)이다. 환난(患難)을

함께 하는 때를 당하여 서로 사귀기를 성실함으로써 하면 합함을 알 수 있다. 그러므로 오면 연합함은 당한 자리가 성실하기 때문인 것이다. 건난(蹇難)에 처함에 성실함이 아니면 어떻게 구제하겠는가. 당위(當位)를 정(正)이라고 말하지 않고 실(實)이라고 말한 것은, 상·하의 사귐은 성실함을 위주로 하니, 쓰임이 각각 마땅한 자리가 있는 것이다.

九五는 大蹇에 朋來로다
구오(九五)는 크게 어려움에 벗이 오도다.

本義 | 朋來리라
벗이 오리라.

傳 | 五居君位하여 而在蹇難之中하니 是天下之大蹇也요 當蹇而又在險中하니 亦爲大蹇이라 大蹇之時에 而二在下하여 以中正相應하니 是其朋助之來也라 方天下之蹇하여 而得中正之臣相輔면 其助豈小也리오 得朋來而无吉은 何也오 曰未足以濟蹇也일새라 以剛陽中正之君으로 而方在大蹇之中하니 非得剛陽中正之臣相輔之면 不能濟天下之蹇也라 二之中正이 固有助矣나 欲以陰柔之助로 濟天下之難이면 非所能也라

오(五)가 군위(君位)에 거하여 건난(蹇難)의 가운데에 있으니 이는 천하가 크게 어려운 것이요, 건(蹇)을 당하고 또 험한 가운데 있으니 또한 큰 어려움[大蹇]이 된다. 크게 어려운 때에 이(二)가 아래에 있어 중정(中正)으로 서로 응(應)하니, 이는 그 벗의 도움이 오는 것이다. 천하가 어려운 때를 당하여 중정의 신하의 보필(輔弼)을 얻는다면 그 도움이 어찌 작겠는가.

그러나 벗이 오는데도 길함이 없음은 어째서인가? 어려움을 구제할 수 없기 때문이다. 강양 중정(剛陽中正)의 군주로서 막 크게 어려운 가운데 있으니, 강양 중정의 신하가 서로 보필함이 아니면 천하의 어려움을 구제할 수 없다. 이(二)의 중정은 진실로 도움이 있으나 음유(陰柔)의 도움으로 천하의 어려움을 구제하고자 하면 능히 할 수 있는 바가 아니다.

自古聖王이 濟天下之蹇엔 未有不由賢聖之臣爲之助者하니 湯、武得伊、呂是

也요 中常之君이 得剛明之臣하여 而能濟大難者則有矣하니 劉禪之孔明[76]과 唐肅宗之郭子儀[77]와 德宗之李晟[78]이 是也라 雖賢明之君이라도 苟无其臣이면 則不能濟於難也라 故凡六居五, 九居二者는 則多由助而有功하니 蒙、泰之類 是也요 九居五, 六居二면 則其功〔一作助〕多不足하니 屯、否之類 是也라 蓋臣賢於君이면 則輔君以君所不能이요 臣不及君이면 則贊助之而已라 故不能成大功也라

　　예로부터 성왕(聖王)이 천하의 어려움을 구제함에는 현성(賢聖)의 신하가 군주를 위하여 도와줌으로 말미암지 않은 자가 없었으니, 탕왕(湯王)과 무왕(武王)이 이윤(伊尹)과 여상(呂尙;강태강)을 얻음이 이것이요, 중상(中常;보통)의 군주가 강명(剛明)한 신하를 얻어 큰 어려움을 구제한 경우가 있으니, 유선(劉禪)의 공명(孔明)과 당(唐)나라 숙종(肅宗)의 곽자의(郭子儀)와 덕종(德宗)의 이성(李晟)이 이 경우이다.

　　비록 현명(賢明)한 군주라도 만일 그 (훌륭한) 신하가 없으면 어려움을 구제하지 못한다. 그러므로 무릇 육(六)이 오(五)에 거하고 구(九)가 이(二)에 거한 것은 아래의 도움으로 말미암아 공이 있는 경우가 많으니 몽괘(蒙卦☳)와 태괘(泰卦☳)의 류(類)가 이것이요, 구(九)가 오(五)에 거하고 육(六)이 이(二)에 거한 것은 그 공이 부족한 경우가 많으니 준괘(屯卦☳)와 비괘(否卦☳)의 류가 이것이다. 신하가 군주보다 어질면 군주를 보필할 적에 군주의 능하지 못한 것을 보필할 것이요, 신하가 군주에게 미치지 못하면 찬조할 뿐이다. 그러므로 대공(大功)을 이루지 못하는 것이다.

本義 │ 大蹇者는 非常之蹇也라 九五居尊하고 而有剛健中正之德하여 必有朋來而助之者리니 占者有是德이면 則有是助矣리라

<hr />

· · · · · ·

76　劉禪之孔明 : 유선(劉禪)은 삼국시대 촉한(蜀漢)의 군주로 소열제(昭烈帝) 유비(劉備)의 뒤를 이어 즉위하고 제갈량(諸葛亮)의 보필로 나라를 유지하였다. 공명은 제갈량의 자(字)이다.

77　郭子儀 : 곽자의(郭子儀 697~781)는 당나라 현종(玄宗)과 숙종(肅宗) 때의 명장으로, 안록산(安祿山)과 사사명(史思明)의 난(亂)을 평정한 명장(名將)인데 겸손하고 인자하여 오랑캐들도 모두 그의 인품에 복종하였다.

78　李晟 : 이성(李晟 727~793)은 당나라 덕종(德宗) 때의 명장으로 무략(武略)이 뛰어나 주도(朱滔)와 왕무준(王武俊) 등의 반란을 진압하였으며, 뒤에 또 주차(朱泚)의 난(亂)을 평정하였다.

· · ·　禪 : 제사 선　儀 : 거동 의　晟 : 빛날 성

대건(大蹇)은 보통이 아닌 어려움이다. 구오(九五)가 존위(尊位)에 거하고 강건 중정(剛健中正)한 덕(德)이 있어 반드시 벗이 와서 도와줄 것이니, 점치는 자가 이러한 덕이 있으면 이러한 도움이 있을 것이다.

象曰 大蹇朋來는 以中節也라

〈상전〉에 말하였다. "크게 어려움에 벗이 오는 것은 중정한 절도로써 하기 때문이다."

傳 | 朋者는 其朋類也라 五有中正之德하고 而二亦中正하니 雖大蹇之時나 不失 其守하고 蹇於蹇하여 以相應助하니 是는 以其中正之節也라 上下中正而弗濟者는 臣之才不足也니 自古로 守節秉義로되 而才不足以濟者豈少乎아 漢李固、王允 과 晉周顗(의)、王導之徒[79]是也라

'붕(朋)'은 그 붕류(朋類)이다. 오(五)가 중정(中正)의 덕(德)이 있는데 이(二) 또한 중정이니, 비록 크게 어려운 때이나 그 지킴을 잃지 않고, 어려움에 어려워하여 서로 응하고 도와주니, 이는 그 중정한 절도로써 하는 것이다. 상·하가 중정하고도 구제하지 못하는 것은 신하의 재주가 부족하기 때문이니, 예로부터 절개를 지키고 의(義)를 잡으나 재주가 구제할 수 없었던 자가 어찌 적었겠는가. 한(漢)나라의 이고(李固)·왕윤(王允)과 진(晉)나라의 주의(周顗)·왕도(王導)의 무리가 이 경우이다.

......

79 漢李固王允 晉周顗王導之徒 : 이고(李固 94~147)는 자(字)가 자견(子堅)으로 박학(博學)하였으며, 충제(沖帝) 때에 태위(太尉)가 되었는데 충제가 어린 나이로 죽고 질제(質帝)마저 시해당하자, 두교(杜喬)와 함께 청하왕(淸河王) 유산(劉蒜)을 옹립하려 하였으나 권신(權臣)인 양기(梁冀)가 환제(桓帝)를 옹립하고 무함하여 죽임을 당하였다. 왕윤(王允 137~192)은 헌제(獻帝) 때에 사도(司徒)로 있으면서 여포(呂布)를 이용하여 역신(逆臣)인 동탁(董卓)을 살해하고 한실(漢室)을 바로잡으려 하였으나 동탁의 무리에게 죽임을 당하였다. 주의(周顗 269~322)와 왕도(王導)는 동진(東晉)의 명재상으로 당시 진(晉)나라가 오랑캐에게 패하여 망하게 되자, 강동(江東)에 있던 사마예(司馬睿;원제(元帝))를 옹립하고 동진을 세워 국통을 이어갔으나 발호하는 왕돈(王敦)을 억제하지 못하였다.

··· 顗 : 고요할 의

上六은 往하면 蹇하고 來하면 碩이라 吉하리니 利見大人하니라
상육(上六)은 가면 어렵고 오면 여유로워 길하리니, 대인을 만나봄이
이롭다.
본의| 오면 큰 공이 있을 것이다.

傳| 六以陰柔로 居蹇之極하니 冒極險〔一作蹇〕而往이면 所以蹇也요 不往而來하
여 從五求三이면 得剛陽之助리니 是以碩也라 蹇之道는 厄塞窮蹙하니 碩은 大也니
寬裕之稱이라 來則寬大하여 其蹇이 紓矣라 蹇之極은 有出蹇之道로되 上六이 以
陰柔故로 不得出〔一作能耳〕이요 得剛陽之助면 可以紓蹇而已니 在蹇極之時하여
得紓則爲吉矣라 非剛陽中正이면 豈能出乎蹇也리오

육(六)은 음유(陰柔)로서 건(蹇)의 극에 처하였으니 지극히 험함을 무릅쓰고 가
면 어렵고, 가지 않고 와서 오(五)를 따르고 삼(三)을 구하면 강양(剛陽)의 도움을
얻으리니, 이 때문에 여유로운 것이다. 건(蹇)의 도(道)는 곤(困)하고 막히고 궁(窮)
하고 위축되니, '석(碩)'은 큼이니 관유(寬裕)를 일컫는다. 오면 관대(寬大)하여 그
어려움이 풀릴 것이다. 건(蹇)의 극은 어려움을 벗어날 길이 있으나 상육(上六)이
음유이기 때문에 벗어나지 못하며, 강양(剛陽)의 도움을 얻으면 어려움을 늦출 수
있을 뿐이니, 어려움이 지극한 때에 늦춤을 얻으면 길하다. 강양 중정(剛陽中正)이
아니면 어찌 어려움에서 벗어나겠는가.

利見大人은 蹇極之時에 見大德之人이면 則能〔一作利〕有濟於蹇也라 大人은 謂五
니 以相比發此義라 五는 剛陽中正而居君位하니 大人也라 在五엔 不言其濟蹇之
功하고 而上六에 利見之는 何也오 曰 在五不言은 以其居坎險之中하여 无剛陽之
助라 故无能濟蹇之義요 在上六엔 蹇極而見大德之人이면 則能濟於蹇이라 故爲
利也니 各爻取義不同이라 如屯은 初九之志正이나 而於六二에 則目之爲寇也[80]라

. . . . . .
80 如屯……則目之爲寇也 : 준괘의 초구 효사(初九爻辭)에는 "정에 거함이 이로우며……귀한 신
분으로 천한 이에게 낮추니 크게 민심을 얻는다.〔利居貞……以貴下賤, 大得民也.〕"라고 하였으나,
육이 효사(六二爻辭)에는 "구적(寇賊)이 아니면 혼구를 만날 것이다.〔匪寇, 婚媾.〕"라고 하여 초구
를 구적으로 보고 초구에게 핍박 받는 것으로 해석하였으므로 말한 것이다.

··· 蹙 : 오그라들 축

諸爻皆不言吉이어늘 上獨言吉者는 諸爻皆得正하여 各有所善이나 然皆未能出於 蹇이라 故未足爲吉이요 唯上은 處蹇極而得寬裕하니 乃爲吉也라

대인(大人)을 만나봄이 이로운 것은 어려움이 지극한 때에 대덕(大德)의 사람을 만나면 어려움을 구제할 수 있는 것이다. 대인은 오(五)를 이르니, 서로 가까이 있기 때문에 이 뜻을 말한 것이다. 오(五)는 양강 중정(陽剛中正)으로 군위(君位)에 거하였으니, 대인이다.

오(五)에서는 어려움을 구제하는 공(功)을 말하지 않았는데, 상육(上六)에서 〈구오를〉 봄이 이로움은 어째서인가? 오(五)에서 공을 말하지 않은 것은 감험(坎險)의 가운데 처하여 강양의 도움이 없기 때문에 어려움을 구제하는 뜻이 없고, 상육(上六)에 있어서는 어려움이 지극하여 대덕(大德)의 사람을 만나면 어려움을 구제할 수 있기 때문에 이로운 것이니, 각 효에서 뜻을 취함이 똑같지 않다. 예를 들면 준괘(屯卦 ䷂)는 초구(初九)의 뜻이 바르나 육이(六二)에게 있어서는 지목하여 적(敵)이라 한 것과 같다.

여러 효(爻)에 다 길함을 말하지 않았는데 상효(上爻)만이 홀로 길함을 말한 것은 여러 효가 모두 정(正)을 얻어 각각 선(善)한 바가 있으나 모두 어려움에서 벗어나지 못했기 때문에 길함이 될 수 없고, 오직 상효(上爻)는 건(蹇)의 극에 처하여 관유(寬裕)함을 얻었으니, 이는 바로 길함이 되는 것이다.

本義 | 已在卦極하여 往无所之하니 益以蹇耳요 來就九五하여 與之濟蹇이면 則有 碩大之功이라 大人은 指九五라 曉占者宜如是也라

이미 괘의 극에 있어서 가면 갈 곳이 없으니 더욱 어려울 뿐이요, 와서 구오(九五)에 나아가 더불어 어려움을 구제하면 큰 공(功)이 있을 것이다. 대인(大人)은 구오(九五)를 가리킨다. 점치는 자에게 마땅히 이와 같이 해야 함을 깨우친 것이다.

象曰 往蹇來碩은 **志在內也**요 **利見大人**은 **以從貴也**라

〈상전〉에 말하였다. "가면 어렵고 오면 여유로움은 뜻이 안에 있는 것이요, 대인을 만나봄이 이로움은 귀한 사람을 따르는 것이다."

傳 | 上六이 應三而從五하니 志在內也라 蹇旣極而有助라 是以碩而吉也라 六以

陰柔로 當蹇之極하여 密近剛陽中正之君하니 自然其志從附하여 以求自濟라 故
利見大人이니 謂從九五之貴也라 所以云從貴는 恐人不知大人爲指五也라

　　상육(上六)이 삼(三)과 응(應)이고 오(五)를 따르니, 이는 뜻이 안에 있는 것이
다. 건(蹇)이 이미 지극한데 도와주는 이가 있기 때문에 여유가 있어 길한 것이다.
육(六)이 음유(陰柔)로서 건의 극을 당하여 강양 중정(剛陽中正)의 군주를 매우 가
까이 하니, 자연 그 뜻이 따르고 붙어 스스로 구제되기를 구할 것이다. 그러므로
대인(大人)을 만나봄이 이로우니, 구오(九五)의 귀(貴)함을 따름을 이른다. 귀함을
따른다고 말한 까닭은 사람들이 대인이 오(五)를 가리킨 것임을 알지 못할까해서
이다.

傳 | 解는 序卦에 蹇者는 難也니 物不可以終難이라 故受之以解라하니라 物无終難之理하니 難極則必散이라 解者는 散也니 所以次蹇也라 爲卦 震上坎下하니 震은 動也요 坎은 險也니 動於險外면 出乎險也라 故爲患難解散之象이며 又震爲雷하고 坎爲雨하니 雷雨之作은 蓋陰陽交感하여 和暢而緩散이라 故爲解라 解者는 天下患難解散之時也라

해괘(解卦)는 〈서괘전〉에 "건(蹇)은 어려움이니, 사물은 끝내 어려울 수만은 없으므로 해괘로 받았다." 하였다. 사물은 끝내 어려울 이치가 없으니, 어려움이 지극하면 반드시 흩어진다. 해(解)는 흩어짐(해산함)이니, 이 때문에 건괘(蹇卦 ䷦)의 다음이 된 것이다. 괘됨이 진(震 ☳)이 위에 있고 감(坎 ☵)이 아래에 있으니, 진(震)은 동함이요 감은 험함이니, 험함의 밖에서 동하면 험함에서 나올 수 있다. 그러므로 환난(患難)이 해산하는 상(象)이 되며, 또 진은 우레가 되고 감은 비가 되니, 우레와 비가 일어남은 음·양이 서로 감동하여 화창해서 풀어지고 흩어지기 때문에 해(解)라 한 것이다. 해는 천하의 환난이 해산되는 때이다.

解는 利西南하니 无所往이라 其來復이 吉하니 有攸往이어든 夙하면 吉하리라

해(解)는 서남(西南)이 이로우니 갈 필요가 없다. 그 와서 돌아옴이 길하니, 갈 바가 있거든 일찍하면 길하리라.

本義 | 无所往이어든 其來復이 吉하고 有攸往이어든 夙이 吉하니라

갈 곳이 없거든 와서 돌아옴이 길하고, 갈 곳이 있거든 일찍함이 길하다.

傳 | 西南은 坤方이니 坤之體는 廣大平易라 當天下之難方解하여 人始離艱苦하니 不可復以煩苛嚴急治之요 當濟以寬大簡易 乃其宜也니 如是則人心懷而安

--- 苛 : 잗다랄 가

之라 故利於西南也라 湯除桀之虐而以寬治하고 武王誅紂之暴而反商政은 皆從
寬易也라 无所往 其來復吉 有攸往 夙吉은 无所往은 謂天下之難이 已解散하여
无所爲也요 有攸往은 謂尙有所當解之事也라 夫天下國家는 必紀綱法度 廢亂
而後禍患生하나니 聖人이 旣解其難하여 而安平无事矣면 是无所往也니 則當修
復(복)治道하여 正紀綱하고 明法度하여 進復先代明王之治 是來復也니 謂反正理
也니 天下之吉也라 其는 發語辭라 自古聖王이 救難定亂에 其始는 未暇遽爲也요
旣安定이면 則爲可久可繼之治라 自漢以下는 亂旣除면 則不復(부)有爲하여 姑隨
時維持而已라 故不能成善治하니 蓋不知來復之義也라 有攸往夙吉은 謂尙有當
解之事면 則早爲之乃吉也라 當解而未盡者를 不早去면 則將復盛이요 事之復生
者를 不早爲면 則將漸大라 故夙則吉也라

　　서남(西南)은 곤방(坤方)이니, 곤(坤)의 체(體)는 광대(廣大)하고 평이(平易)하다.
천하의 환난(患難)이 막 풀릴 때를 당하여 사람들이 비로소 어려움과 괴로움에서
떠났으니, 다시 번거롭고 까다롭고 엄하고 급함으로 다스리지 말고, 마땅히 관대
(寬大)하고 간이(簡易)함으로 구제하는 것이 바로 그 마땅함이니, 이와 같이 하면
인심(人心)이 그리워하고 편안하게 여긴다. 그러므로 서남이 이로운 것이다. 탕왕
(湯王)이 걸(桀)의 학정(虐政)을 제거하고 너그러움으로 다스렸으며, 무왕(武王)이
주(紂)의 사나움을 주벌(誅伐)하고 상(商)나라의 정사를 되돌림은 모두 관대함과
간이함을 따른 것이다.

　　'무소왕(无所往) 기래복길(其來復吉) 유유왕(有攸往) 숙길(夙吉)'에 '갈 필요가 없
다〔无所往〕'는 것은 천하의 어려움이 이미 해산되어 할 필요가 없음을 이르고,
'갈 바가 있다〔有攸往〕'는 것은 아직도 마땅히 풀어야 할 일이 있는 것이다. 천하
와 국가는 반드시 기강과 법도가 폐지되고 혼란한 뒤에 화환(禍患)이 생기니, 성
인(聖人)이 이미 그 어려움을 풀어서 안평(安平)하여 무사하면 이는 갈 필요가 없
는 것이니, 마땅히 다스리는 도(道)를 닦고 회복하여 기강을 바로잡고 법도를 밝
혀서 선대(先代) 명왕(明王)의 정치(政治)를 나아가 회복함이 이것이 와서 회복함이
니, 정리(正理)로 돌아옴을 이르는 바, 천하의 길함이다. '기(其)'는 발어사(發語辭)
이다.

　　예로부터 성왕(聖王)이 어려움을 구제하고 난을 평정함에 그 처음에는 대번에
할 겨를이 없고, 이미 안정되면 오래하고 계속할 수 있는 정치를 하였다. 그런데

한(漢)나라 이후로는 난(亂)이 이미 제거되면 다시는 일을 하지 않아 우선 때에 따라 유지할 뿐이었다. 그러므로 훌륭한 정치를 이룩하지 못하였으니, 이는 래복(來復)의 뜻을 알지 못한 것이다.

'갈 바가 있거든 일찍하면 길하다〔有攸往 夙吉〕.'는 것은 아직도 마땅히 풀어야 할 일이 있으면 빨리함이 길하다는 것이다. 마땅히 풀어야 할 일인데 미진(未盡)한 것을 일찍 제거하지 않으면 장차 다시 성(盛)해지고, 일이 다시 생겨날 것을 미리 다스리지 않으면 장차 점점 커진다. 그러므로 일찍하면 길한 것이다.

本義 | 解는 難之散也라 居險能動이면 則出於險之外矣니 解之象也라 難之旣解면 利於平易安靜이니 不欲久爲煩擾라 且其卦自升來하여 三往居四하여 入於坤體하고 二居其所而又得中이라 故利於西南平易之地라 若无所往이면 則宜來復其所而安靜이요 若尙有所往이면 則宜早往早復이니 不可久煩擾也라

해(解)는 어려움이 흩어지는 것이다. 험(險)에 거하여 능히 동하면 험함의 밖으로 나올 수 있으니, 이는 해(解)의 상이다. 난(難)이 이미 풀리면 평이(平易)하고 안정(安靜)함이 이로우니, 오랫동안 번거롭고 소요(騷擾)하고자 하지 않는다. 또 이 괘가 승괘(升卦䷭)로부터 와서 삼(三)이 가서 사(四)에 거하여 곤체(坤體)에 들어가고, 이(二)가 제자리에 머물러 또 중(中)을 얻었다. 이 때문에 서남의 평이한 땅이 이로운 것이다. 만약 갈 곳이 없다면 마땅히 제자리로 돌아와 안정할 것이요, 만일 아직도 갈 곳이 있다면 마땅히 빨리 가서 빨리 회복할 것이니, 오랫동안 번거롭고 소요해서는 안 된다.

彖曰 解는 險以動이니 動而免乎險이 解라

〈단전〉에 말하였다. "해(解)는 험하고 동하니, 동하여 험함을 면함이 해(解)이다.

傳 | 坎險震動하니 險以動也라 不險則非難이요 不動則不能出難이니 動而出於險外면 是免乎險難也라 故爲解라

감(坎)은 험하고 진(震)은 동하니, 이는 험하고 동하는 것이다. 험하지 않으면 어려움이 아니요 동하지 않으면 어려움에서 나올 수가 없으니, 동하여 험함의 밖

으로 나오면 이는 험난(險難)함을 면하는 것이다. 그러므로 해(解)라 한 것이다.

本義 | 以卦德으로 釋卦名義라

괘덕(卦德)으로써 괘명(卦名)의 뜻을 해석하였다.

解利西南은 往得衆也요

'해리서남(解利西南)'은 가서 무리를 얻음이요

傳 | 解難之道는 利在廣大平易하니 以寬易而往하여 濟解면 則得衆心之歸也라

난(難)을 푸는 방도는 이로움이 광대(廣大)하고 평이(平易)함에 있으니, 너그러움과 화함으로써 가서 구제하여 풀어주면 사람들의 마음이 귀부(歸附)함을 얻게 된다.

其來復吉은 乃得中也요

'기래복길(其來復吉)'은 중(中)을 얻은 것이요

傳 | 不云无所往은 省文爾라 救亂除難은 一時之事니 未能成治道也요 必待難解하여 无所往然後에 來復先王之治라야 乃得中道니 謂合宜也라

'무소왕(无所往)'을 말하지 않은 것은 글을 생략한 것이다. 난(亂)을 구제하고 어려움을 제거함은 한 때의 일이니 아직 치도(治道)를 이룬 것은 아니요, 반드시 어려움이 풀려서 갈 필요가 없기를 기다린 뒤에 와서 선왕의 정치를 회복하여야 중도(中道)를 얻게 되니, 마땅함에 합함을 이른다.

有攸往夙吉은 往有功也라

'유유왕숙길(有攸往夙吉)'은 가서 공(功)이 있는 것이다.

傳 | 有所爲則夙吉也니 早則往而有功이요 緩則惡滋而害深矣라

할 일이 있으면 일찍하면 길하니, 일찍하면 가서 공(功)이 있을 것이요, 늦게 하면 악이 불어나서 해(害)가 깊을 것이다.

本義 | 以卦變으로 釋卦辭라 坤爲衆하니 得衆은 謂九四入坤體요 得中有功은 皆指九二라

괘변(卦變)으로써 괘사(卦辭)를 해석하였다. 곤(坤)은 무리[衆]가 되니, 무리를 얻었다는 것은 구사(九四)가 곤체(坤體)로 들어감을 이르고, 중(中)을 얻고 공(功)이 있다는 것은 모두 구이(九二)를 가리킨 것이다.

天地解而雷雨作하고 雷雨作而百果草木이 皆甲拆(탁)하나니 解之時大矣哉라

하늘과 땅이 풀려서 우레와 비가 일어나고, 우레와 비가 일어나서 온갖 과목(果木)과 초목(草木)이 모두 껍질이 터지니, 해(解)의 때가 크다."

傳 | 旣明處解之道하고 復言天地之解하여 以見(현)解時之大라 天地之氣開散하여 交感而和暢이면 則成雷雨하고 雷雨作而萬物이 皆生發甲拆이라 天地之功이 由解而成이라 故贊解之時大矣哉라 王者는 法天道하여 行寬宥하고 施恩惠하여 養育兆民하며 至於昆蟲草木하니 乃順解之時하여 與天地合德也라

이미 해(解)에 대처하는 방도를 밝히고, 다시 하늘과 땅의 풀림을 말하여 해의 때가 큼을 나타낸 것이다. 하늘과 땅의 기(氣)가 열리고 흩어져 서로 감동해서 화창하면 우레와 비를 이루고, 우레와 비가 일어나면 만물이 모두 발생하여 껍질이 터진다. 천지(天地)의 공(功)이 해(解)로 말미암아 이루어지므로 해의 때가 크다고 찬미한 것이다. 왕자(王者)는 천도(天道)를 본받아 너그러움을 행하고 은혜를 베풀어서 억조의 백성들을 양육(養育)하며 곤충과 초목에까지 이르니, 이는 바로 해(解)의 때를 순히 하여 천지와 더불어 그 덕(德)을 합하는 것이다.

本義 | 極言而贊其大也라

극언(極言)하여 그 큼을 찬미한 것이다.

象曰 雷雨作이 解니 君子以하여 赦過宥罪하나니라

〈상전〉에 말하였다. "우레와 비가 일어남이 해(解)이니, 군자가 보고서 잘못을 저지른 자를 사면(赦免)하고 죄가 있는 자를 너그럽게 처리한다."

··· 拆 : 터질 탁 宥 : 너그러울 유

傳ㅣ 天地解散而成雷雨라 故雷雨作而爲解也니 與明兩而作離로 語不同⁸¹이라
赦는 釋之요 宥는 寬之니 過失則赦之可也어니와 罪惡而赦之則非義也라 故寬之
而已라 君子觀雷雨作解之象하여 體其發育이면 則施恩仁하고 體其解散이면 則行
寬釋也라

하늘과 땅이 풀리고 흩어져 우레와 비를 이룬다. 그러므로 우레와 비가 일어
남이 해(解)가 된 것이니, 밝음이 둘이어서 리(離)가 된다는 것과는 말이 똑같지
않다. '사(赦)'는 풀어줌이요, '유(宥)'는 너그럽게 처리함이니, 잘못은 사면(赦免)함
이 가하나 죄악(罪惡)을 사면하면 의(義)가 아니다. 그러므로 너그럽게 처리할 뿐
인 것이다. 군자가 우레와 비가 일어남이 해(解)인 상(象)을 보고서, 그 발육함을
체행(體行)하면 은혜와 인(仁)을 베풀고, 그 해산함을 체행하면 너그러움과 풀어줌
을 행한다.

初六은 无咎하니라
초육(初六)은 허물이 없다.

傳ㅣ 六居解初하니 患難旣解之時에 以柔居剛하고 以陰應陽은 柔而能剛之義니
旣无患難이요 而自處得剛柔之宜〔一有也字〕라 患難旣解하여 安寧无事하니 唯自處
得宜면 則爲无咎矣라 方解之初하여 宜安靜以休息之니 爻之辭寡는 所以示意라

육(六)이 해(解)의 초기에 처하였으니, 환난이 이미 풀린 때에 유효(柔爻)로서
상위(剛位)에 거하고 음으로서 양에 응함은 유(柔)이면서도 강(剛)하게 하는 뜻이
니, 이미 환난이 없고 자처함에 강(剛)·유(柔)의 마땅함을 얻은 것이다. 환난이
이미 풀려서 안녕(安寧)하여 무사하니, 오직 자처하기를 마땅하게 하면 허물이 없
다. 해(解)의 초기를 당하여 마땅히 안정해서 휴식하여야 하니, 효사의 말이 적음
은 이러한 뜻을 나타낸 것이다.

......
81 與明兩而作離 語不同：리괘(離卦) 〈상전(象傳)〉에 "明兩作離, 大人以."라고 보이는바, 정이천은
해괘(解卦)에서는 '명량작(明兩作)'이 리(離)'로 해석하고 리괘에서는 '명량(明兩)'이 작리(作離)'로
해석하여 서로 다름을 밝힌 것이다. 그러나 주자(朱子)는 리괘(離卦)에서도 "明兩作이 離"라고 해석
하였다.

本義｜ 難旣解矣요 以柔在下하여 上有正應하니 何咎之有리오 故其占如此하니라

어려움이 이미 풀렸고 유(柔)로서 아래에 있으면서 위에 정응(正應)이 있으니, 무슨 허물이 있겠는가. 그러므로 그 점(占)이 이와 같은 것이다.

象曰 剛柔之際라 義无咎也니라

〈상전〉에 말하였다. "강(剛)과 유(柔)가 교제(交際)하는지라 의(義)에 허물이 없는 것이다."

傳｜ 初四相應하니 是剛柔相際接也라 剛柔相際하여 爲得其宜하니 難旣解而處之에 剛柔得宜면 其義无咎也라

초(初)와 사(四)는 서로 응하니, 이는 강(剛)과 유(柔)가 서로 교제하고 접하는 것이다. 강과 유가 서로 교제하여 그 마땅함을 얻었으니, 어려움이 이미 풀렸고 대처함에 강·유가 마땅함을 얻으면 그 의(義)에 허물이 없는 것이다.

九二는 田獲三狐하여 得黃矢니 貞하여 吉하도다

구이(九二)는 사냥하여 세 마리의 여우를 잡아 누런 화살을 얻었으니, 정(貞)하여 길하도다.

本義｜ 貞하면 吉하리라

정(貞)하면 길하리라.

傳｜ 九二以陽剛得中之才로 上應六五之君하니 用於時者也라 天下에 小人常衆하니 剛明之君在上이면 則明足以照之하고 威足以懼之하고 剛足以斷之라 故小人不敢用其情이라 然尤常存警戒하여 慮其有間而害正〔一作政〕也어늘 六五以陰柔로 居尊位하여 其明易蔽하고 其威易犯하고 其斷不果而易惑하니 小人一近之면 則移其心矣라 況難方解而治之初엔 其變尙易라 二旣當用하니 必須能去小人이면 則可以正君心하여 而行其剛中之道라 田者는 去害之事요 狐者는 邪媚之獸니 三狐는 指卦之三陰이니 時之小人也라 獲은 謂能變化除去之를 如田之獲狐也라 獲之則得中直之道하니 乃貞正而吉也라 黃은 中色이요 矢는 直物이니 黃矢는 謂中直也라 羣邪不去하여 君心一入이면 則中直之道 无由行矣니 桓、敬之不去武三

··· 狐 : 여우 호 媚 : 아첨할 미

思⁸² 是也라

구이(九二)가 양강(陽剛)이고 중(中)을 얻은 재질로 위로 육오(六五)의 군주와 응하니, 당시에 쓰여지는 자이다. 천하에 소인이 항상 많으니, 강명(剛明)한 군주가 위에 있으면 밝음이 소인을 비추어 알고 위엄이 소인을 두렵게 하고 강(剛)함이 소인을 결단한다. 그러므로 소인이 감히 그 정(情)을 쓰지 못하는 것이다. 그러나 더욱 항상 경계하는 마음을 두어서 틈이 있어 정(正)을 해칠까 염려해야 하는데, 육오(六五)는 음유(陰柔)로서 존위(尊位)에 거하여 밝음이 가리워지기 쉽고 위엄이 범하기 쉽고 결단함에 과단성이 없어서 미혹되기 쉬우니, 소인이 한번 가까이 하면 그 마음을 바꾸어 놓는다. 더구나 환난(患難)이 막 풀려서 다스리는 초기에는 그 변함이 아직도 쉽다. 이(二)가 이미 쓰여짐을 당하였으니, 반드시 소인을 제거한다면 군주의 마음을 바로잡아 강중(剛中)의 도(道)를 행할 수 있을 것이다.

사냥은 해(害)를 제거하는 일이요 여우는 사미(邪媚;간사하여 바르지 못함)한 짐승이니, 세 여우는 괘의 세 음효(陰爻)를 가리키는 바, 당시의 소인이다. '획(獲)'은 변화시키고 제거하기를 사냥에서 여우를 잡음과 같이 함을 말한 것이다. 잡으면 중직(中直)의 도를 얻으니, 이는 정정(貞正)하여 길한 것이다. '황(黃)'은 중앙의 색(色)이고 '시(矢)'는 곧은 물건이니, 황시(黃矢)는 중직(中直)함을 이른다. 여러 간사함을 제거하지 못하여 군주의 마음이 〈간사한 말에〉 한번 들어가면 중직한 도(道)가 말미암아 행해질 수 없으니, 환언범(桓彦範)과 경휘(敬暉)가 무삼사(武三思)를 제거하지 못한 것이 이것이다.

本義 | 此爻取象之意는 未詳이라 或曰 卦凡四陰에 除六五君位면 餘三陰이 即三狐之象也라하니라 大抵此爻 爲卜田之吉占이요 亦爲去邪媚而得中直之象이니 能守其正이면 則无不吉矣리라

이 효(爻)에 상(象)을 취한 뜻은 미상이다. 혹자는 말하기를 "괘가 모두 네 음효(陰爻)인데, 이 중에 육오(六五)의 군위(君位)를 제(除)하면 나머지 세 음이 바로 세

......
82 桓敬之不去武三思 : 환경(桓敬)은 환언범(桓彦範 653~706)과 경휘(敬暉 ?~706)로 이들은 당나라 측천무후(則天武后)가 죽자 제위(帝位)를 넘보는 무씨(武氏)들을 제거하고 중종(中宗)을 복위시킨 다음 시중(侍中)이 되었으나 무후(武后)의 조카인 무삼사(武三思)를 제거하지 않았다가 무삼사의 참소로 죽임을 당하였다.

여우의 상이다."라고 한다. 대저 이 효(爻)는 사냥을 점치는 길점(吉占)이 되고 또 사미(邪媚)를 제거하여 중직(中直)을 얻는 상이 되니, 그 바름을 지키면 길하지 않음이 없으리라.

象曰 九二貞吉은 得中道也일새라

〈상전〉에 말하였다. "구이(九二)가 정길(貞吉)함은 중도를 얻었기 때문이다."

傳 │ 所謂貞吉者는 得其中道也라 除去邪惡하여 使其〔一无其字〕中直之道로 得行이면 乃正而吉也라

이른바 '정길(貞吉)'이라는 것은 그 중도를 얻은 것이다. 사악(邪惡)을 제거하여 중직(中直)한 도(道)로 하여금 행해지게 하면 바로 정(正)하여 길한 것이다.

六三은 負且乘이라 致寇至니 貞이라도 吝이리라

육삼(六三)은 지고 있어야 하는데도 타고 있는지라 도적(盜賊)이 오게 하니(불러 오니), 정(貞)하더라도 부끄러우리라.

傳 │ 六三은 陰柔居下之上하여 處非其位하니 猶小人宜在下以負荷어늘 而且乘車면 非其據也니 必致寇奪之至니 雖使所爲得正이라도 亦可鄙吝也라 小人而竊盛位면 雖勉爲正事나 而氣質卑下하여 本非在上之物이니 終可吝也라 若能大正則如何오 曰 大正은 非陰柔所能也니 若能之면 則是化爲君子矣라 三은 陰柔小人이니 宜在下어늘 而反處下之上하니 猶小人宜負而反乘하니 當致寇奪也라 難解之時에 而小人竊位면 復致寇矣리라

육삼(六三)은 음유(陰柔)가 하체(下體)의 위에 거하여 처함이 제자리가 아니니, 소인은 마땅히 아래에 있어 짐을 져야 하는데 그런데도 수레를 타고 있으면 그 차지할 자리가 아님과 같으니, 반드시 도적의 빼앗음이 이르게 될 것이니, 비록 하는 바가 정(正)을 얻더라도 또한 비루하고 부끄러울 만하다. 소인이 성대(盛大)한 지위를 도둑질하면 비록 억지로 올바른 일을 하더라도 기질(氣質)이 비하(卑下)하여 본래 위에 있을 물건이 아니니, 끝내는 부끄럽게 된다.

··· 荷 : 멜 하

"만일 크게 바르게 하면 어떻겠는가?" "크게 바르게 함은 음유(陰柔)가 할 수 있는 바가 아니니, 만일 할 수 있다면 이는 변하여 군자가 된 것이다." 삼(三)은 음유의 소인이니, 마땅히 아래에 있어야 하는데 도리어 하체의 위에 처하였으니, 이는 소인이 마땅히 짐을 져야 하는데 도리어 수레를 탄 것과 같으니, 마땅히 도적의 빼앗음을 이르게 할 것이다. 환난(患難)이 풀리는 때에 소인이 지위를 도적질하면 다시 도적을 부르게 된다.

本義 | 繫辭備矣 [83] 라 貞吝은 言雖以正得之라도 亦可羞也니 唯避而去之면 爲可免耳라

〈계사전〉에 구비되었다. '정린(貞吝)'은 비록 정도(正道)로 얻더라도 또한 부끄러울 만함을 말한 것이니, 오직 피하여 떠나가면 면할 수 있다.

象曰 負且乘이 亦可醜也며 自我致戎이어니 又誰咎也리오

〈상전〉에 말하였다. "짊어지고 있어야 하는데도 타고 있는 것이 또한 추악하며, 나로부터 도적을 불러들였으니 또 누구를 허물하겠는가."

傳 | 負荷之人而且乘載면 爲可醜惡也라 處非其據하여 德不稱〔一作勝〕其器면 則寇戎之致는 乃己招取니 將誰咎乎아 聖人이 又於繫辭에 明其致寇之道하사 謂作易者其知盜乎인저하시니 盜者는 乘釁而至니 苟无釁隙이면 則盜安能犯이리오 負者는 小人之事요 乘者는 君子之器니 以小人而乘君子之器면 非其所能安也라 故盜乘釁而奪之라 小人而居君子之位면 非其所能堪也라 故滿假而陵慢其上하고

• • • • • •

83 繫辭備矣 : 〈계사전 상〉 8장에 공자께서 말씀하셨다. "역(易)을 지은 자는 아마도 도적이 생기는 이유를 알았을 것이다. 역(易)에 이르기를 '짊어져야 할 자인데도 타고 있는지라 도적이 옴을 이른다.' 하였으니, 짊어지는 것은 소인의 일이요 타는 것은 군자의 기물(器物)이니, 소인으로서 군자의 기물을 타고 있다. 이 때문에 도적이 빼앗을 것을 생각하며, 〈소인이 지위를 얻으면〉 윗사람을 소홀히 하고 아랫사람을 포악하게 대한다. 이 때문에 도적이 칠(성토함) 것을 생각하는 것이다. 보관을 허술하게 함이 도둑질을 가르치며, 여자가 모양을 치장함이 간음을 가르치는 것이니, 역(易)에 '짊어질 것인데도 타고 있는지라 도적이 옴을 이룬다.' 하였으니, 도적을 불러들이는 것이다.〔子曰, 作易者其知盜乎. 易曰, 負且乘, 致寇至. 負也者, 小人之事也; 乘也者, 君子之器也. 小人而乘君子之器. 盜思奪之矣, 上慢, 下暴, 盜思伐之矣. 慢藏誨盜, 冶容誨淫, 易曰, 負且乘致寇至, 盜之招也.〕"

••• 釁 : 틈흔 隙 : 틈극

侵暴其下하나니 盜則乘其過惡而伐之矣라 伐者는 聲其罪也요 盜는 橫暴而至者
也라 貨財而輕慢其藏이면 是敎誨乎盜하여 使取之也요 女子而冶冶其容이면 是
敎誨淫者하여 使暴之也요 小人而乘君子之器면 是招盜하여 使奪之也니 皆自取
之之謂也라

　　짐을 짊어져야 할 사람인데도 수레를 타고 있으면 추악함이 되는 것이다. 처
함이 제자리가 아니어서 덕이 기물(器物)에 걸맞지 않으면 구융(寇戎:도적)이 옴은
바로 자기가 불러 취한 것이니, 장차 누구를 허물하겠는가. 성인이 또 〈계사전〉에
서 적을 불러들이는 방도를 밝혀 "역(易)을 지은 자는 그 도적(盜賊)이 오는 이유를
아셨을 것이다." 하셨으니, 도적은 틈을 타고 이르니, 만일 틈이 없다면 도적이 어
찌 범하겠는가. 짐을 짊어지는 것은 소인의 일이요 탈 것(수레)은 군자의 기물이
니, 소인으로서 군자의 기물을 타고 있으면 편안한 바가 아니다. 그러므로 도적이
틈을 타고 빼앗는 것이다.

　　소인으로서 군자의 지위에 거하면 감당할 수 있는 바가 아니다. 그러므로 자
만(自滿)하고 큰 체하여 윗사람을 능멸하고 소홀히 하며 아랫사람을 침해하고 포
학하게 하니, 도적이 그 잘못과 악함을 타고 공격한다. '벌(伐)'은 그 죄(罪)를 성
토(聲討)함이요, '도(盜)'는 횡포(橫暴)하면서 오는 자이다. 재화(財貨)가 있을 적에
보관을 경만(輕慢:소홀)히 하면 이는 도둑을 가르쳐 훔쳐가게 하는 것이요, 여자가
용모를 요염하게 치장하면 이는 음당한 자를 가르쳐 폭행(간음)하게 하는 것이요,
소인으로서 군자의 기물을 타고 있으면 이는 도둑을 불러 빼앗아 가게 하는 것이
니, 이는 모두 자취(自取)하는 것임을 말한 것이다.

九四는 解而拇[84]면 朋至하여 斯孚리라
　구사(九四)는 네 엄지발가락을 풀어버리면 벗이 이르러 믿으리라.

傳｜ 九四以陽剛之才로 居上位하여 承六五之君하니 大臣也어늘 而下與初六之
陰爲應이라 拇는 在下而微者니 謂初也라 居上位而親小人이면 則賢人正士遠退

．．．．．．
84　解而拇 : 퇴계는 이(而) 자를 '너'라고 해석하기도 하고 해석하지 않기도 함을 밝히고 "어느 것
이 옳은지 자세하지 않다." 하였다.《經書辨疑》

･･･ 誨 : 가르칠 회　冶 : 예쁠 요　冶 : 꾸밀 야　拇 : 엄지발가락 무

矣요 斥去小人이면 則君子之黨이 進而誠相得也라 四能解去初六之陰柔면 則陽
剛君子之朋이 來至而誠合矣요 不解去小人이면 則己之誠未至하니 安能得人之
孚也리오 初六은 其應이라 故謂遠之爲解하니라

　　구사(九四)가 양강(陽剛)의 재질로 높은 지위에 거하여 육오(六五)의 군주를 받
들고 있으니 대신(大臣)인데, 아래로 초육(初六)의 음(陰)과 응이 된다. '엄지발가락
[拇]'은 아래에 있으면서 작은 것이니, 초(初)를 이른다. 높은 지위에 거하여 소인
을 친히 하면 현인(賢人)과 정사(正士)가 멀리 물러갈 것이요, 소인을 배척하여 버
리면 군자의 당(黨)이 나와서 진실로 서로 뜻이 맞을 것이다. 사(四)가 초육(初六)
의 음유(陰柔)를 풀어버리면 양강 군자(陽剛君子)의 벗이 와서 진실로 합할 것이요,
소인을 풀어버리지 않으면 자기의 정성이 지극하지 못한 것이니, 어찌 능히 남의
믿음을 얻겠는가. 초육(初六)은 구사(九四)의 응이기 때문에 멀리함을 일러 풀어버
린다고 한 것이다.

本義 │ 拇는 指初라 初與四皆不得其位而相應하니 應之不以正者也라 然四陽而
初陰하여 其類則不同矣니 若能解而去之면 則君子之朋이 至而相信也리라

　　'무(拇)'는 초(初)를 가리킨다. 초(初)와 사(四)는 모두 제자리를 얻지 못하고 서
로 응하니, 응하기를 정도(正道)로써 하지 않는 자이다. 그러나 사(四)는 양이고 초
(初)는 음이어서 그 류(類)가 똑같지 않으니, 만일 초(初)를 풀어버리면 군자의 벗
이 이르러 서로 믿을 것이다.

象曰 解而拇는 未當位也일새라

　　〈상전〉에 말하였다. "네 엄지발가락을 풀어버리라는 것은 자리에 합당
하지 않기 때문이다."

傳 │ 四雖陽剛이나 然居陰하여 於正에 疑不足이어늘 若復親比小人이면 則其失正
이 必矣라 故戒必解其拇然後에 能來君子하니 以其處未當位也일새라 解者는 本
合而離之也니 必解拇而後에 朋孚라 蓋君子之交에 而小人容於其間이면 是與君
子之誠이 未至也라

　　사(四)가 비록 양강(陽剛)이나 음위(陰位)에 거하여 정도(正道)에 부족한가 의심

되는데, 만일 다시 소인을 친비(親比:친하고 가까움)한다면 그 정도를 잃음이 틀림없다. 그러므로 '반드시 엄지발가락을 풀어버린 뒤에야 군자를 오게 한다.'고 경계하였으니, 이는 처함이 자리에 합당하지 않기 때문이다. 해(解)는 본래 합하였다가 떠남이니, 반드시 엄지발가락을 풀어버린 뒤에야 벗이 믿을 것이다. 군자와 사귀면서 소인이 그 사이에 낀다면 이는 군자와 더부는 정성이 지극하지 못한 것이다.

六五는 君子維有解면 吉하니 有孚于小人[85]이리라

육오(六五)는 군자가 풀어버림이 있으면 길하니, 소인에게서 징험함이 있으리라.

傳 | 六五居尊位하여 爲解之主하니 人君之解也라 以君子通言之하면 君子所親比者는 必君子也요 所解去者는 必小人也라 故君子維有解則吉也라 小人去면 則君子進矣니 吉孰大焉이리오 有孚者는 世云見驗也니 可驗之於小人이라 小人之黨去면 則是君子能有解也라 小人去면 則君子自進하여 正道自行하리니 天下不足治也니라

육오(六五)가 존위(尊位)에 거하여 해(解)의 주체가 되었으니, 인군의 풀어버림이다. 군자로써 총괄하여 말하면 군자가 친하고 가까이 하는 것은 반드시 군자이고, 풀어버리는 것은 반드시 소인이다. 그러므로 군자가 소인을 풀어버림이 있으면 길한 것이다. 소인이 떠나가면 군자가 나오니, 길함이 그 무엇이 이보다 크겠는가. 유부(有孚)는 세상에서 '징험을 보는 것이다.'라고 하니, 소인에게서 징험할 수 있는 것이다. 소인의 당(黨)이 떠나가면 이는 군자가 풀어버림이 있는 것이다. 소인이 떠나가면 군자가 스스로 나와 정도(正道)가 저절로 행해질 것이니, 천하를 굳이 다스릴 것이 없다.

......
85 有孚于小人:정여해(鄭汝諧)는 "세상의 소인들로 하여금 위에서 등용하는 인물은 반드시 군자이고 해임하는 인물은 반드시 소인임을 믿게 한다.〔如使世之小人, 皆信上之所用者必君子, 而所解者必小人.〕"하여 '유부우소인(有孚于小人)'을 "소인에게 믿게 한다."로 풀이하였는바, 이광지(李光地)의 《주역절중(周易折中)》에는 이것이 "더욱 정밀하다."고 하였음을 밝혀둔다.

本義 | 卦凡四陰이어늘 而六五當君位하여 與三陰同類者니 必解而去之則吉也라 孚는 驗也니 君子有解를 以小人之退爲驗也라

괘에 무릇 음효(陰爻)가 넷인데 육오(六五)는 군위(君位)에 당하여 세 음과 동류(同類)인 자이니, 반드시 동류를 풀어버리면 길하다. '부(孚)'는 징험함이니, 군자가 풀어버림이 있음을 소인이 물러감으로써 징험하는 것이다.

象曰 君子有解는 小人退也라

〈상전〉에 말하였다. "군자가 풀어버림이 있음은 소인이 물러가는 것이다."

傳 | 君子之所解者는 謂退去小人也니 小人去면 則君子之道行이라 是以吉也라

군자가 풀어버리는 것은 소인을 물리쳐 버림을 이르니, 소인이 떠나가면 군자의 도(道)가 행해진다. 이 때문에 길한 것이다.

上六은 公用射隼(석준)**于高墉之上하여 獲之니 无不利**로다

상육(上六)은 공(公)이 새매를 높은 담장 위에서 쏘아 잡으니, 이롭지 않음이 없도다.

傳 | 上六은 尊高之地나 而非君位라 故曰公이니 但據解終而言也라 隼은 鷙害之物이니 象爲害之小人이라 墉은 墻이니 內外之限也라 害若在內면 則是未解之時也어니와 若出墉外면 則是无害矣니 復何所解리오 故在墉上하니 離乎內而未去也라 云高는 見防限之嚴而未去者라 上은 解之極也니 解極之時로되 而獨有未解者는 乃害之堅强者也라 上居解極하니 解道已至하고 器已成也라 故能射而獲之니 旣獲之면 則天下之患이 解已盡矣니 何所不利리오

상육(上六)은 높은 자리이나 군위(君位:제왕의 지위)는 아니므로 공(公)이라 말하였으니, 다만 해(解)의 종(終)을 근거하여 말한 것이다. '준(隼)'은 사납고 해치는 물건(조류)이니, 해로운 짓을 하는 소인을 상징한 것이다. '용(墉)'은 담장이니, 안과 밖을 한계하는 것이다. 해(害)가 만일 안에 있다면 이는 아직 풀 수 없는 때이지만 만일 담 밖으로 나갔다면 이는 해가 없는 것이니, 다시 무엇을 풀겠는가. 그러므로 담 위에 있는 것이니, 이는 안에서는 떠났으나 아직 떠나가지 않은 것이다.

··· 射 : 쏘아맞힐 석   隼 : 새매 준   墉 : 담 용   鷙 : 사나울 지

높다고 말한 것은 방한(防限)함이 엄격하나 아직 떠나가지 않음을 나타낸 것이다. 상(上)은 해(解)의 극(極)이니, 해(解)가 지극한 때에 홀로 풀리지 않고 있음은 바로 해로움이 견고하고 강한 자이다. 상(上)이 해(解)의 극에 거하였으니, 해(解)의 도(道)가 이미 지극하고 기물(활과 화살)이 이미 이루어졌다. 그러므로 쏘아서 잡을 수 있는 것이니, 이미 잡고나면 천하의 환해(患害)가 모두 풀리게 되니, 어찌 불리(不利)함이 있겠는가.

夫子於繫辭에 復伸其義하사 曰 隼者는 禽也요 弓矢者는 器也요 射(석)之者는 人也니 君子藏器於身하여 待時而動이면 何不利之有리오 動而不括이라 是以出而有獲이니 語成器而動者也라하시니라 鷙害之物이 在墉上하니 苟无其器어나 與不待時而發이면 則安能獲之리오 所以解之之道는 器也요 事之當解와 與己解之之道至者는 時也니 如是而動이라 故无括結하여 發而无不利矣니 括結은 謂阻礙라 聖人於此에 發明藏器待時之義하시니 夫行一身으로 至於天下之事에 苟无其器어나 與不以時而動이면 小則括塞하고 大則喪敗하나니 自古로 喜有爲而无成功과 或顚覆者는 皆由是也니라

부자(夫子)께서는 〈계사전 하〉에 다시 그 뜻을 펴서 말씀하시기를 "새매는 새이고 궁시(弓矢)는 기물이며 새매를 쏘는 것은 사람이니, 군자가 자기 몸에 기물을 보관하고서 때를 기다려 동(動)하면 어찌 불리함이 있겠는가. 동(動)하여 막히지 않는다. 이 때문에 나가서 잡음이 있는 것이니, 기물을 완성하고 동함을 말한 것이다." 하셨다.

사납고 해치는 물건이 담 위에 있으니, 만일 이에 대한 기물(器物)이 없거나 또는 때를 기다리지 않고 발사(發射)하면 어떻게 그것을 잡겠는가. 이것을 해결하는 방도는 기물이요 일에 마땅히 해결하여야 할 것과 자신이 이것을 해결하는 방도를 지극히 함은 때이니, 이와 같이 하고서 동하기 때문에 괄결(括結)이 없어서 발함에 이롭지 않음이 없는 것이니, 괄결은 조애(阻礙:막힘)를 이른다. 성인(聖人)이 이에 대하여 기물을 보관하고 때를 기다리는 의(義)를 발명하셨으니, 한 몸을 행함으로부터 천하의 일에 이르기까지 만일 이에 대한 기물이 없거나 때에 맞게 동하지 못하면, 작게는 막히고 크게는 상패(喪敗)한다. 예로부터 일하기를 좋아하여도 성공하지 못하거나 혹 전복(顚覆)을 당하는 자는 모두 이 때문이다.

··· 括 : 막힐 괄

本義 | 繫辭備矣라

〈계사전〉에 구비되었다.

象曰 公用射隼은 以解悖也라

〈상전〉에 말하였다. "공(公)이 새매를 쏨은 패란(悖亂)을 풀려고 해서이다."

傳 | 至解終而未解者는 悖亂之大者也라 射之는 所以解之也니 解則天下平矣라

해(解)의 종(終)에 이르렀는데 아직 풀리지 않은 것은 패란(悖亂)의 큰 것이다. 이것을 쏨은 이것을 풀기 위한 것이니, 풀면 천하가 평(平)하리라.

傳 │ 損은 序卦에 解者는 緩也니 緩必有所失이라 故受之以損이라하니라 縱緩則必
有所失이요 失則損也니 損所以繼解也라 爲卦 艮上兌下하니 山體高하고 澤體深
하니 下深則上益高하니 爲損下益上之義요 又澤在山下하여 其氣上通하여 潤及草
木百物하니 是損下而益上也며 又下爲兌說하고 三爻皆上應하니 是說以奉上이니
亦損下益上之義라 又下兌之成兌는 由六三之變也요 上艮之成艮은 自上九之變
也라 三本剛而成柔하고 上本柔而成剛하니 亦損下益上之義라 損上而益於下
則爲益이요 取下而益於上則爲損[86]이라 在人上者 施其澤以及下則益也요 取其
下以自厚則損也니 譬諸壘土컨대 損於上以培厚其基本이면 則上下安固矣니 豈
非益乎아 取於下以增上之高면 則危墜至矣니 豈非損乎아 故損者는 損下益上之
義요 益則反是니라

　　손괘(損卦)는 〈서괘전〉에 "해(解)는 느슨함이니, 느슨하면 반드시 잃는 바가 있
다. 그러므로 손괘로 받았다." 하였다. 풀어놓아 느슨해지면 반드시 잃는 바가 있
고 잃으면 손(損)이 되니, 손괘가 이 때문에 해괘(解卦 ䷧)를 이은 것이다. 괘됨이
간(艮 ☶)이 위에 있고 태(兌 ☱)가 아래에 있으니, 산(山)의 체(體)는 높고 택(澤)의
체(體)는 깊은 바, 아래가 깊으면 위가 더욱 높아지니, 아래를 덜어 위에 더하는
뜻이 된다.

　　또 못이 산 아래에 있어 그 기운이 위로 통하여 윤택함이 초목(草木)과 온갖 물
건에 미치니, 이는 아래를 덜어 위에 더하는 것이며, 또 아래는 태열(兌說)이 되고
세 효(爻)가 모두 위와 응하니 이는 기뻐함으로써 윗사람을 받듦이니, 또한 아래
를 덜어 위에 더하는 뜻이다. 또 아래의 태(兌)가 태가 된 것은 〈건(乾)에서〉 육삼

••••••
86　損上而益於下則爲益 取下而益於上則爲損：익괘(益卦 ䷩)는 본래 비괘(否卦 ䷋)였는데 상괘
(上卦)의 초효(初爻)를 덜어 하괘(下卦)의 초효를 더해 주었으므로 익괘가 되었고, 손괘(損卦)는
본래 태괘(泰卦 ䷊)였는데 하괘의 상효(上爻)를 덜어 상괘의 상효를 더해주었으므로 손괘가 된 것
으로 본 것이다.

•••　譬 : 비유할 비　壘 : 보루 루

(六三)이 변했기 때문이요, 위의 간(艮)이 간이 된 것은 〈곤(坤)에서〉 상구(上九)가 변했기 때문이다. 삼(三)은 본래 강(剛)이었는데 유(柔)가 되었고 상(上)은 본래 유였는데 강이 되었으니, 또한 아래를 덜어 위에 더하는 뜻이다.

위를 덜어 아래에 더하면 익괘(益卦 ䷩)가 되고, 아래에서 취하여 위에 더하면 손괘(䷨)가 된다. 인민의 위에 있는 자가 은택을 베풀어서 아래에 미치면 익(益)이 되고, 아래의 것을 취하여 자신을 후(厚)하게 하면 손(損)이 되니, 이것을 성루(城壘)의 흙에 비유하면 위의 흙을 덜어 기본(基本:터전)을 북돋아 두텁게 하면 위아래가 안정되고 튼튼해지니, 어찌 익(益)이 아니겠는가. 아래의 흙을 취하여 위를 더 높이면 위태로움과 떨어짐이 이를 것이니, 어찌 손(損)이 아니겠는가. 그러므로 손(損)은 아래를 덜어 위에 더하는 뜻이요, 익(益)은 이와 반대인 것이다.

損은 **有孚**면 **元吉**하고 **无咎**하여 **可貞**이라 **利有攸往**하니

손(損)은 부성(孚誠:성실함과 정성)을 두면 크게 선(善)하여 길하고 허물이 없어서 정(貞)할 수 있다. 가는 바를 둠이 이로우니,

本義 | **无咎**하고 **可貞**이요

허물이 없고 정(貞)할 수 있으며,

傳 | 損은 減損也니 凡損抑其過하여 以就義理는 皆損之道也라 損之道는 必有孚誠이니 謂至誠順於理也라 損而順理면 則大善而吉이요 所損无過差하여 可貞固常行而利有所往也라 人之所損이 或過, 或不及,〔一有或常字〕或不常〔一作當〕이면 皆不合正理니 非有孚也라 非有孚면 則无吉而有咎하여 非可貞之道니 不可行也라

손(損)은 감손(減損)함이니, 무릇 그 과(過)한 것을 덜고 억제하여 의리에 나아감은 모두 손(損)의 도(道)이다. 손의 도는 반드시 부성(孚誠)이 있어야 하니, 지성으로 이치에 순종함을 이른다. 손(損)을 하여 이치에 순하면 크게 선(善)하여 길하고, 더는 바가 잘못이 없어서 성고(貞固)히 항상 행할 수 있으니, 가는 바를 둠이 이로운 것이다. 사람이 더는 바가 혹 과(過)하거나 혹 불급(不及)하거나 혹 일정하지 않으면 모두 정리(正理)에 부합되지 않으니, 부성을 둠이 아니다. 부성을 둠이 아니면 길함이 없고 허물이 있어서 정고히 할 수 있는 방도가 아니니, 행할 수 없다.

本義 | 損은 減省(생)也라 爲卦 損下卦上畫之陽하여 益上卦上畫之陰하고 損兌澤之深하여 益艮山之高하니 損下益上, 損內益外는 剝民奉君之象이니 所以爲損也라 損所當損而有孚信이면 則其占이 當有此下四者之應矣리라

손(損)은 덜고 줄이는 것이다. 괘됨이 하괘(下卦) 상획(上畫)의 양(陽)을 덜어 상괘(上卦) 상획의 음(陰)에 더하고, 태택(兌澤)의 깊음을 덜어 간산(艮山)의 높음에 더하니, 아래를 덜어 위에 더하고 안을 덜어 밖에 더함은 백성을 깎아 군주를 받드는 상(象)이니, 이 때문에 손(損)이라 한 것이다. 마땅히 덜 것을 덜어 부신(孚信)이 있으면 그 점(占)이 마땅히 그 아래 네 가지(元吉, 无咎, 可貞, 利有攸往.)의 응함이 있을 것이다.

曷之用이리오 二簋可用享이니라
어디에 쓰겠는가. 두 그릇(제기)만 가지고도 제향(祭享)할 수 있다.

傳 | 損者는 損過而就中이요 損浮末而就本實也라 聖人以寧儉爲禮之本[87]이라 故爲損發明其義하사 以享祀言之라 享祀之禮는 其文最繁이나 然以誠敬爲本이요 多儀備物은 所以將飾其誠敬之心이니 飾過其誠이면 則爲僞矣니 損飾은 所以存誠也라 故云曷之用이리오 二簋可用享이라하니 二簋之約을 可用享祭는 言在乎誠而已니 誠爲本也라 天下之害 无不由末之勝也니 峻宇雕墻은 本於宮室이요 酒池肉林은 本於飲食이요 淫酷殘忍은 本於刑罰이요 窮兵黷(독)武는 本於征討라 凡人欲之過者는 皆本於奉養이나 其流之遠이면 則爲害矣라 先王制其本者는 天理也요 後人流於末者는 人欲也니 損之義는 損人欲하여 以復天理而已니라

손(損)은 과(過)함을 덜어 중(中)에 나아가고 부말(浮末)을 덜어 본실(本實)로 나아가는 것이다. 성인은 차라리 검소한 것을 예(禮)의 근본으로 삼으셨다. 그러므로 손(損)을 위하여 그 뜻을 발명해서 향사(享祀)로써 말씀한 것이다. 향사의 예는 그 문식(文飾)이 가장 많으나 정성과 공경을 근본으로 삼고, 의식을 성대하게 하

••••••
87 聖人以寧儉爲禮之本:성인은 공자를 가리키며 영검(寧儉)은 사치하기보다는 차라리 검소해야 한다는 뜻으로, 임방(林放)이 예(禮)의 근본을 묻자, 공자는 "예는 그 사치하기보다는 차라리 검소하여야 한다.〔禮, 與其奢也, 寧儉〕"고 대답하셨으므로 말한 것이다.《論語 八佾》

••• 簋 : 그릇 궤 峻 : 높을 준 黷 : 문란할 독

며 물건을 구비함은 그 정성과 공경하는 마음을 장차 꾸미기 위한 것이다. 문식이 정성보다 과하면 거짓이 되니, 문식을 더는 것은 정성을 보존하는 것이다. 그러므로 "어디에 쓰겠는가. 두 그릇만 가지고도 제향할 수 있다."고 말하였으니, 두 그릇의 약소함을 제향에 쓸 수 있음은 정성에 있을 뿐임을 말한 것이니, 정성이 근본이 되는 것이다.

천하의 폐해는 말(末)이 우세함에서 연유되지 않음이 없으니, 집을 높게 짓고 담장을 조각함은 궁실(宮室)에서 근본하고, 술로 못을 만들고 고기로 숲을 만듦은 음식에서 근본하고, 음혹(淫酷;지나치게 혹독)하고 잔인(殘忍)함은 형벌에서 근본하고, 병란(兵亂)을 끝까지 일으키고 무력을 번거롭게 행사함은 정토(征討)에서 근본하였다. 무릇 인욕(人欲)의 지나침은 모두 봉양에서 근본하였으나, 그 흐름이 멀리 가면 폐해가 된다. 선왕이 그 근본을 따른 것은 천리(天理)이고, 후인(後人)이 말폐(末弊)에 흐른 것은 인욕(人欲)이니, 손(損)의 뜻은 인욕을 덜어 천리로 돌아갈 뿐이다.

本義 | 言當損時면 則至薄无害라

손(損)의 때를 당하면 지극히 박(薄)하여도 해로움이 없음을 말한 것이다.

彖曰 損은 損下益上하여 其道上行이니

〈단전〉에 말하였다. "손(損)은 아래를 덜어 위에 더하여 그 도(道)가 올라가 행함이니,

傳 | 損之所以爲損者는 以損於下而益於上也니 取下以益上이라 故云其道上行이라 夫損上而益下則爲益이요 損下而益上則爲損이니 損基本以爲高者를 豈可謂之益乎아

손괘(損卦)가 손(損)이 된 까닭은 아래에서 덜어 위에 더하기 때문이니, 아래에서 취하여 위에 더하였으므로 그 도(道)가 올라가 행하였다고 말한 것이다. 위를 덜어 아래에 더하면 익괘(益卦)가 되고, 아래를 덜어 위에 더하면 손괘가 되니, 기본(基本;터전)을 덜어 높게 만드는 것을 어찌 익(益)이라 이르겠는가.

本義 | 以卦體로 釋卦名義라

괘체(卦體)로써 괘명(卦名)의 뜻을 해석하였다.

損而有孚면 元吉 无咎 可貞 利有攸往이니

덜되 부성(孚誠)을 두면 크게 선(善)하여 길하고 허물이 없어서 정(貞)할 수 있다. 가는 바를 둠이 이로우니,

傳 | 謂損而以至誠이면 則有此元吉以下四者하니 損道之盡善也라

덜되 지성으로써 하면 '원길(元吉)' 이하 이 네 가지의 〈응(應)함이〉 있음을 말하였으니, 손(損)의 도에 진선(盡善)한 것이다.

曷之用 二簋可用享은 二簋應有時며 損剛益柔有時니

어디에 쓰겠는가. 두 그릇만 가지고도 제향할 수 있다는 것은 두 그릇을 올리는 것이 응당 그러할 때가 있으며, 강(剛)을 덜어 유(柔)에 더하는 것이 때가 있으니,

傳 | 夫子特釋曷之用二簋可用享이라 卦辭簡直하여 謂當損去浮飾하여 曰何所用哉리오 二簋면 可以享也라하니 厚本損末之謂也라 夫子恐後人不達하고 遂以爲文飾當盡去라 故詳言之하시니라 有本必有末이요 有實必有文이니 天下萬事 无不然者라 无本不立이요 无文不行이라 父子主恩이나 必有嚴順之體하고 君臣主敬이나 必有承接之儀하며 禮讓存乎內나 待威儀而後行이요 尊卑有其序나 非物采[88]〔一作而〕无別이니 文之與實이 相須而不可缺也라 及夫文之勝, 末之流하여 遠本喪實이면 乃當損之時也라 故云曷所用哉리오 二簋足以薦其誠矣라하니 謂當務實而損飾也라 夫子恐人之泥言也라 故復明之曰 二簋之質은 用之當有時하니 非其所用而用之면 不可也라하시니 謂文飾未過而損之와 與損之至於過甚則非也라 損

••••••

88 物采 : 물채(物采)에 대하여 사계는 "채(采)는 일이다.〔事也〕" 하여 사물(事物)을 가리키는 말로 보았다. 물채는 《춘추좌씨전》 은공(隱公) 5년에도 "일을 강명(講明)하여 궤량을 헤아리고 재료를 취하여 물채를 밝힌다.〔講事以度軌量 取材以章物采〕"라고 보이나, 일반적으로 색채를 나타내는 말로 많이 쓰임을 밝혀둔다.

••• 采 : 채색 채 泥 : 집착할 니

剛益柔有時는 剛爲過하고 柔爲不足이니 損益은 皆損剛益柔也라 必順時而行이니 不當時而損益之則非也라

부자(夫子)가 특별히 '갈지용 이궤가용향(葛之用二簋可用享)'의 뜻을 해석하셨다. 괘사(卦辭)가 간략하고 솔직하여 마땅히 부식(浮飾;쓸데없는 꾸밈)을 덜어야 함을 일러 말하기를 "어디에 쓰겠는가. 두 그릇이면 제향할 수 있다." 하였으니, 근본을 후(厚)하게 하고 말(末)을 덞을 이른 것이다. 부자는 후인들이 이것을 알지 못하고 마침내 문식을 모두 버려야 한다고 여길까 염려하셨다. 그러므로 자세히 말씀하신 것이다.

본(本)이 있으면 반드시 말(末)이 있고, 실(實)이 있으면 반드시 문식이 있으니, 천하의 만사가 그렇지 않음이 없다. 본(本)이 없으면 서지 못하고 문식이 없으면 행하지 못한다. 부자간에는 은혜를 주장하나 반드시 엄하고 순종하는 체(體)가 있고, 군신간에는 경(敬)을 주장하나 반드시 받들고 접하는 의식이 있으며, 예(禮)와 겸양(謙讓)을 안에 보존하나 위의(威儀)를 기다린 뒤에 행해지고, 존비(尊卑)가 차례가 있으나 물건의 채색이 아니면 구별할 수 없으니, 문(文)과 실(實)은 서로 필요로 하여 없을 수 없는 것이다. 문(文)이 우세하고 말(末)에 흘러서 본(本)과 멀어지고 실(實)을 잃게 되면 이는 마땅히 덜어야 할 때이다. 그러므로 "어디에 쓰겠는가. 두 그릇으로도 충분히 정성을 올릴 수 있다." 하였으니, 마땅히 실을 힘쓰고 문식을 덜어야 함을 말씀한 것이다.

부자는 사람들이 말에 집착할까 염려하셨다. 그러므로 다시 밝히시기를 "두 그릇의 질박함은 사용함이 마땅히 때가 있으니, 써야 할 때가 아닌데 쓰면 불가하다." 하셨으니, 문식이 과(過)하지 않은데 덞과 덜기를 심히 과하게 함은 잘못임을 말씀한 것이다. '손강익유유시(損剛益柔有時)'는 강(剛)은 과함이 되고 유(柔)는 부족함이 되니, 손(損)과 익(益)은 모두 강을 덜어 유에 더하는 것이다. 이는 반드시 때에 순응하여 행해야 하니, 때에 마땅하지 않은데 이것을 덜고 더하면 잘못이다.

損益盈虛를 與時偕行이니라

덜고 더하며 채우고 비움을 때에 따라 함께 행해야 한다."

傳 │ 或損, 或益, 或盈, 或虛를 唯隨時而已라 過者損之하고 不足〔一作及〕者益之

하며 虧者盈之하고 實者虛之하여 與時偕行也라

혹 덜고 혹 더하며 혹 채우고 혹 비움을 오직 때에 따를 뿐이다. 과(過)한 것을 덜어내고 부족(不足)한 것을 더하며, 이지러진 것을 채우고 꽉찬 것을 비게 하여 때에 따라 함께 행해야 한다.

本義 | 此는 釋卦辭라 時는 謂當損之時라

이는 괘사를 해석한 것이다. '시(時)'는 마땅히 덜어야 할 때를 이른다.

象曰 山下有澤이 損이니 君子以하여 懲忿窒欲하나니라

〈상전〉에 말하였다. "산(山) 아래에 못이 있음이 손(損)이니, 군자가 보고서 분노(忿怒)를 징계하고 의욕(욕망)을 막는다."

傳 | 山下有澤하니 氣通上潤과 與深下以增高는 皆損下之象이라 君子觀損之象하여 以損於己하나니 在修己之道에 所當損者는 唯忿與欲이라 故以懲戒其忿怒하고 窒塞其意欲也라

산 아래에 못이 있으니, 기운이 통하여 위로 윤택함과 아래를 깊게 파서 더 높게 함은 모두 아래를 더는 상(象)이다. 군자가 손(損)의 상을 보고서 자기에게서 너니, 수신(修身)하는 도(道)에 있어서 마땅히 덜어야 할 것은 오직 분노와 욕망이다. 그러므로 분노를 징계하고 의욕(意欲)을 막는 것이다.

本義 | 君子修身에 所當損者 莫切於此하니라

군자가 수신(修身)함에 있어서 마땅히 덜어야 할 것은 이것(분노와 욕망)보다 간절한 것이 없다.

初九는 已事어든 遄(천)往[89]이라야 无咎리니 酌損之니라

. . . .
89 已事遄往:《정전》에는 "아랫사람이 위를 더해줄 경우 더해주는 일이 끝났으면 빨리 떠나가서 자신의 공로로 삼지 말아야 한다."고 풀이한 반면,《본의》에는 "더해줄 일이 있으면 모든 일을 제쳐두고 신속히 가서 더해주어야 한다."로 풀이하였다.

··· 窒 : 막을 질 遄 : 빠를 천 酌 : 헤아릴 작

초구(初九)는 일을 끝마쳤거든 빨리 떠나가야 허물이 없으리니, 침작(斟酌;참작)하여 덜어야 한다.

本義 | 已事요
일을 그만두고 속히 가야

傳 | 損之義는 損剛益柔, 損下益上也라 初以陽剛應於四하고 四以陰柔居上位하여 賴初之益者也라 下之益上은 當損己而不自以爲功이요 所益於上者 事旣已면 則速去之하여 不居其功이라야 乃无咎也라 若享其成功之美면 非損己益上也니 於爲下之道에 爲有咎矣라 四之陰柔는 賴初者也라 故聽於初하니 初當酌度(탁) 其宜하여 而損己以益之니 過與不及이 皆不可也라

손(損)의 뜻은 강(剛)을 덜어 유(柔)에 더하고, 아래를 덜어 위에 더하는 것이다. 초(初)는 양강(陽剛)으로 사(四)에 응하고, 사(四)는 음유(陰柔)로 상위(上位)에 거하여 초(初)의 더함에 의뢰하는 자이다. 아래가 위에 더할 경우에는 마땅히 자기를 덜되 스스로 공(功)으로 여기지 말고, 위에 더하는 자는 일이 끝났으면 속히 떠나가서 그 공을 차지하지 말아야 비로소 허물이 없는 것이다. 만약 그 성공의 아름다움을 누리면 자기를 덜어 위에 더하는 것이 아니니, 아래가 된 도리에 있어 허물이 있게 된다. 사(四)의 음유는 초(初)에게 의뢰하는 자이므로 초를 따르니, 초가 그 마땅함을 침작(斟酌)하여 자기를 덜어 남에게 더해 주어야 하는 바, 과(過)와 불급(不及)이 모두 불가하다.

本義 | 初九當損下益上之時하여 上應六四之陰하니 輟所爲之事하고 而速往以益之는 无咎之道也라 故其象占如此라 然居下而益上엔 亦當斟酌其淺深也라

초구(初九)가 아래를 덜어 위에 더하는 때를 당하여 위로 육사(六四)의 음과 응하니, 하던 일을 그만두고 속히 가서 더해줌은 허물이 없는 방도이다. 그러므로 그 상(象)과 점(占)이 이와 같은 것이다. 그러나 아래에 거하여 위에 더해줄 때에는 또한 마땅히 그 얕고 깊음을 침작하여야 한다.

象曰 已事遄往은 尙(上)合志也일새라
〈상전〉에 말하였다. "'이사천왕(已事遄往)'은 위와 뜻이 합하기 때문이다."

··· 輟 : 그칠 철

傳 | 尙은 上也니 時之所崇用이 爲尙이라 初之所尙者는 與上合志也니 四賴於初
하고 初益於四는 與上合志也라

　　'상(尙)'은 상(上)이니, 당시에 숭상하여 쓰는 것을 상(尙)이라 한다. 초(初)가 숭
상하는 것은 위와 뜻이 합하기 때문이니, 사(四)가 초(初)에 의뢰하고 초가 사에
더해줌은 위와 뜻이 합하는 것이다.

本義 | 尙은 上通이라

　　'상(尙)'은 상(上)과 통한다.

九二는 利貞하고 征이면 凶하니 弗損이라야 益之리라

　　구이(九二)는 정(貞)함이 이롭고 가면 흉하니, 자신의 지조를 덜지 않아
야 유익하게 하리라.

傳 | 二以剛中으로 當損剛之時하여 居柔而說體로 上應六五陰柔之君하니 以柔
說應上이면 則失其剛中之德이라 故戒所利在貞正也라 征은 行也니 離乎中이면
則失其貞正而凶矣요 守其中이면 乃貞也라 弗損益之는 不自損其剛貞이면 則能
益其上이니 乃益之也라 若失其剛貞而用柔說이면 適足以損之而已〔一无而已字〕니
非損己而〔一有以字〕益上也라 世之愚者 有雖无邪心이나 而唯知竭力順上爲忠者
하니 蓋不知弗損益之之義也라

　　이(二)가 강중(剛中)으로 강(剛)함을 더는 때를 당하여 유(柔)에 거하고 열체(說
體)로 위로 육오(六五) 음유(陰柔)의 군주와 응하니, 유순함과 기뻐함으로써 위에
응하면 강중(剛中)의 덕을 잃게 된다. 그러므로 이로운 바가 정정(貞正)에 있다고
경계한 것이다. '정(征)'은 감이니, 중(中)을 떠나면 정정함을 잃어 흉할 것이요, 중
을 지키면 바로 정(貞)이다.

　　'불손익지(弗損益之)'는 스스로 그 강정(剛貞)함을 덜지 않으면 윗사람을 유익
하게 할 수 있으니, 이것이 바로 유익하게 하는 것이다. 만일 강정함을 잃고 유순
함과 기뻐함을 쓴다면 다만 덜 뿐이니, 자기를 덜어 위에 더하는 것이 아니다. 세
상에 어리석은 자들은 비록 사심(邪心)이 없으나 오직 힘을 다하여 위에 순종하는
것이 충성이 되는 줄로 아는 자가 있으니, 이는 '불손익지(弗損益之)'의 뜻을 알지

못하는 것이다.

本義 │ 九二剛中으로 志在自守하여 不肯妄進이라 故占者利貞而征則凶也라 弗損益之는 言不變其所守 乃所以益上也라

구이(九二)가 강중(剛中)으로 뜻이 스스로 지킴에 있어서 함부로 나아가려고 하지 않는다. 그러므로 점치는 자가 정(貞)함이 이롭고 가면 흉한 것이다. '불손익지(弗損益之)'는 지키는 바를 변치 않는 것이 바로 위에 더하는 것임을 말한 것이다.

象曰 九二利貞은 中以爲志也라

〈상전〉에 말하였다. "구이(九二)의 이정(利貞)은 중(中)으로써 뜻을 삼기 때문이다."

傳 │ 九居二는 非正也요 處說은 非剛也로되 而得中爲善이라 若守其中德이면 何有不善이리오 豈有中而不正者며 豈有中而有過者리오 二所謂利貞은 謂以中爲志也니 志存乎中이면 則自正矣라 大率中重於正하니 中則正矣어니와 正은 不必中也니 能守中이면 則有益於上矣리라

구(九)가 이(二)에 거함은 정(正)이 아니요 열(說)에 처함은 강(剛)이 아니나 중(中)을 얻어 선(善)함이 된다. 만약 그 중덕(中德)을 지킨다면 어찌 불선(不善)함이 있겠는가. 어찌 중도(中道)에 맞고서 바르지 않은 자가 있으며, 어찌 중도에 맞고서 허물이 있는 자가 있겠는가. 이(二)의 이른바 '이정(利貞)'은 중(中)으로 뜻을 삼음을 이르니, 뜻이 중에 있으면 저절로 바루어진다. 대체로 중(中)이 정(正)보다 중하니, 중(中)이면 정(正)이 되지만 정이 반드시 중인 것은 아니니, 중을 지키면 위에 유익함이 있을 것이다.

六三은 三人行엔 則損一人하고 一人行엔 則得其友로다

육삼(六三)은 세 사람이 갈 때에는 한 사람을 덜고, 한 사람이 갈 때에는 그 벗을 얻는다.

傳 │ 損者는 損有餘也요 益者는 益不足也라 三人은 謂下三陽, 上三陰이라 三陽

同行이면 則損九三以益上하고 三陰同行이면 則損上六以爲三하니 三人行에 則損
一人也라 上이 以柔易剛이어늘 而謂之損은 但言其減一耳라 上與三은 雖本相應
이나 由二爻升降하여 而一卦皆成하니 兩相與也라 初、二二陽과 四、五二陰이
同德相比하며 三與上應하여 皆兩相與하니 則其志專하여 皆爲得其友也라 三雖與
四相比나 然異體而應上하여 非同行者也라 三人則損一人하고 一人則得其友는
蓋天下无不二者하니 一與二相對待는 生生之本也요 三則餘而當損矣니 此損益
之大義也라

　　손(損)은 유여(有餘)함을 더는 것이요, 익(益)은 부족함에 더하는 것이다. 삼
인(三人)은 아래의 세 양(陽)과 위의 세 음(陰)을 이른다. 세 양이 함께 가면 구삼
(九三)을 덜어 위에 더하고, 세 음이 함께 가면 상육(上六)을 덜어 육삼(六三)을 만
드니, 세 사람이 갈 때에 한 사람을 더는 것이다. 상(上)은 유(柔)에서 강(剛)으로
바뀌었는데, 손(損)이라고 이른 것은 다만 하나를 줄임을 말했을 뿐이다. 상(上)과
삼(三)은 비록 본래 서로 응하나 두 효(爻)가 오르내림으로 말미암아 한 괘가 다
이루어졌으니, 둘이 서로 친한 것이다.

　　초(初)와 이(二) 두 양효(陽爻)와 사(四)와 오(五) 두 음효(陰爻)는 덕(德)이 같아
서로 친하며, 삼(三)은 상(上)과 응하여 모두 둘이 서로 친하니, 그 뜻이 전일하여
모두 벗을 얻음이 된다. 삼(三)은 비록 사(四)와 가까이 있으나 상·하의 체가 다
르고 상(上)과 응하여 동행하는 자가 아니다. 세 사람이면 한 사람을 널고 한 사람
이면 벗을 얻는다는 것은 천하에 둘이 아닌 것이 없으니, 일(一)과 이(二)가 서로
대대(對待)함은 생생(生生)의 근본이요, 삼(三)은 남아서 마땅히 덜어야 하니, 이는
손(損)·익(益)의 대의(大義)이다.

夫子又於繫辭에 盡其義하사 曰 天地絪縕에 萬物化醇하고 男女構精에 萬物化
生[90]이라 易曰 三人行엔 則損一人하고 一人行엔 則得其友라하니 言致一也라하시니

‥‥‥‥
90　萬物化醇……萬物化生:화순(化醇)은 천지 음·양의 기운이 꽉 뭉쳐 사람이나 물건(동물 또
　는 식물)을 처음으로 만들어내는 것이고, 화생(化生)은 만물이 생겨난 뒤에 암컷과 숫컷이 교접하
　여 만물을 낳음을 이른다. 〈계사전 하〉에 대한 《본의》에 화순을 기화(氣化), 화생을 형화(形化)로
　풀이하고, 기화는 원시 음·양의 기운에 의해 낳는 것이고 형화는 암컷과 숫컷의 형체가 교접함에
　의해 생겨나는 것이라 하였다.

‥‥‥　絪:원기뭉칠 인　縕:원기뭉칠 온　醇:진할 순

라 絪縕은 交密之狀이라 天地之氣 相交而密이면 則生萬物之化醇하나니 醇은 謂醲厚니 醲厚는 猶精一也라 男女精氣交構면 則化生萬物하나니 唯精醇專一하여 所以能生也라 一陰一陽이니 豈可二也리오 故三則當損이니 言專致乎一也라 天地之間에 當損益之明且大者 莫過此也니라

부자(夫子)는 또 〈계사전 하〉에서 그 뜻을 다하여 말씀하시기를 "천지의 기운이 인온(絪縕)함에 만물이 화순(化醇)하고 남(男)·녀(女)가 정(精)을 맺음에 만물이 화생(化生)한다. 역(易)에 이르기를 '세 사람이 갈 때에는 한 사람을 덜고, 한 사람이 갈 때에는 벗을 얻는다.' 하였으니, 하나에 지극히 함을 말한 것이다." 하셨다.

'인온(絪縕)'은 〈천지의 기운이〉 서로 사귀어 친밀한 모양이다. 천지의 기운이 서로 사귀어 친밀하면 만물의 화순(化醇)을 낳으니, '순(醇)'은 농후(醲厚)함을 말하니 농후는 정일(精一)과 같다. 남·녀의 정(精)·기(氣)가 서로 맺어지면 만물을 화생(化生)하니, 오직 정순(精醇)하고 전일(專一)하기 때문에 낳는 것이다. 한 음과 한 양이니, 어찌 둘일 수 있겠는가. 그러므로 셋이면 마땅히 덜어야 하는 것이니, 오로지 하나에 지극히 함을 말한 것이다. 천지의 사이에 마땅히 덜고 더해야 함이 분명하면서도 큰 것은 이보다 더한 것이 없다.

本義 ┃ 下卦本乾이어늘 而損上爻以益坤하니 三人行而損一人也요 一陽上而一陰下하니 一人行而得其友也라 兩相與則專하고 三則雜而亂하니 卦有此象이라 故戒占者當致一也라

하괘(下卦)는 본래 건(乾)이었는데 상효(上爻)를 덜어 곤(坤)에 더하였으니 세 사람이 갈 때에 한 사람을 더는 것이요, 한 양(陽)이 올라가고 한 음(陰)이 내려왔으니 한 사람이 갈 적에 벗을 얻는 것이다. 둘이 서로 친하면 전일하고 셋이면 잡되어 어지러우니, 괘에 이러한 상이 있으므로 점치는 자에게 마땅히 하나에 지극히 하라고 경계한 것이다.

象曰 一人行은 三이면 則疑也리라
〈상전〉에 말하였다. "'일인행(一人行)'은 셋이면 의심하리라."

傳 ┃ 一人行而得一人이면 乃得友也요 若三人行이면 則疑所與矣라 理當損去其

一人이니 損其餘也라

한 사람이 가면서 한 사람을 얻으면 바로 벗을 얻는 것이요, 만약 세 사람이 간다면 상대할 바를 의심하게 된다. 이치상 마땅히 한 사람을 덜어야 하니, 남는 것을 더는 것이다.

六四는 損其疾호되 使遄(천)이면 有喜하여 无咎리라
육사(六四)는 그 병을 덜되 빨리 하면 기쁨이 있어 허물이 없으리라.

傳 | 四以陰柔居上하여 與初之剛陽相應하니 在損時而應剛은 能自損以從剛陽也니 損不善以從善也라 初之益四는 損其柔而益之以剛이니 損其不善也라 故曰損其疾이라하니 疾은 謂疾病이니 不善也라 損於不善호되 唯使之遄速이면 則有喜而无咎라 人之損過는 唯患不速이니 速則不致於深過하여 爲可喜也라

사(四)가 음유(陰柔)로 위에 거하여 초(初)의 강양(剛陽)과 서로 응하니, 손(損)의 때에 있어서 강(剛)에 응함은 스스로 덜어 강양을 따르는 것이니, 불선(不善)함을 덜어 선(善)을 따르는 것이다. 초(初)가 사(四)에 더함은 유(柔)를 덜어 강(剛)에 더해주는 것이니, 불선(不善)을 덜어내는 것이다. 그러므로 병을 덜었다고 하였으니, 질(疾)은 질병을 이르는바, 불선(不善;나쁜 것)이다. 불선을 덜되 오직 빨리 하면 기쁨이 있어 허물이 없을 것이다. 사람이 허물을 덞은 오직 신속히 하지 않음을 근심하니, 신속히 하면 깊은 허물에 이르지 아니하여 기쁠 수 있는 것이다.

本義 | 以初九之陽剛으로 益己而損其陰柔之疾호되 唯速則善이니 戒占者如是則无咎矣라

초구(初九)의 양강(陽剛)으로써 자기에게 더하고 음유(陰柔)의 질병을 덜되 오직 신속히 하면 좋으니, 점치는 자에게 이와 같이 하면 허물이 없다고 경계한 것이다.

象曰 損其疾하니 亦可喜也로다
〈상전〉에 말하였다. "자기의 병을 더니, 기뻐할 만하도다."

傳 | 損其所疾은 固可喜也라 云亦은 發語辭라

자기의 앓는 병을 덮은 진실로 기뻐할 만하다. '역(亦)'이라고 말한 것은 발어사(發語辭)이다.

六五는 或益之면 十朋之라 龜도 弗克違[91]하리니 元吉하니라

육오(六五)는 혹 더해주면 열 벗이 도와주는지라 거북점도 능히 어기지 못하리니, 크게 선(善)하여 길하다.

本義 | 或이 益之十朋之龜어든 弗克違니

혹자가 십붕(十朋)의 거북(보물)을 더해주되 사양할 수 없으니,

傳 | 六五於損時에 以中順居尊位하여 虛其中以應乎二之剛陽하니 是人君能虛中自損하여 以順從在下之賢也라 能如是면 天下孰不損己自盡以益之리오 故或有益之之事면 則十朋助之矣니 十은 衆辭라 龜者는 決是非吉凶之物이라 衆人之公論이 必合正理면 雖龜筴(책)이라도 不能違也니 如此면 可謂大善之吉矣라 古人曰 謀從衆이면 則合天心이라하니라

육오(六五)가 손(損)의 때에 있어서 중순(中順)으로 존위(尊位)에 거하여 중(中;마음)을 비워 이(二)의 강양(剛陽)에 응하니, 이는 인군이 마음을 비우고 스스로 겸손하여 아래에 있는 현자(賢者)를 따르는 것이다. 능히 이와 같이 하면 천하에 누가 자기를 덜어 스스로 다해서 더해주지 않겠는가. 그러므로 혹 더해줄 일이 있으면 열 벗이 도와주는 것이니, '십(十)'은 많다는 말이다. 거북은 시비(是非)와 길흉(吉凶)을 결단하는 물건이다. 여러 사람의 공론(公論)이 반드시 정리(正理)에 합하면 비록 거북점과 시초점이라도 어기지 못할 것이니, 이와 같으면 대선(大善)의 길함이라고 이를 만하다. 고인(古人)의 말에 "계책이 여러 사람의 의견을 따르면 천심(天心)에 합한다." 하였다.

......
91 益之十朋之龜 弗克違 : 《정전》에는 십붕(十朋)을 "열 명의 벗이 도와주는 것"으로, 귀(龜)를 '거북점'으로 보아 "거북점도 어기지 못하는 것"으로 해석하였으나, 《본의》에는 붕(朋)을 '한 짝'으로, 귀(龜)를 '보물인 거북껍질'로 보아 '益之十朋之龜'를 한 구(句)로 보고 혹자가 "열 짝의 거북껍질을 더해주는 것"으로 해석하였다. 익괘(益卦)의 육이 효사(六二爻辭)에도 똑같은 내용이 보이는데, 《정전》과 《본의》가 여기와 마찬가지로 서로 다르게 해석하였다.

··· 朋 : 벗 붕, 다섯자개 붕 筴 : 점대 책

本義 │ 柔順虛中하여 以居尊位하니 當損之時하여 受天下之益者也라 兩龜爲朋이니 十朋之龜는 大寶也라 或以此益之로되 而不能辭면 其吉可知니 占者有是德이면 則獲其應也라

　　유순하고 중심(中心)을 비워 존위(尊位)에 거하였으니, 손(損)의 때를 당하여 천하의 더함을 받아들이는 자이다. 두 개의 거북껍질을 '붕(朋)'이라 하니, 십붕(十朋)의 거북껍질은 큰 보물이다. 혹 이것으로써 더하여도 사양할 수 없다면 그 길함을 알 수 있으니, 점치는 자가 이러한 덕(德)이 있으면 이러한 응(應)함을 얻으리라.

象曰 六五元吉은 自上祐也라

　　〈상전〉에 말하였다. "육오(六五)의 원길(元吉)은 위에서 도와주는 것이다."

傳 │ 所以得元吉者는 以其能盡衆人之見하여 合天地之理라 故自上天降之福祐也라

　　원길(元吉)을 얻는 까닭은 여러 사람의 견해를 다 수용하여 천지의 이치에 합하기 때문이다. 그러므로 상천(上天)에서 복(福)을 내려주는 것이다.

上九는 弗損하고 益之면 无咎하고 貞吉하니 利有攸往이니 得臣이 无家리라

　　상구(上九)는 덜지 말고 더해주면 허물이 없고 정(貞)하고 길하니, 가는 바를 둠이 이로우니, 신하를 얻음이 집안에서만이 아니리라.

本義 │ 弗損이라도 益之니 无咎어니와 貞이면 吉하여

　　　덜지 않더라도 더해주니, 허물이 없거니와 정(貞)하면 길하여

傳 │ 凡損之義有三하니 損己從人也와 自損以益於人也와 行損道以損於人也라 損己從人은 徙於義也요 自損益人은 及於物也요 行損道以損於人은 行其義也니 各因其時하여 取大者言之라 四、五二爻는 取損己從人이요 下體三爻는 取自損以益人이요 損時之用은 行損道以損天下之當損者也며 上九則取不行其損爲義라 九居損之終하니 損極而當變者〔一无者字〕也라 以剛陽居上하니 若用〔一有其字〕剛

以損削於下면 非爲上之道니 其咎大矣라 若不行其損하고 變而以剛陽之道로 益於下면 則无咎而得其正且吉也라 如是則宜有所往이니 往則有益矣라 在上하여 能不損其下而益之면 天下孰不服從이리오 從服之衆이 无有內外也라 故曰 得臣无家라하니 得臣은 謂得人心歸服이요 无家는 謂无有遠近、內外之限也라

무릇 손(損)의 뜻이 세 가지가 있으니, 자기를 덜어 남을 따름과 스스로 덜어 남에게 더해줌과 더는 방도를 행하여 남에게서 더는 것이다. 자기를 덜어 남을 따름은 의(義)로 옮김이요, 스스로 덜어 남에게 더해줌은 남에게 미침이요, 더는 방도를 행하여 남에게서 덞은 의를 행함이니, 각각 그 때에 따라 큰 것을 취하여 말하였다. 사(四)와 오(五) 두 효(爻)는 자기를 덜어 남을 따름을 취하였고, 하체(下體)의 세 효는 스스로 덜어 남에게 더해줌을 취하였고, 손(損)의 때에 쓰임은 더는 방도를 행하여 천하에 마땅히 덜어야 할 것을 더는 것이며, 상구(上九)는 덞을 행하지 않음을 취하여 뜻을 삼았다.

구(九)가 손(損)의 종(終)에 처했으니, 손(損)이 극에 이르러 마땅히 변해야 하는 자이다. 양강(陽剛)으로 위에 거하였으니, 만일 강을 써서 아래에서 덜고 깎아내면 윗사람이 된 도리가 아니니, 그 허물이 크다. 만일 그 덞을 행하지 않고 변하여 양강의 도로써 아래에 더해주면 허물이 없어 바르고 또 길할 것이다. 이와 같으면 마땅히 가는 바를 둘 것이니, 가면 유익함이 있을 것이다. 위에 있으면서 능히 아래를 덜지 않고 더해 준다면 천하에 누가 복종하지 않겠는가. 따르고 복종하는 무리가 내외(內外)의 간격이 없다. 그러므로 '득신무가(得臣无家)'라 하였으니, '득신(得臣)'은 인심이 귀복(歸服)함을 얻음을 이르고 '무가(无家)'는 원근(遠近)과 내외(內外)의 한계가 없음을 이른다.

本義 │ 上九當損下益上之時하여 居卦之上하니 受益之極하여 而欲自損以益人也라 然居上而益下엔 有所謂惠而不費者[92]하니 不待損己然後可以益人也니 能如是則无咎라 然亦必以正이면 則吉而利有所往이라 惠而不費면 其惠廣矣라 故

92 有所謂惠而不費者:《논어》〈요왈(堯曰)〉에 "군자는 은혜롭게 하되 허비하지 않음이 있으니……백성들이 이롭게 여기는 바를 인하여 이롭게 해주니, 이것이 은혜롭게 하되 허비하지 않는 것이 아니겠는가.〔君子惠而不費……因民之所利而利之, 斯不亦惠而不費乎.〕"라는 공자의 말씀이 보인다.

273

○

山澤損

又曰得臣无家라하니라

　　상구(上九)가 아래를 덜어 위에 더하는 때를 당하여 괘의 위에 거하였으니, 더함을 받음이 지극해서 스스로 덜어 남에게 더해주고자 한다. 그러나 위에 있으면서 아래에 더해줌에는 이른바 '은혜롭게 하되 허비하지 않는다.'는 것이 있으니, 자기를 덜어내기를 기다리지 않고도 남을 유익하게 하는 것이니, 이와 같으면 허물이 없다. 그러나 또한 반드시 정도(正道)로써 하면 길하여 가는 바를 둠이 이로울 것이다. 은혜롭되 허비하지 않는다면 그 은혜가 넓다. 그러므로 또 '득신무가(得臣无家)'라고 한 것이다.

象曰 弗損益之는 大得志也라
　　〈상전〉에 말하였다. "'불손익지(弗損益之)'는 크게 뜻을 얻는 것이다."

傳｜居上하여 不損下而反益之면 是君子大得行其志也니 君子之志는 唯在益於人而已니라

　　위에 거하여 아래를 덜지 않고 도리어 더해준다면 이는 군자가 그 뜻을 크게 행함이니, 군자의 뜻은 오직 남을 유익하게 하는 데 있을 뿐이다.

傳 | 益은 序卦에 損而不已면 必益이라 故受之以益이라하니라 盛衰、損益은 如循
環하여 損極必益은 理之自然이니 益所以繼損也라 爲卦 巽上震下하니 雷、風二
物은 相益者也라 風烈則雷迅하고 雷激則風怒하여 兩相助益하니 所以爲益이니 此
는 以象言也라 巽、震二卦 皆由下變而成하니 陽變而爲陰者는 損也요 陰變而爲
陽者는 益也라 上卦損而下卦益이니 損上益下는 損以爲益이니 此는 以義言也라
下厚則上安이라 故益下爲益이니라

익괘(益卦)는 〈서괘전〉에 "덜어내기를 그치지 않으면 반드시 더해준다. 그러므
로 익괘로 받았다." 하였다. 성(盛)·쇠(衰)와 손(損)·익(益)은 고리를 도는 것과
같아 손(損)이 극에 이르면 반드시 더해줌은 이치의 자연이니, 익괘가 이 때문에
손괘(損卦☶)를 이은 것이다. 괘됨이 손(巽☴)이 위에 있고 진(震☳)이 아래에 있
으니, 우레와 바람 두 물건은 서로 더해주는 것이다. 바람이 맹렬하면 우레가 빠
르고 우레가 격렬하면 바람이 거세어져 둘이 서로 돕고 더해주니, 이 때문에 익
(益)이라 한 것이니, 이는 상(象)으로써 말한 것이다.

손(巽)과 진(震) 두 괘는 모두 아래가 변함으로 말미암아 이루어졌으니, 양(陽)
이 변하여 음(陰)이 된 것은 손(損☶)이요, 음이 변하여 양이 된 것은 익(益)이다.
위의 괘가 덜려 아래 괘에 더해졌으니, 위를 덜어 아래에 더해줌은 덜어서 유익함
이 되는 것이니, 이는 의(義)로써 말한 것이다. 아래가 후(厚)하면 위가 편안해진
다. 그러므로 아래를 더해줌을 익(益)이라 한 것이다.

益은 利有攸往하며 利涉大川하니라

익(益)은 가는 바를 둠이 이로우며 대천(大川)을 건넘이 이롭다.

傳 | 益者는 益於天下之道也라 故利有攸往이요 益之道는 可以濟險難하니 利涉
大川也라

··· 迅 : 빠를 신

익(益)은 천하를 유익하게 하는 방도이다. 그러므로 가는 바를 둠이 이로운 것이요, 익(益)의 도는 험난함을 구제할 수 있으니, 대천을 건넘이 이로운 것이다.

本義 | 益은 增益也라 爲卦損上卦初畫之陽하여 益下卦初畫之陰하니 自上卦而下於下卦之下라 故爲益이라 卦之九五、六二 皆得中正하고 下震、上巽이 皆木之象이라 故其占이 利有所往而利涉大川也라

익(益)은 더함이다. 괘됨이 상괘(上卦) 초획의 양(陽)을 덜어서 하괘(下卦) 초획의 음(陰)에 더해주었으니, 상괘로부터 하괘의 아래로 내려왔다. 그러므로 괘 이름을 익(益)이라 한 것이다. 괘의 구오(九五)와 육이(六二)가 모두 중정(中正)을 얻었고, 아래의 진(震)과 위의 손(巽)이 모두 나무(나무로 만든 배)의 상이다. 그러므로 그 점(占)이 가는 바를 둠이 이롭고 대천을 건넘이 이로운 것이다.

象曰 益은 損上益下하니 民說(悅)无疆이요 自上下下하니 其道大光이라

〈단전〉에 말하였다. "익(益)은 위를 덜어 아래에 더해주니 백성의 기뻐함이 무강(無疆;무궁)하고, 위에서 아래에 낮추니 그 도가 크게 빛난다.

傳 | 以卦義與卦才言也라 卦之爲益은 以其損上益下也일새니 損於上而益下면 則民說之无疆이니 謂无窮極也라 自上而降己以下下하면 其道之大光顯也라 陽下居初하고 陰上居四하니 爲自上下下之義라

괘의(卦義)와 괘재(卦才)로써 말한 것이다. 괘가 익(益)이 됨은 위를 덜어 아래에 더해주기 때문이니, 위를 덜어 아래에 더해주면 백성의 기뻐함이 무강(無疆)하니, 무강은 궁극함(끝)이 없음을 이른다. 위로부터 자신을 낮추어 아래에게 낮추면 그 도가 크게 광현(光顯)하다. 양이 내려와 초(初)에 거하고 음이 올라가 사(四)에 거하니, 위에서 아래에 낮추는 뜻이 된다.

本義 | 以卦體로 釋卦名義라

괘체(卦體)로써 괘명(卦名)의 뜻을 해석하였다.

··· 疆 : 끝 강

利有攸往은 **中正**하여 **有慶**이요

가는 바를 둠이 이로움은 중정(中正)하여 복경(福慶)이 있는 것이요

傳ㅣ 五以剛陽中正으로 居尊位하고 二復以中正應之하니 是는 以中正之道로 益天下하여 天下受其福慶也라

오(五)가 강양 중정(剛陽中正)으로 존위(尊位)에 거하였고 이(二)가 다시 중정으로 응하니, 이는 중정의 도(道)로써 천하를 유익하게 하여 천하가 그 복경(福慶)을 받는 것이다.

利涉大川은 (木)[益]**道乃行**이라

대천(大川)을 건넘이 이로움은 익(益)의 도(道)가 이에 행해진 것이다.

本義ㅣ **木道乃行**이라

나무의 도가

傳ㅣ 益之爲[一无爲字 一作於]道 於平常无事之際엔 其益猶小요 當艱危險難이면 則所益至大라 故利涉大川也니 於濟艱險은 乃益道大行之時也라 益을 誤作木하니 或以爲上巽下震이라 故云木道라하나 非也라

익(益)의 도는 평소 일이 없을 때에는 그 유익함이 오히려 작고, 어려움과 험난함을 당하면 유익한 바가 지극히 크다. 그러므로 대천을 건넘이 이로운 것이니, 어려움과 험난함을 구제함은 바로 익의 도가 크게 행해지는 때이다. 익(益)을 잘못 목(木)으로 썼으니, 혹자는 이르기를 "위는 손(巽)이고 아래는 진(震)이다. 그러므로 목도(木道)라고 한 것이다." 하나, 옳지 않다.

本義ㅣ 以卦體卦象으로 釋卦辭라

괘체(卦體)와 괘상(卦象)으로써 괘사(卦辭)를 해석하였다.

益은 **動而巽**하여 **日進无疆**하며

익(益)은 동함에 공손하여 날로 나아감이 무궁하며,

傳│ 又以二體言卦才라 下動而上巽은 動而巽也라 爲益之道 其動이 巽順於理면 則其益日進〔一本益字在日進下〕하여 廣大无有疆限也라 動而不順於理면 豈能成大益也리오

또 두 체(體)로써 괘재(卦才)를 말하였다. 아래가 동하고 위가 공손함은 동함에 공손한 것이다. 유익하게 하는 방도는 그 동함이 도리에 손순(巽順)하면 그 유익함이 날로 진전되어 광대(廣大)하여 한계가 없게 된다. 동하나 도리에 순하지 않으면 어찌 큰 유익함을 이루겠는가.

天施地生하여 其益이 无方하니
하늘이 베풀고 땅이 낳아 그 유익함이 일정한 방소(方所)가 없으니,

傳│ 以天地之功으로 言益道之大하니 聖人體之하여 以益天下也라 天道資始하고 地道生物하니 天施地生하여 化育萬物하여 各正性命하니 其益이 可謂无方矣라 方은 所也니 有方所〔一无所字〕則有限量이니 无方은 謂廣大无窮極也라 天地之益萬物이 豈有窮際乎아

하늘과 땅의 공(功)으로써 익도(益道)의 큼을 말하였으니, 성인이 이것을 체행하여 천하에 유익하게 한다. 하늘의 도(道)는 만물이 의뢰하여 시작하고 땅의 도는 만물을 내니, 하늘이 베풀고 땅이 낳아 만물을 화육(化育)해서 각기 성명(性命)을 바루니, 그 유익함이 일정한 방소가 없다고 이를 만하다. '방(方)'은 방소이니, 방소가 있으면 한량이 있으니, 방소가 없다는 것은 광대(廣大)하여 다함이 없음을 이른다. 하늘과 땅이 만물을 유익하게 함이 어찌 궁제(窮際:끝)가 있겠는가.

凡益之道 與時偕行하나니라
무릇 익(益)의 도는 때에 따라 함께 행하는 것이다."

傳│ 天地之益无窮者는 理而已矣요 聖人利益天下之道 應時順理하여 與天地合은 與時偕行也라

하늘과 땅의 유익함이 무궁한 것은 이치일 뿐이요, 성인이 천하를 유익하게 하는 도가 때에 응하고 이치에 순응하여 하늘과 땅과 더불어 합함은 때에 따라 함

께 행하는 것이다.

本義 |　動、巽은 二卦之德이요 乾下施, 坤上生은 亦上文卦體之義니 又以此極
言하여 贊益之大하니라
　　동(動)과 손(巽)은 두 괘의 덕(德)이요, 건(乾)이 아래로 베풀고 곤(坤)이 위로 낳
음은 또한 상문(上文) 괘체(卦體)의 뜻이니, 또 이것으로 극언하여 익(益)의 큼을
찬미한 것이다.

象曰 風雷益이니 君子以하여 見善則遷하고 有過則改하나니라
　〈상전〉에 말하였다. "바람과 우레가 익(益)이니, 군자가 보고서 선(善)을
보면 옮겨가고 허물이 있으면 고친다."

傳 |　風烈則雷迅하고 雷激則風怒하니 二物相益者也라 君子觀風雷相益之象하
여 而求益於己하나니 爲益之道는 无若見善則遷하고 有過則改也라 見善能遷이면
則可以盡天下之善이요 有過能改면 則无過矣니 益於人者 无大於是하니라
　　바람이 맹렬하면 우레가 빠르고 우레가 격렬하면 바람이 거세어지니, 두 물건
은 서로 더해주는 것이다. 군자가 바람과 우레가 서로 더해주는 상(象)을 보고서
자신에게 유익함을 구하니, 유익하게 하는 방도는 선(善)을 보면 옮겨가고 허물이
있으면 고치는 것보다 더함이 없다. 선을 보고 옮겨가면 천하의 선을 다할 수 있
고, 허물이 있을 적에 고치면 허물이 없게 되니, 사람에게 유익함이 이보다 큰 것
이 없다.

本義 |　風雷之勢 交相助益하니 遷善改過는 益之大者요 而其相益이 亦猶是也라
　　바람과 우레의 기세가 서로 도와주고 더해주니, 선(善)으로 옮겨가고 허물을
고침은 유익함이 큰 것이요, 서로 유익하게 함이 또한 이와 같은 것이다.

初九는 利用爲大作이니 元吉이라야 无咎리라
　초구(初九)는 〈유익한 일을〉 크게 일으킴이 이로우니, 크게 선(善)하여
길하여야 허물이 없으리라.

傳│ 初九는 震動之主니 剛陽之盛也라 居益之時하여 其才足以益物이요 雖居至
〔一无至字〕下나 而上有六四之大臣이 應於己하니 四는 巽順之主로 上能巽於君하
고 下能順〔一作異〕於賢才也라 在下者는 不能有爲也어니와 得在上者應從之면 則
宜以其道輔於上하여 作大益天下之事하니 利用爲大作也라 居下而得上之用하여
以行其志인댄 必須所爲 大善而吉이면 則无過咎요 不能元吉이면 則不唯在己有
咎라 乃累乎上이니 爲上之咎也라 在至下而當大任이면 小善은 不足以稱也라 故
必元吉然後에 得无咎니라

초구(初九)는 진동(震動)의 주체이니, 강양(剛陽)이 성한 것이다. 익(益)의 때에
거하여 그 재주가 남을 유익하게 할 수 있고, 비록 지극히 낮은 곳에 있으나 위에
육사(六四)의 대신(大臣)이 자기에게 응하니, 사(四)는 순순(巽順)의 주체로 위로는
군주에게 공손하고 아래로는 현재(賢才)에게 순한다. 아래에 있는 자는 훌륭한 일
을 할 수 없으나 위에 있는 자가 응하고 따른다면 마땅히 그 도로써 윗사람을 보
필하여 천하에 크게 유익한 일을 하여야 하니, 이것이 큰 일을 일으킴이 이롭다는
것이다.

아래에 거하여 윗사람에게 쓰여져 그 뜻을 행할진댄 반드시 모름지기 하는 바
가 크게 선(善)하여 길하면 허물이 없을 것이요, 크게 선하여 길하지 못하면 다만
자기에게 허물이 있을 뿐만 아니라 바로 윗사람에게 누(累)가 되니, 이는 윗사람
의 허물이 되는 것이나. 지극히 낮은 곳에 있으면서 큰 임무를 담당하면 작은 선
은 말할 것이 못된다. 그러므로 반드시 크게 선하여 길한 뒤에야 허물이 없을 수
있는 것이다.

本義│ 初雖居下나 然當益下之時하여 受上之益者也니 不可徒然无所報效라 故
利用爲大作이요 必元吉然後得无咎라

초(初)가 비록 아래에 거하였으나 아래를 더해주는 때를 당하여 위의 더해줌을
받는 자이니, 도연(徒然;공연)히 보답하거나 바치는 바가 없어서는 안 된다. 그러
므로 큰 일을 일으킴이 이로운 것이요, 반드시 크게 길(吉)한 뒤에야 허물이 없을
수 있는 것이다.

象曰 元吉无咎는 下不厚事也일새라

〈상전〉에 말하였다. "'원길무구(元吉无咎)'는 아래에 있는 자는 후(厚)한 (큰) 일을 할 수 없기 때문이다."

傳 | 在下者는 本不當處厚事니 厚事는 重大之事也라 以爲在上所任하여 所以當大事하니 必能濟大事而致元吉이라야 乃爲无咎라 能致元吉이면 則在上者任之爲知人이요 己當之爲勝任이며 不然則上下皆有咎也라

아래에 있는 자는 본래 후한 일에 처해서는 안 되니, 후한 일은 중대한 일이다. 위에 있는 자에게 신임을 받아 대사(大事)를 담당하였으니, 반드시 대사를 이루어 원길(元吉)을 이룩하여야 비로소 허물이 없음이 된다. 능히 원길을 이루면 위에 있는 자가 맡긴 것은 인물을 앎이 되고, 자기가 담당한 것은 임무를 감당함이 되며, 그렇지 못하면 위와 아래가 모두 허물이 있는 것이다.

本義 | 下本不當任厚事라 故不如是[93]면 不足以塞咎也라

아래에 있는 자는 본래 후한 일을 맡아서는 안 된다. 그러므로 이와 같이 하지 않으면 허물을 막을 수 없는 것이다.

六二는 或益之면 **十朋之**라 **龜**도 **弗克違**나 **永貞**이면 **吉**하니 **王用享于帝**라도 **吉**하리라

육이(六二)는 혹 더해주게 되면 열 벗이 도와주는지라 거북점도 능히 어기지 못할 것이나, 영구히 하고 정고(貞固)하게 하면 길하니, 왕(王)이 상제(上帝)에게 제향하더라도 길하리라.

本義 | 或이 益之十朋之龜어든

혹자가 십붕(十朋)의 거북을 더해 주거든

傳 | 六二處中正而體柔順하여 有虛中之象하니 人處中正之道하여 虛其中하여

．．．．．．
93 不如是 : 사계(沙溪)는 "불여시(不如是)의 시(是)는 원길(元吉)을 가리켜 말한 것이다." 하였다. 《經書辨疑》

以求益而能順從이면 天下孰不願告而益之리오 孟子曰[94] 夫苟好善이면 則四海之
內 皆將輕千里而來하여 告之以善이라하시니라 夫滿則不受하고 虛則來物은 理自
然也라 故或有可益之事면 則衆朋이 助而益之라 十者는 衆辭니 衆人所是는 理之
至當也라 龜者는 占吉凶, 辨是非之物이니 言其至是하여 龜不能違也라 永貞吉은
就六二之才而言이라 二中正虛中하여 能得衆人之益者也나 然而質本陰柔라 故
戒在常永貞固則吉也니 求益之道 非永貞則安能守也〔一作之〕리오

　　육이(六二)가 중정(中正)에 처하고 체(體)가 유순하여 허중(虛中;마음을 비움)의 상
(象)이 있으니, 사람이 중정의 도에 처하여 그 마음을 비워 유익하기를 구하고 순
종하면 천하에 누가 말해주어 유익하게 하기를 원하지 않겠는가. 맹자가 말씀하
시기를 "진실로 선(善)을 좋아하면 사해의 안이 다 장차 천 리를 가벼이 여기고 와
서 선을 말해 줄 것이다." 하셨다. 꽉 차면(자만(自滿)하면) 받아들이지 못하고 비우
면(겸허하면) 물건(사람)을 오게 함은 이치의 자연함이다. 그러므로 혹 유익하게 할
만한 일이 있으면 여러 벗이 도와주어 유익하게 하는 것이다.

　　'십(十)'은 많다는 말이니, 여러 사람이 옳게 여기는 바는 이치에 지극히 합당
한 것이다. 거북껍질[龜]은 길·흉을 점치고 시(是)·비(非)를 분별하는 물건이
니, 지극히 옳아서 거북점도 어길 수 없음을 말한 것이다. '영정길(永貞吉)'은 육이
(六二)의 재질을 가지고 말한 것이다. 이(二)가 중정(中正)하고 마음을 비워 사람들
의 더해줌을 얻을 수 있는 자이나 질(質)이 본래 음유이므로 영구히 하고 정고(貞
固)함에 있으면 길하다고 경계한 것이니, 유익함을 구하는 방도는 영정(永貞)이 아
니면 어찌 지킬 수 있겠는가.

損之六五 十朋之則元吉者는 蓋居尊自損하여 應下之剛하고 以柔而居剛하니 柔
爲虛受요 剛爲固守하니 求益之至善이라 故元吉也요 六二虛中求益하고 亦有剛
陽之應이로되 而以柔居柔하여 疑益之未固也라 故戒能常永貞固則吉也라 王用
享于帝吉은 如二之虛中而能永貞이면 用以享上帝라도 猶當獲吉이어든 況與人接
物에 其意有不通乎아 求益於人에 有不應乎아 祭天은 天子之事라 故云王用也라
하니라

‥‥‥‥
94　孟子曰:이 내용은《맹자》〈고자 하(告子下)〉에 보인다.

손괘(損卦)의 육오(六五)가 열 벗이 도와주어 크게 선(善)하여 길한 것은 존위(尊位)에 거하여 스스로 겸손해서 아래의 강(剛)에 응하고 유(柔)로서 강위(剛位)에 거했기 때문이니, 유(柔)는 겸허히 받아들임이 되고 강(剛)은 굳게 지킴이 되니, 유익함을 구함에 지극히 선하다. 그러므로 원길(元吉)한 것이요, 〈익괘의〉 육이(六二)는 마음을 비워 유익함을 구하고 또한 강양(剛陽)의 응이 있으나 음유(陰柔)로서 유위(柔位)에 거하여 유익함이 견고하지 못할까 의심스러우므로 영구히 하고 정고하면 길하다고 경계한 것이다.

'왕용향우제길(王用享于帝吉)'은 이(二)가 마음을 비우고 영정(永貞)하듯이 하면 상제에게 제향하더라도 오히려 마땅히 길함을 얻을 터인데, 하물며 사람을 상대하고 사물을 접함에 그 뜻이 통하지 않음이 있겠는가. 남에게 더해주기를 구함에 응하지 않는 자가 있겠는가. 하늘에 제사함은 천자의 일이므로 '왕용(王用)'이라고 말한 것이다.

本義 │ 六二當益下之時하여 虛中處下라 故其象占이 與損六五同이라 然爻位皆陰이라 故以永貞爲戒하고 以其居下而受上之益이라 故又爲卜郊之吉占이니라

육이(六二)가 아래를 더해주는 때를 당하여 마음을 비우고 아래에 처하였으므로 그 상(象)과 점(占)이 손괘(損卦)의 육오(六五)와 같은 것이다. 그러나 효(爻)와 자리〔位〕가 모두 음(陰)이기 때문에 영정(永貞)하라고 경계하였고, 아래에 거하여 위의 더해줌을 받기 때문에 또 교제(郊祭)를 점치는 길점(吉占)이 되는 것이다.

象曰 或益之는 自外來也라

〈상전〉에 말하였다. "혹 유익하게 한다는 것은 밖으로부터 오는 것이다."

傳 │ 旣中正虛中하여 能受天下之善而固守면 則有有益之事에 衆人自外來益之矣라 或曰 自外來는 豈非謂五乎아 曰 如二之中正虛中이면 天下孰不願益之리오 五爲正應하니 固在其中矣니라

이미 중정(中正)하고 마음을 비워 능히 천하의 선(善)을 받아들여 굳게 지킨다면 유익한 일이 있음에 중인(衆人)들이 밖으로부터 와서 유익하게 할 것이다.

혹자는 "밖으로부터 왔다는 것은 어찌 오(五)를 말함이 아니겠는가?" 하기에,

283
風雷益

다음과 같이 대답하였다. "이(二)와 같이 중정(中正)하고 허중(虛中)한다면 천하에 누가 유익하게 해주기를 원하지 않겠는가. 오(五)는 정응(正應)이 되니, 오(五)에 대한 말도 진실로 이 가운데 들어 있는 것이다."

本義 | 或者는 衆无定主之辭라
　　'혹(或)'이란 여러 사람이어서 일정한 주체가 없는 말이다.

六三은 **益之用凶事**[95]엔 **无咎**어니와 **有孚中行**이라야 **告公用圭**리라
　　육삼(六三)은 더함을 흉한 일에 쓰면 허물이 없으나, 부성(孚誠)이 있고 중항(中行;중도)을 하여야 공(公)에게 아뢸 때에 규(圭)를 씀과 같으리라.

本義 | 益之用凶事라 无咎니 有孚하고 中行하여 告公用圭니라
　　더해줌을 흉한 일에 쓰는 것이니(흉한 일로 더해주는 것이니), 허물이 없다. 부성을 두고 중항으로 하여 공에게 고(告)하되 규(圭;신(信))로써 하여야 한다.

傳 | 三居下體之上하니 在民上者也니 乃守令也라 居陽應剛하고 處動之極하니 居民上而剛決하여 果於爲益者〔一无者字〕也라 果於爲益은 用之凶事則无咎니 凶事는 謂患難非常之事라 三居下之上하니 在下에 當承稟於上이니 安得自任하여 擅爲益乎아 唯於患難非常之事엔 則可量宜應卒(猝)하여 奮不顧身하여 力庇其民이라 故无咎也라 下專自任이면 上必忌疾하리니 雖當凶難하여 以〔一无以字〕義在可爲나 然必有其孚誠하고 而所爲合於中道면 則誠意通於上하여 而上信與之矣라 專爲而无爲上愛民之至誠이면 固不可也며 雖有誠意라도 而所爲不合中行이면 亦不可也라
　　삼(三)이 하체의 위에 거하였으니 백성의 위에 있는 자이니, 바로 수령(守令)이다. 양위(陽位)에 거하여 강(剛)과 응하고 동(動)의 극에 처하였으니, 백성의 위에

. . . .
95　益之用凶事 : 흉사(凶事)는 좋은 일이 아니고 나쁜 일인바, 《정전》에는 "환난(患難) 등의 비상사태"로 본 반면, 《본의》에는 "어려운 일을 만나 경계하고 진동(震動)함"의 뜻으로 보았다. 아래 〈상전(象傳)〉의 '固有之也'의 해석 역시 《정전》과 《본의》가 각기 다르다.

· · ·　稟 : 받을 품　擅 : 제멋대로할 천

있으면서 강(剛)하고 과단(果斷)하여 유익한 일을 함에 과감한 자이다. 유익한 일을 함에 과감함은 흉(凶)한 일에 쓰면 허물이 없으니, 흉한 일이란 환난(患難)과 비상(非常)한 일을 이른다. 삼(三)은 하체의 위에 거하였으니, 아래에 있을 적에는 마땅히 윗사람에게 명령을 받아 따라야 하니, 어찌 스스로 맡아서 제멋대로 유익한 일을 할 수 있겠는가. 오직 환난과 비상한 일에 있어서는 마땅함을 헤아려 갑작스런 상황에 대응해서 분발하여 몸을 돌보지 않고 힘써 백성을 비호(庇護)할 수 있다. 그러므로 허물이 없는 것이다.

아래에 있는 자가 오로지 자임(自任)하면 윗사람은 반드시 시기(猜忌)하고 미워할 것이니, 비록 흉함과 어려운 일을 당하여 의리(義理)에 할 만한 입장에 있으나, 반드시 부성(孚誠)이 있고 하는 바가 중항(中行)에 합하면 성의가 위에 통하여 윗사람이 신임하고 친할 것이다. 제멋대로 하면서 윗사람을 위하고 백성을 사랑하는 지극한 정성이 없으면 진실로 불가하며, 비록 성의가 있더라도 하는 바가 중항에 합하지 않으면 또한 불가하다.

圭者는 通信之物이라 禮云 大夫執圭而使는 所以申信也라하니 凡祭祀、朝聘에 用圭玉은 所以通達誠信也라 有誠孚而得中道면 則能使上信之하니 是猶告公上에 用圭玉也니 其孚能通達於上矣라 在下而有爲之道는 固當有孚中行이요 又三이 陰爻而不中이라 故發此義라 或曰 三乃陰柔어늘 何得反以剛果任事爲義오 曰 三이 質雖本陰이나 然其居陽은 乃自處以剛也요 應剛은 乃志在乎剛也며 居動之極은 剛果於行也니 以此行益이면 非剛果而何오 易은 以所勝爲義라 故不論其本質也니라

'규(圭)'는 신(信)을 통하는 물건이다. 예(禮:《예기》〈교특생(郊特牲)〉)에 "대부(大夫)가 규를 잡고 사신가는 것은 신(信)을 펴는 것이다." 하였으니, 무릇 제사와 조빙(朝聘)에 규옥(圭玉)을 쓰는 것은 성신(誠信)을 통하기 위해서이다. 부성(孚誠)이 있고 중도를 얻으면 윗사람으로 하여금 신임하게 할 수 있으니, 이는 공상(公上)에게 고(告)할 때에 규옥을 쓰는 것과 같으니, 그 부성이 윗사람에게 통할 수 있을 것이다. 아래에 있으면서 훌륭한 일을 할 수 있는 방도는 진실로 마땅히 부성이 있고 중항을 하여야 하며, 또 삼(三)이 음효(陰爻)로 중(中)하지 못하므로 이 뜻을 말한 것이다.

••• 聘 : 물을 빙

혹자는 "삼(三)은 바로 음유(陰柔)인데 어떻게 도리어 강(剛)하고 과단성있게 일을 맡는 것으로 뜻을 삼는가?" 하기에, 다음과 같이 대답하였다. "삼(三)은 질이 본래 음이나 양위(陽位)에 거함은 바로 강함으로써 자처하는 것이요, 강에 응함은 뜻이 강함에 있는 것이며, 동(動)의 극에 거함은 행실을 강하고 과단성 있게 하는 것이니, 이러한 방식으로 유익한 일을 행한다면 강하고 과단성 있는 것이 아니고 무엇이겠는가. 역(易)은 우세(優勢)한 것을 뜻으로 삼기 때문에 그 본질을 논하지 않는 것이다."

本義 | 六三이 陰柔不中不正하니 不當得益者也라 然當益下之時하여 居下之上이라 故有益之以凶事者하니 蓋警戒震動은 乃所以益之也라 占者如此然後에 可以无咎요 又戒以有孚中行而告公用圭也니 用圭는 所以通信이라

육삼(六三)이 음유(陰柔)로 중정(中正)하지 못하니, 유익함을 얻어서는 안 되는 자이다. 그러나 아래에 더하는 때를 당하여 하체의 위에 거하였으므로 유익하게 하기를 흉(凶)한 일로써 하는 것이니, 경계(警戒)하고 진동(震動)함이 바로 유익하게 하는 것이다. 점치는 자가 이와 같이 한 뒤에야 허물이 없을 것이요, 또 성실함을 두고 중항을 하여 공(公)에게 고하되 규(圭)로써 하라고 경계하였으니, 규를 씀은 신을 통하는 것이다.

象曰 益用凶事는 固有之也일새라
〈상전〉에 말하였다. "'익용흉사(益用凶事)'는 진실로 자신이 가지고 있기 때문이다."

本義 | 固有之也라
　　　견고히 간직하게 하기 위한 것이다.

傳 | 六三益之를 獨可用於凶事者는 以其固有之也일새니 謂專固自任其事也라 居下엔 當稟承於上이어늘 乃專任其事는 唯救民之凶災와 拯時之艱急則可也니 乃處急難變故之權宜라 故得无咎요 若平時則不可也라

육삼(六三)이 유익하게 함을 홀로 흉한 일에 쓸 수 있는 것은 진실로 자기가 가지고 있기 때문이니, 오로지하고 굳게 그 일을 자임함을 이른다. 아래에 거했으

면 마땅히 윗사람에게 여쭈어 명령을 받아야 하는데, 그 일을 오로지 맡음은 오직 백성의 흉한 재앙을 구제함과 때의 어려움을 구원하는 일에 있어서만 가(可)하니, 이는 바로 급난(急難)과 변고에 대처하는 권의(權宜:권도(權道))이다. 그러므로 허물이 없을 수 있는 것이요, 만일 평상시라면 불가한 것이다.

本義 | 益用凶事는 欲其困心衡(橫)慮而固有之也라

'익용흉사(益用凶事)'는 마음을 곤궁하게 하고 생각을 거슬리게 하여 견고히 간직하고자 함이다.

六四는 中行이면 告公從하리니 利用爲依며 遷國이니라

육사(六四)는 중항(中行)으로 하면 공(公)에게 고(告)함에 따르리니, 의지하며 국도(國都)를 옮김이 이롭다.

本義 | 利用爲依遷國이니라

의지하여 국도(國都)를 옮김이 이롭다.

傳 | 四當益時하여 處近君之位하고 居得其正하여 以柔巽輔上하고 而下順應於初之剛陽하니 如是면 可以益於上也라 唯處不得其中하고 而所應又不中하니 是는 不足於中也라 故云若行得中道면 則可以益於君上이니 告於上而獲信從矣라 以柔巽之體로 非有剛特之操라 故利用爲依, 遷國이니 爲依는 依附於上也요 遷國은 順下而動也라 上依剛中之君而致其益하고 下順剛陽之才以行其事하니 利用如是也라 自古로 國邑이 民不安其居則遷하니 遷國者는 順下而動也라

사(四)가 익(益)의 때를 당하여 군주와 가까운 자리에 처하였고, 거함이 바름을 얻어 유손(柔巽)함으로써 윗사람을 보필하고, 아래로 초(初)의 강양(剛陽)에 응하니, 이와 같으면 윗사람에게 유익하게 할 수 있다. 다만 처함이 중(中)을 얻지 못하였고 응한 바(상구)가 또 중이 아니니, 이는 중이 부족한 것이다. 그러므로 만일 행함이 중도(中道)를 얻으면 군상(君上)에게 유익할 수 있으니, 위에 고(告)함에 믿고 따라줌을 얻는다고 말한 것이다.

유손(柔巽)한 체(體)로 강특(剛特)한 지조가 있지 않으므로 의지하며 국도(國都)를 옮김이 이로운 것이니, '위의(爲依)'는 윗사람에게 의지하여 붙는 것이요, '천국

(遷國)'은 아래에 순종하여 동하는 것이다. 위로 강중(剛中)의 군주에 의지하여 유익함을 이루고 아래로 강양(剛陽)의 재주가 있는 자에게 순종하여 일을 행하니, '이용(利用)함'이 이와 같다. 예로부터 국읍(國邑)은 백성들이 거처를 편안히 여기지 못하면 옮겼으니, 국도를 옮기는 것은 아래에 순종하여 동하는 것이다.

本義 | 三、四皆不得中이라 故皆以中行爲戒라 此는 言以益下爲心하여 而合於中行이면 則告公而見從矣라 傳曰 周之東遷에 晉、鄭焉依[96]라하니 蓋古者에 遷國以益下에 必有所依然後能立이요 此爻又爲遷國之吉占也라

삼(三)과 사(四)가 모두 중(中)을 얻지 못하였으므로 모두 중항을 하라고 경계한 것이다. 이는 아래를 유익하게 함으로 마음을 삼아 중도(中道)에 합하면 공(公)에게 아룀에 따라줌을 말한 것이다. 전(傳)에 이르기를 "주(周)나라가 동쪽으로 천도(遷都)할 적에 진(晉)나라와 정(鄭)나라에 의지했다." 하였으니, 옛날 국도(國都)를 옮겨 아랫사람들에게 유익하게 할 때에는 반드시 의지하는 바가 있은 뒤에 설 수 있었으며, 이 효(爻)는 또 국도를 옮기는 길점(吉占)이 된다.

象曰 告公從은 以益志也라

〈상전〉에 말하였다. "공(公)에게 아뢰어 따라주는 것은 유익하게 하려는 뜻 때문이다."

傳 | 爻辭엔 但云 得中行則告公而獲從이어늘 象復明之曰 告公而獲從者는 告之以益天下之志也라 志苟在於益天下면 上必信而從之리니 事君者는 不患上之不從이요 患其志之不誠也니라

효사(爻辭)에는 다만 "중항을 얻으면 공(公)에게 아룀에 따라줌을 얻는다."고 말하였는데, 〈상전〉에는 다시 밝히기를 "공에게 아룀에 따라줌을 얻는 것은 천하를 유익하게 할 뜻으로써 고하기 때문이다." 하였다. 뜻이 진실로 천하를 유익하게 함에 있다면 윗사람이 반드시 믿고서 따를 것이니, 군주를 섬기는 자는 윗사람이

......
96   傳曰周之東遷 晉鄭焉依 : 전(傳)은 옛 책을 이르는 바, 이 내용은 《춘추좌씨전》 은공(隱公) 6년에 "我周之東遷, 晉鄭焉依."라고 한 주(周)나라 환공(桓公)의 말이 보인다.

따라주지 않음을 걱정하지 말고, 자신의 뜻이 성실하지 못함을 걱정하여야 한다.

九五는 **有孚惠心**이라 **勿問**하여도 **元吉**하니 **有孚**하여 **惠我德**하리라
　구오(九五)는 은혜로운 마음에 부성(孚誠)을 두고 있다. 묻지 않아도 크게 선(善)하여 길하니, 부성을 두어 나의 덕(德)을 은혜롭게 여기리라.

傳 | 五剛陽中正으로 居尊位하고 又得六二之〔一无之字〕中正相應하여 以行其益하니 何所不利리오 以陽實在中은 有孚之象也라 以九五之德、之才、之位로 而中心至誠이 在惠益於物이면 其至善大吉을 不問可知라 故云勿問元吉이라하니라 人君이 居得致之位하고 操可致之權하여 苟至誠益於〔一作於益〕天下면 天下受其大福하리니 其元吉을 不假言也라 有孚惠我德은 人君이 至誠益於〔一作於益〕天下면 天下之人이 无不至誠愛戴하여 以君之德澤爲恩惠也라

　오(五)가 강양 중정(剛陽中正)으로 존위(尊位)에 거하였고, 또 육이(六二)의 중정(中正)이 서로 응함을 얻어 그 유익함을 행하니, 어느 것인들 이롭지 않겠는가. 양실(陽實)로서 중(中)에 있음은 유부(有孚)의 상(象)이다. 구오(九五)의 덕과 재주와 지위로 중심(中心)의 지성이 남에게 은혜를 베풀고 유익하게 하는 데 있다면 지극히 선(善)하고 대길(大吉)함을 묻지 않아도 알 수 있다. 그러므로 '물문원길(勿問元吉)'이라고 말한 것이다. 인군이 이룩할 수 있는 지위에 처하고 이룩할 수 있는 권세를 잡고서 만일 지성으로 천하에 유익하게 하려고 한다면 천하가 큰 복(福)을 받을 것이니, 그 원길(元吉)함을 굳이 말할 것이 없다. '유부혜아덕(有孚惠我德)'은 인군이 지성으로 천하를 유익하게 하려고 하면 천하의 사람들이 지성으로 사랑하고 떠받들어 군주의 덕택을 은혜롭게 여기지 않는 이가 없을 것이다.

本義 | 上有信以惠于下면 則下亦有信以惠於上矣리니 不問而元吉을 可知라

　윗사람이 부신(孚信)을 두어 아랫사람들에게 은혜를 베풀면 아랫사람 또한 부신을 두어 윗사람을 은혜롭게 여길 것이니, 묻지 않아도 크게 길함을 알 수 있다.

象曰 有孚惠心이라 **勿問之矣**며 **惠我德**이 **大得志也**라

〈상전〉에 말하였다. "은혜로운 마음에 부성(孚誠)이 있으니 물을 것이 없으며, 나의 덕(德)을 은혜롭게 여김은 크게 뜻을 얻는 것이다."

傳ㅣ 人君이 有至誠惠益天下之心이면 其元吉을 不假言也라 故로 云勿問之矣라 天下至誠懷吾德하여 以爲惠면 是其道大行이니 人君之志得矣라

인군이 지성으로 천하에 은혜롭고 유익하게 하려는 마음이 있으면 그 원길(元吉)함을 굳이 말할 것이 없다. 그러므로 물을 것이 없다고 한 것이다. 천하가 지성으로 나의 덕을 그리워하여 은혜롭게 여기면 이는 그 도(道)가 크게 행해지는 것이니, 인군의 뜻이 얻어지는 것이다.

上九는 **莫益之**라 **或擊之**리니 **立心勿恒**이니 **凶**하니라

상구(上九)는 유익하게 해주는 이가 없다. 혹 공격하리니, 마음(유익하게 해주기를 바라는 마음)을 세우되 항상하지 말아야 하니, 흉하다.

傳ㅣ 上居无位之地하니 非行益於人者也요 以剛處益之極하니 求益之甚者也요 所應者陰이니 非取善自益者也라 利者는 衆人所同欲也니 專欲益己면 其害大矣라 欲之甚이면 則昏蔽而忘義理하고 求之極이면 則侵奪而致仇怨이라 故夫子曰 放於利而行이면 多怨이라하시고 孟子謂先利則不奪不饜[97]이라하시니 聖賢之深戒也라 九以剛而求益之極하니 衆人所共惡(오)라 故无益之者하고 而或攻擊之矣라 立心勿恒凶은 聖人이 戒人存心不可專利하여 云勿恒이니 如是면 凶之道也라하시니 所〔一作謂〕當速改也라

상(上)이 지위가 없는 자리에 처했으니 남에게 유익함을 행할 수 있는 자가 아니요, 강(剛)으로 익(益)의 극에 처했으니 유익함을 구하기를 심하게 하는 자이고, 응하는 바(육사)가 음(陰)이니 선(善)을 취하여 스스로 유익하게 할 수 있는 자가

------

97 夫子曰……孟子謂先利則不奪不饜 : 부자(夫子)는 공자(孔子)에 대한 존칭으로 이 내용은《논어》〈이인(里仁)〉에 그대로 보이며, 맹자의 말씀은 〈양혜왕 상(梁惠王上)〉의 첫 번째 절(節)에 "苟爲後義而先利, 不奪不饜."이라고 보인다.

··· 饜 : 만족할 염

아니다. 이(利)는 여러 사람이 함께 원하는 바이니, 오로지 자신에게만 유익하게 하고자 하면 그 폐해가 크다. 유익을 원하기를 심히 하면 어둡고 가리워져 의리를 잊고, 구(求)하기를 지극히 하면 남을 침탈하여 원수를 이루게 된다. 그러므로 부자(夫子)는 "이(利)에 따라 행하면 원망이 많다." 하셨고, 맹자는 "이익을 먼저 하면 빼앗지 않으면 만족해하지 않는다."고 말씀하신 것이니, 성현의 깊은 경계이다.

상구(上九)가 강(剛)으로서 유익함을 구하기를 지극히 하니, 사람들이 함께 미워하는 바이다. 그러므로 유익하게 해주는 자가 없고 혹 공격하는 것이다. '입심물항흉(立心勿恒凶)'은 성인이 사람들이 마음을 둘 적에 이익을 오로지 해서는 안 됨을 경계하여 "항상하지 말아야 하니, 이와 같이 하면 흉한 방도이다."라고 말씀하신 것이니, 마땅히 속히 고쳐야 할 것이다.

本義 │ 以陽居益之極하여 求益不已라 故莫益而或擊之라 立心勿恒은 戒之也라

양(陽)으로서 익(益)의 극에 거하여 유익함을 구하기를 그치지 않는다. 그러므로 유익하게 해주는 이가 없고 혹 공격하는 것이다. 마음을 세움에 항상하지 말라는 것은 경계한 것이다.

象曰 莫益之는 偏辭也[98]요 或擊之는 自外來也라

〈상전〉에 말하였다. "유익하게 해주는 이가 없는 것은 편벽되다는 말이요, 혹 공격한다는 것은 밖으로부터 오는 것이다."

본의 │ 유익하게 해주는 이가 없다는 것은 한쪽만 말한 것이요,

傳 │ 理者는 天下之至公이요 利者는 衆人所同欲이니 苟公其心하여 不失其正理면 則與衆同利하여 无侵於人하여 人亦欲與之요 若切於好利하여 蔽於自私하여 求自益以損於人이면 則人亦與之力爭이라 故莫肯益之하고 而有擊奪之者矣니 云莫益之者는 非有偏己之辭也라 苟不偏己하여 合於公道면 則人亦益之리니 何爲

• • • • • •

98　莫益之 偏辭也:《정전》에는 편사(偏辭)를 "유익하게 해주는 이가 없는 것은 편벽되다는 말"로 해석하였으나 《본의》에는 "유익하게 해주는 이가 없다는 것은 한쪽만 말한 것"으로 해석하여, 전체로 말하면 "혹 공격하는 자가 있는 것"으로 보았다.

擊之乎아 旣求益於人하여 至於甚極이면 則人皆惡(오)而欲攻之라 故擊之者自外
來也라 人爲善이면 則千里之外應之하나니 六二中正虛己에 益之者自外而至 是
也요 苟爲不善이면 則千里之外違之하나니 上九求益之極에 擊之者自外而至 是
也라

'이(理)'는 천하에 지극히 공정(公正)함이요 '이(利)'는 여러 사람이 함께 원하는
바이니, 만일 그 마음을 공정하게 하여 정리(正理)를 잃지 않는다면 사람들과 더
불어 이익을 함께 하여 남을 침해함이 없어서 남들도 그와 친하고자 할 것이요,
만일 이익을 좋아함에 간절해서 스스로 사사로움에 가리워져 자신의 유익을 추
구하여 남에게 손해를 끼친다면 남들도 그와 더불어 힘써 다툴 것이다. 그러므로
즐겨 유익하게 해주는 이가 없고 공격하여 빼앗는 자가 있는 것이니, 유익하게 해
주는 이가 없다고 말한 것은 자신에게 치우침이 있음을 그르다고 여긴 말이다. 만
일 자신에게 치우치지 않아서 공도(公道)에 합한다면 남들 또한 유익하게 해줄 것
이니, 어찌 공격하겠는가. 이미 남에게서 유익함을 추구하여 극도로 심함에 이르
면 남들이 모두 미워하여 공격하고자 할 것이다. 그러므로 공격하는 자가 밖으로
부터 오는 것이다.

사람이 선행(善行)을 하면 천 리의 밖에서도 응하니, 육이(六二)가 중정(中正)하
고 자신을 겸허히 함에 유익하게 해주는 자가 밖으로부터 이르는 것이 이것이요,
만일 불선(不善)한 짓을 하면 천 리 밖에서 떠나가니, 상구(上九)가 유익함을 추구
하기를 지극히 함에 공격하는 자가 밖으로부터 오는 것이 이것이다.

繫辭曰 君子安其身而後動하며 易(이)其心而後語하며 定其交而後求하나니 君子
修此三者라 故全也하나니라 危以動則民不與也요 懼以語則民不應也요 无交而
求則民不與也하나니 莫之與則傷之者至矣라 易曰 莫益之라 或擊之리니 立心勿
恒이니 凶이라하니 君子言動與求를 皆以其道 乃完善也라 不然則取傷而凶矣니라

〈계사전 하〉에 이르기를 "군자는 자기 몸을 편안히 한 뒤에 동하며, 자기 마음
을 화평(和平)하게 한 뒤에 말하며, 사귐을 정(定)한 뒤에 구하니, 군자는 이 세
가지를 닦기 때문에 온전한 것이다. 위태로우면서 동하면 백성들이 더불지 않
고, 두려워하면서 말하면 백성들이 응하지 않고, 사귐이 없으면서 구하면 백성들
이 친하지 않으니, 친하지 않으면 해롭게 하는 자가 이를 것이다. 역(易)에 이르기

를 '유익하게 해주는 이가 없다. 혹 공격할 것이니, 마음을 세우되 항상하지 말아야 하니, 흉하다.' 하였다." 하였으니, 군자는 말하고 동(動)하고 구(求)함을 모두 그 도로써 함이 바로 완전히 선(善)한 것이다. 이렇지 않으면 상(傷)함을 취하여 흉하다.

本義 | 莫益之者는 猶從其求益之偏辭而言也요 若究而言之면 則又有擊之者矣리라

'막익지(莫益之)'라는 것은 유익함을 추구하는 한쪽의 말을 따라 말한 것이요, 만일 끝까지 다하여 말한다면 또 공격하는 자가 있는 것이다.

傳 | 夬는 序卦에 益而不已면 必決이라 故受之以夬하니 夬者는 決也라하니라 益
之極이면 必決而後止니 理无常益하여 益〔一无下益字〕而不已면 已乃決也니 夬所
以次益也라 爲卦 兌上乾下하니 以二體言之하면 澤은 水之聚也어늘 乃上於至高
之處하니 有潰(궤)決之象이요 以爻言之하면 五陽在下하여 長而將極하고 一陰在
上하여 消而將盡하니 衆陽上進하여 決去一陰은 所以爲夬也니 夬者는 剛決之義
라 衆陽進而決去一陰하니 君子道長하고 小人消衰將盡之時也라

쾌괘(夬卦)는 〈서괘전〉에 "더하고 그치지 않으면 반드시 터진다. 그러므로 쾌
괘로 받았으니, 쾌(夬)는 터짐이다." 하였다. 더함이 지극하면 반드시 터진 뒤에
그치니, 이치는 항상 더함이 없어서 더하고 그치지 않으면 끝내는 마침내 터지니,
쾌괘가 이 때문에 익괘(益卦䷩)의 다음이 된 것이다. 괘됨이 태(兌☱)가 위에 있
고 건(乾☰)이 아래에 있으니, 두 체(體)로써 말하면 못은 물이 모인 것인데 마침
내 지극히 높은 곳에 올라가 있으니 터지는 상이 있고, 효(爻)로써 말하면 다섯 양
이 아래에 있어 자라나 장차 지극하게 되고 한 음이 위에 있어 사라져 장차 다하
게 되었으니, 여러 양이 위로 나아가 한 음을 결단하여 제거함은 쾌(夬)가 되는 것
이니, 쾌는 강하게 결단하는 뜻이다. 여러 양이 나아가 한 음을 결단하여 제거하
니, 군자의 도가 자라나고 소인이 사라지고 쇠하여 장차 다하게 되는 때이다.

夬는 揚于王庭이니 孚號有厲[99]니라

쾌(夬)는 왕의 조정에서 드러냄이니, 지성으로 호령(號令)하여 위태롭
게 여기는 마음이 있게 하여야 한다.

• • • • • •

99 孚號有厲 : 부호(孚號)를 《정전》에서는 "부성(孚誠)으로 호령하는 것"으로 보아 호(號)를 거성
(去聲)으로 읽고 구이(九二)의 척호(惕號) 역시 "두려워하고 호령하는 것"으로 보았으며, 상육(上
六)의 무호(无號)는 "사람들을 불러 모으거나 울부짖지 말 것"으로 해석하여 호(號)를 평성(平聲)
으로 읽었다. 한편 《본의》에는 모두 평성으로 읽고 "부르는 것"으로 해석하였다.

••• 夬 : 결단할 쾌 潰 : 무너질 궤 厲 : 위태로울 려

本義 | 揚于王庭하여 孚號나 有厲며
　　왕의 조정에서 드러내어 지성으로 불러 호소하여야 하나 위태롭게 여김이 있어야 하며

傳 | 小人方盛之時엔 君子之道未勝하니 安能顯然以正道決去之리오 故含晦俟時하여 漸圖消之之道어니와 今旣小人衰微하여 君子道盛이면 當顯行之於公朝하여 使人明知善惡이라 故로 云揚于王庭이라하니라 孚는 信之在中이니 誠意也요 號者는 命衆之辭라 君子之道 雖長盛이나 而不敢忘戒備라 故至誠以命衆하여 使知尙有危道니 雖以此之甚盛으로 決彼之甚衰나 若易而无備면 則有不虞之悔라 是尙有危理니 必有戒懼之心이면 則无患也라 聖人設戒之意 深矣로다

　　소인이 막 성할 때에는 군자의 도가 이기지 못하니, 어찌 능히 드러내놓고 정도(正道)로써 결단하여 제거하겠는가. 그러므로 감추고 드러내지 않아 때를 기다려서 점점 소인을 사라지게 할 방도를 도모하여야 하지만, 지금은 이미 소인들이 쇠미(衰微)하여 군자의 도가 성하다면 마땅히 드러내놓고 공조(公朝)에서 〈배척을〉 행하여 사람들로 하여금 선(善)과 악(惡)을 분명히 알게 하여야 한다. 그러므로 '왕정(王庭)에서 드날린다.'고 한 것이다.

　　'부(孚)'는 신(信)이 마음속에 있는 것이니 성의(誠意)이며, '호(號)'는 사람들에게 명령(호령)하는 말이다. 군자의 도가 비록 자라고 성하나 감히 경계와 대비를 잊어서는 안 된다. 그러므로 지성으로 사람들에게 명하여 아직도 위태로운 방도가 있음을 알게 하여야 하니, 비록 심히 성(盛)한 이것(양)으로써 심히 쇠한 지(음)들을 결단하나, 만일 쉽게 여기고 대비함이 없으면 불우(不虞:예상하지 못함)의 뉘우침이 있을 것이다. 이는 아직도 위태로운 이치가 있는 것이니, 반드시 경계하고 두려워하는 마음이 있으면 화환(禍患)이 없을 것이다. 성인이 경계를 베푼 뜻이 깊도다.

告自邑이요 不利卽戎이며 利有攸往하니라
　　사읍(私邑)부터 고(告)할 것이요 병란(兵亂)에 나아감은 이롭지 않으며, 가는 바를 둠은 이롭다.

295
澤
天
夬

本義 | **不利卽戎**이면 **利有攸往**하리라

병란에 나아감을 이롭게 여기지 않으면 가는 바를 둠이 이로우리라.

傳 | 君子之治小人은 以其不善也니 必以己之善道로 勝革之라 故聖人誅亂에 必先修己하시니 舜之敷文德[100]이 是也라 邑은 私邑이니 告自邑은 先自治也라 以衆陽之盛으로 決於一陰이면 力固有餘나 然不可極其剛하여 至於太過니 太過면 乃如蒙上九之爲寇[101]也라 戎兵者는 强武之事니 不利卽戎은 謂不宜尙壯武也라 卽은 從也니 從戎은 尙武也라 利有攸往은 陽雖盛이나 未極乎上하고 陰雖微나 猶有未去하니 是小人尙有存者니 君子之道有未至也라 故宜進而往也라 不尙剛武 而其道益進은 乃夬之善也라

군자가 소인을 다스림은 소인이 불선(不善)하기 때문이니, 반드시 자기의 선(善)한 도(道)로써 이겨 고쳐야 한다. 그러므로 성인이 난(亂)을 다스릴 적에는 반드시 먼저 자기 몸을 닦는 것이니, 순(舜) 임금이 문덕(文德)을 편 것이 이것이다. '읍(邑)'은 사읍(私邑)이니, 자기 사읍부터 고한다는 것은 먼저 스스로 다스리는 것이다. 여러 양의 성함으로써 한 음을 결단하면 힘이 진실로 남음이 있으나 강함을 지극히 하여 너무 지나침에 이르러서는 안 되니, 너무 지나치면 마침내 몽괘(蒙卦 ䷃)의 상구(上九)가 침략자가 되는 것과 같다. '융병(戎兵)'은 강하고 굳센 일이니, '병란(兵亂)에 나아감이 이롭지 않다'는 것은 건장(健壯)함과 무력을 숭상해서는 안됨을 말한 것이다. '즉(卽)'은 따름[從]이니 종융(從戎)은 무력을 숭상하는 것이다.

'가는 바를 둠이 이롭다'는 것은 비록 양이 성하나 아직 위에 지극하지 않고, 음이 비록 미약하나 아직 제거되지 않은 것이 있으니, 이는 소인이 아직도 남아

------

100 舜之敷文德 : 문덕(文德)은 문명(文命:문교)과 덕교(德敎)이다. 삼묘(三苗)의 군주가 복종하지 않자, 순(舜) 임금은 우(禹)에게 명하여 군대를 거느리고 가서 토벌하게 하였는데, 삼묘가 완강히 저항하고 복종하지 않았다. 수행했던 백익(伯益)이 무력을 숭상하지 말고 문덕을 펼칠 것을 주장하자, 우가 백익의 말을 따라 회군하니, 순 임금은 마침내 문덕을 크게 펴셨는데, 7일안에 삼묘가 항복해 왔다.[帝乃誕敷文德, 七旬有苗格.]《書經 大禹謨》

101 蒙上九之爲寇 : 몽괘(蒙卦) 상구 효사(上九爻辭)에 "上九擊蒙 不利爲寇, 利禦寇."라고 보이는데, 위구(爲寇)는 남을 침략하는 것이고 어구(禦寇)는 남이 침략해 왔을 때에 부득이하여 막는 것이므로, 남을 침략함은 이롭지 않다.[不利爲寇]'라고 한 것이다.

... 敷 : 펼 부

있는 것이니, 군자의 도가 지극하지 못함이 있는 것이다. 그러므로 마땅히 나아가야 하는 것이다. 강함과 무력을 숭상하지 않고 그 도(道)가 더욱 나아감은 바로 쾌(夬)의 선(善)함이다.

本義 | 夬는 決也니 陽決陰也니 三月之卦也라 以五陽去一陰하니 決之而已나 然其決之也에 必正名其罪하고 而盡誠以呼號其衆하여 相與合力이라 然이나 亦尙有危厲하니 不可安肆며 又當先治其私요 而不可專尙威武니 則利有所往也니 皆戒之之辭라

쾌(夬)는 결단함이니, 양(陽)이 음(陰)을 결단하는 것이니, 삼월(三月)의 괘이다. 다섯 양으로 한 음을 제거하니, 결단할 뿐이다. 그러나 결단할 때에 그 죄를 바로 이름(지칭)하고, 지성을 다해서 무리들을 불러모아 서로 힘을 합하여야 한다. 그러나 또한 아직도 위태로움이 있으니 편안히 여기고 마음을 놓지 말 것이며, 또 마땅히 먼저 그 사사로움을 다스릴 것이요 오로지 위엄과 무력만을 숭상해서는 안 되니, 이렇게 하면 가는 바를 둠이 이로운 바, 이는 모두 경계하는 말이다.

彖曰 夬는 決也니 剛決柔也니 健而說하고 決而和하니라
〈단전〉에 말하였다. "쾌(夬)는 결단함이니, 강(剛)이 유(柔)를 결단하는 것이니, 굳세고 기뻐하며 결단하고 화(和)하다.

傳 | 夬爲決義는 五陽이 決上之一陰也일새라 健而說, 決而和는 以二體로 言卦才也라 下健而上說은 是健而能說이요 決而能和니 決之至善也라 兌說이 爲和라

쾌(夬)가 결(決)의 뜻이 됨은 다섯 양이 위의 한 음을 결단하기 때문이다. '건이열(健而說)', '결이화(決而和)'는 상·하 두 체(體)로써 괘의 재질을 말한 것이다. 아래는 굳세고 위는 기뻐함은 이는 굳세고 기뻐함이요 결단하고 화함이니, 결단함에 지극히 좋은 것이다. 태(兌)의 열(說)이 화(和)가 된다.

本義 | 釋卦名義而贊其德이라
괘명(卦名)의 뜻을 해석하고 그 덕(德)을 찬미한 것이다.

揚于王庭은 柔乘五剛也요

'양우왕정(揚于王庭)'은 유(柔)가 다섯 강(剛)을 타고 있기 때문이요

傳 | 柔雖消矣나 然居五剛之上하여 猶爲乘陵之象하니 陰而乘陽은 非理之甚이라 君子勢旣足以去之인댄 當顯揚其罪於王朝大庭하여 使衆知善惡也니라

유(柔)가 비록 사라졌으나 다섯 강(剛)의 위에 거하여 아직도 양을 타고 능멸하는 상(象)이 되니, 음이 양을 타고 있음은 도리가 아님이 심한 것이다. 군자의 세력이 이미 음을 제거할 수 있다면 마땅히 그 죄를 왕조(王朝)의 큰 조정에서 드러내어 사람들로 하여금 선(善)과 악(惡)을 알게 하여야 한다.

孚號有厲는 其危乃光也요

'부호유려(孚號有厲)'는 그 위태로움이 마침내 광대(光大)해짐이요,

傳 | 盡誠信以命其衆하여 而知有危懼면 則君子之道 乃无虞而光大也라

성신(誠信)을 다하여 무리들에게 명령해서 위태로움과 두려움이 있음을 알게 하면 군자의 도가 마침내 근심이 없어 광대(光大)해지는 것이다.

告自邑 不利卽戎은 所尙이 乃窮也요

'고자읍 불리즉융(告自邑不利卽戎)'은 숭상하는 바가 마침내 궁극함이요,

傳 | 當先自治요 不宜專尙剛武니 卽戎이면 則所尙乃至窮極矣라 夬之時所尙은 謂剛武也라

마땅히 먼저 스스로 다스릴 것이요 오로지 강함과 무력만을 숭상해서는 안 되니, 병란(兵亂)에 나아가면 숭상하는 바가 마침내 궁극함에 이르게 된다. 쾌(夬)의 때에 숭상하는 바는 강함과 무력임을 이른다.

利有攸往은 剛長이 乃終也리라

가는 바를 둠이 이로움은 강(剛)의 자람이 이에 종극(終極)하리라."

傳 | 陽剛雖盛이나 長猶未終하여 尚有一陰하니 更當決去면 則君子之道純一하여 而无害之者矣리니 乃剛長之終也라

양강(陽剛)이 비록 성하나 자람이 아직 끝나지 않아 아직도 한 음(陰)이 남아 있으니, 다시 결단하여 이것을 제거하면 군자의 도가 순일(純一)하여 해치는 자가 없을 것이니, 바로 강(剛)의 자람이 끝나는 것이다.

本義 | 此釋卦辭라 柔乘五剛은 以卦體言이니 謂以一小人加于衆君子之上이니 是其罪也라 剛長乃終은 謂一變則爲純乾也라

이는 괘사(卦辭)를 해석한 것이다. 유(柔)가 다섯 강(剛)를 타고 있다는 것은 괘체(卦體)로써 말한 것이니, 한 소인이 여러 군자의 위에 가함을 이르니, 이것이 그 죄이다. 강(剛)의 자람이 이에 끝난다는 것은 한번 변하면 순건(純乾 ☰)이 됨을 이른다.

象曰 澤上於天이 夬니 君子以하여 施祿及下하며 居德하여 則(칙) 忌하나니라

〈상전〉에 말하였다. "못이 하늘에 올라감이 쾌(夬)이니, 군자가 보고서 록(祿)을 베풀어 아래에 미치며, 덕에 거하여 금기(禁忌) 사항을 법제화한다."

傳 | 澤은 水之聚也어늘 而上於天至高之處라 故爲夬象이라 君子觀澤決於上而 注漑於下之象이면 則以施祿及下하니 謂施其祿澤하여 以及於下也라 觀其決潰 之象이면 則以居德則忌하나니 居德은 謂安處其德이요 則은 約也요 忌는 防也니 謂 約立防禁이니 有防禁則无潰散也라 王弼은 作明忌하니 亦通이라 不云澤在天上 而云澤上於天은 上於天이면 則意不安而有決潰之勢요 云在天上이면 乃安辭也라

못은 물이 모인 것인데 하늘의 지극히 높은 곳에 올라가 있다. 그러므로 쾌(夬: 터짐)의 상(象)이 된 것이다. 군자가 못이 위에서 터져 아래로 대주는 상을 보면 록(祿)을 베풀어 아래에 미치니, 록과 은택을 베풀어 아래에 미침을 이른다. 그 터지는 상을 보면 덕(德)에 거하여 금기 사항을 법제화하니, '거덕(居德)'은 덕에 편안히 처함이고, '칙(則)'은 약조(約條)를 만드는 것이고 '기(忌)'는 방지함이니, 방금(防禁)을 약조로 만들어 세움을 이르니, 방금이 있으면 터져 흩어짐이 없게 된다. 왕

... 漑 : 물댈 개

필(王弼)은 '명기(明忌:금기사항을 밝힘)'로 썼으니, 또한 통한다.

못이 하늘 위에 있다고 말하지 않고 못이 하늘에 올라간다고 한 것은, 못이 하늘에 올라간다고 말하면 뜻이 불안하여 터지는 세(勢)가 있고, 하늘 위에 있다고 말하면 바로 편안한 말이기 때문이다.

本義 | 澤上於天은 潰決之勢也요 施祿及下는 潰決之意也라 居德則忌는 未詳이라

못이 하늘에 올라감은 터지는 세(勢)이고, 록(祿)을 베풀어 아래에 미침은 터지는 뜻이다. '거덕칙기(居德則忌)'는 미상(未詳)이다.

初九는 壯于前趾니 往하여 不勝이면 爲咎리라

초구(初九)는 앞발에 건장(健壯)함이니, 가서 이기지 못하면 허물이 되리라.

本義 | 往하여 不勝하여

가서 이기지 못하여

傳 | 九는 陽爻而乾體니 剛健在上之物이어늘 乃在下而居決時하니 壯于前進者也라 前趾는 謂進行이라 人之決於行也에 行而宜면 則其決爲是요 往而不宜면 則決之過也라 故往而不勝則爲咎也라 夬之時而往은 往決也라 故以勝負言이라 九居初而壯於進하니 躁於動者也라 故有不勝之戒라 陰雖將盡이나 而己之躁動이 自宜有不勝之咎하니 不計彼也라

구(九)는 양효(陽爻)이고 건체(乾體)이니, 강건함은 위에 있는 물건인데 마침내 아래에 있고 결단하는 때에 처했으니, 앞으로 나아감에 건장한 자이다. 앞발〔前趾〕은 진행(進行)함을 이른다. 사람이 가기를 결단할 때에는 가서 마땅하면 그 결단함이 옳은 것이요, 가서 마땅하지 않으면 결단함이 잘못된 것이다. 그러므로 가서 이기지 못하면 허물이 되는 것이다. 쾌(夬)의 때에 감은 가기를 결단하는 것이다. 그러므로 승부(勝負)로써 말한 것이다. 구(九)가 초(初)에 거하여 나아감에 건장하니, 동(動)하기를 조급히 하는 자이므로 이기지 못하는 경계가 있는 것이다. 음(陰)이 비록 장차 다하게 되었으나 자기의 조급한 행동이 본래 이기지 못하는 허물이 있는 것이니, 저(음(陰))를 따지지 않는다.

··· 趾 : 발 지

本義 | 前은 猶進也라 當決之時하여 居下任壯하니 不勝이 宜矣라 故其象占如此하니라

'전(前)'은 진(進)과 같다. 결단할 때를 당해서 아래에 거하여 건장함을 자임하니, 이기지 못함이 당연하다. 그러므로 그 상과 점이 이와 같은 것이다.

象曰 不勝而往이 咎也라

〈상전〉에 말하였다. "이길 수 없는데도 가는 것이 허물이다."

傳 | 人之行에 必度(탁)其事하여 可爲然後決之면 則无過矣어늘 理不能勝而且往이면 其咎可知라 凡行而有咎者는 皆決之過也라

사람이 갈 때에는 반드시 그 일을 헤아려 할 만한 연후에 결단하면 허물이 없는데, 이치가 이길 수 없는데도 간다면 그 허물을 알 만하다. 무릇 감에 허물이 있는 것은 모두 결단함의 잘못인 것이다.

九二는 惕號니 莫(暮)夜에 有戎이라도 勿恤[102]이로다

구이(九二)는 두려워하고 호령함이니, 늦은 밤에 적병(敵兵)이 있더라도 걱정할 것이 없도다.

傳 | 夬者는 陽決陰이니 君子決小人之時에 不可忘戒備也라 陽長將極之時에 而二處中居柔하여 不爲過剛하고 能知戒備하니 處夬之至善也라 內懷兢惕하고 而外嚴誡號하니 雖莫夜有兵戎이라도 亦可勿恤矣라

쾌(夬)는 양이 음을 결단함이니, 군자가 소인을 결단하는 때에 경계와 대비를 잊어서는 안 된다. 양이 자라나 장차 지극할 때에 이(二)가 중(中)에 처하고 유(柔)

......
102 九二……有戎勿恤:동파(東坡) 소식(蘇軾)은 "모야(莫夜)는 경계함이요, 융(戎:병란(兵亂))이 있더라도 근심하지 않는다는 것은 조용히 대처하는 것이다.〔莫夜, 戒也; 有戎勿恤, 靜也.〕" 하였다. 《東坡易傳》 《어찬주역절중(御纂周易折中)》에 "사서(史書)에 '평상시에는 종일토록 조심하여 강성한 적을 대하듯이 경계하다가 적진을 상대하게 되면 마음이 편안하고 한가로워 싸우려 하지 않는 듯하다.'는 것이 이것이다.〔史稱終日欽欽, 如對大敵, 及臨陳, 則志氣安閑, 若不欲戰者, 此也.〕" 하였다.

에 거하여 지나치게 강하지 않고 경계하고 대비할 줄을 아니, 쾌(夬)에 처하기를 지극히 선(善)하게 하는 것이다. 안에 두려워하는 마음을 품고 밖으로 경계와 호령을 엄하게 하니, 비록 늦은 밤에 병융(兵戎:병란)이 있더라도 또한 걱정할 것이 없는 것이다.

本義 | 九二當決之時하여 剛而居柔하고 又得中道라 故能憂惕號呼하여 以自戒備하여 而莫夜有戎이라도 亦可无患也라

　구이(九二)가 결단할 때를 당하여 강효(剛爻)로 유위(柔位)에 거하고 또 중도(中道)를 얻었다. 그러므로 근심하고 병사들을 불러 모아 스스로 경계하고 대비해서 늦은 밤에 적병이 있더라도 또한 걱정이 없을 수 있는 것이다.

象曰 有戎勿恤은 得中道也일새라

　〈상전〉에 말하였다. "적병이 있더라도 근심할 것이 없음은 중도(中道)를 얻었기 때문이다."

傳 | 莫夜有兵戎은 可懼之甚也나 然可勿恤者는 以自處之善也일새라 旣得中道하고 又知惕懼하며 且有戒備하니 何事之足恤也리오 九居二하니 雖得中이나 然非正이어늘 其爲至善은 何也오 曰 陽決陰은 君子決小人이어늘 而得中하니 豈有不正也리오 知時識勢는 學易之大方也니라

　늦은 밤에 병융(兵戎)이 있음은 두려워할 만함이 심하나, 걱정할 것이 없는 것은 자처하기를 선(善)하게 하기 때문이다. 이미 중도를 얻었고 또 두려워할 줄을 알며 또 경계와 대비가 있으니, 무슨 일을 걱정하겠는가.

　"구(九)가 이(二)에 거하였으니, 비록 중(中)을 얻었으나 정(正)이 아닌데 지선(至善)이 됨은 어째서인가?" "양(陽)이 음(陰)을 결단함은 군자가 소인을 결단하는 것인데 중(中)을 얻었으니, 어찌 바르지 않음이 있겠는가. 때를 알고 세(勢)를 아는 것은 역(易)을 배우는 큰 방법이다."

九三壯于頄有凶君子夬夬獨行遇雨若濡有慍无咎
傳 | 九三은 壯于頄(구)하여 有凶하고 獨行遇雨니 君子는 夬夬라

・・・ 頄 : 광대뼈 귀(구) 濡 : 젖을 유 慍 : 성낼 온

若濡有慍¹⁰³이면 无咎리라

구삼(九三)은 광대뼈에 건장하여 흉함이 있고 홀로 가 비를 만나니, 군자는 결단함을 쾌하게 한다. 젖은 듯이 여겨 노여워함이 있으면 허물이 없으리라.

本義 | 壯于頄니 有凶이나 君子夬夬면 獨行遇雨하여 若濡有慍이나 无咎리라

광대뼈에 건장하게 나타남이니, 흉함이 있으나 군자가 결단을 쾌하게 하면 홀로 감에 비에 젖은 듯하여 남들로부터 성냄을 당하나 허물이 없으리라.

傳 | 爻辭差錯이라 安定胡公이 移其文曰 壯于頄하여 有凶하고 獨行遇雨니 若濡有慍이면 君子夬夬하여 无咎라하니 亦未安也라 當云 壯于頄하여 有凶하고 獨行遇雨니 君子夬夬라 若濡有慍이면 无咎리라 夬決은 尙剛健之時니 三居下體之上하고 又處健體之極하여 剛果於決者也라 頄는 顴(관)骨也니 在上而未極於上者也라 三居下體之上하여 雖在上이나 而未爲最上하니 上有君而自任其剛決이면 壯于頄者也니 有凶之道也라

효사(爻辭)가 착오(錯誤)되었다. 안정 호공(安定胡公:호원(胡瑗))은 이 글을 옮겨 "광대뼈에 건장하여 흉함이 있고 홀로 가 비를 만나니, 젖는 듯이 여겨 노여워함이 있으면 군자가 결단함을 쾌하게 하여 허물이 없다.[壯于頄, 有凶, 獨行遇雨, 君子夬夬, 若濡有慍, 无咎.]" 하였으니, 또한 온당치 못하다. 마땅히 이르기를 "광대뼈에 건장하여 흉함이 있고 홀로 가 비를 만나니, 군자는 결단함을 쾌하게 한다. 젖는 듯이 여겨 노여워함이 있으면 허물이 없으리라." 하여야 할 것이다.

쾌결(夬決)은 강건(剛健)을 숭상하는 때이니, 삼(三)이 하체(下體)의 위에 거하고

---

103 獨行遇雨……若濡有慍:《정전》에는 '독행우우(獨行遇雨)'를 구삼(九三)이 자신의 정응(正應)인 상구(上九)를 만나기 위해 여러 양(陽)과 달리 "홀로 가서 비를 만나 음양이 화합한 것"으로, '약유유온(若濡有慍)'을 구삼이 상구를 멀리하기를 "오물에 젖은 듯이 여겨 성내고 미워하는 기색이 있는 것"으로 해석하였다. 한편 《본의》에는 원본을 따라 고치지 않고 '君子夬夬 獨行遇雨' 두 구(句)를 곧바로 연결하여 "구삼이 비록 상육과 합하여 홀로 가서 비를 만나 젖은 듯함에 이르러 군자에게 노여움을 당하나, 끝내 소인을 결단하여 버리는 것"으로 해석하였다.

··· 頄 : 광대뼈 관

또 건체(健體)의 극에 처하여 결단하기를 강과(剛果)하게 하는 자이다. '구(頄)'는 광대뼈이니, 위에 있으나 위에 지극하지는 않은 자이다. 삼(三)이 하체의 위에 거하여 비록 위에 있으나 최상(最上)은 아니니, 위에 군주가 있는데 스스로 강결(剛決)을 자임하면 광대뼈에 건장한 자인 것이니, 흉함이 있는 방도이다.

獨行遇雨는 三與上六爲正應하니 方羣陽共決一陰之時하여 己若以私應之故로 不與衆同而獨行이면 則與上六陰陽和合이라 故云遇雨라하니 易中言雨者는 皆謂 陰陽和也라 君子道長하여 決去小人之時어늘 而己獨與之和면 其非를 可知라 唯 君子處斯時면 則能夬夬리니 謂夬其夬하여 果決其斷也라 雖其私與나 當遠絶之 하여 若見濡汚하여 有慍惡(오)之色이니 如此則无過咎也라 三은 健體而處正하니 非必有是失也로되 因此義하여 以爲敎耳라 爻文所以交錯者는 由有遇、雨字하고 又有濡字라 故誤以爲連也하니라

　　'독행우우(獨行遇雨)'는 삼(三)이 상육(上六)과 정응(正應)이 되니, 여러 양이 함께 한 음을 결단하는 때를 당하여, 자기가 만일 사사로이 응하는 연고로 여러 양과 함께 행동하지 않고 홀로 가면 상육과 더불어 음·양이 화합하게 된다. 그러므로 비를 만난다고 말한 것이니, 역(易) 가운데 비라고 말한 것은 모두 음·양이 화합함을 이른다.

　　군자의 도가 자라나 소인을 결단하여 제거할 때인데 자기만 홀로 소인과 화합한다면 그 나쁨을 알 수 있다. 오직 군자는 이러한 때에 처하면 능히 결단을 쾌하게 하니, 그 결단을 쾌하게 하여 그 결단을 과결(果決)히 함을 이른다. 비록 사사로이 친하나 마땅히 멀리하고 끊어서 마치 더러움에 젖는 듯이 여겨 노여워하고 미워하는 기색이 있어야 하니, 이와 같이 하면 허물이 없을 것이다. 삼(三)은 건체(健體)로서 정(正)에 처하였으니 반드시 이러한 잘못이 있는 것은 아니나, 이 뜻을 인하여 가르침을 삼았을 뿐이다. 효(爻)의 글이 서로 착오된 까닭은 우(遇) 자와 우(雨) 자가 있고 또 유(濡) 자가 있으므로 잘못 연결했기 때문이다.

本義 | 頄는 顴也라 九三이 當決之時하여 以剛而過乎中하니 是欲決小人하여 而 剛壯見(현)于面目也니 如是則有凶道矣라 然在衆陽之中하여 獨與上六爲應하니 若能果決其決하여 不係私愛면 則雖合於上六하여 如獨行遇雨하여 至於若濡하여

而爲君子所慍이나 然終必能決去小人하여 而无所咎也라 溫嶠之於王敦¹⁰⁴에 其事類此하니라

　'구(頄)'는 광대뼈이다. 구삼(九三)이 결단할 때를 당하여 강(剛)으로 중(中)을 지났으니, 이는 소인을 결단하고자 하여 강장(剛壯)함이 면목(面目)에 나타난 것이니, 이와 같으면 흉함이 있는 방도이다. 그러나 여러 양(陽)의 가운데에 있으면서 홀로 상륙(上六)과 응하니, 만약 그 결단을 과결(果決)하게 하여 사사로운 사랑에 얽매이지 않는다면, 비록 상륙과 합하여 홀로 감에 비를 만나서 젖은 듯하여 군자에게 노여움을 받음에 이르나, 끝내는 반드시 소인을 결단하여 제거해서 허물이 없을 것이다. 온교(溫嶠)가 왕돈(王敦)에 있어서 그 일이 이와 유사하다.

象曰 君子는 夬夬라 終无咎也니라

　〈상전〉에 말하였다. "군자는 결단을 쾌하게 하는지라, 끝내 허물이 없는 것이다."

傳｜ 牽梏於私好는 由无決也니 君子는 義之與比하여 決於當決이라 故終不至於有咎也니라

　사사로이 좋아함에 끌리고 질곡(桎梏)됨은 결단함이 없기 때문이니, 군자는 의(義)에 따라 마땅히 결단할 때에 결단한다. 그러므로 끝내 허물이 있음에 이르지 않는 것이다.

九四는 臀(둔)无膚며 其行次且(저)니 牽羊하면 悔亡¹⁰⁵이언마는(하련마는) 聞言하여도 不信하리로다

· · · · · ·
104　溫嶠之於王敦 : 온교(溫嶠 228~329)는 동진(東晉)의 재상으로 지혜와 학식을 겸비하였다. 원제(元帝)가 죽고 명제(明帝)가 즉위하자, 병권을 잡고 전횡(專橫)하던 왕돈(王敦 266~324)이 무창(武昌)에서 반란을 일으켰는데, 온교는 왕돈의 부하로 있으면서 반란에 동조하는 듯하여 그의 계책을 모두 알아내고 조정으로 돌아와서 그의 계책을 모두 말하고 끝내 군대를 이끌고 토벌하여 성공하였다.

105　牽羊悔亡 : 견양(牽羊)을 《정전》에는 "자신이 스스로 힘써 양을 몰고 가서 양떼를 따라가듯이 하는 것"으로 해석한 반면, 《본의》에는 "양을 앞에서 끌지 말고, 풀어놓아 앞으로 가게 하고 뒤따라 가는 것"으로 해석하였다.

···　嶠 : 높은산 교　臀 : 볼기 둔　且 : 나아가지않을 저　牽 : 끌 견

구사(九四)는 둔(臀:볼기짝)에 살이 없으며 그 감을 머뭇거리니, 양(羊)을 끌듯 하면 뉘우침이 없으련마는 말을 들어도 믿지 않으리라.

傳 | 臀无膚는 居不安也요 行次且는 進不前也니 次且는 進難之狀이라 九四以陽居陰하여 剛決不足하니 欲止則衆陽並進於下하여 勢不得安하여 猶臀傷而居不能安也요 欲行則居柔하여 失其剛壯하여 不能强進이라 故其行次且也라 牽羊悔亡은 羊者는 羣行之物이요 牽者는 挽拽(만예)之義니 言若能自强而牽挽하여 以從羣行이면 則可以亡其悔라 然旣處柔하니 必不能也요 雖使聞是言이라도 亦必不能信用也리니 夫過而能改와 聞善而能用과 克己以從義는 唯剛明者能之라 在他卦엔 九居四 其失이 未至如此之甚이로되 在夬而居柔일새 其害大矣니라

볼기짝에 살이 없음은 거함이 불안한 것이요, 감을 머뭇거림은 나아감에 전진하지 못하는 것이니, '차저(次且)'는 나아감을 어렵게 여기는 모양이다. 구사(九四)가 양효(陽爻)로서 음위(陰位)에 거하여 강결(剛決)함이 부족하니, 머물고자 하면 여러 양(陽)이 아래에서 함께 올라와 형세가 편안할 수 없어서 마치 볼기짝이 상하여 거함이 편안할 수 없는 것과 같고, 가고자 하면 유위(柔位)에 거하여 강장(剛壯)함을 잃어서 강하게 나아가지 못한다. 그러므로 그 감을 머뭇거리는 것이다.

'견양회망(牽羊悔亡)'은 양(羊)은 떼지어 다니는 물건이요 '견(牽)'은 당기고 끄는 뜻이니, 만일 스스로 강하게 끌어당겨서 여럿을 따라 가면 뉘우침이 없을 것임을 말한 것이다. 그러나 이미 유위(柔位)에 처하여 반드시 능하지 못할 것이요, 비록 이러한 말을 듣더라도 또한 반드시 믿고 쓰지 못할 것이니, 허물이 있음에 능히 고침과 선(善)을 듣고서 따름과 사사로움을 이겨 의(義)를 따름은 오직 강명(剛明)한 자만이 능하다. 다른 괘에 있어서는 구(九)가 사(四)에 거한 것이 그 잘못이 이와 같이 심함에 이르지 않는데, 쾌(夬)의 때에 있어 유위(柔位)에 거했으므로, 그 해로움이 큰 것이다.

本義 | 以陽居陰하여 不中不正하여 居則不安하고 行則不進하니 若不與衆陽競進하고 而安出其後면 則可以亡其悔라 然當決之時하여 志在上進하여 必不能也니 占者聞其言而信이면 則轉凶而吉矣리라 牽羊者는 當其前이면 則不進이요 縱之使前而隨其後면 則可以行矣니라

··· 拽 : 끌 예

양효(陽爻)로서 음위(陰位)에 거하여 중정(中正)하지 못해서 거하면 편안하지 못
하고 가면 나아가지 못하니, 만일 여러 양(陽)과 다투어 나아가지 않고 편안히 그
뒤에 나오면 뉘우침이 없을 수 있다. 그러나 결단할 때를 당하여 뜻이 위로 나아
감에 있어 반드시 능하지 못할 것이니, 점치는 자가 이 말을 듣고서 믿으면 흉함
을 바꾸어 길하게 할 것이다. 양(羊)을 끌고 가는 자는 그 앞을 가로막으면 나아가
지 않고, 풀어놓아 앞으로 가게 하고 그 뒤를 따라가면 갈 수 있다.

象曰 其行次且는 位不當也요 聞言不信은 聰不明也라

〈상전〉에 말하였다. "그 감을 머뭇거림은 자리가 합당하지 않기 때문이
요, 말을 듣고서도 믿지 않음은 귀가 밝지 못해서이다."

傳 | 九處陰은 位不當也라 以陽居柔하여 失其剛決이라 故不能强進하여 其行次
且라 剛然後能明이니 處柔則遷하여 失其正性이니 豈復有明也리오 故聞言而不能
信者는 蓋其聰聽之不明也라

구(九)가 음위(陰位)에 처함은 자리가 합당하지 않은 것이다. 양효(陽爻)로 유위
(柔位)에 거하여 강결(剛決)함을 잃었기 때문에 강하게 나아가지 못하여 그 감을
머뭇거리는 것이다. 강한 뒤에 밝을 수 있으니, 유위(柔位)에 처하면 마음이 옮겨
가서 바른 성(性)을 잃는다. 어찌 다시 밝음이 있겠는가. 그러므로 말을 듣고서도
믿지 않음은 그 들음이 밝지 못해서인 것이다.

九五는 莧 (현)陸夬夬면 中行에 无咎니라

구오(九五)는 현륙(莧陸;쇠비름)을 쾌하게 끊듯이 하면 중도로써 행함에
허물이 없다.

本義 | 莧陸이니 夬夬호되 中行이면 无咎리라

현륙의 상(象)이니, 결단하고 결단하되 중항(中行)에 있게 하면 허
물이 없으리라.

傳 | 五雖剛陽中正으로 居尊位나 然切近於上六하니 上六은 說體요 而卦獨一陰
이니 陽之所比也라 五爲決陰之主而反比之면 其咎大矣라 故必決其決을 如莧陸

... 莧 : 비름나물 현

然이면 則於其中行之德에 爲无咎也니 中行은 中道也라 莧陸은 今所謂馬齒莧이
是也라 曝之難乾하여 感陰氣之多者也요 而脆(취)易折하니 五若如莧陸雖感於陰
而決斷之易면 則於中行에 无過咎矣요 不然則失其中正也라 感陰多之物에 莧陸
이 爲易斷이라 故取爲象하니라

오(五)가 비록 강양 중정(剛陽中正)으로 존위(尊位)에 거했으나 상육(上六)과 매
우 가까우니, 상육은 열(說)의 체이고 괘에 홀로 음이 하나이니, 양이 친하는 바이
다. 오(五)는 음을 결단하는 주체가 되어 도리어 음을 가까이 하면 그 허물이 크
다. 그러므로 반드시 결단을 과결(果決)하게 하기를 현륙(莧陸)과 같이 하면 중항
(中行:중도)의 덕에 허물이 없음이 되니, 중항은 중도(中道)이다. '현륙(莧陸)'은 지
금의 이른바 쇠비름[馬齒莧]이 이것이다. 햇볕에 말려도 말리기 어려워서 음기
(陰氣)에 감동됨이 많은 것인데 취약하여 끊기가 쉬우니, 오(五)가 만일 현륙이 비
록 음에 감동하였으나 결단하기 쉬운 것처럼 하면 중도로써 행함에 있어 허물이
없을 것이요, 그렇지 않으면 중정(中正)을 잃을 것이다. 음에 감동됨이 많은 물건
중에 현륙이 끊기가 쉬우므로 취하여 상(象)을 삼은 것이다.

本義 | 莧陸[106]은 今馬齒莧이니 感陰氣之多者라 九五當決之時하여 爲決之主어
늘 而切近上六之陰하니 如莧陸然하여 若決而決之호되 而又不爲過暴하여 合於中
行이면 則无咎矣니 戒占者當如是也라

'현륙(莧陸)'은 지금의 마치현(馬齒莧)이니, 음기(陰氣)에 감동됨이 많은 자이다.
구오(九五)가 결단할 때를 당하여 결단하는 주체가 되었는데, 상육(上六)의 음(陰)
과 매우 가까우니, 현륙과 같이 하여 만약 결단하고 결단하되 또 지나치게 포악하
게 하지 아니하여 중도에 합하면 허물이 없을 것이니, 점치는 자에게 마땅히 이와
같이 하라고 경계한 것이다.

象曰 中行无咎나 中未光也라
〈상전〉에 말하였다. "중항에는 허물이 없으나 중(中)이 광대(光大)하지

• • • • • •
106 莧陸:《주자어류(朱子語類)》에는 현(莧)과 상륙(商陸:장녹)으로 보아 현(莧)과 육(陸) 두
가지로 해석하였음을 밝혀둔다.

••• 曝 : 햇볕쬘 폭

는 못하다."

傳ㅣ (卦)[爻]辭[107]에 言夬夬則於中行爲无咎矣어늘 象復盡其義하여 云中未光也라하니라 夫人心正意誠이라야 乃能極中正之道하여 而充實光輝어늘 五心有所比하니 以義之不可而決之하여 雖行於外엔 不失中正之義하여 可以无咎나 然於中道에 未得爲光大也라 蓋人心一有所欲이면 則離道矣니 夫子於此에 示人之意 深矣로다

효사(爻辭)에 "쾌쾌(夬夬)하면 중항(中行)에 허물이 없다."고 말하였는데, 〈상전〉에는 다시 그 뜻을 다하여 말하기를 "중이 광대하지는 못하다."고 하였다. 사람은 마음이 바르고 뜻이 성실하여야 비로소 중정(中正)한 도(道)를 극진히 해서 충실하여 광휘(光輝)한 것인데, 오(五)는 마음에 친한 바가 있으니, 의(義)에 불가하다. 그러므로 결단하여 비록 밖에 행함에 있어서는 중정의 뜻을 잃지 않아 허물이 없을 수 있으나, 중도(中道)에 있어서는 광대함이 되지 못하는 것이다. 사람의 마음은 한번이라도(조금이라도) 하고자하는 바가 있으면 도를 떠나게 되니, 부자(夫子)가 여기에서 사람에게 보여주신 뜻이 깊도다.

本義ㅣ 程傳備矣로다
《정전》에 구비하였다.

上六은 无號니 終有凶[108]하니라
상육(上六)은 울부짖을 필요가 없으니, 끝내 흉함이 있다.
本義ㅣ 无號니 終有凶하리라
불러 모을 자가 없으니, 끝내 흉함이 있으리라.

傳ㅣ 陽長將極하고 陰消將盡하여 獨一陰이 處窮極之地하니 是衆君子得時하여 決去危極之小人也니 其勢必須消盡이라 故云无用號咷畏懼니 終必有凶也라하니라

－－－－－－
107 爻辭 : 괘사(卦辭)는 마땅히 효사(爻辭)가 되어야 한다는 사계(沙溪)의 《경서변의》에 따라 수정하였다.
108 无號 終有凶 : 동파 소식은 "호령하지 않으면 끝내 흉함이 있을 것이다."라고 해석하였다.

··· 輝 : 빛날 휘 咷 : 울 도

양(陽)의 자라남이 장차 지극하고 음(陰)의 사라짐이 장차 다하게 되었는데, 홀로 한 음이 궁극의 자리에 처했으니, 이는 여러 군자가 때를 얻어 위태로움이 지극한 소인을 결단하여 제거하는 것이니, 그 형세가 반드시 소진하고 말 것이다. 그러므로 울부짖고 두려워할 필요가 없으니, 끝내 반드시 흉함이 있다고 한 것이다.

本義 | 陰柔小人이 居窮極之時하여 黨類已盡하여 无所號呼하니 終必有凶也라 占者有君子之德이면 則其敵當之요 不然이면 反是니라

음유(陰柔)의 소인이 궁극한 때에 거하여 당류(黨類)가 이미 없어져서 불러 모을 자가 없으니, 끝내 반드시 흉함이 있을 것이다. 점치는 자가 군자의 덕이 있으면 상대방이 이에 해당될 것이요, 그렇지 않으면 이와 반대일 것이다.

象曰 无號之凶은 終不可長也니라

〈상전〉에 말하였다. "무호(无號)의 흉함은 끝내 장구할 수 없는 것이다."

傳 | 陽剛君子之道 進而益盛하고 小人之道 旣已窮極하여 自然消亡하니 豈復能長久乎아 雖號眺나 无以爲也라 故云終不可長也라하니라 先儒以卦中有孚號, 惕號라하여 欲以无號爲无號하여 作去聲하여 謂无用更加號令이라하니 非也라 一卦中에 適有兩去聲字와 一平聲字가 何害리오마는 而讀易者率皆疑之[109]라 或曰 聖人之於天下에 雖大惡이나 未嘗必絶之也어늘 今直使之无號하고 謂必有凶이 可乎아 曰 夫夬者는 小人之道 消亡之時也니 決去小人之道 豈必盡誅之乎아 使之變革이면 乃小人之道亡也니 道亡은 乃其凶也니라

양강(陽剛) 군자의 도(道)는 나아가 더욱 성하고 소인의 도는 이미 궁극하여 자연히 소망(消亡)하게 되었으니, 어찌 다시 장구하겠는가. 비록 울부짖으나 울부짖을 것이 없는 것이다. 그러므로 '끝내 장구할 수가 없다.'고 한 것이다.

• • • • • •
109 一卦中……率皆疑之: '호(號)'를 거성(去聲)으로 읽을 경우 '호령(號令)'의 뜻이 되는바, 괘사(卦辭)의 '부호(孚號)'와 구이 효사(九二爻辭)의 '척호(惕號)'가 여기에 해당한다. 그런데 정이천(程伊川)은 무호(无號)의 호는 평성(平聲)으로 보아 '부르짖다'로 해석하여야 함을 강조한 것이다.

310

新譯 周易傳義 中

선유(先儒)들은 괘(卦) 가운데 '부호(孚號)'와 '척호(惕號)'가 있다고 하여 '무호(无號:울부짖을 필요가 없음)'를 '무호(无號:호령하지 않음)'로 해석하여 거성(去聲)으로 읽어서 '다시 호령을 가할 필요가 없다.'고 하니, 잘못이다. 한 괘 안에 마침 두 거성(去聲)의 글자와 한 평성(平聲)의 글자가 있는 것이 어찌 해롭겠는가. 그러나 역(易)을 읽는 자들이 모두 이것을 의심한다.

혹자는 말하기를 "성인이 천하에 있어 비록 대악(大惡)이라도 일찍이 반드시 끊지는 않는데, 이제 곧바로 울부짖을 필요가 없다 하고 반드시 흉함이 있다고 하는 것이 가(可)한가?" 하기에, 다음과 같이 대답하였다. "쾌(夬)는 소인의 도가 소망(消亡)하는 때이니, 소인을 결단하여 제거하는 도가 어찌 반드시 다 주살(誅殺)하는 것이겠는가. 변혁(變革)하게 하면 이는 바로 소인의 도가 망하는 것이니, 도가 망하는 것이 바로 흉한 것이다."

傳ㅣ 姤는 序卦에 夬는 決也니 決必有遇라 故受之以姤하니 姤는 遇也[110]라하니라 決은 判也니 物之決判則有遇合이니 本合則何遇리오 姤所以次夬也라 爲卦 乾上 巽下하니 以二體言之하면 風行天下하니 天之下者는 萬物也라 風之行에 无不經觸하니 乃遇之象이요 又一陰이 始生於下하니 陰與陽遇也라 故爲姤라

구괘(姤卦)는 〈서괘전〉에 "쾌(夬)는 나뉨이니, 나뉘면 반드시 만남이 있다. 그러므로 구괘로 받았으니, 구(姤)는 〈우연히〉 만남이다." 하였다. 결(決)은 결판(決判: 나뉨)이니, 물건은 결판나면 만남이 있으니, 본래 합했으면 무슨 만남이 있겠는가. 구괘가 이 때문에 쾌괘(夬卦☱)의 다음이 된 것이다. 괘됨이 건(乾☰)이 위에 있고 손(巽☴)이 아래에 있으니, 두 체(體)로 말하면 바람이 하늘 아래에 다니니, 하늘 아래는 만물이다. 바람이 다님에 경유하고 접촉하지 않음이 없으니 바로 만나는 상이요, 또 한 음이 처음 아래에서 생기니, 음이 양과 만난 것이다. 그러므로 구(姤)라 한 것이다.

姤는 女壯이니 勿用取女니라

구(姤)는 여자가 건장함이니, 여자를 취하지 말아야 한다.

本義ㅣ 女壯하니

구(姤)는 여자가 건장하니,

傳ㅣ 一陰始生하니 自是而長하여 漸以盛大면 是女之將長壯也라 陰長則陽消요 女壯則男弱이라 故戒勿用取如是之女라 取女者는 欲其柔和順從하여 以成家道

• • • • • •
110 　姤遇也: 우(遇)는 우연히 만나는 것으로 뜻밖에 만남을 이르는바, 약속하고 만나는〔逢〕 것과는 차이가 있다. 《주역》의 괘 이름은 양을 위주하여 양이 돌아오면 복(復)이라 하고 음이 돌아오면 운이 없어 만났다 하여 구(姤)라 한 것이다.

• • • 姤 : 만날 구　經 : 지날 경　觸 : 저촉할 촉

어늘 姤乃方進之陰이니 漸壯而敵陽者라 是以不可取也라 女漸壯이면 則失男女之正하여 家道敗矣리라 姤雖一陰甚微나 然有漸壯之道하니 所以戒也라

한 음(陰)이 처음 생기니, 이로부터 자라나 점점 성대(盛大)해지면 이는 여자가 장차 자라나고 장성(壯盛)하는 것이다. 음이 자라면 양이 사라지고, 여자가 건장하면 남자가 약해진다. 그러므로 이와 같은 여자를 취하지 말라고 경계한 것이다. 여자를 취하는 것은 유화(柔和)하고 순종하여 가도(家道)를 이루고자 해서인데, 구(姤)는 막 나오는(자라는) 음이니, 점점 장성하여 양을 대적하는 자이다. 이 때문에 취해서는 안 되는 것이다. 여자가 점점 장성하면 남·녀의 바름을 잃어 가도(家道)가 무너지게 될 것이다. 구(姤)는 비록 한 음이 매우 미약하나 점점 장성할 방도가 있으니, 이 때문에 경계한 것이다.

本義 │ 姤는 遇也라 決盡則爲純乾四月之卦요 至姤然後一陰을 可見而爲五月之卦[111]라 以其本非所望而卒然値之하여 如不期而遇者라 故爲遇라 遇已非正이요 又一陰而遇五陽하니 則女德不貞而壯之甚也니 取以自配하면 必害乎陽이라 故其象占如此하니라

구(姤)는 만남이다. 〈한 음(陰)을〉 결단하기를 다하면 순건(純乾 ☰)인 4월의 괘가 되고 구(姤)에 이른 뒤에 한 음을 볼 수 있어 5월의 괘가 된다. 본래 바란 바가 아닌데 졸연(卒然:갑작스레)히 만나서 마치 기약하지 않았는데 만난 것과 같기 때문에 우(遇)라 한 것이다. 만남이 이미 바른 것이 아니요 또 한 음이 다섯 양을 만났으니, 여자의 덕(德)이 바르지 못하고 장성함이 심한 것이니, 취하여 스스로 짝하면 반드시 양을 해친다. 그러므로 그 상(象)과 점(占)이 이와 같은 것이다.

象曰 姤는 遇也니 柔遇剛也라

〈단전〉에 말하였다. "구(姤)는 만남이니, 유(柔)가 강(剛)을 만난 것이다.

• • • • • •
111 決盡則爲純乾四月之卦……而爲五月之卦: 위의 쾌괘(夬卦 ䷪)는 양이 음을 결단하는 것으로 아직 음효(陰爻) 하나가 남아있는데 이것을 완전히 결단하면 순양(純陽)인 건괘(乾卦 ☰)가 되며, 구괘(姤卦 ䷫)가 되면 음효(陰爻) 하나가 다시 아래에서 생기므로 말한 것이다.

傳｜ 姤之義는 遇也니 卦之爲姤는 以柔遇剛也일새라 一陰方生하여 始與陽相遇也라

구(姤)의 뜻은 만남이니, 괘가 구(姤)가 된 것은 유(柔)가 강(剛)을 만났기 때문이다. 한 음이 막 생겨나 비로소 양과 서로 만난 것이다.

本義｜ 釋卦名이라

괘명(卦名)을 해석하였다.

勿用取女는 不可與長也일새라

여자를 취하지 말라고 한 것은 더불어 장구히 할 수 없기 때문이다.

傳｜ 一陰旣生하여 漸長而盛하니 陰盛則陽衰矣라 取女者는 欲長久而成家也어늘 此漸盛之陰은 將消勝於陽하니 不可與之長久也라 凡女子、小人、夷狄은 勢苟漸盛이면 何可與久也리오 故戒勿用取如是之女하니라

한 음(陰)이 이미 생겨나 점점 자라서 성하니, 음이 성하면 양이 쇠한다. 여자를 취하는 자는 장구히 하여 집안을 이루고자 해서인데, 이 점점 성하는 음은 장차 양을 사라지게 하여 이길 것이니, 그와 더불어 장구히 할 수 없는 것이다. 무릇 여자와 소인과 이적(夷狄)은 세력이 만일 점점 성해지면 어찌 더불어 오래 할 수 있겠는가. 그러므로 이와 같은 여자를 취하지 말라고 경계한 것이다.

本義｜ 釋卦辭라

괘사(卦辭)를 해석하였다.

天地相遇하니 品物이 咸章也요

하늘과 땅이 서로 만나니 품물(品物:만물(萬物))이 모두 밝아지고,

傳｜ 陰始生於下하여 與陽相遇하니 天地相遇也라 陰陽不相交遇면 則萬物不生이요 天地相遇면 則化育庶類하여 品物咸章하니 萬物章明也라

음이 처음 아래에서 생겨나 양과 서로 만났으니, 이는 하늘과 땅이 서로 만난 것이다. 음과 양이 서로 사귀고 만나지 않으면 만물이 생겨나지 못하고, 하늘과

땅이 서로 만나면 여러 종류를 화육(化育)하여 품물(品物)이 모두 밝아지니, 이는 만물이 밝아지는 것이다.

本義 | 以卦體言이라
　　괘체(卦體)로써 말하였다.

剛遇中正하니 天下에 大行也니
　　강(剛)이 중정(中正)을 만났으니, 천하에 크게 행해지리니,

傳 | 以卦才言也라 五與二皆以陽剛으로 居中與正하니 以中正相遇也라 君得剛中之臣하고 臣遇中正之君하여 君臣이 以剛陽遇中正이면 其道可以大行於天下矣리라
　　괘재(卦才)로써 말하였다. 오(五)와 이(二)가 모두 양강(陽剛)으로 중(中)과 정(正)에 거하였으니, 이는 중정(中正)으로써 서로 만난 것이다. 군주가 강중(剛中)한 신하를 얻고 신하가 중정한 군주를 만나, 군주와 신하가 강양(剛陽)으로 중정을 만난다면 그 도(道)가 천하에 크게 행해질 것이다.

本義 | 指九五라
　　구오(九五)를 가리킨 것이다.

姤之時義 大矣哉라
　　구(姤)의 때와 의(義)가 크다."

傳 | 贊姤之時與姤之義至大也라 天地不相遇면 則萬物不生이요 君臣不相遇면 則政治不興이요 聖賢不相遇면 則道德不亨이요 事物不相遇면 則功用不成이니 姤之時與義 皆甚大也라
　　구(姤)의 때와 구의 의(義)가 지극히 큼을 찬미한 것이다. 하늘과 땅이 서로 만나지 않으면 만물이 생겨나지 못하고, 군주와 신하가 서로 만나지 않으면 정치가 일어나지 못하고, 성현(聖賢)이 서로 만나지 않으면 도덕(道德)이 형통하지 못

하고, 사물이 서로 만나지 않으면 공용(功用)이 이루어지지 못하니, 구(姤)의 때와 의(義)가 모두 매우 큰 것이다.

本義 | 幾微之際라 聖人所謹이니라

〈음이 자라는〉 기미(幾微)의 즈음이라서 성인이 삼가신 것이다.

象曰 天下有風이 姤니 后以하여 施命誥四方하나니라

〈상전〉에 말하였다. "하늘 아래에 바람이 있음이 구(姤)이니, 군주가 이것을 보고서 명(命)을 베풀어 사방을 가르친다."

傳 | 風行天下에 无所不周하니 爲君后者 觀其周徧之象하여 以施其命令하여 周誥四方也라 風行地上과 與天下有風[112]은 皆爲周徧庶物之象이로되 而行於地上하여 徧觸萬物則爲觀이니 經歷觀省之象也요 行於天下하여 周徧四方則爲姤니 施發命令之象也라 諸象에 或稱先王[113]하고 或稱后하고 或稱君子、大人하니 稱先王者는 先王은 所以立法制니 建國, 作樂, 省方, 勑法, 閉關, 育物, 享帝 皆是也요 稱后者는 后王之所爲也니 財成天地之道하고 施命誥四方이 是也라 君子則 上、下之通稱이요 大人者는 王、公之通稱이라

바람이 하늘 아래에 다님에 두루하지 않음이 없으니, 군후(君后;군주)가 된 자가 두루하는 상(象)을 보고서 그 명령을 베풀어서 사방을 두루 가르치는 것이다. 바람이 지상에 다님과 하늘 아래에 바람이 있음은 모두 여러 물건을 두루하는 상이 되는데, 땅 위에 다녀 만물을 두루 접촉하면 관(觀☲)이 되니 두루 지나며 관

......

112 風行地上 與天下有風 : '풍행지상(風行地上)'은 관괘(觀卦)〈대상전(大象傳)〉의 내용이고 '천하유풍(天下有風)'은 구괘(姤卦)〈대상전〉의 내용인데, 관괘에서는 '성방관민(省方觀民)'이라 하고 구괘에서는 '시명고사방(施命誥四方)'이라 하였으므로 말한 것이다.

113 諸象 或稱先王 : 〈대상전〉에 선왕(先王)이라고 칭한 것이 모두 일곱 괘이니, 비괘(比卦)의 '건만국(建萬國)', 예괘(豫卦)의 '작악숭덕(作樂崇德)', 관괘(觀卦)의 '성방관민(省方觀民)', 서합괘(噬嗑卦)의 '명벌칙법(明罰勅法)', 복괘(復卦)의 '지일폐관(至日閉關)', 무망괘(无妄卦)의 '육만물(育萬物)', 환괘(渙卦)의 '향우제(享于帝)'가 그것이다. 그리고 후(后)라고 칭한 것이 두 괘이니 태괘(泰卦)의 '재성천지지도(財成天地之道)'와 구괘의 '시명고사방(施命誥四方)'이 그것이다. 군자라고 칭한 것이 총 53괘이며, 리괘(離卦)에서는 대인(大人)이라고 칭하였고 박괘(剝卦)에서는 상(上)이라고 칭하였다.

··· 徧 : 두루미칠 편(변)

찰하고 살피는 상이요, 하늘 아래에 다녀 사방을 두루하면 구(姤)가 되니 명령을 시행하여 발하는 상이 된다.

여러 상에서 혹 선왕(先王)이라 칭하고 혹 후(后)라 칭하고 혹 군자(君子), 대인(大人)이라 칭하였으니, 선왕이라고 칭한 것은 선왕은 법제(法制)를 세우는 것이니, 나라를 세우고 음악을 만들고 지방을 살피고(시찰하고) 법(法)을 삼가고 관문(關門)을 닫고 물건을 기르고 상제(上帝)를 제향하는 것이 모두 이것이요, 후(后)라고 칭한 것은 후왕(后王)이 하는 것이니, 천지의 도(道)를 재성(財成)하고 명령을 베풀어 사방을 가르침이 이것이다. 군자는 상·하의 통칭이고, 대인은 왕(王)·공(公)의 통칭이다.

初六은 **繫于金柅**(니)면 **貞**이 **吉**하고 **有攸往**이면 **見凶**하리니 **羸豕孚蹢躅**(리시부척촉)하니라
　초육(初六)은 쇠고동목에 매어 놓으면 정도(貞道)가 길하고, 가는 바가 있으면 흉함을 당하리니, 약한 돼지가 날뛰고 싶은 마음이 진실하다.
本義 | **繫于金柅**니 **貞**이면
　　　　쇠고동목으로 묶어 놓은 것이니, 정(貞)하면

傳 | 姤는 陰始生而將長之卦니 一陰生則長而漸盛이라 陰長則陽消하니 小人道長也니 制之를 當於其微而未盛之時라 柅는 止車之物이니 金爲之면 堅强之至也라 止之以金柅而又繫之는 止之固也니 固止하여 使不得進이면 則陽剛貞正之道吉也요 使之進往이면 則漸盛而害於陽이니 是見凶也라 羸豕孚蹢躅은 聖人重爲之戒하사 言陰雖甚微나 不可忽也라 豕는 陰躁之物이라 故以爲況이라 羸弱之豕는 雖未能强猛이나 然其中心은 在乎蹢躅하니 蹢躅은 跳躑(도척)也라 陰微而在下하니 可謂羸矣나 然其中心은 常在乎〔一无乎字〕消陽也라 君子、小人異道하니 小人은 雖微弱之時라도 未嘗无害君子之心하니 防於微면 則无能爲矣리라
　구(姤)는 음(陰)이 처음 생겨나 장차 자라는 괘이니, 한 음이 생겨나면 자라서 점점 성해진다. 음이 자라면 양이 사라지니, 소인의 도가 자라는 것이니, 제재하기를 마땅히 미약하여 성하지 않을 때에 하여야 한다. '니(柅)'는 수레를 멈추게 하는 물건(고동목)이니, 쇠로 만들면 지극히 견고하고 강하다. 금니(金柅)로 저지하

··· 柅 : 고임 니　羸 : 약할 리　蹢 : 배회할 척　躅 : 서성거릴 촉　跳 : 뛸 도　躑 : 뒷발질할 척

고 또 매어놓음은 저지하기를 견고하게 하는 것이니, 〈음의 도를〉굳게 저지해서 나오지 못하게 하면 양강 정정(陽剛貞正)의 도가 길할 것이요, 나오게 하면 점점 성하여 양을 해칠 것이니, 이는 흉함을 당하는 것이다.

'이시부척촉(贏豕孚蹢躅)'은 성인이 거듭 경계하시어 음이 비록 심히 미약하나 소홀히 해서는 안 됨을 말씀한 것이다. 돼지는 음이고 조급한 물건이므로 비유로 삼은 것이다. 약한 돼지는 비록 강하고 사납지 못하나, 그 중심(마음)은 척촉(蹢躅)에 있으니, 척촉은 날뛰는 것이다. 음이 미약하고 아래에 있으니, 약하다고 이를 만하나 그 중심(마음)은 항상 양을 사라지게 함에 있는 것이다. 군자와 소인은 도(道)가 다르니, 소인은 비록 미약할 때라도 일찍이 군자를 해칠 마음이 없지 않으니, 미약할 때에 막으면 나쁜 짓을 하지 못할 것이다.

本義 | 柅는 所以止車어늘 以金爲之하니 其剛可知라 一陰始生하니 靜正則吉이요 往進則凶이라 故以二義戒小人하여 使不害於君子면 則有吉而无凶이라 然其勢 不可止也라 故以贏豕蹢躅으로 曉君子하여 使深爲之備云이라

'니(柅)'는 수레를 멈추게 하는 것인데 쇠로 만들었으니, 그 강(剛)함을 알 수 있다. 한 음이 처음 생겼으니 정정(靜正)하면 길하고, 가서 나아가면 흉하다. 그러므로 두 가지 뜻으로 소인을 경계하여 군자를 해치지 않으면 길함이 있고 흉함이 없다고 한 것이다. 그러나 그 형세를 멈출 수 없으므로 약한 돼지가 날뛰는 것으로 군자를 깨우쳐서 깊이 이에 대비하게 한 것이다.

象曰 繫于金柅는 柔道牽也[114]일새라

〈상전〉에 말하였다. "쇠고동목에 매어 놓음은 유(柔)의 도(道)가 끌고서 나아가기 때문이다."

傳 | 牽者는 引而進也라 陰始生而漸進은 柔道方牽也니 繫之于金柅는 所以止 其進也라 不使進이면 則不能消正道니 乃貞吉也라

......
114 柔道牽也 : 정여해(鄭汝諧)는 견(牽)을 견제로 보아 음유(陰柔)의 도(道)를 견제하는 것으로 해석하였다.

'견(牽)'은 끌고서 나아감이다. 음(陰)이 처음 생겨 점점 나아감은 유(柔)의 도(道)가 끌고서 나아가는 것이니, 쇠고동목에 매어 놓음은 그 나아감을 저지하는 것이다. 나아가지 못하게 하면 정도를 사라지게 하지 못할 것이니, 이는 정도(貞道)가 길한 것이다.

本義 | 牽은 進也니 以其進故로 止之라
　'견(牽)'은 나아감이니, 나아가기 때문에 멈추게 하는 것이다.

九二는 包有魚면 无咎하리니 不利賓하니라
　구이(九二)는 꾸러미에 어물(魚物;민물고기)이 있듯이 하면 허물이 없으리니, 손님에게 미침은 이롭지 않다.

本義 | 包有魚니 无咎어니와
　　　꾸러미에 어물이 있음이니, 허물이 없으나

傳 | 姤는 遇也니 二與初密比하니 相遇者也라 在他卦면 則初正應於四어니와 在姤면 則以遇爲重이라 相遇之道는 主於專一이니 二之剛中이 遇固以誠이나 然初之陰柔로 羣陽在上하고 而又有所應者하니 其志所求也라 陰柔之質은 鮮克貞固하니 二之於初에 難得其誠心矣니 所遇不得其誠心이면 遇道之乖也라 包者는 苴裹也요 魚는 陰物之美者라 陽之於陰에 其所悅美라 故取魚象이라 二於初에 若能固畜之를 如包苴之有魚면 則於遇에 爲无咎矣라 賓은 外來者也라 不利賓은 包苴之魚를 豈能及賓이리오 謂不可更及外人也라 遇道當專一이니 二則雜矣니라

　구(姤)는 만남이니, 이(二)가 초(初)와 매우 가까이 있으니, 서로 만나는 자이다. 딴 괘에 있어서는 초(初)는 사(四)와 정응(正應)이 되지만 구(姤)에 있어서는 만남을 중하게 여긴다. 서로 만나는 방도는 전일함을 주장하니, 이(二)의 강중(剛中)이 만나기를 진실로 지성으로 하나 초(初)가 음유(陰柔)로서 여러 양이 위에 있고 또 응하는 바가 있으니, 그 뜻이 구하는 것이다(응을 구함). 음유의 질은 정고(貞固)함이 드무니, 이(二)가 초(初)에 있어 그 성심을 얻기 어려우니, 만나는 바에 그 성심을 얻지 못한다면 만나는 방도가 어그러진 것이다.

　'포(包)'는 꾸러미요, '어(魚)'는 음물(陰物) 중에 좋은 것이다. 양은 음에 대하여

··· 包 : 꾸러미 포　苴 : 쌀 저　裹 : 쌀 과

기뻐하고 아름답게 여기는 바이므로 어물(물고기)의 상(象)을 취한 것이다. 이(二)가 초(初)에 있어 만일 견고하게 싸기를 꾸러미에 어물이 있듯이 하면 만남에 허물이 없을 것이다. '빈(賓:손님)'은 밖에서 온 자이다. '불리빈(不利賓)'은 꾸러미에 있는 어물을 어찌 손님에게까지 미치겠는가. 이는 다시 외인(外人)에게 미치게 할 수 없음을 말한 것이다. 만나는 방도는 마땅히 전일하여야 하니, 둘이면 잡되다.

本義 | 魚는 陰物이라 二與初遇는 爲包有魚之象이라 然制之在己라 故猶可以无咎어니와 若不制而使遇於衆이면 則其爲害廣矣라 故其象占如此하니라

　'어(魚)'는 음물이다. 이(二)가 초(初)와 만남은 꾸러미에 어물이 있는 상(象)이 된다. 그러나 제지함이 자신에게 있기 때문에 아직은 허물이 없을 수 있으나 만약 제지하지 않아 여러 양을 만나게 하면 해 됨이 크다. 그러므로 그 상과 점(占)이 이와 같은 것이다.

象曰 包有魚는 義不及賓也라

　〈상전〉에 말하였다. "꾸러미에 있는 어물은 의리상 손님에게 미칠 수 없는 것이다."

傳 | 二之遇初에 不可使有二於外니 當如包苴之有魚라 包苴之魚는 義不及於賓客也라

　이(二)가 초(初)를 만남에 밖에 딴 마음이 있게 해서는 안 되니, 마땅히 꾸러미에 어물이 있는 것과 같이 하여야 한다. 꾸러미의 어물은 의리상 손님에게 미칠 수 없는 것이다.

九三은 臀(둔)无膚나 其行은 次且(저)니 厲하면 无大咎리라

　구삼(九三)은 볼기짝에 살이 없으나 그 떠나감을 머뭇거리니, 위태롭게 여기면 큰 허물이 없으리라.

本義 | 臀无膚며 其行次且니 厲하나

　　볼기짝에 살이 없으며 그 감을 멈춤이니, 위태로우나

･･･ 臀 : 볼기둔

傳｜ 二與初旣相遇하니 三說初而密比於二하여 非所安也요 又爲二所忌惡(오)하여 其居不安하니 若臀之无膚也라 處旣不安이면 則當去之어늘 而居姤之時하여 志求乎遇하며 一陰在下하니 是所欲也라 故處雖不安이나 而其行則又次且也라 次且는 進難之狀이니 謂不能遽舍也라 然三剛正而處巽하여 有不終迷之義하니 若知其不正而懷危懼하여 不敢妄動이면 則可以无大咎也라 非義求遇면 固已有咎矣어니와 知危而止면 則不至於大〔一有咎字〕也라

이(二)와 초(初)가 이미 서로 만났으니, 삼(三)은 초(初)를 좋아하나 이(二)와 매우 가까워 편안한 바가 아니요, 또 이(二)에게 시기와 미움을 당하여 그 거처가 불안하니, 볼기짝에 살이 없는 것과 같다. 처함이 이미 불안하면 마땅히 떠나야 하는데, 구(姤)의 때에 거하여 뜻이 만나기를 구하며 한 음이 아래에 있으니, 이는 마음에 원하는 바이다. 그러므로 처함이 비록 불안하나 그 떠나감을 또 머뭇거리는 것이다. '차저(次且)'는 나아감을 어렵게 여기는 모양이니, 대번에 버리지 못함을 이른다.

그러나 삼(三)은 강정(剛正)으로 손(巽)에 처하여 끝내 혼미(昏迷)하지 않는 뜻이 있으니, 만일 그 부정함을 알고 위태로움과 두려운 마음을 품어서 망동(妄動)하지 않는다면 큰 허물이 없을 수 있다. 의(義)가 아닌데 만나기를 구하면 진실로 이미 허물이 있지만 위태로움을 알고 중지하면 큰 허물에 이르지 않을 것이다.

本義｜ 九三은 過剛不中하며 下不遇於初하고 上无應於上하여 居則不安하고 行則不進이라 故其象占如此라 然旣无所遇면 則无陰邪之傷이라 故雖危厲나 而无大咎也라

구삼(九三)은 지나치게 강(剛)하고 중(中)하지 못하며 아래로 초(初)와 만나지 못하고 위로 상(上)과 응하지 못하여, 거하자니 불안하고 가자니 나아갈 수 없다. 그러므로 그 상(象)과 점(占)이 이와 같은 것이다. 그러나 이미 만나는 바가 없으면 음사(陰邪)의 해(害)가 없으므로 비록 위태로우나 큰 허물이 없는 것이다.

象曰 其行次且는 行未牽也라

〈상전〉에 말하였다. "그 떠나감을 머뭇거림은 감을 빨리하지 않는 것이다."

傳 | 其始志在求遇於初라 故其行遲遲라 未牽은 不促其行也니 旣知危而改之라
故未至於大咎也라

처음의 뜻이 초(初)를 만남을 구함에 있다. 그러므로 그 떠나감이 더디고 더딘
것이다. '미견(未牽)'은 그 감을 빨리하지 않는 것이니, 이미 위태로움을 알고 고쳤
기 때문에 큰 허물에 이르지 않는 것이다.

九四는 包无魚니 起凶하리라
구사(九四)는 꾸러미에 어물(魚物)이 없으니, 흉함이 일어나리라.

傳 | 包者는 所裹畜也요 魚는 所美也라 四與初 爲正應하니 當相遇者也로되 而初
已遇於二矣하여 失其所遇하니 猶包之无魚하여 亡其所有也라 四當姤遇之時하여
居上位而失其下하니 下之離는 由己之失德也라 四之失者는 不中正也니 以不中
正而失其民은 所以凶也라 曰 初之從二는 以比近也니 豈四之罪乎아 曰 在四而
言하면 義當有咎하니 不能保其下는 由失道也라 豈有上不失道而下離者乎아 遇
之道는 君臣、民主、夫婦、朋友 皆在焉하니 四以下暌故로 主民而言이라 爲上
而下離면 必有凶變이라 起者는 將生之謂니 民心旣離면 難將作矣리라

'포(包)'는 싸는 것이요, '어(魚)'는 아름답게 여기는 물건이다. 사(四)는 초(初)
와 정응이 되니, 마땅히 서로 만나야 할 자이나 초(初)가 이미 이(二)를 만나서 그
만날 바를 잃었으니, 꾸러미에 어물이 없는 것과 같아 그 소유를 잃은 것이다. 사
(四)가 만나는 때를 당하여 높은 지위에 있으면서 아랫사람을 잃었으니, 아랫사람
이 이반(離叛)함은 자신의 실덕(失德)으로 말미암은 것이다. 사(四)의 실덕은 중정
(中正)하지 못해서이니, 중정하지 못하여 백성을 잃음은 흉한 것이다.

"초(初)가 이(二)를 따름은 가깝기 때문이니, 이 어찌 사(四)의 죄이겠는가?" "사
의 입장에서 말하면 의리상 마땅히 허물이 있으니, 그 아래를 보호하지 못함은 도
를 잃었기 때문이다. 어찌 윗사람이 도를 잃지 않고서 아랫사람이 이반하는 경우
가 있겠는가."

만나는 도(道)는 인군과 신하, 백성과 군주, 남편과 부인, 붕우(朋友)가 다 있는
데, 사(四)는 아래에서 이반하기 때문에 백성을 위주하여 말한 것이다. 윗사람이
되어 아랫사람이 이반하면 반드시 흉함과 변고가 있을 것이다. '기(起)'는 장차 생

••• 畜 : 쌓을 축

겨남을 이르니, 민심(民心)이 이미 이반되면 난(難)이 장차 일어날 것이다.

本義 | 初六正應이 已遇於二하여 而不及於己라 故其象占如此하니라
　　초육(初六)의 정응(正應)이 이미 이(二)를 만나 자기에게 미치지 못하므로 그 상(象)과 점(占)이 이와 같은 것이다.

象曰 无魚之凶은 遠民也일새라
　　〈상전〉에 말하였다. "무어(无魚)의 흉함은 백성을 멀리하기 때문이다."

傳 | 下之離는 由己致之라 遠民者는 己遠之也니 爲上者 有以使之離也라
　　아래가 이반함은 자신으로 말미암아 이루어진 것이다. 백성을 멀리함은 자기가 멀리한 것이니, 윗사람이 된 자가 아랫사람으로 하여금 이반하게 한 것이다.

本義 | 民之去己는 猶己遠之라
　　백성이 자기를 떠나감은 자기가 멀리하게 한 것과 같다.

九五는 以杞包瓜니 含章이면 有隕自天이리라
　　구오(九五)는 기(杞)나무 잎으로 오이를 싸는 것이니, 아름다움을 함축하면(드러내지 않으면) 하늘로부터 떨어짐이 있으리라.

傳 | 九五下亦无應하니 非有遇也로되 然得遇之〔一有之字〕道라 故終必有遇라 夫上下之遇는 由相求也라 杞는 高木而葉大하니 處高體大而可以包物者는 杞也요 美實之在下者는 瓜也니 美而居下者는 側微之賢之象也라 九五尊居君位하여 而下求賢才하니 以至高而求至下는 猶以杞葉而包瓜라 能自降屈如此하고 又其內蘊中正之德하여 充實章美하니 人君如是면 則无有不遇所求者也라 雖屈己求賢이라도 若其德不正이면 賢者不屑也라 故必含蓄章美하고 內積至誠이면 則有隕自天矣니 猶云自天而降이니 言必得之也라 自古로 人君至誠降屈하여 以中正之道

··· 杞 : 나무이름 기 隕 : 떨어질 운

로 求天下之賢이면 未有不遇者也라 高宗이 感於夢寐하고 文王이 遇於漁釣[115]는 皆由是道也라

구오(九五) 또한 아래에 응이 없으니, 만남이 있는 자가 아니나 만나는 도를 얻었으므로 끝내 반드시 만남이 있는 것이다. 상·하의 만남은 서로 구하기 때문이다. 기(杞)나무는 높은 나무로 잎이 크니, 처함이 높고 체(體)가 크면서 물건을 감쌀 수 있는 것은 기나무요, 아름다운 열매가 아래에 있는 것은 오이이니, 아름다우면서 아래에 거한 것은 측미(側微:미천)한 현자(賢者)의 상(象)이다. 구오(九五)가 높이 군위(君位)에 거하여 아래로 현재(賢才)를 구하니, 지극히 높은 이로서 지극히 낮은 사람을 구함은 마치 기나무 잎으로 오이를 싸는 것과 같다. 스스로 낮추고 굽히기를 이와 같이 하고, 또 안에 중정(中正)의 덕을 온축(蘊蓄)하여 아름다움이 충실하니, 인군이 이와 같으면 구하는 바를 만나지 못함이 없을 것이다.

비록 몸을 굽혀 현자를 구하더라도 만약 그 덕이 바르지 못하면 현자가 좋게 여기지 않는다. 그러므로 반드시 아름다움을 함축하고 안에 지성(至誠)을 쌓으면 하늘로부터 떨어짐이 있을 것이니, 이는 〈현자(賢者)가〉 하늘로부터 내려온다는 말과 같으니, 반드시 얻음을 이른다. 예로부터 인군이 지성으로 몸을 낮추고 굽혀서 중정한 도(道)로 천하의 현자를 구하면 만나지 못한 자가 있지 않았다. 고종(高宗)이 꿈 속에 감응(感應)하고, 문왕이 낚시질하는 곳에서 만났으니, 이는 모두 이 방도를 따른 것이다.

本義 | 瓜는 陰物之在下者니 甘美而善潰하고 杞는 高大堅實之木也라 五以陽剛中正으로 主卦於上하여 而下防始生必潰之陰하여 其象如此라 然陰陽迭勝은 時運之常이니 若能含晦章美하여 靜以制之면 則可以回造化矣라 有隕自天은 本无而倏(숙)有之象也라

. . . .
115 高宗感於夢寐 文王遇於漁釣:고종(高宗)은 상왕(商王) 무정(武丁)의 묘호(廟號)이다. 무정은 부왕(父王)인 소을(小乙)의 뒤를 이어 즉위하였는데, 탈상(脫喪)한 뒤에도 마음을 엄숙히 하고 침묵을 지키며 나라를 다스릴 방도를 곰곰이 생각한 나머지 꿈에 하늘이 한 인물을 내려주었으므로 꿈에 본 모습을 그려 찾은 결과 부열(傅說)이라는 명상(名相)을 얻으니, 《서경》의 〈열명(說命)〉은 바로 이러한 내용을 기록한 글이다. 그리고 주(周)나라 문왕(文王)은 사냥을 나가면서 점을 친 결과, 훌륭한 인물을 만날 것이라는 점괘를 얻고 위수(渭水)가에서 낚시질하던 강태공(姜太公)을 만나 스승으로 섬겼다.

· · · 迭 : 번갈아 질

오이는 음물(陰物)로 아래에 있는 것이니, 달고 아름답고 잘 물러터지며, 기나무는 고대(高大)하고 견실(堅實)한 나무이다. 오(五)가 양강 중정(陽剛中正)으로 위에서 괘의 주체가 되어 아래로 처음 생겨 반드시 물러터질 음(陰)을 방지하여 그 상(象)이 이와 같다. 그러나 음·양이 번갈아 이김은 시운의 떳떳함이니, 만약 아름다움을 함축하고 숨겨 조용히 제재하면 조화(造化)를 돌릴 수 있다. '하늘로부터 떨어짐이 있다.'는 것은 본래는 없었는데 갑자기 있는 상(象)이다.

象曰 九五含章은 中正也요
〈상전〉에 말하였다. "구오(九五)의 함장(含章)은 중정(中正)함이요,

傳ㅣ 所謂含章은 謂其含蘊〔一无蘊字〕中正之德也니 德充實이면 則成章而有輝光이라

이른바 '함장(含章)'은 중정(中正)한 덕을 함축하고 쌓음을 이르니, 덕이 충실해지면 문장을 이루어 빛남이 있는 것이다.

有隕自天은 志不舍命也일새라
하늘로부터 떨어짐이 있음은 마음에 천명(天命;천리(天理))을 버리지 않기 때문이다."

傳ㅣ 命은 天理也요 舍는 違也라 至誠中正으로 屈己求賢하여 存志合於天理하니 所以有隕自天이니 必得之矣리라

'명(命)'은 천리(天理)이고, '사(舍)'는 어김(버림)이다. 지성과 중정으로 몸을 굽혀 현자(賢者)를 구해서 뜻을 둠이 천리에 합하니, 이 때문에 하늘로부터 떨어짐이 있는 것이니, 반드시 얻을 것이다.

上九는 姤其角이라 吝하니 无咎니라
상구(上九)는 만남에 그 뿔이라 부끄러우니, 허물할 데가 없다.
本義ㅣ 姤其角이니 吝하나 无咎리라
만남에 그 뿔이니, 부끄러우나 허물이 없으리라.

··· 舍 : 버릴 사

傳 | 至剛而在最上者는 角也니 九以剛居上이라 故以角爲象이라 人之相遇는 由
降屈以相從하고 和順以相接故로 能合也어늘 上九高亢而剛極하니 人誰與之리오
以此求遇면 固可吝也라 己則如是하니 人之遠之는 非他人之罪也요 由己致之라
故无所歸咎니라

　　지극히 강(剛)하면서 가장 윗자리에 있는 것은 뿔이니, 구(九)가 강(剛)으로서
위에 거했으므로 뿔로 상(象)을 삼은 것이다. 사람이 서로 만남은 낮추고 굽혀서
서로 따르고 화순(和順)하여 서로 접하기 때문에 능히 합하는 것인데, 상구(上九)
는 너무 높고 지극히 강하니, 어떤 사람이 그와 더불겠는가. 이러한 태도로 만나
기를 구하면 진실로 부끄러울 만하다. 자기가 이와 같으니, 남이 멀리함은 타인
(他人)의 죄가 아니요 자기로 말미암아 이루어진 것이다. 그러므로 허물을 돌릴
데가 없는 것이다.

本義 | 角은 剛乎上者也라 上九以剛居上而无位하여 不得其遇라 故其象占이 與
九三類하니라

　　뿔은 위에 강(剛)한 자이다. 상구(上九)가 강으로 위에 있으면서 지위가 없어서
그 만남을 얻지 못한다. 그러므로 그 상(象)과 점(占)이 구삼(九三)과 유사한 것이다.

象曰 姤其角은 上窮하여 吝也라

　　〈상전〉에 말하였다. "'구기각(姤其角)'은 위에 궁극하여 부끄러운 것이다."

傳 | 旣處窮上하고 剛亦極矣니 是上窮而致吝也라 以剛極으로 居高而求遇면 不
亦難乎아

　　이미 궁극의 위에 처하고 강(剛) 또한 지극하니, 이는 위에 궁극하여 부끄러움
을 이루는 것이다. 지극히 강(剛)함으로써 높은 자리에 있으면서 만나기를 구한다
면 어렵지 않겠는가.

傳ㅣ 萃는 序卦에 姤者는 遇也니 物相遇而后聚라 故受之以萃하니 萃者는 聚也라 하니라 物相會遇則成羣하니 萃所以次姤也라 爲卦 兌上坤下하니 澤上於地는 水之 聚也라 故爲萃라 不言澤在地上하고 而云澤上於地는 言上於地면 則爲方聚之義也 일새라

췌괘(萃卦)는 〈서괘전〉에 "구(姤)는 만남이니, 물건이 서로 만난 뒤에 모인다. 그러므로 췌괘로 받았으니, 췌(萃)는 모임이다." 하였다. 물건이 서로 만나면 무리를 이루니, 췌괘가 이 때문에 구괘(姤卦☰)의 다음이 된 것이다. 괘됨이 태(兌☱)가 위에 있고 곤(坤☷)이 아래에 있으니, 못이 땅 위에 올라가 있으면 물이 모이므로 췌(萃)라 한 것이다. 못이 땅 위에 있다고 말하지 않고 못이 땅 위에 올라가 있다고 한 것은 땅 위로 올라가 있다고 말하면 모이는 뜻이 되기 때문이다.

萃는 (亨)王假(格)有廟[116]니

췌(萃)는 왕(王)이 조묘(祖廟)를 둠(세움)에 이름이니,

본의ㅣ 왕이 조묘(祖廟)에 이른 것이니,

傳ㅣ 王者萃聚天下之道 至於有廟면 極〔一无極字〕也라 羣生至衆也로되 而可一其 歸仰하며 人心莫知其鄕(向)也로되 而能致其誠敬하며 鬼神之不可度(탁)也로되 而 能致其來格이라 天下萃合人心, 總攝衆志之道 非一이나 其至大莫過於宗廟라 故로 王者萃天下之道 至於有廟면 則萃道之至也라 祭祀之報는 本於人心하니 聖 人制禮以成其德耳라 故豺獺(시달)能祭하니 其性然也라 萃下에 有亨字하니 羨文

• • • • • •

116 王假有廟 : 격(假)은 격(格)과 통하는바, '이르다', '지극하다'의 뜻이 있다. 《정전》에는 "사당을 둠에 이르면 인심을 모으는 도가 지극한 것이다.〔至於有廟, 則萃道之至也.〕" 하였으므로 《언해》에 "조묘(祖廟;종묘)를 둠에 지극한 것"으로 풀이하였으나, 《본의》에는 이를 따르지 않고 "이름"으로 해석하였다. 아래 환괘(渙卦)에도 '王假有廟'가 보이는데, 여기와 똑같이 해석하였다.

• • • 萃 : 모일 췌(취) 豺 : 승냥이 시 獺 : 수달 달

也라 亨字自在下하니 與渙不同[117]이라 渙則先言卦才하고 萃乃先言卦義하니 彖辭
에 甚明이라

　　왕자(王者)가 천하를 모으는 방도가 사당(종묘)을 둠에 이르면 지극한 것이다.
여러 생민(生民)이 지극히 많으나 귀의(歸依)하고 우러르는 마음을 통일할 수 있으
며, 인심(人心)은 방향을 알 수 없으나 그 정성과 공경을 지극히 할 수 있으며, 귀
신(鬼神)은 예측할 수 없으나 와서 강림(降臨)하게 할 수 있는 것이다. 천하에 인심
을 모으고 여러 사람의 마음을 총괄하는 방법이 한 가지가 아니나, 지극히 큰 것
은 종묘(宗廟)보다 더한 것이 없다. 그러므로 왕자가 천하를 모으는 도(道)가 사당
을 둠에 이르면 췌도(萃道)가 지극한 것이다.
　　제사의 보답은 인심에 근본한 것이니, 성인이 예(禮)를 제정하여 그 덕(德)을
이루었다. 그러므로 승냥이와 수달도 제사를 지내니, 천성(天性)이 그러한 것이
다. 췌(萃) 자 아래에 형(亨) 자가 있으니, 연문(羨文:연문(衍文))이다. 형(亨) 자는 따
로 아래에 있으니, 환괘(渙卦 ☵)와는 똑같지 않다. 환괘는 먼저 괘의 재질(才質)을
말하였고, 췌괘(萃卦)는 먼저 괘의 뜻을 말하였으니, 단사(彖辭)에 매우 분명하다.

利見大人하니 亨하니 利貞하니라
　대인(大人)을 만나봄이 이로우니 형통하니, 정(貞)함이 이롭다.
本義ㅣ 亨하고 利貞하니
　　　형통하고 정(貞)함이 이로우니,

傳ㅣ 天下之聚에 必得大人以治之니 人聚則亂하고 物聚則爭하고 事聚則紊하나니
非大人治之면 則萃所以致爭亂也라 萃以不正이면 則人聚爲苟合이요 財聚爲悖
入이니 安得亨乎아 故利貞이니라

　　천하가 모임에 반드시 대인(大人)을 얻어 다스려야 하니, 사람이 모이면 혼란
하고 물건(동물)이 모이면 다투고 일이 모이면 문란하니, 대인이 다스리지 않으면
모임은 쟁란(爭亂)을 이루는 까닭이다. 모임을 정도(正道)로 하지 않으면 사람의

　• • • • • •
117 與渙不同 : 환괘(渙卦)의 괘사(卦辭)에 '환은 형통하니, 왕이 종묘를 둠에 이름이니,〔渙亨, 王
假有廟〕'라 하였으므로 말한 것이다.

　••• 渙 : 풀릴 환　紊 : 어지러울 문　悖 : 어그러질 패

모임은 구차히 합함이 되고, 재물의 모임은 도리에 어긋나게 들어옴이 되니, 어찌 형통하겠는가. 그러므로 정(貞)함이 이로운 것이다.

用大牲이 吉하니 利有攸往하니라
큰 희생(犧牲)을 씀이 길하니, 가는 바를 둠이 이롭다.

本義 | 吉하고
길하고

傳 | 萃者는 豐厚之時也니 其用宜稱이라 故用大牲吉이라 事莫重於祭라 故以祭享而言하니 上交鬼神하고 下接民物에 百用이 莫不皆〔一作當〕然이라 當萃之時하여 而交物以厚면 則是享豐富之吉也니 天下莫不同其富樂矣라 若時之〔一无之字〕厚어늘 而交物以薄이면 乃不享其豐美니 天下莫之與하여 而悔吝生矣라 蓋隨時之宜하여 順理而行故로 彖云順天命也라하니라 夫不能有爲者는 力之不足也어니와 當萃之時故로 利有攸往이라 大凡興工(功)立事는 貴得可爲之時하여 萃而後用이니 是動而有裕니 天理然也라

췌(萃)는 풍후(豐厚)한 때이니, 그 쓰임이 걸맞아야 한다. 그러므로 제사에 큰 희생을 씀이 길한 것이다. 일은 제사보다 더 중한 것이 없으므로 제향(祭享)으로써 말하였으니, 위로 귀신(鬼神)을 사귀고 아래로 백성과 물건을 접함에 온갖 쓰임이 모두 그러하지 않음이 없다. 췌(萃)의 때를 당하여 물건을 사귀기를 풍후하게 하면 이는 풍부함의 길함을 누리는 것이니, 천하가 부(富)와 즐거움을 함께 하지 않음이 없을 것이다. 만일 때가 풍후한데 물건을 사귀기를 박하게 하면 이것은 바로 풍부하고 아름다움을 누리지 못하는 것이니, 천하가 친하지 아니하여 뉘우침과 부끄러움이 생길 것이다. 때의 마땅함에 따라 이치에 순응하여 행하기 때문에 〈단전(彖傳)〉에 "천명(天命)을 순히 한다."고 한 것이다.

저 훌륭한 일을 할 수 없는 자는 힘이 부족해서이지만 췌(萃)의 때를 당하였으므로 가는 바를 둠이 이로운 것이다. 대체로 사공(事功)을 일으킴은 할 수 있는 때를 만나 서로 모인 뒤에 씀을 귀하게 여기니, 이는 동(動)하여 여유가 있는 것이니, 천리(天理)가 그러한 것이다.

··· 牲 : 희생 생

本義 | 萃는 聚也라 坤順兌說하고 九五剛中而二應之하며 又爲澤上於地하여 萬物萃聚之象이라 故爲萃라 亨字는 衍文이라 王假有廟는 言王者可以至乎宗廟之中이니 王者卜祭之吉占也니 祭義曰 公假于太廟是也라 廟는 所以聚祖考之精神이요 又人必能聚己之精神이면 則可以至于廟而承祖考也라 物旣聚면 則必見大人而後에 可以得亨이라 然又必利於正이니 所聚不正이면 則亦不能亨也라 大牲은 必聚而後有요 聚則可以有所往이니 皆占吉而有戒之辭라

췌(萃)는 모임이다. 곤(坤)은 순하고 태(兌)는 기뻐하며, 구오(九五)가 강중(剛中)인데 육이(六二)가 응(應)하고, 또 못이 땅 위로 올라가 만물이 모이는 상이 된다. 그러므로 췌(萃)라 한 것이다. 형(亨) 자는 연문(衍文)이다. '왕격유묘(王假有廟)'는 왕자(王者)가 종묘의 가운데에 이름을 말한 것이니, 왕자가 제사를 점칠 때에 길한 점(占)이다. 《예기》〈제의(祭義)〉에 "공(公)이 태묘(太廟)에 이르렀다."는 것이 이것이다. '묘(廟)'는 조(祖)·고(考)의 정신(精神;영혼)을 모으는 곳이요, 또 사람이 반드시 자기의 정신(마음)을 모으면 사당에 이르러 조·고를 받들 수 있는 것이다.

물건이 이미 모이면 반드시 대인(大人)을 만나본 뒤에 형통할 수 있다. 그러나 또 반드시 바름이 이로우니, 모인 바가 바르지 못하면 또한 형통하지 못한다. 큰 희생은 반드시 재물을 모은 뒤에 있고 모이면 가는 바가 있으니, 모두 점(占)이 길(吉)하면서도 경계함이 있는 말이다.

彖曰 萃는 聚也니 順以說하고 剛中而應이라 故로 聚也니라

〈단전(彖傳)〉에 말하였다. "췌(萃)는 모임이니, 순하고 기뻐하며 강(剛)이 중(中)에 있고 음이 응(應)한다. 이 때문에 모인 것이다.

傳 | 萃之義는 聚也니 順以〔一作而〕說은 以卦才言也라 上說而下順은 爲上以說道使民而順於人心이요 下說上之政令而順從於上이니 旣上下順說하며 又陽剛이 處中正之位하고 而下有應助하니 如此故로 能聚也라 欲天下之萃인댄 才非如是면 不能也라

췌(萃)의 뜻은 모임이니, 순하고 기뻐함은 괘재(卦才)로써 말한 것이다. 위가 기뻐하고 아래가 순함은 윗사람은 기뻐하는 방법으로 백성을 부려 인심에 순응함이요, 아랫사람은 윗사람의 정령(政令)을 좋아하여 윗사람에게 순종함이 되니, 이

미 상·하가 순하고 기뻐하며, 또 양강(陽剛)이 중정(中正)한 자리에 처하였고 아래에 응하여 도와주는 이가 있으니, 이와 같으므로 모인 것이다. 천하를 모으고자 할진댄 이와 같은 재질이 아니면 불가능하다.

本義│ 以卦德卦體로 釋卦名義라

괘덕(卦德)과 괘체(卦體)로써 괘명(卦名)의 뜻을 해석하였다.

王假有廟는 致孝享也요

'왕격유묘(王假有廟)'는 효도로 제향(祭享)함을 지극히 함이요

傳│ 王者萃人心之道 至於建立宗廟는 所以致其孝享之誠也라 祭祀는 人心之所自盡也라 故萃天下之心者 无如孝享이니 王者萃天下之道 至於有廟면 則其極也라

왕자(王者)가 인심(人心)을 모으는 방도가 종묘를 건립함에 이름은 효도로 제향〔孝享〕하는 정성을 지극히 하는 것이다. 제사는 사람의 마음에 스스로 다하는 것이므로, 천하의 마음을 모음은 효향(孝享)만한 것이 없으니, 왕자가 천하를 모으는 방도가 사당을 둠에 이르면 지극한 것이다.

利見大人亨은 聚以正也일새요

'이견대인형(利見大人亨)'은 바름으로써 모이기 때문이요,

傳│ 萃之時에 見大人則能亨은 蓋聚以正道也라 見大人이면 則其聚以正道니 得其正則亨矣라 萃不以正이면 其能亨乎아

췌(萃)의 때에 대인을 만나보면 형통한 것은 정도(正道)로써 모이기 때문이다. 대인을 만나면 정도로써 모이게 마련이니, 정도를 얻으면 형통하다. 정도로써 모이지 않으면 형통할 수 있겠는가.

用大牲吉 利有攸往은 順天命也니

'용대생길 이유유왕(用大牲吉利有攸往)'은 천명(天命)을 순히 함이니,

傳ㅣ 用大牲은 承上有廟之文하여 以享祀而言이니 凡事莫不如是라 豐聚之時에
는 交於物者當厚니 稱其宜也라 物聚而力贍(섬)이면 乃可以有爲라 故利有攸往이
니 皆天理然也라 故云順天命也라하니라

'큰 희생을 쓴다.'는 것은 위의 '유묘(有廟)'의 글을 이어서 향사(享祀)로써 말한
것이니, 모든 일이 이와 같지 않음이 없다. 많이 모일 때에는 물건과 사귐을 마땅
히 후하게 해야 하니, 그 마땅함에 맞추어야 한다. 물건이 모이고 힘이 넉넉하면
일을 할 수 있다. 그러므로 가는 바를 둠이 이로운 것이니, 이는 모두 천리(天理)
에 당연한 것이다. 그러므로 천명(天命)을 순히 한다고 말한 것이다.

本義ㅣ 釋卦辭라
괘사(卦辭)를 해석하였다.

觀其所聚而天地萬物之情을 可見矣리라
그 모이는 바를 보면 천지 만물의 실정을 볼 수 있으리라."

傳ㅣ 觀萃之理하면 可以見天地萬物之情也라 天地之化育과 萬物之生成으로 凡
有者皆聚也니 有无, 動靜, 終始之理 聚散而已라 故觀其所以聚하면 則天地萬物
之情을 可見矣라

모이는 이치를 보면 천지 만물의 실정을 볼 수 있다. 천지의 화육(化育)과 만
물의 생성(生成)으로 모든 있는 것은 다 모인 것이니, 유(有)와 무(无), 동(動)과 정
(靜), 종(終)과 시(始)의 이치가 모이고 흩어질 뿐이다. 그러므로 그 모이는 바를 보
면 천지 만물의 실정을 볼 수 있는 것이다.

本義ㅣ 極言其理而贊之라
그 이치를 극언(極言)하여 찬미한 것이다.

象曰 澤上於地 萃니 君子以하여 除戎器하여 戒不虞하나니라
〈상전〉에 말하였다. "못이 땅 위에 올라가 있는 것이 췌(萃)이니, 군자가

보고서 융기(戎器;병기)를 소제(掃除)하여 불우(不虞;예측하지 못한 비상사
태)를 경계한다."

傳 | 澤上於地는 爲萃聚之象이니 君子觀萃象하여 以除治戎器하여 用戒備於不
虞라 凡物之萃면 則有不虞度(탁)之事라 故衆聚則有爭하고 物聚則有奪하니 大率
旣聚則多故矣라 故觀萃象而戒也라 除는 謂簡治也요 去弊惡也니 除而聚之는 所
以戒不虞也라

　못이 땅 위에 올라가 있음은 모이는 상(象)이 되니, 군자가 췌(萃)의 상을 보고
서 병기[戎器]를 소제하고 다스려서 불우(不虞)를 경계하고 대비한다. 무릇 물건이
모이면 예측할 수 없는 일이 있게 마련이다. 그러므로 무리가 모이면 다툼이 있
고 물건이 모이면 빼앗음이 있는 것이니, 대체로 모이면 사고(事故)가 많다. 그러
므로 췌(萃)의 상을 보고서 경계한 것이다. '제(除)'는 간열(簡閱;좋은 것을 가려 뽑음)
하여 다스리고, 해지고 나쁜 것을 제거함을 이르니, 병기를 소제하고 모음은 불우
(不虞)를 경계하는 것이다.

本義 | 除者는 修而聚之之謂라
　'제(除)'는 수리하고 모음을 이른다.

初六은 有孚나 不終이면 乃亂乃萃하릴새 若號하면 一握爲笑하리니
勿恤하고 往하면 无咎리라
　초육(初六)은 부신(孚信)이 있으나 끝마치지 못하면 마음이 혼란하여 망
령되이 모일 것이니, 만일 부르짖어 정응(正應)을 따르면 일악(一握;한 집
단)이 비웃으리니, 근심하지 말고 가면 허물이 없으리라.
本義 | 有孚호되 不終이라 乃亂乃萃니 若號하면 一握爲笑어니와
　　부신이 있으나 끝마치지 못하여 마음이 혼란해서 망령되이 모이
　　니, 만일 정응(正應)을 고함쳐 부르면 무리들이 비웃겠지만

傳 | 初與四爲正應하니 本有孚以相從者也라 然當萃時하여 三陰聚處하여 柔无

··· 握 : 잡을 악

守正之節하니 若捨正應而從其類면 乃有孚而不終也라 乃亂은 惑亂其心也요 乃
萃는 與其同類聚也라 初若守正不從하고 號呼以求正應이면 則一握笑之矣리라
一握은 俗語一團也니 謂衆〔一有聚字〕以爲笑也라 若能勿恤하고 而往從剛陽之正
應이면 則无過咎요 不然則入小人之輩矣리라

　　초(初)는 사(四)와 정응(正應)이 되니, 본래 믿음이 있어 서로 따르는 자이다. 그
러나 췌(萃)의 때를 당하여 세 음(陰)이 모여 처해서 유(柔)가 정(正)을 지키는 절개
가 없으니, 만일 정응을 버리고 그 동류를 따르면 이는 부신(孚信)이 있으나 끝마
치지 못하는 것이다. '내란(乃亂)'은 마음을 미혹시키고 어지럽힘이요, '내췌(乃萃)'
는 그 동류들과 모이는 것이다.

　　초(初)가 만일 정도를 지켜 동류들을 따르지 않고 부르짖어 정응을 구하면 일
악(一握)이 비웃을 것이다. 일악은 속어(俗語)의 일단(一團;한 집단)이니, 여럿이 비
웃음을 이른다. 만일 이것을 근심하지 말고 가서 강양(剛陽)의 정응을 따르면 허
물이 없을 것이요, 그렇지 않으면 소인의 무리에 들어갈 것이다.

本義 | 初六이 上應九四하나 而隔於二陰하고 當萃之時하여 不能自守하니 是有孚
而不終이니 志亂而妄聚也라 若呼號正應이면 則衆以爲笑어니와 但勿恤而往從正
應이면 則无咎矣니 戒占者當如是也라

　　초육(初六)이 위로 구사(九四)와 응하나 두 음(陰)에게 막혀 있고, 췌(萃)의 때를
당하여 스스로 지키지 못하니, 이는 부신이 있으나 끝마치지 못하는 것이니, 마음
이 혼란하여 망령되이 모이는 것이다. 만일 정응을 고함쳐 부르면 여러 사람들이
비웃겠지만 다만 이것을 걱정하지 말고 가서 정응을 따르면 허물이 없을 것이니,
점치는 자에게 이와 같이 하라고 경계한 것이다.

象曰 乃亂乃萃는 其志亂也일새라

　　〈상전〉에 말하였다. "내란내췌(乃亂乃萃)'는 그 심지(心志)가 혼란하기
때문이다."

傳 | 其心志爲同類所惑亂이라 故乃萃於羣陰也라 不能固其守면 則爲小人所惑
亂하여 而失其正矣리라

··· 團 : 모일 단

그 심지(心志)가 동류들에게 미혹되고 어지럽혀졌기 때문에 여러 음(陰)과 모인 것이다. 지킴을 견고히 하지 못하면 소인들에게 미혹되고 어지럽혀져 그 바름을 잃을 것이다.

六二는 引하면 吉하여 无咎하리니 孚乃利用禴(약)이리라
　육이(六二)는 〈정응(正應)을〉 끌어당기면 길하여 허물이 없으리니, 정성이 있어야 약(禴:여름철에 지내는 약소한 제사)을 씀이 이로우리라.

傳│ 初는 陰柔요 又非中正이니 恐不能終其孚라 故因其才而爲之戒요 二는 雖陰柔나 而得中正이라 故雖戒而微辭[一作其辭微]라 凡爻之辭에 關[一作開]得失二端者는 爲法爲戒하니 亦各隨其才而設也라 引吉无咎는 引者는 相牽也니 人之交相求則合하고 相待[一作持]則離하나니 二與五爲正應하여 當萃者也로되 而相遠하고 又在羣陰之間하니 必相牽引이면 則得其萃矣라 五居尊位하고 有中正之德이어늘 二亦以中正之道로 往與之萃면 乃君臣和合也니 其所共致를 豈可量也리오 是以吉而无咎也라 无咎者는 善補過也니 二與五不相引則過矣라

　초(初)는 음유(陰柔)이고 또 중정(中正)이 아니니, 부신(孚信:부성(孚誠))을 끝마치지 못할까 두려우므로 괘의 재질을 인하여 경계한 것이요, 이(二)는 비록 음유이나 중정을 얻었으므로 비록 경계하였으나 말을 은미하게 한 것이다. 무릇 효사(爻辭)에서 득(得)·실(失) 두 가지에 관계되는 것은 법(法)이 되고 경계가 되니, 또한 각기 재질에 따라 베푼 것이다.

　'인길무구(引吉无咎)'의 인(引)은 서로 끌어당김이니, 사람의 사귐은 서로 찾으면 합하고, 서로 기다려 버티면 헤어진다. 이(二)와 오(五)는 정응이 되어 마땅히 모여야 할 자이나 서로 멀리 떨어져 있고 또 여러 음(陰)의 사이에 있으니, 반드시 서로 끌어당기면 모임을 얻을 것이다. 오(五)가 존위(尊位)에 거하고 중정의 덕이 있는데, 이(二) 또한 중정의 도(道)로 가서 오(五)와 모이면 이는 군(君)·신(臣)이 서로 화합하는 것이니, 함께 이루는 것을 어찌 측량하겠는가. 이 때문에 길하여 허물이 없는 것이다. 무구(无咎)는 허물을 잘 보충함이니, 이(二)가 오(五)와 서로 끌어당기지 않으면 허물이다.

··· 禴 : 제사이름 약

孚乃利用禴은 孚는 信之在中이니 誠之謂也요 禴은 祭之簡薄者也니 菲薄而祭하여 不尙備物하고 直以誠意交於神明也라 孚乃者는 謂有其〔一作其有〕孚면 則可不用文飾하고 專以至誠交於上〔一有下字〕也라 以禴言者는 謂薦其誠而已니 上下相聚而尙飾焉이면 是未誠也라 蓋其中實者는 不假飾於外니 用禴之義也라 孚信者는 萃之本也니 不獨君臣之聚라 凡天下之聚 在誠而已니라

'부내이용약(孚乃利用禴)'은, '부(孚)'는 성신(誠信)이 마음속에 있는 것이니 정성을 이르고, '약(禴)'은 제사함에 간략하고 제물을 박하게 하는 것이니, 박하게 제사하여 제물(祭物)을 구비함을 숭상하지 않고, 다만 성의(誠意)로써 신명(神明)과 사귀는 것이다. '부내(孚乃)'는 성신이 있으면 문식을 쓰지 않고 오로지 지성으로 위와 사귈 수 있음을 말한 것이다. 약(禴)으로써 말한 것은 정성을 올림을 말했을 뿐이니, 상(上)·하(下)가 서로 모여 꾸밈을 숭상한다면 이는 정성(성실)이 아니다. 마음이 성실한 자는 밖에 꾸밀 것이 없으니, 이것이 약(禴)을 쓰는 뜻이다. 부신(孚信)은 모임의 근본이니, 이는 다만 군주와 신하의 모임뿐만이 아니요 모든 천하의 모임이 정성에 달려있을 뿐이다.

本義 | 二應五而雜於二陰之間하니 必牽引以萃라야 乃吉而无咎요 又二中正柔順으로 虛中以上應하고 九五剛健中正으로 誠實而下交라 故卜祭者有其孚誠이면 則雖薄物이라도 亦可以祭矣니라

이(二)가 오(五)와 응하는데 두 음(陰)의 사이에 섞여 있으니, 반드시 끌어당겨 모여야 비로소 길하여 허물이 없을 것이요, 또 이(二)는 중정 유순(中正柔順)으로 마음을 비우고 위에 응하며, 구오(九五)는 강건 중정(剛健中正)으로 성실하여 아래와 사귄다. 그러므로 제사를 점치는 자가 부성(孚誠)이 있으면 비록 박한 물건(제물)이라도 또한 제사할 수 있는 것이다.

象曰 引吉无咎는 中하여 未變也일새라

〈상전〉에 말하였다. "'인길무구(引吉无咎)'는 중(中)에 있어 아직 변치 않았기 때문이다."

傳 | 萃之時는 以得聚爲吉이라 故九四爲得上下之萃라 二與五雖正應이나 然異

處有間하니 乃當萃而未合者也라 故能相引而萃면 則吉而无咎리니 以其有中正
之德하여 未遽至改變也일새니 變則不相引矣라 或曰 二旣有中正之德이어늘 而
象云未變이라하여 辭若不足은 何也오 曰 羣陰比處는 乃其類聚니 方萃之時하여
居其間하여 能自守不變하고 遠須正應은 剛立者能之라 二는 陰柔之才나 以其有
中正之德하여 可覬(기)其未至於變耳라 故象含其意以存戒也라

췌(萃)의 때에는 모임을 얻음을 길함으로 여긴다. 그러므로 구사(九四)가
상·하의 모임을 얻음이 되는 것이다. 이(二)는 오(五)와 비록 정응(正應)이나 달리
처하여 간격이 있으니, 마땅히 모여야 하나 아직 합하지 못한 자이다. 그러므로
서로 이끌어 모이면 길하여 허물이 없는 것이다. 이(二)는 중정(中正)한 덕이 있어
대번에 고치고 변함에 이르지 않기 때문이니, 변하면 서로 이끌지 않을 것이다.

혹자는 말하기를 "이(二)가 이미 중정의 덕이 있는데 〈상전〉에는 아직 변치 않
았다고 하여 말이 부족한 듯함은 어째서인가?" 하기에, 다음과 같이 대답하였다.
"여러 음이 가까이 처함은 바로 그 류(類)가 모인 것이니, 췌(萃)의 때를 당하여 동
류들 사이에 있으면서 스스로 지켜 변치 않고 멀리 정응을 기다림은 강하게 지키는
자만이 가능하다. 이(二)는 음유(陰柔)의 재질이나 중정의 덕이 있어 변함에 이르
지 않음을 기대할 수 있다. 그러므로 상(象)에 그 뜻을 함축하여 경계를 둔 것이다."

六三은 萃如嗟如라 无攸利하니 往하면 无咎어니와 小吝하니라
　육삼(六三)은 모이려 하다가 〈뜻을 이루지 못하여〉 한탄한다. 이로운 바
가 없으니, 가서 상육(上六)을 따르면 허물이 없지만 다소 부끄럽다.

傳 | 三은 陰柔不中正之人也니 求萃於人而人莫與라 求四則非其正應이요 又非
其類니 是는 以不正爲四所棄也요 與二則二自以中正應五하니 是는 以不正爲二
所不與也라 故欲〔一无欲字〕萃如면 則爲人棄絕而嗟如하니 不獲萃而嗟恨也라 上
下皆不與하여 无所利也로되 唯往而從上六이면 則得其萃하니 爲无咎也라 三與上
은 雖非陰陽正應이나 然萃之時에 以類相從하나니 皆以柔居一體之上하며 又皆无
與하고 居相應之地하며 上復處說順之極이라 故得其萃而无咎也라 易道變動无
常하니 在人識之라 然而小吝은 何也오 三始求萃於四與二라가 不獲而後에 往從
上六하니 人之動爲如此면 雖得所求나 亦可小羞吝也라

삼(三)은 음유(陰柔)로 중정(中正)하지 못한 사람이니, 사람들에게 모이기를 구하나 사람들이 상대해주지 않는다. 사(四)에게 구하면 정응(正應)이 아니고 또 같은 류(類)가 아니니 이는 부정(不正)함으로 사(四)에게 버림을 받는 것이요, 이(二)와 상대하려 하면 이(二)는 따로 중정으로 오(五)에 응하니 이는 부정함으로 이(二)에게 상대해주지 않는 바가 되는 것이다. 그러므로 모이고자 하면 사람들에게 버림받고 거절당하여 한탄하니, 모임을 얻지 못하여 한탄하는 것이다.

상·하가 모두 상대해주지 아니하여 이로운 바가 없으나 오직 가서 상육(上六)을 따르면 그 모임을 얻을 것이니, 무구(无咎)가 된다. 삼(三)과 상(上)은 비록 음·양의 정응이 아니나 췌(萃)의 때에 같은 음의 류(類)로서 서로 따르니, 모두 유(柔)로서 한 체(體)의 위에 거했으며, 또 모두 응여(應與)가 없고 서로 응(應)하는 자리에 거했으며, 상(上)은 다시 열순(說順)의 극에 처하였다. 그러므로 모임을 얻어 허물이 없는 것이다. 역(易)의 도(道)가 변동하여 일정함이 없으니, 사람이 이것을 앎에 달려 있다.

그러나 다소 부끄러움은 어째서인가? 삼(三)이 처음에 사(四)와 이(二)에게 모이기를 구하다가 얻지 못한 뒤에야 가서 상육(上六)을 따랐으니, 사람의 행위가 이와 같으면 비록 구하는 바를 얻더라도 또한 다소 부끄러운 것이다.

本義 | 六三이 陰柔不中不正하고 上无應與하여 欲求萃於近而不得이라 故嗟如而无所利라 唯往從於上이면 可以无咎라 然이나 不得其萃하여 困然後往하고 復得陰極无位之爻하니 亦可小羞矣라 戒占者當近捨不正之强援하고 而遠結正應之窮交면 則无咎也라

육삼(六三)이 음유(陰柔)로 중정(中正)하지 못하고 위에 응여(應與)가 없어서 가까운 곳에 모이기를 구하나 얻지 못하였다. 그러므로 한탄하여 이로운 바가 없는 것이다. 오직 가서 상육(上六)을 따르면 허물이 없을 것이다. 그러나 모임을 얻지 못하여 곤궁한 뒤에 가고, 다시 음(陰)이 극(極:상)에 있어 지위가 없는 효(爻)를 얻었으니, 이 또한 다소 부끄러운 것이다. 점치는 자는 마땅히 가까운 곳에 있는 바르지 않은 강한 원조를 버리고, 멀리 정응의 곤궁한 사귐을 맺으면 허물이 없다고 경계한 것이다.

象曰 往无咎는 上이 巽也일새라

〈상전〉에 말하였다. "가서 허물이 없음은 상(上)이 손순(巽順)하기 때문이다."

傳ㅣ 上居柔說之極하니 三往而无咎者는 上六이 巽順而受之也일새라

상(上)이 유열(柔說)의 극에 처하였으니, 삼(三)이 가서 허물이 없는 것은 상육(上六)이 손순하여 받아주기 때문이다.

九四는 大吉이라야 无咎리라

구사(九四)는 크게(두루) 길하여야 허물이 없으리라.

傳ㅣ 四當萃之時하여 上比九五之君하니 得君臣之聚也요 下比下體羣陰하니 得下民之聚也라 得上下之聚면 可謂善矣라 然四以陽居陰하여 非正也니 雖得上下之聚나 必得大吉然後에 爲无咎也라 大爲周遍之義하니 无所不周然後에 爲大라 无所不正則爲大吉이요 大吉則无咎也〔一作矣〕라 夫上下之聚 固有不由正道而得者하니 非理枉道而得君者 自古多矣요 非理枉道而得民者 蓋亦有焉이니 如齊之陳恒과 魯之季氏[118]是也라 然得爲大吉乎아 得爲无咎乎아 故로 九四必能大吉然後에 爲〔一作能〕无咎也니라

사(四)가 췌(萃)의 때를 당하여 위로는 구오(九五)의 군주와 가까이 있으니 군(君)·신(臣)의 모임을 얻은 것이요, 아래로는 하체(下體)의 여러 음(陰)과 가까이 있으니 하민(下民)의 모임을 얻은 것이다. 상·하의 모임을 얻으면 선(善)하다고 이를 만하다. 그러나 사(四)는 양효(陽爻)로 음위(陰位)에 거하여 정(正)이 아니니, 비록 상·하의 모임을 얻었으나 반드시 대길(大吉)을 얻은 뒤에야 무구(无咎)가 되

339

澤地萃

------

118 齊之陳恒 魯之季氏: 진항(陳恒)과 계씨(季氏)는 모두 춘추시대 제(齊)나라와 노(魯)나라의 권신(權臣)이다. 제나라의 진걸(陳乞)은 백성들에게 세금을 받을 적에는 소두(小斗)로 받고 곡식을 줄 때에는 대두(大斗)로 주어 민심(民心)을 얻고 정권을 장악하였다. 진항은 그의 아들로 뒤를 이어 집권한 다음 군주인 간공(簡公)을 시해하고 평공(平公)을 세워 봉읍(封邑)이 군주의 나라보다도 컸으며 손자인 전화(田和)에 이르러 제나라를 완전 장악하고 군주가 되었다. 계씨는 계손씨(季孫氏)로 세습하여 집권하고 노(魯)나라 국토의 절반을 차지하였으며 참람한 짓을 자행하였는 바, 이러한 내용이 《논어》에도 자주 보인다. 진씨(陳氏)는 뒤에 전씨(田氏)로 바뀌었다.

••• 周: 두루 주 遍: 두루미칠 편

는 것이다. '대(大)'는 두루하는 뜻이 되니, 두루하지 않는 바가 없은 뒤에야 대(大)가 된다. 바르지 않음이 없으면 대길이 되고, 대길이 되면 무구인 것이다.

상·하의 모임은 진실로 정도(正道)를 따르지 않고 얻는 경우가 있으니, 비리(非理)로 도를 굽혀 군주의 신임을 얻은 자가 예로부터 많았고, 비리로 도를 굽혀 민심을 얻은 자도 또한 있었으니, 제(齊)나라의 진항(陳恒)과 노(魯)나라의 계씨(季氏)가 이들이다. 그러나 이들을 대길이라 할 수 있겠는가. 무구라 할 수 있겠는가. 그러므로 구사(九四)가 반드시 대길한 뒤에야 무구가 되는 것이다.

本義 | 上比九五하고 下比衆陰하여 得其萃矣나 然以陽居陰하여 不正이라 故戒占者必大吉然後에 得无咎也라

위로 구오(九五)와 가깝고 아래로 여러 음(陰)과 가까워 그 모임을 얻으나, 양효(陽爻)로서 음위(陰位)에 거하여 바르지 못하므로 점치는 자에게 반드시 대길(大吉)한 뒤에야 무구(无咎)하다고 경계한 것이다.

象曰 大吉无咎는 位不當也일새라

〈상전〉에 말하였다. "대길무구(大吉无咎)'는 자리가 합당하지 않기 때문이다."

傳 | 以其位之不當으로 疑其所爲未能盡善이라 故云必得大吉然後에 爲〔一作能〕无咎也라 非盡善이면 安得爲大吉乎아

자리가 합당하지 않으므로 그 하는 바가 진선(盡善)하지 못할까 의심한 것이다. 그러므로 반드시 대길(大吉)을 얻은 뒤에야 무구(无咎)하다고 말한 것이다. 진선이 아니면 어찌 대길이 되겠는가.

九五는 萃有位하고 无咎하나 匪孚어든 元、永、貞이면 悔亡하리라

구오(九五)는 모임에 지위를 소유하고 허물이 없으나 믿지 않거든 원(元)·영(永)·정(貞)을 하면 뉘우침이 없으리라.

本義 | 萃有位라 无咎니

모임에 지위를 소유하여 허물이 없으니,

傳 | 九五居天下之尊하여 萃天下之衆而君臨之하니 當正其位, 修其德이라 以陽剛居尊位하여 稱其位矣하니 爲有其位矣〔一作也〕요 得中正之道하니 无過咎也라 如是而有不信而未歸者어든 則當自反以修其元、永、貞之德이면 則无思不服而悔亡矣리라 元、永、貞者는 君之德이니 民所歸也라 故比天下之道와 與萃天下之道 皆在此三者[119]라 王者旣有其位하고 又有其德하여 中正无過咎로되 而天下尙有未信服歸附者는 蓋其道未光大也일새니 元、永、貞之道 未至也니 在修德以來之라 如苗民逆命에 帝乃誕敷文德[120]하시니 舜德이 非不至也나 蓋有遠近、昏明之異라 故其歸有先後하니 旣有未歸면 則當修德也니 所謂德은 元、永、貞之道也라 元은 首也요 長也니 爲君德이 首出庶物하여 君長羣生하여 有尊大之義焉하고 有主統之義焉하며 而又恒永、貞固면 則通於神明하고 光於四海하여 无思不服矣리니 乃无匪孚而其悔亡也라 所謂悔는 志之未光과 心之未慊也라

구오(九五)가 천하의 존위(尊位)에 거하여 천하의 무리를 모아 군림(君臨)하니, 마땅히 자리를 바루고 덕(德)을 닦아야 한다. 양강(陽剛)으로 존위에 거하여 그 지위에 걸맞으니 이는 지위를 소유함이 되고, 중정(中正)의 도(道)를 얻었으니 이는 과구(過咎)가 없는 것이다. 이와 같은데도 믿지 아니하여 돌아오지 않는 자가 있거든 마땅히 스스로 반성하여 원(元)·영(永)·정(貞)의 덕을 닦으면 복종하지 않는 자가 없어 뉘우침이 없을 것이다. 원·영·정은 군주의 덕이니, 백성들이 돌아오는 바이다. 그러므로 천하를 친비(親比)하는 도와 천하를 모으는 도가 모두 이〈원·영·정〉세 가지에 달려있는 것이다.

왕자(王者)가 이미 지위를 소유하고 또 덕을 보유하여 중정(中正)하고 과구(過咎)가 없는데도 천하에 아직도 신복(信服:믿고 복종함)하고 귀부(歸附:스스로 와서 복종함)하지 않는 자가 있는 것은 그 도가 광대하지 못하기 때문이니, 이는

澤地萃

• • • • • •

119 比天下之道……皆在此三者:비괘(比卦)의 괘사(卦辭)에도 '원(元)·영(永)·정(貞)'이란 내용이 있으므로 말한 것이다.

120 如苗民逆命 帝乃誕敷文德:이 내용은 《서경》〈대우모(大禹謨)〉에 보이는 바, "삼묘(三苗)의 군주가 복종하지 않자, 순(舜) 임금은 우(禹)에게 명하여 군대를 거느리고 가서 토벌하게 하였는데, 삼묘가 완강히 저항하고 복종하지 않았다. 우가 회군하자, 순 임금은 마침내 문덕을 크게 펴셨는데, 7일안에 삼묘가 항복해 왔다.〔帝乃誕敷文德, 七旬有苗格.〕"라고 하였다. 위 쾌괘(夬卦)의 문덕(文德)은 문명(文命:문교)과 덕교(德敎)이다.

··· 誕 : 클 탄

원·영·정의 도가 지극하지 못한 것이니, 덕을 닦아 오게 함에 달려 있다. 유묘(有苗)의 백성(군주)이 명(命)을 거역하자 순제(舜帝)가 크게 문덕(文德)을 펴셨으니, 순제의 덕이 지극하지 않은 것이 아니었으나 원(遠)·근(近)과 혼(昏)·명(明)의 차이가 있기 때문에 그 돌아옴이 선후(先後)의 차이가 있는 것이다. 이미 돌아오지 않는 자가 있으면 마땅히 덕을 닦아야 하니, 이른바 덕은 원·영·정의 도이다.

'원(元)'은 우두머리이고 으뜸이니, 군주의 덕이 첫 번째로 서물(庶物)에 나와 군생(羣生:여러 생민(生民))에게 군장(君長)이 되어 존대(尊大)한 뜻이 있고, 주관·통솔하는 뜻이 있으며, 또 항영(恒永)하고 정고(貞固)하면 신명(神明)을 통하고 사해(四海)에 빛나서 복종하지 않는 자가 없을 것이니, 이는 믿지 않는 자가 없어서 뉘우침이 없는 것이다. 이른바 회(悔)라는 것은 뜻이 광대(光大)하지 못함과 마음이 만족(흡족)하지 못한 것이다.

本義 | 九五剛陽中正으로 當萃之時而居尊하니 固无咎矣나 若有未信이면 則亦修其元、永、貞之德而悔亡矣니 戒占者當如是也라

구오(九五)가 강양 중정(剛陽中正)으로 췌(萃)의 때를 당하여 존위(尊位)에 거하였으니, 진실로 허물이 없을 것이나 만약 믿지 않는 자가 있으면 또한 원(元)·영(永)·정(貞)의 덕(德)을 닦아 뉘우침이 없어질 것이니, 점치는 자에게 마땅히 이와 같이 하라고 경계한 것이다.

象曰 萃有位는 志未光也일새라

〈상전〉에 말하였다. "'췌유위(萃有位)'는 뜻이 광대하지 못하기 때문이다."

傳 | 象은 舉爻上句라 王者之志는 必欲誠信著於天下하여 有感必通하여 含生之類 莫不懷歸하나니 若尙有匪孚면 是其志之未光大也라

〈상전〉은 효사(爻辭)의 윗구만 들었다. 왕자의 뜻은 반드시 성신(誠信)이 천하에 드러나서 감동함이 있으면 반드시 통하여 생명을 머금은 종류가 모두 은혜롭게 여겨 돌아오기를 바라니, 만일 아직도 믿지 않는 자가 있으면 이는 그 뜻이 아직 광대(光大)하지 못한 것이다.

本義 | 未光은 謂匪孚라

'미광(未光)'은 믿지 않음을 이른다.

上六은 齎咨涕洟(제자체이)니 无咎[121]니라

상육(上六)은 한탄하며 눈물콧물을 흘림이니, 허물할 데가 없다.

本義 | 齎咨涕洟라야 无咎리라

한탄하며 눈물콧물을 흘려야 허물이 없으리라.

傳 | 六은 說之主니 陰柔小人이 說高位而處之면 天下孰肯與也리오 求萃而人莫之與하여 其窮이 至於齎咨而涕洟也니 齎咨는 咨嗟也라 人之絶之 由己自取어니 又將誰咎리오 爲人惡(오)絶하여 不知所爲하여 則隕穫而至嗟涕하니 眞小人之情狀也라

육(六)은 열(說)의 주체이니, 음유(陰柔)의 소인이 높은 지위를 좋아하여 이에 처하면 천하에 누가 즐겨 상대해 주겠는가. 모이기를 구하나 사람들이 상대해주는 이가 없어서 그 곤궁함이 한탄하고 눈물콧물을 흘림에 이른 것이니, '재자(齎咨)'는 한탄하는 것이다. 사람들이 절교하는 것은 자신이 자취(自取)함에 연유하니, 또 장차 누구를 허물하겠는가. 사람들에게 증오와 절교를 당하여 어찌할 바를 몰라 운확(隕穫:실의하여 곤궁하고 불안해함)하여 한탄하고 눈물흘림에 이르니, 참으로 소인의 정상이다.

本義 | 處萃之終하여 陰柔无位하여 求萃不得이라 故戒占者必如此而後에 可以无咎也라

췌(萃)의 종(終)에 처하여 음유(陰柔)로 지위가 없어서 모이기를 구하나 얻지 못한다. 그러므로 점치는 자에게 반드시 이와 같이 한 뒤에야 허물이 없을 수 있다고 경계한 것이다.

• • • • • • •
121 齎咨涕洟 无咎:'재자체이(齎咨涕洟)'는 한탄하여 눈물 콧물을 흘림이고 무구(无咎)는《정전》에는 자신이 취한 것이므로 "허물할 데가 없는 것"으로 해석하였으나,《본의》에는 한탄하여 눈물과 콧물을 흘려 위태롭게 여긴 뒤에야 "허물이 없는 것"으로 해석하였다.

• • • 齎 : 탄식하는소리 재 涕 : 눈물 체 洟 : 콧물 이 穫 : 거둘 확

象曰 齎咨涕洟는 未安上也라

〈상전〉에 말하였다. "한탄하고 눈물콧물을 흘리는 것은 아직 위에 편안하지 못해서이다."

傳 | 小人所處 常失其宜하니 旣貪而從欲하여 不能自擇安地하여 至於困窮이면 則顚沛不知所爲하나니 六之涕洟는 蓋不安於處上也라 君子愼其所處하여 非義不居하며 不幸而有危困이면 則泰然自安하여 不以累其心하나니 小人은 居不擇安하여 常履非據하고 及其窮迫이면 則隕穫躁撓하여 甚至涕洟하니 爲可羞也라 未者는 非遽之辭니 猶俗云未便(변)也니 未便能安於上也라 陰而居上하여 孤處无與하고 旣非其據니 豈能安乎아

소인이 처하는 바는 항상 그 마땅함을 잃으니, 이미 탐하여 욕심을 따라 스스로 편안한 곳을 가리지 못해서 곤궁함에 이르면 전패(顚沛:넘어지고 자빠짐)하여 어찌할 바를 모르니, 상육(上六)이 눈물콧물을 흘림은 위에 처함에 편안하지 못해서이다. 군자는 그 거처하는 바를 삼가 의(義)가 아니면 거처하지 않으니, 불행히 위험과 곤궁함이 있으면 태연히 스스로 편안하여 그 마음에 누를 끼치지 않는다. 소인은 거처함에 편안한 곳을 가리지 아니하여 항상 차지할 자리가 아닌 데를 밟고, 곤궁하고 절박함에 미치면 운확(隕穫)하고 조급하고 꺾여서 심지어는 눈물콧물을 흘림에 이르니, 수치스러울 만한 일이다. '미(未)'는 대번이 아니란 말이니, 세속의 미변(未便)이란 말과 같은 바, 곧바로 위에서 편안하지 못한 것이다. 음(陰)으로서 위에 거하여 외롭게 처하고 상대해주는 이가 없으며 이미 그 차지할 자리가 아니니, 어찌 편안하겠는가.

傳│ 升은 序卦에 萃者는 聚也니 聚而上者를 謂之升이라 故受之以升이라하니라 物之積聚而益高大는 聚而上也라 故爲升이니 所以次於萃也라 爲卦 坤上巽下하여 木在地下하니 爲地中生木이라 木生地中하여 長而益高는 爲升之象也라

승괘(升卦)는 〈서괘전〉에 "췌(萃)는 모임이니, 모여 올라가는 것을 승(升)이라 한다. 그러므로 승괘로 받았다." 하였다. 물건이 쌓이고 모여 더욱 높아지고 커짐은 모여서 올라가는 것이다. 그러므로 승(升)이라 한 것이니, 이 때문에 췌괘(萃卦 ䷬)의 다음이 된 것이다. 괘됨이 곤(坤 ☷)이 위에 있고 손(巽:나무 ☴)이 아래에 있어 나무가 땅 아래에 있으니, 땅 가운데 나무가 자람이 된다. 나무가 땅 가운데에서 나고 자라서 더욱 높아짐은 승(升)의 상이 된다.

升은 元亨하니 **用見大人**하되 **勿恤**하고 **南征**하면 **吉**하리라
　승(升)은 크게 선(善)하여 형통하니, 대인(大人)을 만나보되 근심하지 말고 남쪽으로 가면 길하리라.
　본의│ 크게 형통하니,

傳│ 升者는 進而上也니 升進〔一作進升〕則有亨義요 而以卦才之善故로 元亨也라 用此道以見大人하되 不假憂恤하고 前進則吉也라 南征은 前進也라

승(升)은 나아가 올라가는 것이니, 올라가면 형통할 뜻이 있고, 괘재(卦才)가 선(善)하기 때문에 크게 선하여 형통한 것이다. 이 방도를 써서 대인(大人)을 만나보되 굳이 근심하지 말고 전진하면 길할 것이다. '남정(南征)'은 전진함이다.

本義│ 升은 進而上也라 卦自解來하여 柔上居四하여 內巽外順하고 九二剛中而五應之라 是以其占如此라 南征은 前進也라

승(升)은 나아가 올라가는 것이다. 괘가 해괘(解卦 ䷧)로부터 와서 유(柔)가 위

로 올라가 사(四)에 거하여 안이 공손하고 밖이 순하며, 구이(九二)가 강중(剛中)인데 오(五)가 응한다. 이 때문에 그 점(占)이 이와 같은 것이다. '남정(南征)'은 전진함이다.

象曰 柔以時升하여
〈단전〉에 말하였다. "유(柔)가 때에 따라 올라가서

本義 | 以卦變으로 釋卦名이라
괘변(卦變)으로써 괘명(卦名)을 해석하였다.

巽而順하고 剛中而應이라 是以大亨하나라
공손하고 순하고 강중(剛中)으로 응한다. 이 때문에 크게 선(善)하고 형통한 것이다.

본의 | 강중(剛中)을 응한다.

傳 | 以二體言이니 柔升은 謂坤上行也라 巽旣體卑而就下하고 坤乃順時而上은 升以時也니 謂時當升也라 柔旣上而成升이면 則下巽而上順이니 以巽順之道升이면 可謂時矣라 二以剛中之道應於五하고 五以中順之德應於二하여 能巽而順하고 其升以時라 是以元亨也라 象文에 誤作大亨하니 解在大有卦[122]하니라

두 체(體)로 말하였으니, 유(柔)가 올라감은 곤(坤)이 위로 감을 말한 것이다. 손(巽)이 이미 체(體)가 낮아 아래로 나아가고, 곤이 마침내 때를 순히 하여 올라감은 오르기를 제때에 함이니, 때가 마땅히 올라갈 때임을 말한 것이다. 유(柔)가 이미 올라가 승(升)이 되면 아래는 공손하고 위는 순하니, 손순(巽順)한 방도로써 올라가면 때에 맞는다고 이를 만하다. 이(二)가 강중(剛中)의 도(道)로 오(五)에 응하

••••••

122 象文 誤作大亨 解在大有卦:《정전》에서 원형이정(元亨利貞)의 네 글자가 함께 있을 경우 건괘(乾卦)와 곤괘(坤卦)의 사덕(四德)과 혼동될까 우려하여 원형(元亨)을 대형(大亨)으로 해석하고, 이정(利貞)이 없을 경우 원형은 "크게 선(善)하고 형통하다"로 해석하는바, 승괘는 원형만 있는데도 〈단전〉에 '대형'으로 풀이하였으므로 말한 것이다. 그러나 《본의》에는 똑같이 대형(大亨)으로 풀이하였다. 대유괘(大有卦) 참조.

고, 오(五)가 중순(中順)의 덕(德)으로 이(二)에 응(應)하여, 능히 공손하고 순하며, 오르기를 제때에 한다. 이 때문에 크게 선(善)하고 형통한 것이다. 〈단전〉의 글에는 잘못 '대형(大亨)'으로 되어 있으니, 해석이 대유괘(大有卦)에 나와 있다.

本義 ┃ 以卦德卦體로 釋卦辭라

괘덕(卦德)과 괘체(卦體)로써 괘사(卦辭)를 해석하였다.

用見大人勿恤은 有慶也요

대인(大人)을 만나보되 근심하지 말라는 것은 복경(福慶)이 있는 것이요

傳 ┃ 凡升之道는 必由大人이니 升於位則由王公이요 升於道則由聖賢이라 用巽順剛中之道하여 以見大人이면 必遂其升이니 勿恤은 不憂其不遂也라 遂其升이면 則己之〔一作有〕福慶이요 而福慶及物也라

무릇 올라가는 방도는 대인(大人)을 말미암아야 하니, 지위에 오르려면 왕공(王公)을 말미암아야 하고, 도에 오르려면 성현(聖賢)을 말미암아야 한다. 손순 강중(巽順剛中)의 도를 써서 대인을 만나보면 반드시 그 오름을 이룰 것이니, '물휼(勿恤)'은 이루지 못함을 근심하지 않는 것이다. 그 오름을 이루면 자기의 복경(福慶)이요, 복경이 남에게 미치는 것이다.

南征吉은 志行也라

남쪽으로 가면 길함은 뜻이 행해지는 것이다."

傳 ┃ 南은 人之所向이니 南征은 謂前進也라 前進則遂其升하여 而得行其志하니 是以吉也라

'남(南)'은 사람이 향하는 곳이니, 남정(南征)은 전진함을 이른다. 전진하면 그 오름을 이루어 뜻을 행할 수 있으니, 이 때문에 길한 것이다.

象曰 地中生木이 升이니 君子以하여 順德하여 積小以高大하나니라

〈상전〉에 말하였다. "땅 가운데 나무가 자람이 승(升)이니, 군자가 보고

서 덕을 순히 하여 작은 것을 쌓아 높고 크게 한다."

本義 | 順(愼)德하여
　　　덕(德)을 삼가

傳 | 木生地中하여 長而上升이 爲升之象이라 君子觀升之象하여 以順修其德하여 積累微小하여 以至高大也라 順則可進이요 逆乃退也니 萬物之進이 皆以順道也라 善不積이면 不足以成名이요 學業之充實과 道德之崇高가 皆由積累而至라 積小하여 所以成高大는 升之義也라

　　나무가 땅 가운데 나서 장성하여 위로 올라감은 승(升)의 상이 된다. 군자가 승의 상을 보고서 덕을 순히 닦아서 작은 것을 쌓고 쌓아 고대(高大)함에 이른다. 순(順)이면 나아갈 수 있고 역(逆)이면 마침내 물러가니, 만물의 나아감은 모두 순한 도(道)로써 한다. 선(善)이 쌓이지 않으면 이름(명성)을 이루지 못하며, 학업의 충실함과 도덕(道德)의 높음이 모두 쌓고 쌓음으로 말미암아 이루어진다. 작은 것을 쌓아 고대함을 이룸은 승(升)의 뜻이다.

本義 | 王肅本에 順作愼하고 今按他書컨대 引此에 亦多作愼하니 意尤明白하니 蓋古字通用也라 說見(현)上篇蒙卦[123]하니라

　　왕숙 본(王肅本)에는 '순(順)'이 '신(愼)'으로 되어 있으며, 지금 다른 책을 살펴보면 이 글을 인용할 적에 또한 많이 '신(愼)'으로 되어 있는 바, 뜻이 더욱 명백하니, 고자(古字)에 통용(通用)된 것이다. 해설이 상편(上篇) 몽괘(蒙卦)에 보인다.

初六은 **允升**이니 **大吉**하니라
　초육(初六)은 믿고 따라서 오름이니, 크게 길(吉)하다.

本義 | **大吉**하리라
　　　크게 길하리라

· · · · · · ·
123　說見上篇蒙卦: 몽괘(蒙卦 ䷃)의 육삼 효사(六三爻辭)에 "勿用取女, 行不順也."라 하였는데, 주자는 "'순(順)'은 마땅히 '신(愼)'이 되어야 하니, 고자(古字)에 순(順)과 신(愼)이 통용되었다." 하였다.

· · · 允 : 믿을 윤

傳 | 初以柔居巽體之下하고 又巽之主로 上承於九二之剛하니 巽之至者也요 二以剛中之德으로 上應於君하니 當升之任者也라 允者는 信從也라 初之柔巽으로 唯信從於二하니 信二而從之同升이면 乃大吉也라 二는 以德言則剛中이요 以力言則當任이라 初之陰柔로 又无應援하여 不能自升이요 從於剛中之賢以進이면 是由剛中之道也니 吉孰大焉이리오

초(初)가 유(柔)로서 손체(巽體)의 아래에 있고 또 손(巽)의 주체로 위로 구이(九二)의 강(剛)을 받드니 공손함이 지극한 자이며, 이(二)는 강중(剛中)의 덕으로 위로 군주에 응하니, 승(升)의 임무를 담당한 자이다. '윤(允)'은 믿고 따름이다. 초(初)의 유손(柔巽)함으로 오직 이(二)를 믿고 따르니, 이(二)를 믿고 따라서 함께 올라가면 대길(大吉)인 것이다. 이(二)는 덕으로 말하면 강중(剛中)이요 힘으로 말하면 임무를 담당하였다. 초(初)의 음유(陰柔)로 또 응원(應援)이 없어 스스로 오르지 못하고, 강중(剛中)의 현자(賢者)를 따라 나아가면 이는 강중의 도를 따르는 것이니, 길함이 무엇이 이보다 크겠는가.

本義 | 初以柔順居下하니 巽之主也어늘 當升之時하여 巽於二陽하니 占者如之면 則信能升而大吉矣리라

초(初)가 유순함으로 아래에 거하였으니 손(巽)의 주체인데, 승(升)의 때를 당하여 〈구이(九二)와 구삼(九三)〉 두 양(陽)에게 공손하니, 점치는 자가 이와 같이 하면 진실로 올라가 대길할 것이다.

象曰 允升大吉은 上合志也라

〈상전〉에 말하였다. "'윤승대길(允升大吉)'은 위와 뜻이 합하는 것이다."

傳 | 與在上者로 合志同升也니 上은 謂九二라 從二而升이면 乃與二同志也니 能信從剛中之賢〔一作道〕이라 所以大吉이니라

위에 있는 자와 뜻이 합하여 함께 올라가니, 상(上)은 구이(九二)를 이른다. 이(二)를 따라 올라가면 바로 이와 뜻을 함께 하는 것이니, 강중(剛中)의 현자를 믿고 따르기 때문에 대길한 것이다.

九二는 孚乃利用禴(약)이니 无咎리라

구이(九二)는 정성이 있어야 비로소 약(禴:약소한 여름 제사)을 씀이 이로우니, 허물이 없으리라.

傳 | 二는 陽剛而在下하고 五는 陰柔而居上하니 夫以剛而事柔하고 以陽而從陰은 雖有時而然이나 非順道也며 以暗而臨明하고 以剛而事弱하여 若黽勉於事勢면 非誠服也니 上下之交 不以誠이면 其可以〔一无以字〕久乎아 其可以有爲乎아 五雖陰柔나 然居尊位하고 二雖剛陽이나 事上者也니 當內存至誠하여 不假文飾於外니 誠積於中이면 則自不事外飾이라 故曰利用禴이라하니 謂尙誠敬也라 自古로 剛强之臣이 事柔弱之君에 未有不爲矯飾者也라 禴은 祭之簡質者也라 云孚乃는 謂旣孚라야 乃宜不用文飾하고 專以其誠感通於上也니 如是則得无咎라 以剛强之臣으로 而事柔弱之君하고 又當升之時하니 非誠意相交면 其能免於咎乎아

이(二)는 양강(陽剛)인데 아래에 있고 오(五)는 음유(陰柔)인데 위에 거하였으니, 강(剛)으로서 유(柔)를 섬기고 양으로서 음을 따름은 비록 그러할 때가 있으나 순(順)한 도(道)가 아니며, 어둠으로 밝음에 임하고 강함으로 약함을 섬겨서 만약 사세에 억지로 힘쓴다면 진실로 복종함이 아니니, 상·하가 사귐에 정성(지성)으로써 하지 않으면 어찌 오래가겠는가. 또 어떻게 일을 할 수 있겠는가.

오(五)가 비록 음유이나 존위(尊位)에 거하였고, 이(二)가 비록 강양이나 위를 섬기는 자이니, 마땅히 안에 지성을 두어 밖에 문식을 빌리지 않아야 하니, 정성이 가운데(마음)에 쌓이면 스스로 외식(外飾)을 일삼지 않는다. 그러므로 약(禴)을 씀이 이롭다고 말하였으니, 정성과 공경을 숭상함을 이른다. 예로부터 강강(剛强)한 신하가 유약(柔弱)한 군주를 섬길 적에 꾸밈을 행하지 않은 자가 있지 않았다.

'약(禴)'은 제사 중에 간략하고 질박한 것이다. '부내(孚乃)'라고 말한 것은 이미 정성이 있어야 비로소 문식을 쓰지 않고 오로지 정성으로 위를 감통(感通)시킴을 이르니, 이와 같이 하면 허물이 없을 수 있다. 강강한 신하로 유약한 군주를 섬기고 또 승(升)의 때를 당하였으니, 성의로 서로 사귐이 아니면 어찌 허물을 면할 수 있겠는가.

••• 禴:제사이름 약 黽:힘쓸 민 矯:속일 교

本義｜ 義見萃卦[124]하니라

뜻이 췌괘(萃卦)에 보인다.

象曰 九二之孚는 有喜也라

〈상전〉에 말하였다. "구이(九二)의 부성(孚誠)은 기쁨이 있는 것이다."

傳｜ 二能以孚誠事上이면 則不唯爲臣之道无咎而已라 可以行剛中之道하여 澤及天下하니 是有喜也라 凡象에 言有慶者는 如是則有福慶及於物也요 言有喜者는 事旣善而又〔一无又字〕有可喜也라 如大畜童牛之牿元吉을 象云有喜[125]라하니 蓋牿於童則易하고 又免强制之難하니 是有可喜也라

이(二)가 부성(孚誠)으로 위를 섬기면 단지 신하된 도리에 허물이 없을 뿐만 아니라, 강중(剛中)의 도(道)를 행하여 은택이 천하에 미칠 수 있으니, 이는 기쁨이 있는 것이다. 무릇 상(象)에 '유경(有慶)'이라고 말한 것은 이와 같이 하면 복경(福慶)이 남에게 미친다는 것이요, '유희(有喜)'라고 말한 것은 일이 이미 선(善)하고 또 기뻐할 만한 일이 있는 것이다. 대축괘(大畜卦)의 동우지곡(童牛之牿)이 크게 길함을 〈상전〉에서 '유희'라고 하였으니, 송아지가 어릴 때에 뿔을 얽어매면 제재하기 쉽고 또 억지로 제재하는 어려움을 면하니, 이는 기뻐할 만함이 있는 것이다.

九三은 升虛邑이로다

구삼(九三)은 빈 고을에 올라가는 것이다.

傳｜ 三以陽剛之才로 正而且巽하고 上皆順之하며 復有援應〔一作者〕하니 以是而升이면 如入无人之邑이니 孰禦哉리오

삼(三)이 양강(陽剛)의 재질로 바르고 또 공손하며 위가 모두 순하고 다시 응원

· · · · · ·

124 義見萃卦 : 췌괘(萃卦) 육이 효사(六二爻辭)에도 "孚乃利用禴"이라고 보이므로 말한 것이다.

125 大畜童牛之牿元吉 象云有喜 : 대축괘(大畜卦) 육사 효사(六四爻辭)에 "어린 송아지에 가로댄 나무를 가한 것이니, 크게 선하여 길하다.〔童牛之牿, 元吉.〕"라고 보이는데, 〈상전(象傳)〉에 "육사가 크게 선하여 길한 것은 기쁨이 있는 것이다.〔六四元吉, 有喜也.〕"라고 보이므로 말한 것이다.

· · · 牿 : 쇠뿔에댄나무 곡 禦 : 막을 어

이 있으니, 이로써 올라가면 사람이 없는 고을에 쳐들어감과 같으니, 누가 막겠는가.

本義 | 陽實陰虛하고 而坤有國邑之象이리 九三이 以陽剛으로 當升時而進臨於坤이라 故其象占如此하니라

양(陽)은 실(實)하고 음(陰)은 허(虛)하며, 곤(坤)은 국읍(國邑:국도)의 상(象)이 있다. 구삼(九三)이 양강(陽剛)으로 승(升)의 때를 당하여 나아가 곤에 임하므로 그 상과 점(占)이 이와 같은 것이다.

象曰 升虛邑은 无所疑也라

〈상전〉에 말하였다. "빈 고을에 올라감은 의심할 바가 없는 것이다."

傳 | 入无人之邑하여 其進이 无疑阻也라

사람이 없는 고을에 쳐들어가서 그 나아감이 의심과 막힘이 없는 것이다.

六四는 王用亨于岐山이면 吉하고 无咎하리라

육사(六四)는 왕(王)이 기산(岐山)에서 형통하듯이 하면 길하고 허물이 없으리라.

本義 | 王用亨(享)于岐山이니

왕이 이로써 기산(岐山)에 제향함이니,

傳 | 四柔順之才로 上順君之升하고 下順下之進하며 己則止其所焉하니 以陰居柔하고 陰而在下는 止其所也라 昔者文王之居岐山之下에 上順天子而欲致之有道하고 下順天下之賢而使之升進하며 己則柔順謙恭하여 不出其位하여 至德如此하시니 周之王業이 用是而亨也라 四能如是면 則亨而吉하고 且无咎矣리라 四之才固自善矣어늘 復有无咎之辭는 何也오 曰 四之才雖善이나 而其位當戒也일새라 居近君之位하고 在升之時하여 不可復升하니 升則凶咎可知라 故云如文王이면 則吉而无咎也라 然處大臣之位하여 不得无事於升이니 當上升其君之道하고 下升天下之賢하며 己則止其分焉이니 分雖當止나 而德則當升也요 道則當亨也라 盡斯道者는 其唯文王乎신저

··· 岐 : 산이름 기

사(四)가 유순한 재질로 위로는 군주의 오름을 순히 하고 아래로는 아래의 나옴을 순히 하며, 자기는 제자리에 멈춰 있으니, 음효(陰爻)로서 유위(柔位)에 거하고 음으로서 아래에 있음은 제자리에 머물러 있는 것이다. 옛날 문왕(文王)이 기산(岐山) 아래에 거하실 적에 위로는 천자에게 순응하여 도가 있는 데로 이루고자 하고 아래로는 천하의 현자(賢者)를 순응하여 올라오게 하였으며, 자신은 유순하고 겸공(謙恭)하여 그 지위를 벗어나지 않아 지극한 덕(德)이 이와 같으셨으니, 주(周)나라의 왕업(王業)이 이 때문에 형통한 것이다. 사(四)가 이와 같이 하면 형통하여 길하고 또 허물이 없을 것이다.

"사(四)의 재질이 진실로 본래 선(善)한데 다시 '허물이 없다'는 말이 있는 것은 어째서인가?" "사(四)의 재질이 비록 본래 선하나 그 자리가 마땅히 경계하여야 하기 때문이다. 군주와 가까운 자리에 거하고 승(升)의 때에 있어 다시 올라갈 수가 없으니, 올라가면 흉구(凶咎)임을 알 수 있다. 그러므로 문왕과 같이 하면 길하여 허물이 없다고 말한 것이다."

그러나 대신(大臣)의 지위에 처하여 올라감을 일삼을 것이 없으니, 위로는 군주의 도를 올리고 아래로는 천하의 현재(賢才)를 올리며, 자신은 분수에 머물러 있어야 하니, 분수는 마땅히 머물러 있어야 하나 덕은 마땅히 올라가고 도는 마땅히 형통해야 하는 것이다. 이 도리를 다한 분은 아마도 오직 문왕이실 것이다.

本義 | 義見(현)隨卦[126]하니라
뜻이 수괘(隨卦)에 보인다.

象曰 王用亨于岐山은 順事也[127]라
〈상전〉에 말하였다. "'왕용형우기산(王用亨于岐山)'은 순한 일이다."

......
126 意見隨卦 : 수괘(隨卦) 상육 효사(上六爻辭)에도 "上六拘係之, 乃從維之, 王用亨于西山."이라고 보이는 바, 《정전》은 '王用亨于西山'을 여기와 마찬가지로 "태왕(太王)이 서산(西山)에서 형통하게 하였다."라고 해석하였으나 《본의》는 亨을 享으로 보아 "왕(王)이 서산(西山)에서 제향하는 것"으로 풀이하였으므로 말한 것이다.

127 順事也 : 순사(順事)는 순한 일이니, 《정전》에는 "문왕이 기산에서 형통함은 때에 순했기 때문"으로 본 반면, 《본의》에는 "순차적으로 기산에 올라가 제사하는 것"으로 보았다.

傳ㅣ 四居近君之位하고 而當升時하여 得吉而无咎者는 以其有順德也일새라 以
柔居坤은 順之至也니 文王之亨于岐山은 亦以順時而已라 上順於上하고 下順乎
下하며 己順處其義라 故云順事也라

　　사(四)가 군주와 가까운 자리에 거하고 승(升)의 때를 당하여 길하고 허물이 없
을 수 있는 것은 순한 덕(德)이 있기 때문이다. 유(柔)로서 곤(坤)에 거함은 지극히
순함이니, 문왕이 기산(岐山)에서 형통함은 또한 때에 순응하였기 때문일 뿐이다.
위로는 윗사람에게 순하고 아래로는 아랫사람에게 순하며, 자신은 순히 의(義)에
처하였으므로 순한 일이라고 말한 것이다.

本義ㅣ 以順而升은 登祭于山之象이라

　　순함으로써 올라감은 산(山)에 올라가 제사하는 상(象)이다.

六五는 貞이라야 吉하리니 升階로다

　　육오(六五)는 정(貞)하여야 길하리니, 계단을 오르듯 하리로다.

本義ㅣ 貞하면 吉하여 升階리라

　　　정(貞)하면 길하여 계단에 오르리라.

傳ㅣ 五以下有剛中之應이라 故能居尊位而吉이라 然質本陰柔하니 必守貞固라야
乃得其吉也라 若不能貞固면 則信賢不篤하고 任賢不終하리니 安能吉也리오 階는
所由而升也라 任剛中之賢하여 輔之而升이 猶登進自階니 言有由而易也라 指言
九二正應이나 然在下之賢이 皆用升之階也니 能用賢則彙升矣리라

　　오(五)가 아래(구이)에 강중(剛中)의 응(應)이 있으므로 능히 존위(尊位)에 거하여
길한 것이다. 그러나 자질이 본래 음유(陰柔)이니, 반드시 정고(貞固)함을 지켜야
길함을 얻을 것이다. 만일 정고하지 못하면 현자(賢者)를 믿음이 돈독하지 못하고
현자에게 맡김에 끝마치지 못할 것이니, 어찌 길하겠는가. 계단은 말미암아 올라
가는 것이다. 강중(剛中)의 현자에게 맡겨 보필해서 올라감은 계단을 말미암아 올
라가는 것과 같으니, 말미암음이 있어 쉬움을 말한 것이다. 구이(九二)의 정응(正
應)을 가리켜 말한 것이나 아래에 있는 현자(여러 양효)가 모두 계단을 사용하여 올
라올 것이니, 능히 현자를 등용하면 현자가 떼지어 오를 것이다.

本義 | 以陰居陽하여 當升而居尊位하니 必能正固면 則可以得吉而升階矣리라 階는 升之易者라

　　음효(陰爻)로서 양위(陽位)에 거하여 올라갈 때를 당해서 존위(尊位)에 거하니, 반드시 정고(正固)하면 길하여 계단을 올라가는 것과 같을 것이다. 계단은 오름에 쉬운 것이다.

象曰 貞吉升階는 大得志也리라

　　〈상전〉에 말하였다. "정길승계(貞吉升階)'는 크게 뜻을 얻으리라."

傳 | 倚任賢才而能貞固하니 如是而升이면 可以致天下之大治하리니 其志可大得也라 君道之升〔一作興〕은 患无賢才之助爾니 有助則猶自階而升也라

　　현재(賢才)에게 의지하고 맡기며 능히 정고(貞固)하니, 이와 같이 하여 올라가면 천하의 큰 다스림을 이룩할 것이니, 그 뜻이 크게 얻어지는 것이다. 군주의 도(道)가 올라감은 현재의 도움이 없음을 근심할 뿐이니, 도와주는 이가 있다면 계단을 말미암아 올라가는 것과 같을 것이다.

上六은 冥升이니 利于不息之貞하니라

　　상육(上六)은 올라감에 어두우니, 쉬지 않는 정도(貞道)에 이롭다.

傳 | 六以陰居升之極하니 昏冥於升하여 知進而不知止者也니 其爲不明이 甚矣라 然求升不已之心을 有時而用於貞正而當不息之事하면 則爲宜矣라 君子於貞正之德에 終日乾乾하여 自强不息하니 如〔一作以〕上六不已之心을 用之於此則利也라 以小人貪求无已之心으로 移於進德이면 則何善如之리오

　　육(六)이 음효(陰爻)로서 승(升)의 극(極)에 거하였으니, 올라감에 어두워서 나아갈 줄만 알고 멈출 줄을 알지 못하는 자이니, 그 밝지 못함이 심하다. 그러나 올라가기를 구하여 그치지 않는 마음을 때로 정정(貞正)하여 마땅히 쉬지 않아야 하는 일에 사용하면 마땅함이 된다. 군자는 정정한 덕(德)에 있어서 종일토록 꾸준히 힘써 스스로 힘쓰고 쉬지 않으니, 만일 상육(上六)의 그치지 않는 마음을 여기에 쓰면 이로울 것이다. 소인이 탐하고 구하기를 그치지 않는 마음을 덕에 나아감

에 옮겨 쓴다면 어떤 선(善)이 이와 같겠는가.

本義 |　以陰居升極하여 昏冥不已者也니 占者遇此면 无適而利요 但可反其不已
於外之心하여 施之於不息之正而已니라

　상육은 음효(陰爻)로서 승(升)의 극(極)에 거하여 어두워 그치지 않는 자이니,
점치는 자가 이 효를 만나면 가는 곳마다 이로움이 없을 것이요, 다만 밖에서 그
치지 않는 마음을 돌이켜 쉬지 않는 정도(正道)에 시행할 뿐이다.

象曰 冥升在上하니 消不富也로다

　〈상전〉에 말하였다. "명승(冥升)으로 위에 있으니, 사라져 부(富)하지 못
하리로다."

傳 |　昏冥於升하여 極上而不知已하니 唯有消亡이니 豈復有加益也리오 不富는
无復增益也라 升旣極이면 則有退而无進也니라

　올라감에 어두워서 위로 지극히 올라가고 그칠 줄을 모르니, 오직 소망(消亡)
함이 있을 뿐이다. 어찌 다시 더함이 있겠는가. 불부(不富)는 다시 증익(增益)함이
없는 것이다. 올라감이 이미 극에 이르면 물러감만 있고 나아감은 없다.

••• 消 : 사라질 소

傳 | 困은 序卦에 升而不已면 必困이라 故受之以困이라하니라 升者는 自下而上이니 自下升上은 以力進也니 不已면 必困矣라 故升之後에 受之以困也니 困者는 憊乏(비핍)之義라 爲卦 兌上而坎下하니 水居澤上이면 則澤中有水也어늘 乃在澤下하니 枯涸(학)无水之象이니 爲困乏之義라 又兌以陰在上하고 坎以陽居下하며 與上六在二陽之上하고 而九二陷於二陰之中하니 皆陰柔揜(엄)於陽剛이니 所以爲困也라 君子爲小人所揜蔽는 窮困之時也라

곤괘(困卦)는 〈서괘전〉에 "올라가고 그치지 않으면 반드시 곤(困)하다. 그러므로 곤괘로 받았다." 하였다. 승(升)은 아래로부터 올라가는 것이니, 아래로부터 위로 오름은 힘으로써 나아감이니, 그치지 않으면 반드시 곤하다. 그러므로 승괘(升卦 ䷭)의 뒤에 곤괘로써 받은 것이니, 곤은 비핍(憊乏:피곤하고 기운이 없음)의 뜻이다. 괘됨이 태(兌 ☱)가 위에 있고 감(坎 ☵)이 아래에 있으니, 물이 못 위에 있으면 못 가운데 물이 있는 것인데, 마침내 못의 아래에 있으니 못이 말라 물이 없는 상(象)으로 곤핍(困乏:곤궁하고 궁핍함)의 뜻이 된다. 또 태(兌)가 음(陰)으로서 위에 있고 감(坎)이 양(陽)으로서 아래에 있으며, 또 상육(上六)이 두 양의 위에 있고 구이(九二)가 두 음의 가운데 빠져 있으니, 모두 음유(陰柔)가 양강(陽剛)을 가리운 것이니, 이 때문에 곤이라 한 것이다. 군자가 소인에게 엄폐(掩蔽) 당함은 곤궁(困窮)한 때이다.

困은 亨하고 貞하니 大人이라 吉하고 无咎하니 有言이면 不信하리라
곤(困)은 형통하고 정(貞)하니, 대인(大人)이라서 길하고 허물이 없으니, 말을 하면 믿지 않으리라.
本義 | 貞大人이라
바른 대인(大人)이라

••• 憊 : 지칠 비 枯 : 마를 고 涸 : 마를 학 揜 : 가릴 엄

傳 | 如卦之才면 則困而能亨이요 且得貞正하니 乃大人處困之道也라 故能吉而无咎라 大人處困엔 不唯其道自吉이라 樂天安命〔一作知命 一作安義〕하니 乃不失其吉也라 況隨時善處하여 復有裕乎아 有言不信은 當困而言이면 人誰信之리오

괘의 재질과 같으면 곤(困)하나 형통할 수 있고 또 정정(貞正)함을 얻었으니, 바로 대인(大人)이 곤(困)에 처하는 방도이다. 그러므로 능히 길하고 허물이 없는 것이다. 대인이 곤에 처하면 다만 그 도(道)가 본래 길할 뿐만 아니라, 천리(天理)를 즐거워하고 천명(天命)을 편안히 여기니, 바로 그 길함을 잃지 않는 것이다. 하물며 때에 따라 잘 대처하여 다시 여유가 있음에랴. 말을 하여도 믿지 않음은 곤할 때를 당하여 말하면 사람이 누가 믿겠는가.

本義 | 困者는 窮而不能自振之義라 坎剛이 爲兌柔所揜하고 九二爲二陰所揜하고 四五爲上六所揜하니 所以爲困이라 坎險兌說하니 處險而說은 是身雖困而道則亨也라 二五剛中하여 又有大人之象하니 占者處困能亨이면 則得其正矣니 非大人이면 其孰能之리오 故曰貞이요 又曰大人者는 明不正之小人은 不能當也라 有言不信은 又戒以當務晦默이요 不可尙口하여 益取困窮이라

곤(困)은 곤궁하여 스스로 떨치지 못하는 뜻이다. 감강(坎剛)이 태유(兌柔)에게 엄폐당하고 구이(九二)가 두 음(陰)에게 엄폐당하고 사(四)와 오(五)가 상육(上六)에게 엄폐당하니, 이 때문에 곤(困)이라 한 것이다. 감(坎)은 험하고 태(兌)는 기뻐하니, 험함에 처하였으나 기뻐함은 이는 몸은 비록 곤궁하나 도(道)는 형통한 것이다. 이(二)와 오(五)가 강중(剛中)이어서 또 대인(大人)의 상(象)이 있으니, 점치는 자가 곤(困)에 처하여 형통하면 그 바름을 얻은 것이니, 대인이 아니면 그 누가 이에 능하겠는가. 그러므로 정(貞)이라 말하고, 또 대인이라 말하였으니, 이는 부정(不正)한 소인은 능히 감당하지 못함을 밝힌 것이다. 말을 하여도 믿지 않는다는 것은 마땅히 감춤과 침묵을 힘쓸 것이요 입(말)을 숭상하여 더욱 곤궁함을 취해서는 안 됨을 경계한 것이다.

彖曰 困은 剛揜也니

〈단전(彖傳)〉에 말하였다. "곤(困)은 강(剛)이 가려진(엄폐 당한) 것이니,

傳│ 卦所以爲困은 以剛爲柔所掩蔽也일새라 陷於下而掩於上은 所以困也니 陷亦掩也라 剛陽君子而爲陰柔小人所掩蔽하니 君子之道 困窒之時也라

괘가 곤(困)이 된 까닭은 강(剛)이 유(柔)에게 엄폐당하기 때문이다. 아래에서 빠지고 위에서 엄폐됨은 곤한 소이(所以)이니, 빠짐 또한 엄폐됨이다. 강양(剛陽)의 군자로서 음유(陰柔)의 소인에게 엄폐당하였으니, 군자의 도(道)가 곤하고 막히는 때이다.

本義│ 以卦體로 釋卦名이라

괘체(卦體)로써 괘명(卦名)을 해석하였다.

險以說하여 困而不失其所亨하니 其唯君子乎인저

험하나 기뻐하여 곤(困)하여도 형통한 바를 잃지 않으니, 그 오직 군자일 것이다.

傳│ 以卦才로 言處困之道也라 下險而上說은 爲處險而能說이니 雖在困窮艱險〔一作險艱〕之中이나 樂天安義하여 自得其說樂也라 時雖困也나 處不失義면 則其道自亨이니 困而不失其所亨也라 能如是者는 其唯君子乎인저 若時當困而反亨이면 身雖亨이나 乃其道之困也라 君子는 大人通稱이라

괘재(卦才)로써 곤(困)에 대처하는 방도를 말한 것이다. 아래는 험하고 위는 기뻐함은 험함에 처하였으나 능히 기뻐함이니, 비록 곤궁하고 간험(艱險)한 가운데에 있으나 천명(天命)을 즐거워하고 의(義)에 편안하여 스스로 기쁨과 즐거움을 얻는 것이다. 때가 비록 곤하나 처함이 의를 잃지 않으면 그 도(道)가 저절로 형통하니, 이는 곤하나 형통한 바를 잃지 않는 것이다. 능히 이와 같이 하는 자는 오직 군자일 것이다. 만일 때가 마땅히 곤궁하여야 하는데 도리어 형통하다면 몸은 비록 형통하나 도는 곤궁한 것이다. 군자는 대인(大人)을 통칭한 것이다.

貞大人吉은 以剛中也요

'정대인길(貞大人吉)'은 강중(剛中)하기 때문이요,

··· 窒 : 막을 질

傳ㅣ 困而能貞은 大人所以吉也니 蓋其以剛中之道也니 五與二是也라 非剛中이면 則遇困而失其正矣리라

곤하나 능히 정(貞)함은 대인이 길한 까닭이니, 이는 강중(剛中)의 도(道)를 따르기 때문이니, 오(五)와 이(二)가 이것이다. 강중이 아니면, 곤(困)을 만나면 그 바름을 잃을 것이다.

有言不信은 尙口乃窮也라
'유언불신(有言不信)'은 입을 숭상함이 곤궁한 것이다."

傳ㅣ 當困而言이면 人所不信이니 欲以口免困이면 乃所以致窮也라 以說處困이라 故有尙口之戒하니라

곤궁한 때를 당하여 말하면 사람들이 믿어주지 않으니, 입으로써 곤궁함을 면하고자 하면 바로 곤궁함을 불러들이는 것이다. 기뻐함으로써 곤궁함에 처하였으므로 입을 숭상한다는 경계가 있는 것이다.

本義ㅣ 以卦德卦體로 釋卦辭라
괘덕(卦德)과 괘체(卦體)로써 괘사(卦辭)를 해석하였다.

象曰 澤无水困이니 君子以하여 致命遂志하나니라
〈상전〉에 말하였다. "못에 물이 없음이 곤(困)이니, 군자가 보고서 명(命)을 지극히 하여 뜻을 이룬다."
본의ㅣ 목숨을 바쳐 뜻을 이룬다.

傳ㅣ 澤无水는 困乏之象也라 君子當困窮之時하여 旣盡其防慮之道로되 而不得免이면 則命也니 當推致其命하여 以遂其志라 知命之當然也인댄 則窮塞禍患에 不以動其心하고 行吾義而已니 苟不知命이면 則恐懼於險難하고 隕穫於窮厄하여 所守亡矣리니 安能遂其爲善之志乎아

못에 물이 없음은 곤핍(困乏)한 상(象)이다. 군자가 곤궁할 때를 당하여 이미 방비하고 염려하는 방도를 다하였는데도 화를 면할 수 없다면 이는 명(命)이니, 마

••• 致 : 지극할 치, 바칠 치 隕 : 잃을 운

땅히 그 명을 미루어 지극히 하여 뜻을 이루어야 한다. 명의 당연함을 알았다면 궁색(窮塞)과 화환(禍患)에 마음을 동요하지 않고 자신의 의(義)를 행할 뿐이니, 만일 명을 알지 못하면 험난함에 두려워하고 곤궁함에 운확(隕穫:실의(失意)함)하여 지키는 바를 잃을 것이니, 어떻게 선(善)을 하려는 뜻을 이룰 수 있겠는가.

本義 | 水下漏면 則澤上枯라 故曰澤无水라하니라 致命은 猶言授命이니 言持以與人而不之有也니 能如是면 則雖困而亨矣리라

　물이 아래로 새면 못이 위로 마른다. 그러므로 못에 물이 없다고 한 것이다. '치명(致命)'은 수명(授命:목숨을 바침)이란 말과 같으니, 〈목숨을〉 가져다가 남에게 주고 소유하지 않음을 말하니, 이와 같이 하면 비록 곤하더라도 형통할 것이다.

初六은 臀(둔)困于株木이라 入于幽谷하여 三歲라도 不覿(적)이로다

　초육(初六)은 볼기가 주목(株木:나무의 몸통)에 곤(困)하다. 어두운 골짜기로 들어가서 삼 년이 지나도 〈형통함을〉 만나보지 못하도다.

傳 | 六以陰柔로 處於至卑하고 又居坎險之下하니 在困에 不能自濟者也라 必得在上剛明之人하여 爲援助면 則可以濟其困矣리라 初與四爲正應이나 九四以陽而居陰하여 爲不正이요 失〔一作夫〕剛而不中하고 又方困於陰揜하니 是惡(오)能濟人之困이리오 猶株木之下 不能蔭覆(부)於物이니 株木은 无枝葉之木也라 四는 近君之位니 在他卦엔 不爲无助로되 以居困而不能庇物이라 故爲株木이라 臀은 所以居也니 臀困于株木은 謂无所庇而不得安其居니 居安則非困也라 入于幽谷은 陰柔之人은 非能安其所遇니 旣不能免於困이면 則益迷暗妄動하여 入於深困하리니 幽谷은 深暗之所也라 方益入於困하여 无自出之勢라 故至於三歲不覿하니 終困者也라 不覿은 不遇其所亨也라

　육(六)이 음유(陰柔)로서 지극히 낮은 곳에 처하였고 또 감험(坎險)의 아래에 있으니, 곤할 때에 있어 스스로 구제하지 못하는 자이다. 반드시 위에 있는 강명(剛明)한 사람을 얻어 원조로 삼으면 그 곤함을 구제할 수 있을 것이다. 초(初)는 사(四)와 정응(正應)이 되나 구사(九四)가 양효(陽爻)로서 음위(陰位)에 거하여 부정(不正)함이 되며, 강(剛)을 잃고 중(中)하지 못하고 또 음(陰)에게 엄폐당하여 곤하니,

---

··· 株:나무그루터기 주　覿:볼 적

어찌 남의 곤함을 구제할 수 있겠는가. 주목(株木)의 아래가 물건을 가리워주고 덮어주지 못함과 같으니, '주목'은 가지와 잎이 없는 나무이다.

사(四)는 군주와 가까운 자리이니, 다른 괘에 있어서는 도움이 없지 않으나 곤(困)에 거하여 남을 비호해주지 못하기 때문에 주목이라 한 것이다. 볼기는 거처하는 것이니, 볼기가 주목에 곤함은 비호 받는 바가 없어서 거처를 편안히 하지 못함을 이르니, 거처가 편안하면 곤함이 아니다.

어두운 골짜기[幽谷]로 들어간다는 것은 음유(陰柔)의 사람은 만난 바를 편안히 여길 수 있는 자가 아니니, 곤함을 면치 못하면 더욱 혼미하고 어둡고 망동(妄動)하여 깊은 곤궁에 빠져들 것이니, '유곡(幽谷)'은 깊고 어두운 곳이다. 더욱 곤궁한 데로 들어가서 스스로 벗어날 형세가 없으므로 3년이 지나도 보지 못함에 이르니, 끝내 곤궁한 자이다. '불적(不覿)'은 형통한 바를 만나지 못하는 것이다.

本義 | 臀은 物之底也요 困于株木은 傷而不能安也라 初六이 以陰柔로 處困之底하고 居暗之甚이라 故其象占如此하니라

'둔(臀:볼기짝)'은 물건의 밑이고, 주목(株木)에 곤(困)함은 상하여 편안하지 못한 것이다. 초육(初六)이 음유(陰柔)로 곤의 밑에 처하고 어둠의 심함에 처하였으므로 그 상(象)과 점(占)이 이와 같은 것이다.

象曰 入于幽谷은 幽不明也라

〈상전〉에 말하였다. "어두운 골짜기로 들어감은 어두워 밝지 못한 것이다."

傳 | 幽不明也는 謂益入昏暗하여 自陷於深困也니 明則不至於陷矣리라

어두워 밝지 못함은 더욱 혼암(昏暗)함에 들어가서 스스로 더욱 곤함에 빠짐을 이르니, 밝으면 빠짐에 이르지 않을 것이다.

九二는 困于酒食이나 朱紱(불)이 方來하리니 利用亨(享)祀니 征이면 凶하니 无咎[128]니라

. . . . . .

128 困于酒食……无咎:《정전》에는 '곤우주식(困于酒食)'을 "남에게 혜택을 주지 못하는 것"으로

⋯ 紱 : 제복 불

구이(九二)는 주식(酒食)에 곤(困)하나(남에게 해택을 주지 못하여 곤궁하나) 주불(朱紱:붉은 무릎가리개)이 바야흐로 오리니, 향사(享祀)함에 씀이 이롭다.(제사할 때처럼 지성으로 함이 이롭다.) 가면 흉하니, 허물할 데가 없다.

本義 | 朱紱이 方來니 利用享祀요 征이면 凶커니와 无咎니라

술과 밥을 실컷 먹어 피곤하나 주불(朱紱:윗사람)이 바야흐로 올 것이니, 향사(享祀)함이 이롭고 가면 흉하나 허물은 없다.

傳 | 酒食은 人所欲而所以施惠也라 二以剛中之才로 而處困之時하니 君子安其所遇하여 雖窮厄險難이나 无所動其心하여 不恤其爲困也하니 所困者는 唯困於所欲耳라 君子之所欲者는 澤天下之民하여 濟天下之困也니 二未得遂其欲, 施其惠라 故爲困于酒食也라 大人君子懷其道而困於下인댄 必得有道之君求而用之然後에 能施其所蘊이라 二以剛中之德으로 困於下하니 上有九五剛中之君하여 道同德合하여 必來相求라 故云朱紱方來라하니 方來는 方且來也라 朱紱은 王者之服으로 蔽膝也니 以行來爲義라 故以蔽膝言之하니라

술과 밥은 사람이 하고자 하는 바이고 은혜를 베푸는 것이다. 이(二)가 강중(剛中)의 재질로 곤(困)할 때에 처하였으니, 군자는 만난 바(처지나 때)를 편안히 여겨 비록 곤궁하고 험난하나 그 마음을 동요하는 바가 없어 그 곤함을 근심하지 않으니, 곤한 것은 오직 하고자 하는 바에 곤할 뿐이다(하고자 하는 바를 이루지 못하여 곤할 뿐이다). 군자가 하고자 함은 천하의 백성에게 은택을 입혀 천하의 곤궁함을 구제하는 것이니, 이(二)가 하고자 함을 이루지 못하고 은혜를 베풀지 못하므로 주식(酒食)에 곤하다고 한 것이다.

대인 군자(大人君子)가 도(道)를 품고 아래에서 곤궁할 때엔 반드시 도가 있는 군주가 찾아와서 등용함을 얻은 뒤에야 그 쌓은 것(경륜)을 베풀 수 있는 것이다. 이(二)가 강중(剛中)의 덕(德)으로 아래에서 곤(困)하니, 위에 구오(九五) 강중의 군주가 있어 도가 같고 덕이 합하여 반드시 와서 서로 찾을 것이므로 주불(朱紱)이

••••••
본 반면, 《본의》에는 "술과 밥을 너무 많이 먹어 피곤한 것"으로 해석하였으며, '무구(无咎)'를 《정전》에는 "제 스스로 취한 것이어서 허물할 데가 없는 것"으로 본 반면, 《본의》에는 "허물이 없는 것"으로 해석하였다.

바야흐로 온다고 말하였으니, '방래(方來)'는 바야흐로 장차 오는 것이다. 주불은 왕자의 의복으로 폐슬(蔽膝:무릎 가리개)이니, 걸어오는 것을 뜻으로 삼았기 때문에 폐슬로 말한 것이다.

利用享祀는 享祀는 以至誠通神明也라 在困之時엔 利用至誠하여 如享祀然이니 其德旣誠[一作成]이면 自能感通於上이라 自昔賢哲이 困於幽遠이로되 而德卒升聞하여 道卒爲用者는 唯自守至誠而已라 征凶无咎는 方困之時에 若不至誠安處以 俟命하고 往而求之하면 則犯難得凶하리니 乃自取也라 將誰咎乎아 不度(탁)時而 征이면 乃不安其所니 爲困所動也라 失剛中之德하여 自取凶悔하니 何所怨咎리오 諸卦二、五는 以陰陽相應而吉이로되 唯小畜與困은 乃厄於陰이라 故同道相求하니 小畜은 陽爲陰所畜이요 困은 陽爲陰所揜也니라

향사(享祀)에 씀이 이롭다는 것은 향사는 지성으로 신명을 통하는 것이다. 곤 (困)의 때에 있어서는 지성을 써서 향사하듯이 함이 이로우니, 그 덕이 이미 성실 하면 자연 윗사람을 감통(感通)시킬 수 있다. 예로부터 현철(賢哲)들이 유원(幽遠) 에서 곤궁하였으나 끝내는 덕이 올라가 알려져서 도가 마침내 쓰여졌던 것은 오 직 스스로 지성을 지켜서일 뿐이다.

'정흉무구(征凶无咎)'는 곤할 때에 만일 지성으로 편안히 처하여 천명(天命)을 기다리지 않고 가서 구한다면 난(難)을 범하여 흉함을 얻으리니, 이것은 스스로 흉함을 취하는 것이다. 장차 누구를 허물하겠는가. 때를 헤아리지 않고 가면 바로 제자리를 편안히 여기지 못하는 것이니, 곤함에 동요당하는 바가 된다. 강중(剛 中)의 덕을 잃어 스스로 흉함과 뉘우침을 취하니, 누구를 원망하고 허물하겠는가.

여러 괘에서 이(二)와 오(五)는 음과 양이 서로 응하는 것이 길하나 오직 소축 괘(小畜卦☰)와 곤괘(困卦)는 음에 곤하기 때문에 도가 같은 자가 서로 구하니, 소 축(小畜)은 양이 음에게 저지당하고, 곤(困)은 양이 음에게 엄폐당하기 때문이다.

本義 | 困于酒食은 厭飫(어)苦惱之意[129]라 酒食은 人之所欲이나 然醉飽過宜면

‥‥‥‥‥
129 困于酒食 厭飫苦惱之意:사계(沙溪)는 "곤우주식(困于酒食)은 음식을 먹는 일을 말한 것이 아니고, 은혜를 베풀고자 하는 뜻을 이룸을 말한 것이니, 《본의》에 곤우주식을 해석한 뜻은 적합

‥‥ 飫 : 실컷먹을 어

則是反爲所困矣라 朱紱方來는 上應之也라 九二有剛中之德以處困時하여 雖无
凶害나 而反困於得其所欲之多라 故其象如此요 而其占이 利以享祀하니 若征行
則非其時라 故凶而於義爲无咎也라

　‘곤우주식(困于酒食)’은 술과 밥을 실컷 먹어 고뇌(苦惱)하는 뜻이다. 술과 밥은
사람이 하고자 하는 바이나 취(醉)하고 배부름이 마땅함을 지나면 이는 도리어 곤
함을 당하는 것이 된다. ‘주불방래(朱紱方來)’는 위가 응(應)하는 것이다. 구이(九二)
가 강중(剛中)의 덕(德)을 소유하고 곤(困)의 때에 처하여 비록 흉해(凶害)가 없으나
도리어 하고자 하는 바(음식)를 얻기를 많이함에 곤하다. 그러므로 그 상(象)이 이
와 같고 그 점(占)은 향사(享祀)에 씀이 이로우니, 만일 가면 알맞은 때가 아니므로
흉하나 의(義)에 있어서는 허물이 없음이 된다.

象曰 困于酒食은 中이라 有慶也리라

　〈상전〉에 말하였다. “주식(酒食)에 곤함은 중(中)이어서 복경(福慶)이 있
으리라.”

傳 |　雖困于所欲하여 未能施惠於人이나 然守其剛中之德이면 必能致亨而有福
慶也라 雖使時未亨通이라도 守其中德이면 亦君子之道亨이니 乃有慶也라

　비록 하고자 하는 바에 곤궁하여 남에게 은혜를 베풀지는 못하나 강중(剛中)의
덕(德)을 지키면 반드시 형통함을 이루어 복경(福慶)이 있을 것이다. 비록 때가 형
통하지 못하더라도 중덕(中德)을 지키면 또한 군자의 도(道)가 형통한 것이니, 바
로 복경이 있는 것이다.

六三은 困于石하며 據于蒺藜(질려)라 入于其宮이라도 不見其妻니 凶토다

　육삼(六三)은 돌에 곤하며 질려(蒺藜;찔레)에 앉아 있다. 집에 들어가도
아내를 만나보지 못하니, 흉하도다.

• • • • • •
하지 않다.” 하였다.《經書辨疑》

··· 蒺 : 질려(납가새) 질　藜 : 질려 려

傳 | 六三이 以陰柔不中正之質로 處險極而用剛이라 居陽은 用剛[130]也니 不善處困之甚者也라 石은 堅重難勝之物이요 蒺藜는 刺[一无刺字]不可據之物이라 三以剛險而上進이면 則二陽在上하여 力不能勝하고 堅不可犯하여 益自困耳니 困于石也요 以不善之德으로 居九二剛中之上하여 其不安이 猶藉刺하니 據于蒺藜也라 進退既皆益困이면 欲安其所나 益不能矣[一作也]라 宮은 其居所安也요 妻는 所安之主也니 知進退之不可하고 而欲安其居면 則失其所安矣라 進退與處皆不可하여 唯死而已니 其凶을 可知라

육삼(六三)이 중정(中正)하지 못한 음유(陰柔)의 자질로 험(險)의 극에 처하여 강(剛)함을 쓴다. 양위(陽位)에 거함은 강함을 쓰는 것이니, 이는 곤궁함에 잘 대처하지 못함이 심한 자이다. 돌은 견고하고 무거워서 감당하기 어려운 물건이요, '질려(蒺藜)'는 가시가 찔러서 앉아 있을 수 없는 물건이다. 삼(三)이 강함과 험함으로써 위로 나아가면 두 양이 위에 있어 힘으로 이길 수 없고 견고하여 범할 수 없어서 더욱 스스로 곤할 뿐이니, 이는 돌에 곤함이요, 선(善)하지 못한 덕(德)으로 구이(九二) 강중(剛中)의 위에 거하여 그 불안함이 가시를 깔고 앉은 것과 같으니, 이는 질려에 앉아 있는 것이다. 진·퇴가 이미 모두 곤하면 제자리를 편안히 여기고자 하나 더욱 할 수가 없을 것이다. '궁(宮)'은 거처하기 편안한 곳이요, '처(妻)'는 편안함의 주체이다. 진·퇴가 불가(不可)함을 알고 거처를 편안히 하고자 하면 편안한 바를 잃게 된다. 진·퇴와 거처가 모두 불가하여 오직 죽음만이 있을 뿐이니, 그 흉함을 알 수 있다.

繫辭曰 非所困而困焉하니 名必辱이요 非所據而據焉하니 身必危로다 既辱且危하여 死期將至하니 妻其可得見耶아하니라 二陽은 不可犯也어늘 而犯之以取困하니 是非所困而困也니 名辱은 其事惡也라 三在二上하니 固爲據之나 然苟能謙柔以下之면 則无害矣어늘 乃用剛險以乘之하니 則不安而取困이 如據蒺藜也라 如是면 死期將至하리니 所安之主를 可得而[一无而字]見乎아

• • • • • • •
130   居陽用剛 : 사계(沙溪)는 육삼이 양위(陽位)에 거하고 강(剛)을 쓰는 것으로 보아 "삼(三)은 바로 양위(陽位)이니 거양(居陽)은 당연하지만, 육(六)은 음유(陰柔)이니 어찌하여 용강(用剛)이라 말하였는가. 서합괘(噬嗑卦)〈단사(彖辭)〉의 주(註)를 다시 살펴보라." 하였다. 《經書辨疑》 서합괘(噬嗑卦)에도 육삼(六三)이 있으나 용강(用剛)이란 글이 보이지 않으므로 말한 것이다.

• • •   蒺 : 깔 자

〈계사전 하〉에 이르기를 "곤할 바가 아닌데 곤하니 이름이 반드시 욕될 것이요, 앉아 있을 곳이 아닌데 앉았으니 몸이 반드시 위태로울 것이다. 이미 욕되고 또 위태로워 죽을 시기가 장차 이르니, 아내를 만나볼 수 있겠는가." 하였다.

두 양은 범할 수 없는데 범하여 곤함을 취하니, 이는 곤할 바가 아닌데 곤한 것이니, 이름이 욕됨은 그 일이 나쁜 것이다. 삼(三)이 이(二)의 위에 있으니 진실로 〈앉아 있을 곳이 아닌데〉 앉아 있음이 되나, 만일 겸손하고 유순하여 몸을 낮추면 해(害)가 없을 터인데 마침내 강(剛)·험(險)을 사용하여 타고 있으니, 불안하여 곤함을 취함이 질려에 앉아 있는 것과 같은 것이다. 이와 같으면 죽을 시기가 장차 이를 것이니, 편안함의 주체(아내)를 만나볼 수 있겠는가.

本義┃ 陰柔而不中正이라 故有此象이요 而其占則凶이라 石은 指四요 蒺藜는 指二요 宮은 謂三而妻則六也니 其義則繫辭備矣니라

음유(陰柔)로서 중정(中正)하지 못하므로 이러한 상이 있고 점이 흉한 것이다. 돌은 사(四)를 가리키고 질려(蒺藜)는 이(二)를 가리키며, 궁(宮)은 삼(三)을 이르고 처(妻)는 육(六)이니, 그 뜻은 〈계사전〉에 구비되었다.

象曰 據于蒺藜는 乘剛也일새요 **入于其宮 不見其妻는 不祥也**라

〈상전〉에 말하였다. "질려(蒺藜)에 앉아 있음은 강함을 탔기 때문이요, 집에 들어가도 아내를 만나보지 못함은 길하지 못한 것이다."

傳┃ 據于蒺藜는 謂乘九二之剛하여 不安이 猶藉刺也라 不祥者는 不善之徵이요 失其所安者는 不善之效라 故云不見其妻不祥也라하니라

'거우질려(據于蒺藜)'는 구이(九二)의 강함을 타고 있어 불안함이 마치 가시를 깔고 앉음과 같은 것이다. '불상(不祥)'은 불선(不善)의 징조요 편안한 바를 잃음은 불선의 징조이다. 그러므로 아내를 만나보지 못함을 불상이라고 한 것이다.

九四는 來徐徐는 困于金車일새니 **吝**하나 **有終**이리라

구사(九四)는 오기를 느리게 함은 쇠수레에 곤하기 때문이니, 부끄러울 만하나 종(終;좋은 끝마침)이 있으리라.

··· 吝 : 부끄러울 린

傳 | 唯力不足이라 故困이니 亨困之道는 必由援助라 當困之時하여 上下相求는
理當然也라 四與初爲正應이나 然四以不中正處困하여 其才不足以濟人之困이요
初比二하니 二有剛中之才하여 足以拯困이니 則宜爲初所從矣라 金은 剛也요 車는
載物者也니 二以剛在下載己라 故謂之金車라 四欲從初而阻於二라 故其來遲疑
而徐徐하니 是困于金車也라 己之所應이 疑其少己而之他하여 將從之면 則猶豫
不敢遽前하니 豈不可羞吝乎아 有終者는 事之所歸者正也라 初·四正應이니 終
必相從也라 寒士之妻와 弱國之臣이 各安其正而已니 苟擇勢而從이면 則惡之大
者니 不容於世矣라 二與四皆以陽居陰이로되 而二以剛中之才하니 所以能濟困
也라 居陰者는 尚柔也요 得中者는 不失剛柔之宜也니라

오직 힘이 부족하기 때문에 곤(困)하니, 곤함을 형통하게 하는 방도는 반드시
원조를 말미암아야 한다. 곤의 때를 당하여 위와 아래가 서로 구함은 이치의 당연
함이다. 사(四)는 초(初)와 정응(正應)이 되나 사(四)가 중정(中正)하지 못하고 곤에
처하여 그 재주가 남의 곤함을 구제할 수 없으며, 초(初)는 이(二)와 가까이 있는
데 이(二)는 강중(剛中)의 재주가 있어 곤함을 구제할 수 있으니, 마땅히 초(初)에
게 따르는 바가 될 것이다. 금(金)은 강한 것이요 수레는 물건을 싣는 것이니, 이
(二)가 강함으로 아래에 있으면서 자기를 싣고 있기 때문에 쇠수레[金車]라 이른
것이다. 사(四)가 초(初)를 따르고자 하나 이(二)에 막혀 있기 때문에 그 옴이 더디
고 의심하여 느리니, 이는 쇠수레에 곤한 것이다.

자기의 응하는 바가 자기를 하찮게 여기고 다른 데로 가서 장차 따를까 의심
하면 유예(猶豫)하여 감히 대번에 앞으로 나오지 못하니, 이 어찌 부끄러울 만하
지 않겠는가. '유종(有終)'은 일의 귀결은 정도(正道)이다. 초(初)와 사(四)는 정응이
니, 끝내는 반드시 서로 따를 것이다. 빈한(貧寒)한 선비의 아내와 약소국의 신하
가 각각 그 바름을 편안히 여길 뿐이니, 만일 세력을 택하여 따른다면 죄악이 커
서 세상에 용납 받지 못할 것이다. 이(二)와 사(四)는 모두 양효(陽爻)로서 음위(陰
位)에 거하였으나 이(二)는 강중(剛中)의 재질을 가지고 있으니, 이 때문에 곤함을
구제할 수 있는 것이다. 음위에 거함은 유(柔)를 숭상하는 것이요, 중(中)을 얻음
은 강·유의 마땅함을 잃지 않은 것이다.

••• 拯 : 구원할 증

本義 | 初六은 九四之正應이나 九四處位不當하여 不能濟物이요 而初六이 方困於下하며 又爲九二所隔이라 故其象如此라 然邪不勝正이라 故其占이 雖爲可吝이나 而必有終也라 金車爲九二象은 未詳하니 疑坎有輪象也라

초육(初六)은 구사(九四)의 정응(正應)이나 구사의 처한 자리가 합당하지 못하여 남을 구제할 수 없고, 초육은 막 아래에서 곤하며 또 구이(九二)에게 막힌 바가 되었다. 그러므로 그 상(象)이 이와 같은 것이다. 그러나 사(邪)는 정(正)을 이기지 못하므로 그 점(占)이 비록 부끄러울 만하나 반드시 종(終)이 있는 것이다. 금거(金車)가 구이의 상(象)이 됨은 자세하지 않으니, 의심컨대 감(坎)에 수레바퀴의 상이 있는 듯하다.

象曰 來徐徐는 志在下也니 雖不當位나 有與也니라

〈상전〉에 말하였다. "오기를 느리게 함은 뜻이 아래에 있어서이니, 비록 자리가 마땅하지 않으나 더부는 이가 있다."

傳 | 四應於〔一无於字〕初而隔於二하여 志在下求라 故徐徐而來하니 雖居不當位하여 爲未善이나 然其正應相與라 故有終也라

사(四)가 초(初)에 응하나 이(二)에게 막혀서 뜻이 아래로 구함에 있으므로 느리게 오는 것이니, 비록 거함이 자리에 합당하지 않아 선(善)하지 못함이 되나 정응과 서로 더불기 때문에 종(終)이 있는 것이다.

九五는 劓刖(의월)이니 困于赤紱[131]하나 乃徐有說(열)하리니 利用祭祀니라

구오(九五)는 코를 베고 발을 벰이니, 적불(赤紱)에 곤(困)하나 늦게는 기쁨이 있으리니, 제사에 씀이 이롭다.

傳 | 截鼻曰劓니 傷於上也요 去足爲刖이니 傷於下也라 上下皆揜於陰하여 爲其

• • • • • •

131 困于赤紱 : 사계(沙溪)는 "불(紱)은 바로 걸어오는 뜻을 취하였는데, 오지 못하기 때문에 곤우적불(困于赤紱)이라 했다." 하였다.《經書辨疑》

••• 刖 : 발꿈치벨 월 截 : 자를 절

傷害하니 劓刖之象也라 五는 君位也니 人君之困은 由上下无與也라 赤紱은 臣下之服이니 取行來之義라 故以紱言이라 人君之困은 以天下不來也니 天下皆來면則非困也라 五雖在困이나 而有剛中之德하고 下有九二剛中之賢하여 道同德合하니 徐必相應而來하여 共濟天下之困하리니 是는 始困而徐有喜說也라 利用祭祀는祭祀之事는 必致其誠敬而後受福이라 人君在困時엔 宜念天下之困하여 求天下之賢을 若祭祀然하여 致其誠敬〔一作至誠〕이면 則能致天下之賢하여 濟天下之困矣리라

코를 벰을 '의(劓)'라 하니 위에 상(傷)함이요, 발을 제거함을 '월(刖)'이라 하니 아래에 상함이다. 위와 아래가 모두 음(陰)에 가리워져 상해를 당하니, 이는 코 베고 발 베는 상(象)이다. 오(五)는 군주의 자리이니, 인군의 곤함은 상·하에 더부는 이가 없기 때문이다. '적불(赤紱)'은 신하의 의복이니, 걸어오는 뜻을 취하였으므로 불(紱:슬갑)로써 말한 것이다. 인군의 곤궁함은 천하가 오지 않기 때문이니, 천하가 모두 온다면 곤(困)이 아니다. 오(五)가 비록 곤에 있으나 강중(剛中)의 덕(德)이 있고 아래에 구이(九二) 강중의 현자(賢者)가 있어 도(道)가 같고 덕이 합하니, 천천히 반드시 서로 응하여 와서 함께 천하의 곤궁함을 구제할 것이니, 이는 처음에는 곤하나 늦게는 기쁨이 있는 것이다.

'이용제사(利用祭祀)'는, 제사지내는 일은 반드시 정성과 공경을 지극히 한 뒤에야 복(福)을 받는다. 인군이 곤의 때에 있으면 마땅히 천하의 곤함을 염려하여 천하의 현자를 구하기를 마치 제사지낼 때와 같이 하여 정성과 공경을 지극히 하면 천하의 현자를 초치하여 천하의 곤함을 구제할 것이다.

五與二同德이어늘 而云上下无與는 何也오 曰 陰陽相應者는 自然相應也니 如夫婦、骨肉分定也요 五與二는 皆陽爻니 以剛中之德同而相應은 相求而後合者也〔一无者也〕니 如君臣、朋友義合也라 方其始困에 安有上下之與리오 有與則非困이라 故徐合而後有〔一无有字〕說也라 二云享祀하고 五云祭祀는 大意則宜用至誠이라야 乃受福也라 祭與祀享은 泛言之則可通이요 分而言之하면 祭는 天神이요 祀는地示(기)요 享은 人鬼라 五는 君位라 言祭하고 二는 在下라 言享하니 各以其所當用也니라

"오(五)는 이(二)와 덕이 같은데 상·하에 더부는 이가 없다고 말함은 어째서인

가?" "음·양이 서로 응함은 자연히 서로 응하는 것이니, 부부(夫婦)와 골육간(骨肉間)이 분수가 정해짐과 같은 것이요, 오(五)와 이(二)는 모두 양효(陽爻)이니, 강중(剛中)의 덕이 같아서 서로 응함은 서로 찾은 뒤에 합하는 것이니, 군신간과 붕우간이 의(義)로 합함과 같은 것이다. 막 처음 곤궁할 때에 어찌 상·하에 더부는 이가 있겠는가. 더붊이 있으면 곤함이 아니다. 그러므로 늦게 합한 뒤에야 기쁨이 있는 것이다."

이(二)에는 '향사(享祀)'라 말하고 오(五)에는 '제사(祭祀)'라 말한 것은 대의(大意)가 마땅히 지극한 정성을 써야 복을 받는다는 것이다. 제(祭)와 사(祀)와 향(享)은 널리 말하면 통할 수 있고, 나누어 말하면 '제(祭)'는 천신(天神)에게 하는 것이요 '사(祀)'는 지기(地示:지신(地神))에게 하는 것이요 '향(享)'은 사람(조상)의 귀신에게 하는 것이다. 오(五)는 군주의 자리라서 제(祭)라 말하고, 이(二)는 아래에 있기 때문에 향(享)이라 말한 것이니, 각각 마땅히 쓸 바에 따른 것이다.

本義 | 劓刖者는 傷於上下니 下旣傷이면 則赤紱无所用하여 而反爲困矣라 九五當困之時하여 上爲陰揜하고 下則乘剛故로 有此象이라 然剛中而說體故로 能遲久而有說也라 占具象中하고 又利用祭祀하니 久當獲福이러라

의(劓)·월(刖)은 위와 아래에 상한 것이니, 아래가 이미 상했으면 적불(赤紱)을 쓸 곳이 없어서 도리어 곤함이 된다. 구오(九五)가 곤(困)의 때를 당하여 위로는 음에게 가리워지고 아래로는 강(剛)을 탔기 때문에 이러한 상(象)이 있는 것이다. 그러나 강중(剛中)이고 기뻐하는 체(體)이기 때문에 능히 오래 기다리면 기쁨이 있는 것이다. 점(占)이 상(象) 가운데 갖춰져 있고 또 제사에 씀이 이로우니, 오래면 마땅히 복을 얻을 것.

象曰 劓刖은 志未得也요 乃徐有說은 以中直也요 利用祭祀는 受福也리라

〈상전〉에 말하였다. "코 베고 발 벰은 뜻을 얻지 못한 것이요, 늦게는 기쁨이 있음은 중직(中直:중하고 곧음)하기 때문이요, 제사에 씀이 이로움은 복을 받으리라."

傳ㅣ 始爲陰揜은 无上下之與하여 方困未得志之時也요 徐而有說은 以中直之道로 得在下之賢하여 共濟於困也라 不曰中正은 與二合者는 云直이 乃宜也니 直은 比正에 意差緩이라 盡其誠意를 如祭祀然하여 以求天下之賢이면 則能〔一无能字〕亨天下之困하여 而享受其福慶也라

처음에 음(陰)에게 가리워짐은 상·하에 더부는 이가 없어서 막 곤궁하여 뜻을 얻지 못한 때이고, 늦게는 기쁨이 있음은 중직(中直)의 도(道)로 아래에 있는 현자(賢者)를 얻어서 함께 곤함을 구제하기 때문이다. 중정(中正)이라 말하지 않은 것은 이(二)와 더불어 합함은 직(直)이라고 말함이 마땅하니, 직(直)은 정(正)에 비하여 뜻이 조금 완만하다. 성의(誠意)를 다하기를 제사지낼 때와 같이하여 천하의 현자를 구하면 천하의 곤함을 형통하게 하여 복경(福慶)을 누려 받을 수 있을 것이다.

上六은 困于葛藟(갈류)와 于臲卼(얼올)이니 曰動悔라하여 有悔면 征하여 吉하리라
상육(上六)은 칡덩쿨과 위태로운 곳에 곤함이니, 동할 때마다 뉘우침이 있을 것이라 하여 뉘우치는 마음을 두면 감에 길하리라.

本義ㅣ 于臲卼하여 曰動悔니
위태로운 곳에 곤하여 동함에 뉘우치는 마음이 있으니,

傳ㅣ 物極則反이요 事極則變이니 困旣極矣니 理當變矣라 葛藟는 纏束之物이요 臲卼은 危動之狀이라 六處困之極하니 爲困所纏(전)束하여 而居最高危之地하니 困于葛藟與臲卼也라 動悔는 動輒有悔니 无所不困也라 有悔는 咎前之失也라 曰은 自謂也라 若能曰 如是면 動皆得悔라하면 當變前之所爲리니 有悔也니 能悔면 則往而得吉也라 困極而征이면 則出於困矣라 故吉이라 三은 以陰在下卦之上而凶하고 上은 居一卦之上而无凶은 何也오 曰 三은 居剛而處險하니 困而用剛險故로 凶이요 上은 以柔居說하니 唯爲困極耳니 困極則有變困之道也라 困與屯之上이 皆以无應居卦終이로되 屯則泣血漣如[132]하고 困則有悔征吉은 屯險極而困說

132 屯則泣血漣如:준괘(屯卦)의 상육 효사(上六爻辭)에 "말을 탔다가 내려와서 눈물을 줄줄 흘

••• 葛:칡 갈 藟:덩쿨 류 臲:불안할 얼 卼:위태할 올 纏:얽을 전 漣:눈물줄줄흐르는모양 련

體故也니 以說順進이면 可以離乎困也라

물건은 지극하면 돌아오고(뒤집어지고) 일은 지극하면 변하니, 곤(困)함이 이미 지극하니 이치상 마땅히 변할 것이다. '갈류(葛藟)'는 묶어매는 물건이요, '얼올(臲卼)'은 위태롭게 동하는 모양이다. 육(六)이 곤의 극에 처했으니 곤함에 속박당한 바가 되어서, 가장 높고 위태로운 곳에 처하였으니, 이는 갈류와 얼올에 곤한 것이다. '동회(動悔)'는 동할 때마다 뉘우침이 있는 것이니, 곤하지 않은 바가 없는 것이다. '유회(有悔)'는 예전의 잘못을 허물하는 것이다. '왈(曰)'은 스스로 말하는 것이다. 만일 스스로 말하기를 '이와 같이 하면 동할 때마다 모두 뉘우침을 얻을 것이다.'라고 하면 마땅히 예전에 하던 바를 변할 것이니, 이는 뉘우침이 있는 것이니, 뉘우치면 가서 길함을 얻을 것이다. 곤(困)이 지극한데 가면 곤에서 벗어나므로 길한 것이다.

"삼(三)은 음(陰)으로 하괘(下卦)의 위에 있는데 흉하고, 상(上)은 한 괘의 위에 있는데 흉함이 없음은 어째서인가?" "삼(三)은 강(剛)에 거하고 험(險)에 처하였으니 곤하면서 강험(剛險)을 쓰기 때문에 흉한 것이요, 상(上)은 유(柔)로서 기뻐함에 처하였으니 오직 곤함이 지극할 뿐이니, 곤함이 지극하면 곤함을 변하는 방도가 있는 것이다."

곤괘(困卦)와 준괘(屯卦 ䷂)의 상(上)이 모두 응이 없으면서 괘의 마지막에 있는데, 준괘는 피눈물을 철철 흘리고 곤괘는 뉘우치는 마음을 두면 가서 길한 것은, 준(屯)은 험(險)의 극이고 곤(困)은 기뻐하는 체이기 때문이니, 기뻐함과 순함으로 나아가면 곤함에서 떠날 수 있는 것이다.

本義 | 以陰柔處困極이라 故有困于葛藟于臲卼하여 曰動悔之象이라 然物窮則變이라 故其占曰 若能有悔면 則可以征而吉矣라하니라

음유(陰柔)로 곤(困)의 극에 처했기 때문에 갈류(葛藟)와 얼올(臲卼)에 곤하여 동함에 뉘우치는 상(象)이 있는 것이다. 그러나 사물이 궁구에 이르면 변하기 때문에 그 점(占)에 '만일 뉘우치는 마음을 두면 가서 길할 것이다.' 한 것이다.

......
린다[乘馬班如, 泣血漣如]" 하였으므로 말한 것이다.

象曰 困于葛藟는 未當也요 動悔有悔는 吉行也라

〈상전〉에 말하였다. "'곤우갈류(困于葛藟)'는 자리가 합당하지 않기 때문이요, '동회유회(動悔有悔)'는 감에 길한 것이다."

傳│ 爲困所纏而不能變은 未得其道也니 是處之未當也라 知動則得悔하여 遂有悔而去之면 可出於困이니 是其行而吉也라

곤(困)에게 속박당하여 변하지 못함은 그 도를 얻지 못했기 때문이니, 이는 처함이 합당하지 않은 것이다. 동하면 뉘우침을 얻을 줄을 알아 마침내 뉘우치는 마음을 두고 떠나가면 곤함에서 벗어날 수 있으니, 이는 가서 길한 것이다.

傳│ 井은 序卦에 困乎上者는 必反下라 故受之以井이라하니라 承上升而不已必困爲言하니 謂上升不已而困이면 則必反於下也라 物之在下者 莫如井하니 井所以次困也라 爲卦 坎上巽下하니 坎은 水也며 巽之象은 則木也요 巽之義는 則入也라 木은 器之象이니 木入於水下而上乎水는 汲井之象也라

　　정괘(井卦)는 〈서괘전〉에 "위에서 곤한 자는 반드시 아래로 돌아온다. 그러므로 정괘로 받았다." 하였다. '위로 올라가고 그치지 않으면 반드시 곤하게 됨'을 이어서 말했으니, 위로 올라가기를 그치지 아니하여 곤하면 반드시 아래로 돌아옴을 말한 것이다. 물건이 아래에 있는 것은 우물 만한 것이 없으니, 정괘가 이 때문에 곤괘(困卦 ䷮)의 다음이 된 것이다. 괘됨이 감(坎 ☵)이 위에 있고 손(巽 ☴)이 아래에 있으니, 감(坎)은 물이며 손의 상(象)은 나무이고 손의 뜻은 들어감이다. 나무는 그릇의 상이니, 나무가 물 아래로 들어가서 물을 퍼올림은 우물을 긷는 상이다.

井은 **改邑**하되 **不改井**이니 **无喪无得**하며 **往來井井**하나니
　우물은, 고을은 바꾸어도 우물은 바꿀 수 없으니, 잃음도 없고 얻음도 없으며, 오고가는 이가 우물을 우물로 쓰나니,
本義│ **不改井**이라 **无喪无得**하여
　　　우물은 바꿀 수 없다. 잃음도 없고 얻음도 없어

傳│ 井之爲物은 常而不可改也라 邑은 可改而之他어니와 井은 不可遷也라 故曰改邑不改井이라하니라 汲之而不竭하고 存之而不盈은 无喪无得也요 至者皆得其用은 往來井井也라 无喪无得은 其德也常이요 往來井井은 其用也周니 常也, 周也는 井之道也라

　　우물이란 물건은 항상하여 바꿀 수 없다. 고을은 바꾸어 다른 곳으로 갈 수 있으나 우물은 옮길 수가 없다. 그러므로 고을은 바꾸어도 우물은 바꿀 수 없다고

···　汲 : 물길을 급

한 것이다. 물이 길어도 다 없어지지 않고 내버려 두어도 차지 않음은 잃음도 없고 얻음도 없는 것이요, 이르는 자가 모두 씀을 얻음은 오고가는 이가 우물을 우물로 쓰는 것이다. 잃음도 없고 얻음도 없음은 그 덕(德)이 항상함이요, 오고가는 이가 우물을 우물로 씀은 그 쓰임이 두루함이니, 항상함과 두루함은 우물의 도(道)이다.

汔(흘)至亦未繘(율)井이니 羸(리)其瓶이면 凶하니라
  거의 이르러도(올라와도) 우물에 끈을 드리우지 못한 것과 같으니, 물병(두레박)을 깨뜨리면 흉하다.

本義| 汔至라도 亦未繘井하여서
  거의 이르더라도 우물에 끈을 다 올리지 못하고서

傳| 汔은 幾也요 繘은 綆(경)也라 井은 以濟用爲功하니 幾至而未及用은 亦與未下繘於井同也라 君子之道는 貴乎有成이니 所以五穀不熟은 不如荑稗[133](제패)요 掘井九仞而不及泉이면 猶爲棄井[134]이요 有濟物之用而未及物이면 猶无有也라 羸敗其瓶而失之면 其用喪矣니 是以凶也라 羸는 毁敗也라

  '흘(汔)'은 거의이고, '율(繘)'은 두레박끈이다. 우물은 제용(濟用;쓰임을 이룸)을 공(功)으로 삼으니, 거의 이르렀으나 씀에 미치지 못함은 또한 두레박끈을 우물에 내리지 않음과 같은 것이다. 군자의 도는 이룸이 있음을 귀하게 여긴다. 이 때문에 오곡(五穀)이 성숙(成熟)하지 못함은 돌피나 피만 못하고, 우물을 아홉 길을 팠더라도 샘물에 미치지 못하면 오히려 버려진 우물이 되며, 물건을 구제하는 쓰임이 있으나 물건에 미치지 못하면 없는 것과 같은 것이다. 물병을 리패(羸敗;깨뜨림)하여 잃으면 그 쓰임을 상실하니, 이 때문에 흉한 것이다. '리(羸)'는 훼손하고 깨

· · · · · ·
133 五穀不熟 不如荑稗 : 《맹자》〈고자 상(告子上)〉에 "오곡은 종자가 아름다운 것이나 만일 성숙하지 못하면 돌피나 피만 못하다.〔五穀者, 種之美者也, 苟爲不熟, 不如荑稗.〕"라고 한 내용을 인용한 것이다.

134 掘井九仞而不及泉 猶爲棄井 : 《맹자》〈진심 상(盡心上)〉에 "훌륭한 일을 함이 있는 자는 비유하면 우물을 파는 것과 같으니, 우물을 아홉 길을 팠더라도 샘물에 미치지 못하면 오히려 버려진 우물이 된다.〔有爲者, 辟若掘井, 掘井九軔而不及泉, 猶爲棄井也.〕"라고 한 내용을 인용한 것이다.

··· 汔 : 거의 흘 繘 : 두레박줄 귤 羸 : 망가질 리 瓶 : 병 병 綆 : 두레박줄 경 荑 : 돌피 제 稗 : 피 패 仞 : 길 인

뜨리는 것이다.

本義 | 井者는 穴地出水之處니 以巽木入乎坎水之下하여 而上出其水라 故爲井
이라 改邑不改井이라 故无喪无得이며 而往者來者皆井其井也라 汔은 幾也요 繘
은 綆也요 羸는 敗也라 汲井幾至라도 未盡綆而敗其瓶이면 則凶也라 其占은 爲事
仍舊면 无得喪이요 而又當敬勉이니 不可幾成而敗也니라

　　우물은 땅을 파서 물이 나오는 곳이니, 손목(巽木)이 감수(坎水)의 아래로 들어
가서 물을 퍼올린다. 그러므로 괘 이름을 정(井)이라 한 것이다. 고을은 바꾸어도
우물은 바꿀 수 없다. 그러므로 잃음도 없고 얻음도 없으며 오고가는 자가 모두
그 우물을 우물로 쓰는 것이다. '흘(汔)'은 거의이고, '율(繘)'은 두레박끈이고, '리'
(羸)'는 패함(깨짐)이다. 우물을 길어 거의 이르렀더라도 끈을 다 올리지 못하고서
물병(두레박)을 깨뜨리면 흉하다. 이 점(占)은 옛일을 그대로 따르면 잃음도 얻음
도 없을 것이요, 또 마땅히 공경하여 힘써야 하니, 거의 다 이루었다가 깨뜨려서
는 안 된다.

彖曰 巽乎水而上水 井이니 井은 養而不窮也하니라

　　〈단전〉에 말하였다. "물 속에 들어가서 물을 퍼올림이 정(井)이니, 정
(井)은 물건을 길러주어서 다하지 않는다.

本義 | 以卦象으로 釋卦名義라

　　괘상(卦象)으로써 괘명(卦名)의 뜻을 해석하였다.

改邑不改井은 乃以剛中也요

　　고을은 바꾸어도 우물은 바꿀 수 없음은 강중(剛中)이기 때문이요,

傳 | 巽入於水下而上其水者井也라 井之養於物이 不有窮已〔一作无有窮也〕하여
取之而不竭하니 德有常也라 邑可改어니와 井不可遷은 亦其德之常也라 二、五
之爻 剛中之德이 其常乃如是하니 卦之才 與義合也라

　　손(巽:나무로 만든 두레박)이 물의 아래로 들어가서 그 물을 퍼올리는 것이 우물

　　··· 巽 : 유순할 손

이다. 우물이 물건(동물과 식물)을 길러줌은 다함이 없어 취하여도 다하지 않으니, 덕(德)이 항상함이 있는 것이다. 고을은 바꾸어도 우물은 옮길 수 없음은 또한 그 덕이 항상한 것이다. 이효(二爻)와 오효(五爻)의 강중(剛中)의 덕이 그 항상함이 마침내 이와 같으니, 괘의 재질이 의(義)와 합한 것이다.

汔至亦未繘井은 **未有功也**요 **羸其瓶**이라 **是以凶也**라

'거의 올라와도 우물에 두레박끈을 드리우지 못함〔汔至亦未繘井〕'은 공(功)이 없는 것이요, 물병을 깨뜨렸기 때문에 흉한 것이다."

傳 | 雖使幾至라도 旣未爲用이면 亦與未繘井同이라 井은 以濟用爲功하니 水出이라야 乃爲用이니 未出則何功也리오 瓶은 所以上水而致用也니 羸敗其瓶이면 則不爲用矣라 是以凶也라

비록 가령 〈우물의 물이〉 거의 올라왔더라도 이미 쓰임이 되지 못하면 또한 우물에 두레박끈을 드리우지 않음과 같은 것이다. 우물은 씀을 이룸을 공으로 삼는 바, 물이 우물 속에서 나와야 비로소 쓰임이 될 수 있으니, 우물 속에서 나오지 않았으면 무슨 공이 있겠는가. 물병은 물을 퍼올려 쓰임을 이루는 것이니, 물병을 깨뜨렸다면 쓰임이 되지 못한다. 이 때문에 흉한 것이다.

本義 | 以卦體로 釋卦辭라 无喪无得 往來井井兩句는 意與不改井同이라 故不復出이라 剛中은 以二、五而言이라 未有功而敗其瓶하니 所以凶也라

괘체(卦體)로써 괘사(卦辭)를 해석하였다. '무상무득(无喪无得)'과 '왕래정정(往來井井)' 두 구(句)는 뜻이 우물은 바꿀 수 없다는 말과 같으므로 우물 물이 다시 나오지 않은 것이다. 강중(剛中)은 이(二)와 오(五)로써 말한 것이다. 공이 있기 전에 물병을 깨뜨렸으니, 이 때문에 흉한 것이다.

象曰 木上有水井이니 **君子以**하여 **勞民勸相**하나니라

〈상전〉에 말하였다. "나무 위에 물이 있음이 정(井)이니, 군자가 보고서 백성을 위로하여 서로 돕는 것으로 권면(勸勉)한다."

본의 | 백성을 위로하며

傳 | 木承水而上之〔一作來〕는 乃器汲水而出井之象이니 君子觀井之象하고 法井之德하여 以勞倈其民하여 而勸勉以相助之道也라 勞倈其民은 法井之用也요 勸民使相助는 法井之施也라

나무가 물을 받들어 퍼올림은 바로 그릇(병이나 두레박)으로 물을 길어 우물에서 내오는 상(象)이니, 군자가 우물의 상을 살펴보고 우물의 덕을 본받아서 백성들을 노래(勞倈:위로함)하여 서로 돕는 방법으로 권면(勸勉)한다. 백성들을 노래함은 우물의 쓰임을 본받은 것이요, 백성들을 권면하여 서로 돕게 함은 우물의 베풂을 본받은 것이다.

本義 | 木上有水하니 津潤上行은 井之象也라 勞民者는 以君養民이요 勸相者는 使民相養이니 皆取井養之義니라

나무 위에 물이 있으니, 윤택한 것이 위로 행함은 우물의 상이다. 백성을 위로함은 군주로서 백성을 기르는 것이요, 서로 돕는 방법으로 권면함은 백성들로 하여금 서로 기르게 하는 것이니, 이는 모두 우물이 기르는 뜻을 취한 것이다.

初六은 井泥不食이라 舊井에 无禽이로다

초육(初六)은 우물에 진흙이 있어 먹지 않는다. 옛 우물에 새가 없도다.(새도 오지 않도다.)

傳 | 井與鼎이 皆物也니 就物以爲義라 六以陰柔居下하여 上无應援하니 无上水之象이라 不能濟物은 乃井之不可食也니 井之不可〔一无可字〕食은 以泥汚也일새라 在井之下하니 有泥之象이라 井之用은 以其水之養人也니 无水則舍置不用矣라 井水之上이면 人獲其用이요 禽鳥亦就而求焉하나니 舊廢之井은 人旣不食하여 水不復上이면 則禽鳥亦不復往矣니 蓋无以濟物也라 井은 本濟人之物이로되 六以陰居下하여 无上水之象이라 故爲不食이라 井之不食은 以泥也니 猶人當濟物之時로되 而才弱无援하여 不能及物이면 爲所舍也라

정(井)과 정(鼎:솥)이 다 물건이니, 물건을 가지고 뜻을 삼았다. 육(六)이 음유(陰柔)로서 아래에 거하여 위에 응원이 없으니, 물을 퍼올리는 상이 없다. 물건을 구제하지 못함은 바로 우물을 먹을 수 없는 것이니, 우물을 먹을 수 없음은 진흙이

... 勞 : 위로할 로 倈 : 위로할 래 泥 : 진흙 니

있어 더럽기 때문이다. 초(初)는 우물의 맨 아래에 있으니, 진흙의 상이 있다. 우물의 쓰임은 그 물이 사람을 기르기 때문이니, 물이 없으면 버려두고 쓰지 않는다. 우물 물이 올라오면 사람들이 그 씀을 얻고, 금조(禽鳥;새) 또한 나아가서 물을 구하는데, 옛날에 버려진 우물은 사람들이 이미 먹지 아니하여 물이 다시 올라오지 않으면 새들 또한 다시 가지 않으니, 이는 물건을 구제할 수 없는 것이다.

우물은 본래 사람을 구제하는 물건이나, 육(六)이 음효(陰爻)로서 아래에 거하여 물을 퍼올리는 상이 없기 때문에 먹지 않는 것이다. 우물을 먹지 않음은 진흙 때문이니, 사람이 물건을 구제할 때를 당하였으나 재주가 약하고 원조가 없어서 남에게 미치지 못하면 버려지는 것과 같은 것이다.

本義 | 井은 以陽剛爲泉하고 上出爲功하니니 初六이 以陰居下라 故爲此象이라 蓋不泉而泥면 則人所不食이요 而禽鳥亦莫之顧也라

우물은 양강(陽剛)을 맑은 물로 삼고 위로 나옴을 공(功;공효)으로 삼는데, 초육(初六)이 음효(陰爻)로 아래에 있기 때문에 이 상(象)이 된 것이다. 맑은 물이 못되고 진흙이 있으면 사람들이 먹지 않을 것이요, 새들 또한 돌아보지 않을 것이다.

象曰 井泥不食은 下也일새요 舊井无禽은 時舍也라

〈상전〉에 말하였다. "우물에 진흙이 있어 먹지 않음은 아래에(낮은 곳에) 있기 때문이요, 옛 우물에 새가 없음은 때에 버려진 것이다."

傳 | 以陰而居井之下는 泥之象也니 无水而泥면 人所不食也라 人不食이면 則水不上하여 无以及禽鳥하니 禽鳥亦不至矣라 見其不能濟物하여 爲時所舍置不用也니 若能及禽鳥면 是亦有所濟也라 舍는 上聲이니 與乾之時舍로 音不同[135]이라

음효(陰爻)로서 우물의 아래에 있음은 진흙의 상(象)이니, 물이 없고 진흙이 있으면 사람이 먹지 않는다. 사람이 먹지 않으면 물이 올라오지 않아 새들에게 미

••••••
135 舍上聲 與乾之時舍 音不同:건괘(乾卦)〈문언전〉에 "見龍在田, 時舍也."라 하였는데, 정이천(程伊川)은 시사(時舍)를 '때로 그치다'로 풀이하여 거성(去聲)으로 읽었다. 사(舍) 자를 '그치다, 머물다'로 해석할 경우에는 거성으로, '버리다'로 해석할 경우에는 상성(上聲)으로 읽기 때문에 말한 것이다. 그러나 주자(朱子)는 똑같이 버려지는 것으로 해석하였다.

칠 수 없으니, 새들 또한 이르지(오지) 않는다. 이는 우물이 물건을 구제하지 못하여 때에 버려져서 쓰여지지 않음을 나타낸 것이니, 만일 새들에게 미친다면 이 또한 구제하는 바가 있는 것이다. '사(舍)'는 상성(上聲)이니, 건괘(乾卦)의 시사(時舍)와는 음(音)이 똑같지 않다.

本義 | 言爲時所棄라

때에 버려진 바가 됨을 말한 것이다.

九二는 井谷이라 射鮒(석부)요 甕敝漏(옹폐루)로다

구이(九二)는 우물이 골짝물처럼 부(鮒;개구리, 두꺼비)에게만 대고, 동이가 깨져 물이 새도다.

傳 | 二雖剛陽之才而居下하여 上无應而比於初하니 不上而下之象也라 井之道는 上行者也어늘 澗谷之水는 則旁出而就下하니 二居井而就下하여 失井之道하니 乃井而如谷也라 井上出이면 則養人而濟物〔一作上出而養人濟物〕이어늘 今乃下就汚泥하여 注於鮒而已라 鮒는 或以爲蝦(하)라하고 或以爲蟇(마)라하니 井泥中微物耳라 射은 注也니 如谷之下流 注於鮒也라 甕敝漏는 如甕之破漏也라 陽剛之才는 本可以養人濟物이로되 而上无應援이라 故不能上而就下하니 是以로 无濟用之功하니 如水之在甕은 本可爲用이로되 乃破敝而漏之하여 不爲用也라 井之初、二无功이로되 而不言悔咎는 何也오 曰 失則有悔요 過則爲咎어니와 无應援而不能成用하니 非悔咎乎인저 居二比初가 豈非過乎아 曰 處中은 非過也라 不能上은 由无援이요 非以比初也니라

이(二)가 비록 양강(陽剛)의 재질이나 아래에 거하여 위에 응이 없고 초(初)에 가까이 있으니, 올라오지 못하고 내려가는 상이다. 우물의 도는 올라오는 것인데, 간곡(澗谷)의 물은 옆에서 나와 아래로 내려가니, 이(二)가 정(井)의 때에 거하여 아래로 내려가서 우물의 도를 잃었으니, 바로 산골짝에서 나오는 우물(계곡물)과 같은 것이다. 우물물이 위로 나오면 사람을 기르고 물건을 구제할 수 있는데, 이제 마침내 아래로 더러운 진흙으로 나아가서 부(鮒)에게 댈 뿐이다. '부(鮒)'는 혹 하(蝦;두꺼비)라고도 하고 혹 마(蟇;개구리)라고도 하니, 우물의 진흙 속에 있는 미

··· 鮒 : 두꺼비 부 甕 : 동이 옹 敝 : 깨질 폐 漏 : 샐 루 澗 : 시내 간 蝦 : 두꺼비 하 蟇 : 개구리 마

물이다. '석(射)'은 물을 대는 것이니, 골짜기의 하류(下流)가 부(鮒)에게만 대는 것과 같은 것이다.

'옹폐루(甕敝漏)'는 동이가 깨져 물이 새는 것과 같은 것이다. 양강의 재질은 본래 사람을 기르고 물건을 구제할 수 있으나 위에 응원이 없으므로 능히 올라오지 못하고 아래로 내려가니, 이 때문에 씀을 이루는 공(功)이 없는 것이니, 물이 동이에 있음은 본래 쓰임이 될 수 있으나 동이가 깨져서 물이 새어 쓰임이 되지 못함과 같은 것이다.

"정(井)의 초효(初爻)와 이효(二爻)가 공이 없는데도 회구(悔咎)를 말하지 않음은 어째서인가?" "잘못하면 뉘우침이 있고 과(過)하면 허물이 되나, 응원이 없어서 씀을 이루지 못한 것이니, 뉘우침과 허물은 아닌 것이다."

"이(二)에 거하여 초(初)와 가까이 있는 것이 어찌 과(過)함이 아닌가?" "중(中)에 처함은 과한 것이 아니다. 올라가지 못함은 응원이 없기 때문이요, 초(初)를 가까이해서가 아니다."

傳 | 九二剛中하여 有泉之象이라 然上无正應하고 下比初六하여 功不上行이라 故其象如此하니라

구이(九二)가 강중(剛中)이어서 맑은 물의 상(象)이 있다. 그러나 위에 정응(正應)이 없고 아래로 초육(初六)과 가까이 있어서 공이 위로 행하지(올라가지) 못하기 때문에 그 상이 이와 같은 것이다.

象曰 井谷射鮒는 无與也일새라

〈상전〉에 말하였다. "우물이 골짝물처럼 부(鮒)에게만 댐은 응여(應與)가 없기 때문이다."

傳 | 井은 以上出爲功하나니 二는 陽剛之才로 本可濟用이로되 以在下而上无應援이라 是以로 下比而射鮒하니 若上有與之者면 則當汲引而上하여 成井之功矣리라

우물은 위로 나오는 것을 공으로 삼는데 이(二)는 양강(陽剛)의 재질이라서 본래 씀을 이룰 수 있으나 아래에 있고 위에 응원이 없기 때문에 아래로 가까이하여 부(鮒)에게만 대는 것이니, 만약 위에 응여(應與)가 있다면 마땅히 물을 길어 올려

서 우물의 공을 이룰 것이다.

九三은 井渫(설)不食하여 爲我心惻¹³⁶하여 可用汲이니 王明하면 竝
受其福하리라

　구삼(九三)은 우물이 깨끗한데도 먹어주지 아니하여 내 마음에 슬퍼함
이 되어 물을 길을 수 있으니, 왕이 현명하면 함께 그 복을 받으리라.

本義｜ 爲我心惻하니 可用汲이라

　　　나를 위하여 마음에 슬퍼하니 물을 길어야 한다.

傳｜ 三以陽剛으로 居得其正하니 是有濟用之才者也요 在井下之上하니 水之淸
潔可食者也라 井은 以上爲用하니 居下는 未得其用也라 陽之性은 上이요 又志應
上六하며 處剛而過中하여 汲汲於上進하니 乃有才用而切於施爲로되 未得其用하
니 則如井之渫治淸潔而不見食하여 爲心之惻惻也라 三이 居井之時하여 剛而不
中이라 故切於施爲하니 異乎用之則行, 舍之則藏¹³⁷者也라 然明王用人에 豈求備
也리오 故王明則受福矣라 三之才足以濟用하니 如井之淸潔하여 可用汲而食也니
若上有明王이면 則當用之而得其效라 賢才見用이면 則己得行其道요 君得享
其功이요 下得被其澤이니 上下竝受其福也라

　삼(三)은 양강(陽剛)으로 거함에 정(正)을 얻었으니 이는 쓰임을 이룰 수 있는
재주를 가지고 있는 자이며, 정(井)의 하괘(下卦)의 위에 있으니 물이 청결하여 먹
을 수 있는 자이다. 우물은 위로 올라오는 것을 쓰임으로 삼으니, 아래에 있음은
그 쓰임을 얻지 못한 것이다. 양의 성질은 올라오고 또 뜻이 상육(上六)과 응하며
강위(剛位)에 처하고 중(中)을 지나서 위로 나아감에 급급하니, 이는 바로 재주와
쓰임이 있어 시행함에 간절하나 그 쓰임을 얻지 못한 것이니, 우물을 치우고 다스
려 청결하나 먹어주지 아니하여 마음이 슬퍼지는 것과 같은 것이다.

水
風
井

383

......

136　爲我心惻：《정전》에는 "내 마음에 슬퍼함이 되어"로 해석하였으나, 《본의》에는 "나를 위하여
마음에 슬퍼하니"로 해석하였다.

137　用之則行 舍之則藏：써주면 나가서 도(道)를 행하고, 써주지 않고 버리면 은둔하는 것으로,
《논어》〈술이(述而)〉에 보이는 공자의 말씀이다.

...　渫 : 쳐낼 설　惻 : 슬퍼할 측　怛 : 슬퍼할 달

삼(三)이 정(井)의 때에 거하여 강하나 중(中)하지 못하기 때문에 시행함에 간절하니, '써주면 행하고 버리면 감추는 자'와는 다르다. 그러나 명왕(明王)이 사람을 등용함에 어찌 완비함을 구하겠는가. 그러므로 왕이 현명하면 복을 받는 것이다. 삼(三)의 재주가 충분히 씀을 이룰 수 있으니, 우물이 청결하여 물을 길어 먹을 수 있는 것과 같으니, 만일 위에 명왕(明王)이 있으면 마땅히 등용하여 효험을 얻을 것이다. 현재(賢才)가 등용되면 자신은 그 도를 행하고 군주는 그 공(功)을 누리고 하민(下民)은 그 은택을 입게 되니, 이는 상·하가 모두 그 복을 받는 것이다.

本義 | 渫은 不停汚也라 井渫不食하여 而使人心惻하니 可用汲矣라 王明이면 則汲井以及物하여 而施者受者並受其福也라 九三이 以陽居陽하여 在下之上而未爲時用이라 故其象占如此하니라

'설(渫)'은 정체되어 더럽지 않은 것이다. 우물이 깨끗한데도 먹지 않아 사람으로 하여금 마음에 서글프게 하니, 물을 길을 수 있다. 왕이 현명하면 우물을 길어 남에게 미쳐서 베푸는 자와 받는 자가 모두 그 복을 받을 것이다. 구삼(九三)이 양효(陽爻)로서 양위(陽位)에 거하여 하괘(下卦)의 위에 있으면서 때에 쓰여짐이 되지 못하였으므로 그 상(象)과 점(占)이 이와 같은 것이다.

象曰 井渫不食은 行을 惻也[138]요 求王明은 受福也라
  〈상전〉에 말하였다. "우물이 깨끗한데도 먹지 않음은 행함을(행하지 못함을) 서글퍼함이요, 왕의 현명함을 구함은 복을 받기 위해서이다."

本義 | 行이 惻也요
     길가는 사람이 서글퍼함이요

傳 | 井渫治而不見食은 乃人有才知(智)而不見用이니 以不得行으로 爲憂惻也라 旣以不得行爲惻이면 則豈免有求也리오 故求王明而受福하니 志切於行也라

......
138 行惻也 : '행측(行惻)'을 《정전》에는 "도를 행하지 못함을 슬퍼하는 것"으로 본 반면, 《본의》에는 '행도지인(行道之人), 곧 길을 가는 낯 모르는 사람도 깨끗한 우물이 버려짐을 서글퍼하는 것'으로 해설하였다.

우물이 깨끗이 다스려졌는데도 먹어주지 않음은 바로 사람이 재주와 지혜가 있는데도 쓰여지지 못하는 것이니, 행하지 못함을 근심하고 서글퍼하는 것이다. 이미 행하지 못함을 근심하고 서글퍼한다면 어찌 구함이 있음을 면하겠는가. 그러므로 왕의 현명함을 구하여 복을 받는 것이니, 뜻이 행함에 간절한 것이다.

本義 | 行惻者는 行道之人이 皆以爲惻也라

'행측(行惻)'은 길가는 사람이 모두 서글프게 여기는 것이다.

六四는 井甃(추)면 无咎리라

육사(六四)는 우물에 벽돌을 쌓으면 허물이 없으리라.

本義 | 井甃니

우물에 벽돌을 쌓음이니,

傳 | 四雖陰柔而處正하여 上承九五之君하니 才不足以廣施利物이로되 亦可自守者也라 故能修治면 則得无咎라 甃는 砌(체)累也니 謂修治也라 四雖才弱하여 不能廣濟物之功이나 修治其事하여 不至於廢는 可也니 若不能修治하여 廢其養人之功이면 則失井之道하여 其咎大矣라 居高位而得剛陽中正之君하니 但能處正承上하여 不廢其事하면 亦可以免咎也라

사(四)가 비록 음유(陰柔)이나 정(正:바른 자리)에 처하여 위로 구오(九五)의 군주를 받드니, 재주가 널리 베풀어 물건을 이롭게 할 수는 없으나 또한 스스로 지킬 수 있는 자이다. 그러므로 잘 수치(修治:닦고 다스림)하면 허물이 없을 수 있는 것이다. '추(甃)'는 벽돌을 쌓는 것이니, 우물을 수치함을 이른다. 사(四)가 비록 재주가 약하여 물건을 구제하는 공(功)을 넓히지 못하나 그 일을 수치하여 폐하는 데에 이르지 않음은 가능하니, 만일 수치하지 못하여 사람을 기르는 공을 폐한다면 우물의 도를 잃어 그 허물이 크다. 높은 지위에 거하여 강양 중정(剛陽中正)의 군주을 인었으니, 다만 정(正)에 처하고 윗사람을 받들어 그 일을 폐하지 않으면 또한 허물을 면할 수 있는 것이다.

本義 | 以六居四하여 雖得其正이나 然陰柔不泉하니 則但能修治요 而无及物之

···   甃 : 벽돌 추 砌 : 쌓을 체

功이라 故其象爲井甃요 而占則无咎하니 占者能自修治면 則雖无及物之功이나
而亦可以无咎矣니라

육(六)으로서 사(四)에 거하여 비록 정위(正位)를 얻었으나 음유(陰柔)여서 깨끗
하지 못하니, 다만 수치(修治)할 뿐이요 물건에 미치는 공이 없다. 그러므로 그 상
(象)이 우물에 벽돌을 쌓음이 되고 점(占)은 허물이 없는 것이니, 점치는 자가 스
스로 수치하면 비록 남에게 미치는 공은 없으나 또한 허물은 없을 수 있다.

象曰 井甃无咎는 修井也일새라

〈상전〉에 말하였다. "우물에 벽돌을 쌓으면 허물이 없음은 우물을 수치
하기 때문이다."

傳 │ 甃者는 修治於井也라 雖不能大其濟物之功이나 亦〔一作若〕能修治〔一有亦字〕
不廢也라 故无咎하니 僅能免咎而已라 若在剛陽이면 自不至如是리니 如是則可咎
矣라

'추(甃)'는 우물을 수치하는 것이다. 비록 물건을 구제하는 공을 크게 하지는
못하나, 또한 수치하여 폐하지 않을 수 있으므로 허물이 없으니, 겨우 허물을 면
할 뿐이다. 만일 강양(剛陽)의 자리에 있다면 스스로 이와 같음에 이르지 않을 것
이니, 이와 같이 하면 허물이 될 수 있다.

九五는 井洌寒泉食이로다

구오(九五)는 우물이 깨끗하여 시원한 샘물을 먹도다.

傳 │ 五以陽剛中正으로 居尊位하여 其才其德이 盡善盡美하니 井洌寒泉食也라
洌은 謂甘潔也니 井泉은 以寒爲美라 甘潔之寒泉은 可爲人食也니 於井道에 爲至
善也라 然而不言吉者는 井以上出爲成功하니 未至於上이면 未及用也라 故至上
而後에 言元吉하니라

오(五)가 양강 중정(陽剛中正)으로 존위(尊位)에 거하여 재주와 덕(德)이 진선 진
미(盡善盡美)하니, 우물이 깨끗하여 시원한 샘물을 먹는 것이다. '열(洌)'은 달고 깨
끗함을 이르니, 우물 물은 시원한 것을 아름답게 여긴다. 달고 깨끗한 시원한 샘

··· 洌 : 차가울 렬, 맑을 렬

물은 사람이 먹을 수 있으니, 우물의 도에 지선(至善)함이 된다. 그러나 길하다고 말하지 않은 것은, 우물은 위로 나옴을 성공으로 삼으니, 위에 이르지 않으면 쓰임에 미치지 못한 것이다. 그러므로 상(上)에 이른 뒤에야 원길(元吉)을 말한 것이다.

本義 | 冽은 潔也라 陽剛中正하여 功及於物이라 故爲此象하니 占者有其德이면 則契其象也리라

　'열(冽)'은 깨끗함이다. 양강 중정(陽剛中正)하여 공(功)이 물건에 미치기 때문에 이 상(象)이 되니, 점치는 자가 이러한 덕(德)이 있으면 이 상(象)에 합하리라.

象曰 寒泉之食은 中正也일새라

　〈상전〉에 말하였다. "시원한 샘물을 먹음은 중정(中正)하기 때문이다."

傳 | 寒泉而可食은 井道之至善者也니 九五中正之德이 爲至善之義라

　시원한 샘물이어서 먹을 수 있음은 정도(井道)에 지극히 선(善)한 것이니, 구오(九五)의 중정(中正)한 덕(德)이 지극히 선한 뜻이 된다.

上六은 井收勿幕하고 有孚라 元吉이니라

　상육(上六)은 우물을 길어 덮지 않고 항상함이 있는지라 크게 선(善)하여 길하다.

本義 | 井收勿幕이니

　　우물을 길어 덮지 않음이니,

傳 | 井은 以上出爲用하니 居井之上은 井道之成也라 收는 汲取也요 幕은 蔽覆(부)也라 取而不蔽면 其利无窮하니 井之施 廣矣、大矣라 有孚는 有常而不變也니 博施而有常은 大善之吉也라 夫〔一作人〕體井之用하여 博施而有常은 非大人이면 孰能이리오 他卦之終은 爲極爲變이로되 唯井與鼎은 終乃爲成功하니 是以吉也라

　우물은 위로 나옴을 쓰임으로 삼으니, 정(井)의 위에 거함은 정(井)의 도가 이루어진 것이다. '수(收)'는 물을 길어 취함이요, '막(幕)'은 우물을 가리고 덮는 것

··· 幕 : 덮을 막 鼎 : 솥 정

이다. 취하고 가리지 않으면 그 이로움이 무궁하니, 우물의 베풂이 넓고 큰 것이다. '유부(有孚)'는 항상함이 있어 변치 않음이니, 널리 베풀고 항상함이 있음은 대선(大善)의 길함이다. 〈사람이〉 우물의 쓰임을 체행하여 널리 베풀고 항상함이 있음은 대인(大人)이 아니면 그 누가 능하겠는가. 다른 괘의 종(終)은 극(極)이 되어 변함이 되나 오직 정괘(井卦)와 정괘(鼎卦)는 종(終)이 도리어 성공함이 되니, 이 때문에 길한 것이다.

本義 | 收는 汲取也라 晁氏云 收는 鹿盧收繘者也라하니 亦通이라 幕은 蔽覆也요 有孚는 謂其出有源而不窮也라 井은 以上出爲功이어늘 而坎口不揜[139]이라 故上六이 雖非陽剛이나 而其象如此라 然占者應之에 必有孚라야 乃元吉也라

'수(收)'는 물을 길어 취함이다. 조씨(晁氏)가 이르기를 "수(收)는 녹로(鹿盧:도르래)로써 두레박끈을 거두는 것이다." 하니, 또한 통한다. '막(幕)'은 우물을 가리고 덮는 것이요, '유부(有孚)'는 그 나옴이 근원이 있어 다하지 않음을 이른다. 정(井)은 위로 나오는 것을 공(功)으로 삼는데, 감(坎)의 입이 닫히지 않았기 때문에 상육(上六)이 비록 양강(陽剛)이 아니나 그 상(象)이 이와 같은 것이다. 그러나 점치는 자가 응할 적에 반드시 항상함이 있어야 크게 길하다.

象曰 元吉在上이 大成也라

〈상전〉에 말하였다. "원길(元吉)로 위에 있음은 크게 이룬 것이다."

傳 | 以大善之吉로 在卦之上하니 井道之大成也라 井은 以上爲成功이니라

대선(大善)의 길함으로 괘의 위에 있으니, 정도(井道)가 크게 이루어진 것이다. 정(井)은 위로 올라오는 것을 성공으로 삼는다.

· · · · · · ·
139 而坎口不揜 : '양획(陽畫)'은 가운데가 끊기지 아니하여 충실한 반면 음획(陰畫)은 가운데가 터져 있어 입을 벌리고 있는 상이 있으므로 말한 것이다. 상괘(上卦)인 감괘(坎卦)의 상육(上六)이 입을 벌리고 있는 상이 된다.

··· 晁 : 아침 조 揜 : 가릴 엄

傳 | 革은 序卦에 井道는 不可不革이라 故受之以革이라하니라 井之爲物이 存之則
穢敗하고 易(역)之則淸潔하니 不可不革者也라 故井之後에 受之以革也니라 爲卦
兌上離下하니 澤中有火也라 革은 變革也니 水火는 相息之物이니 水滅火하고 火
涸(학)水하여 相變革者也라 火之性은 上하고 水之性은 下하니 若相違行이면 則睽
(규)而已[140]어늘 乃火在下하고 水在上하여 相就而相剋하니 相滅息者也니 所以爲
革也라 又二女同居而其歸各異[141]하여 其志不同하니 爲不相得也라 故爲革也라

혁괘(革卦)는 〈서괘전〉에 "우물의 도(道)는 변혁하지 않을 수 없다. 그러므로 혁
괘로 받았다." 하였다. 우물이란 물건은 그대로 두면 더러워지고 썩고 바꾸면 청
결해지니, 변혁하지 않을 수 없는 것이다. 그러므로 정괘(井卦 ䷯)의 뒤에 혁괘로
써 받은 것이다. 괘됨이 태(兌 ☱)가 위에 있고 리(離 ☲)가 아래에 있으니, 못 가
운데에 불이 있는 것이다. 혁(革)은 변혁이니, 물과 불은 서로 멸식(滅息)시키는 물
건이니, 물은 불을 끄고 불은 물을 말려서 서로 변혁하는 것이다.

불의 성질은 위로 올라가고 물의 성질은 아래로 내려가니, 만일 서로 떠나가
면 규(睽, ䷥)가 될 뿐인데, 마침내 불이 아래에 있고 물이 위에 있어 서로 찾아가
서로 이기니, 서로 멸식(滅息)하는 것이니, 이 때문에 괘 이름을 혁(革)이라 한 것
이다. 또 두 여자가 한 곳에 같이 사나 그 돌아감(지취(指趣))이 각기 달라서 뜻이
똑같지 않으니, 이는 서로 뜻이 맞지 않는 것이다. 그러므로 혁(革)이라 한 것이다.

• • • • • •

140 若相違行 則睽而已 : 규(睽)는 규괘(睽卦)를 가리키는바, 서로 화합하지 못하고 반목(反目)
하는 것인데, 혁괘(革卦)와 반대로 화(火)가 위에 있고 택(澤)이 아래에 있으므로 말한 것이다.

141 又二女同居而其歸各異 : 규괘(睽卦) 괘사(卦辭)에 대한 《정전》에 "중녀와 소녀 두 여자가 비
록 함께 사나 돌아가는(시집가는) 바가 각기 다르다.〔又中少二女雖同居, 而所歸各異.〕"라 하여, 규
괘에서는 '귀(歸)'를 시집가는 것으로 보았으나, 여기서는 '귀'를 귀취(歸趣)로 보았으므로 말한 것
이다. 사계(沙溪)는 "귀(歸)는 지취(指趣)이다." 하였다. 《經書辨疑》

••• 穢 : 더러울 예 涸 : 마를 학 弊 : 해질 폐 息 : 멸할 식

革은 已日이라야 乃孚하리니 元亨하고 利貞하여 悔亡하니라

혁(革)은 하루가 지나야 믿으리니, 크게 형통하고 정(貞)함이 이로워 뉘우침이 없다.

傳ㅣ 革者는 變其故也니 變其故면 則人未能遽信이라 故必已日然後에 人心信從이라 元亨利貞悔亡은 弊壞而後革之니 革之는 所以致其通也라 故革之而可以大亨이요 革之而利於正道면 則可久而得去故之義하고 无變動之悔하니 乃悔亡也라 革而无甚益이라도 猶〔一有有字〕可悔也어늘 況反害乎아 古人所以重改作也니라

혁(革)은 그 옛것을 변함이니, 옛것을 변하면 사람들이 대번에 믿지 못한다. 그러므로 반드시 하루가 지난 뒤에야 인심(人心)이 믿고 따르는 것이다. '원형 이정 회망(元亨利貞悔亡)'은 해지고 파괴된 뒤에 변혁하니, 변혁함은 그 통함을 이루는 것이다. 그러므로 변혁하면 크게 형통할 수 있고, 변혁하되 정도(正道)를 지킴이 이로우니, 이렇게 하면 오래하고 옛것을 제거하는 뜻에 맞으며 변동의 뉘우침이 없으니, 이것이 바로 '회망(悔亡)'인 것이다. 개혁을 하여 심한 이익이 없더라도 오히려 뉘우칠 만한데, 하물며 도리어 해로움에 있어서랴. 고인(古人)이 이 때문에 개작(改作)을 신중히 여긴 것이다.

本義ㅣ 革은 變革也라 兌澤在上하고 離火在下하니 火然則水乾(간)하고 水決則火滅하며 中少二女가 合爲一卦로되 而少上中下하여 志不相得이라 故其卦爲革也라 變革之初에는 人未之信이라 故必已日而後信이요 又以其內有文明之德하고 而外有和說之氣라 故其占이 爲有所更革이면 皆大亨而得其正하여 所革皆當하여 而所革之悔亡也라 一有不正이면 則所革이 不信不通而反有悔矣리라

혁(革)은 변혁이다. 태(兌)의 못은 위에 있고 리(離)의 불은 아래에 있으니, 불이 타오르면 물이 마르고 물이 터지면 불이 꺼지며, 중녀(中女 ☲)와 소녀(少女 ☱)가 합하여 한 괘가 되었는데, 소녀는 위에 있고 중녀는 아래에 있어서 뜻이 서로 맞지 못한다. 그러므로 이 괘를 혁(革)이라 한 것이다. 변혁하는 초기에는 사람들이 아직 믿지 않으므로 반드시 하루가 지난 뒤에야 믿는 것이요, 또 안에는 문명(文明)한 덕이 있고 밖에는 화열(和說)한 기운이 있으므로 그 점(占)이 마땅히 변혁할 바가 있으면 모두 크게 형통하고 그 바름을 얻어 개혁하는 바가 모두 합당해서 개

혁하는 바의 뉘우침이 없어지는 것이다. 조금이라도 부정(不正)함이 있으면 개혁하는 바가 신임을 받지 못하고 통하지 못하여 도리어 뉘우침이 있을 것이다.

象曰 革은 **水火相息**하며 **二女同居**하되 **其志不相得**이 **曰革**이라

〈단전〉에 말하였다. "혁(革)은 물과 불이 서로 멸식(滅息)하며 두 여자가 한 곳에 같이 살되 그 뜻이 서로 맞지 못함이 혁이다.

傳 | **澤火**는 **相滅息**하며 **又二女志不相得**이라 **故爲革**이라 **息**은 **爲止息**이요 **又爲生息**이니 **物止而後有生**이라 **故爲生義**라 **革之相息**은 **謂止息也**라

못과 불은 서로 멸식(滅息)하며, 또 두 여자가 뜻(자취)이 서로 맞지 못한다. 그러므로 혁(革)이라 한 것이다. '식(息)'은 지식(止息:그침)이 되고 또 생식(生息:생겨남)이 되니, 물건이 그친 뒤에 생겨남이 있으므로 생겨나는 뜻이 된다. 혁이 서로 멸식함은 지식(止息)을 이른다.

本義 | **以卦象**으로 **釋卦名義**라 **大略與睽相似**나 **然以相違而爲睽**요 **相息而爲革也**라 **息**은 **滅息也**요 **又爲生息之義**하니 **滅息而後生息也**라

괘상(卦象)으로써 괘명(卦名)의 뜻을 해석하였다. 대략 규괘(睽卦☲)와 서로 비슷하나 서로 떠남으로서 규(睽)가 되고 서로 멸식(滅息)함으로서 혁(革)이 되었다. '식(息)'은 멸식함이며 또 생식(生息)의 뜻이 되니, 멸식한 뒤에 생식하게 된다.

已日乃孚는 **革而信之**라

하루가 지나서야 믿음은 개혁하여 믿게 하는 것이다.

傳 | **事之變革**에 **人心豈能便信**이리오 **必終日而後孚**라 **在上者於改爲之際**에 **當詳告申令**하여 **至於已日**하여 **使人信之**니 **人心不信**이면 **雖强之行**이라도 **不能成也**라 **先王政令**을 **人心**이 **始以爲疑者有矣**나 **然其久也必信**이니 **終不孚而成善治者**는 **未之有也**니라

일을 변혁할 때에 인심(人心)이 어찌 대번에 믿겠는가. 반드시 하루가 지난 뒤에야 믿어준다. 위에 있는 자가 개혁하는 즈음에 마땅히 상세히 알리고 거듭 명령

하여 하루가 지남에 이르러 사람들로 하여금 믿게 하여야 하니, 인심이 믿지 않으면 비록 강제로 시행하더라도 성공하지 못한다. 선왕(先王)의 정령(政令)을 사람들의 마음이 처음에는 의심하는 자들이 있었으나 오래됨에 반드시 믿었으니, 끝내 믿게 하지 않고서 선치(善治)를 이룬 자는 있지 않다.

文明以說하여 **大亨以正**하니 **革而當**할새 **其悔乃亡**하니라

문명하고 기뻐하여 크게 형통하고 바르니, 개혁하여 합당하기에 뉘우침이 비로소 없어지는 것이다.

傳ㅣ 以卦才로 言革之道也라 離爲文明이요 兌爲說이니 文明則理无不盡이요 事无不察이며 說則人心和順이라 革而能照察事理하고 和順人心이면 可致大亨而得貞正이니 如是면 變革이 得其至當이라 故悔亡也라 天下之事 革之不得其道면 則反致弊害라 故革有悔之道하니 唯革之至當이면 則新舊之悔 皆亡也라

괘재(卦才)로써 개혁하는 방도를 말하였다. 리(離)는 문명이 되고 태(兌)는 기뻐함이 되니, 문명하면 이치가 다하지 않음이 없고 일이 살피지 않음이 없으며, 기뻐하면 인심이 화하고 순하다. 개혁해서 사리(事理)에 비추어 살피고 인심에 화하고 순하면 대형(大亨)을 이루고 정정(貞正)함을 얻을 수 있으니, 이와 같으면 변혁함이 지극히 합당함을 얻게 된다. 그러므로 뉘우침이 없어진 것이다. 천하의 일은 개혁함이 그 방도에 맞지 않으면 도리어 폐해(弊害)를 이룬다. 그러므로 혁(革)에는 뉘우치는 방도가 있으니, 오직 개혁하기를 지극히 합당하게 하면 신구(新舊)의 뉘우침이 다 없어지는 것이다.

本義ㅣ 以卦德으로 釋卦辭라

괘덕(卦德)으로써 괘사(卦辭)를 해석하였다.

天地革而四時成하며 **湯、武革命**하여 **順乎天而應乎人**하니 **革之時大矣哉**라

하늘과 땅이 변혁하여 사시(四時)가 이루어지며 탕(湯)·무(武)가 혁명을 하여 하늘에 순하고 인심(人心)에 응하였으니, 혁(革)의 때가 크도다."

傳 | 推革之道하여 極乎天地變易、時運終始也라 天地陰陽이 推遷改易而成四時하니 萬物이 於是生長成終이 各得其宜하니 革而後四時成也라 時運旣終이면 必有革而新之者하니 王者之興에 受命於天이라 故易世를 謂之革命이라 湯、武之王이 上順天命하고 下應人心하니 順乎天而應乎人也라 天道變改와 世故[一作事]遷易은 革之至大也라 故贊之曰 革之時大矣哉라하니라

혁(革)의 도(道)를 미루어 하늘과 땅의 변혁과 시운(時運)의 종시(終始)를 지극히 말하였다. 하늘과 땅의 음·양이 미루어 옮기고 개역(改易)하여 사시(四時)를 이루니, 만물이 이에 〈봄에〉 낳고 〈여름에〉 자라고 〈가을에〉 이루고 〈겨울에〉 끝마침이 각각 그 마땅함을 얻으니, 이는 변혁한 뒤에 사시가 이루어지는 것이다.

시운이 이미 끝나면 반드시 개혁하여 새롭게 하는 자가 있으니, 왕자(王者)가 일어날 때에 하늘에 명을 받으므로 세대(世代:왕조)를 바꿈을 혁명이라 이른다. 탕왕(湯王)과 무왕(武王)이 위로 천명(天命)에 순종하고 아래로 인심(人心)에 응하셨으니, 이는 하늘에 순히 하고 사람에게 응한 것이다. 천도(天道)의 변개(變改)와 세고(世故)의 옮기고 바뀜은 변혁의 지극히 큰 것이다. 그러므로 혁(革)의 때가 크다고 찬미한 것이다.

本義 | 極言而贊其大也라

극언(極言)하여 그 큼을 찬미한 것이다.

象曰 澤中有火革이니 君子以하여 治歷(曆)明時하나니라

〈상전〉에 말하였다. "못 가운데 불이 있음이 혁(革)이니, 군자가 보고서 역수(歷數:해와 달의 운행하는 도수(度數))를 다스려 철을 밝힌다."

傳 | 水火相息이 爲革이니 革은 變也라 君子觀變革之象하여 推日、月、星辰之遷易하여 以治歷數하여 明四時之序也라 夫變易之道는 事之至大와 理之至明과 跡之至著가 莫如四時하니 觀四時而順變革이면 則與天地合其序矣리라

물과 불이 서로 멸식함이 혁(革)이 되니, 혁은 변혁이다. 군자가 변혁의 상(象)을 보아 해와 달과 성신(星辰)의 옮기고 바뀜을 미루어 역수(歷數)를 다스려서 사시(四時)의 차례를 밝힌다. 변혁의 도(道)는 일의 지극히 큼과 이치의 지극히 밝음

••• 跡 : 자취 적

과 자취의 지극히 드러남이 사시만한 것이 없으니, 사시를 관찰하여 변혁에 순응하면 천지와 더불어 그 차례가 합하리라.

本義 | 四時之變은 革之大者라

사시의 변화는 변혁의 큰 것이다.

初九는 鞏用黃牛之革이니라

초구(初九)는 공고히 하되 황소가죽을 쓰는 것이다.

傳 | 變革은 事之大也니 必有其時, 有其位, 有其才하여 審慮而愼動而後에 可以无悔라 九는 以時則初也니 動於事初하면 則无審愼之意而有躁易之象이요 以位則下也니 无時无援而動於下하면 則有僭妄之咎而无體勢之重이요 以才則離體而陽也니 離性上而剛體健하여 皆速於動也라 其才如此하니 有爲則凶咎至矣리라 蓋剛不中而體躁에 所不足者는 中與順也니 當以中順自固而无妄動이면 則可也라 鞏은 局束也요 革은 所以包束이며 黃은 中色이요 牛는 順物이니 鞏用黃牛之革은 謂以中順之道自固하여 不妄動也라 不云吉凶은 何也오 曰 妄動이면 則有凶咎어니와 以中順自固하면 則不革而已니 安得便有吉凶乎아

변혁은 일의 큰 것이니, 반드시 그 때가 있고 지위가 있고 재주가 있어서 살펴 생각하고 신중히 동한 뒤에야 뉘우침이 없을 수 있다. 구(九)는 때로써 보면 초(初)이니 일의 초기에 동하면 살피고 삼가는 뜻이 없어 조급하고 함부로 하는 상(象)이 있으며, 지위로써 보면 아래이니 이미 때가 없고 원조(援助)가 없으면서 아래에서 동하면 참람하고 망령된 허물이 있어 체세(體勢)의 중함이 없으며, 재주로써 보면 리(離)의 체(體)로서 양(陽)이니 리(離)의 성질은 올라가고 강(剛)의 체는 굳세어 모두 동함에 신속하다. 그 재질이 이와 같으니, 일을 함이 있으면 흉구(凶咎)가 이를 것이다.

강(剛)하고 중(中)하지 못하면서 체가 조급함에 부족한 것은 중(中)과 순(順)이니, 마땅히 중(中)·순(順)으로써 스스로 견고(堅固)히 하고 망동(妄動)함이 없으면 가(可)하다. '공(鞏)'은 묶음이요 '혁(革:가죽)'은 묶음을 싸는 것이며, 황(黃)은 중앙의 색이요 소[牛]는 순한 물건이니, 공고히 하되 황소가죽을 쓴다는 것은 중(中)

··· 鞏 : 단단할 공 僭 : 참람할 참

·순(順)한 도(道)로써 스스로 굳게 지키고 망동하지 않음을 이른다.

"길(吉)·흉(凶)을 말하지 않음은 어째서인가?" "망동하면 흉구(凶咎)가 있겠지만, 중·순으로써 스스로 견고히 하면 변혁하지 않을 뿐이니, 어찌 곧바로 길·흉이 있겠는가."

本義ㅣ 雖當革時나 居初无應하여 未可有爲라 故爲此象이라 鞏은 固也라 黃은 中色이요 牛는 順物이며 革은 所以固物이니 亦取卦名이나 而義不同也라 其占이 爲當堅確固守요 而不可以有爲니 聖人之於變革에 其謹如此하시니라

비록 변혁할 때를 당했으나 초(初)에 거하고 응(應)이 없어 일을 할 수 없다. 그러므로 이 상(象)이 된 것이다. '공(鞏)'은 공고히 함이다. 황은 중앙의 색이요 소는 순한 물건이며 가죽[革]은 물건을 견고히 하는 것이니, 또한 괘의 이름[革]을 취했으나 뜻은 똑같지 않다. 점(占)이 마땅히 견확(堅確)히 굳게 지킬 것이요 일함이 있어서는 안 되니, 성인이 변혁함에 있어 삼감이 이와 같으시다.

象曰 鞏用黃牛는 不可以有爲也일새라

〈상전〉에 말하였다. "공고히 하되 황소가죽을 쓰는 것은 일을 할 수 없기 때문이다."

傳ㅣ 以初九時、位、才 皆不可以有爲라 故當以中順自固也라

초구(初九)의 때와 지위와 재주가 모두 일을 할 수 없으므로 마땅히 중(中)·순(順)으로써 스스로 견고히 하여야 하는 것이다.

六二는 已日이어야 乃革之니 征이면 吉하여 无咎하리라

육이(六二)는 하루가 지나서야 개혁할 수 있으니, 그대로 가면 길하여 허물이 없으리라.

本義ㅣ 已日乃革之면 征吉하여

하루가 지나서 개혁하면 감에 길하여

傳ㅣ 以六居二하여 柔順而得中正하고 又文明之主로 上有剛陽之君이 同德相應

··· 確 : 굳을 확

하니 中正則无偏蔽요 文明則盡事理요 應上則得權勢요 體順則无違悖라 時可矣요 位得矣요 才足矣니 處革之至善者也라 然臣道는 不當爲革之先이요 又必待上下之信이라 故已日乃革之也라 如二之才德에 所居之地와 所(進)[逢]之時가 足以革天下之弊하고 新天下之治하니 當進而上輔於君하여 以行其道면 則吉而无咎也요 不進則失可爲之時하여 爲有咎也라 以二體柔而處當位하니 體柔則其進緩이요 當位則其處固니 變革者는 事之大라 故有此戒하니라 二得中而應剛하여 未至失於柔也로되 聖人이 因其有可戒之疑하여 而明其義耳니 使賢才不失可爲之時也라

육(六)으로서 이(二)에 거하여 유순하고 중정(中正)함을 얻었으며, 또 문명(文明)의 주체로 위에 강양(剛陽)의 군주가 덕(德)을 함께 하여 서로 응함이 있으니, 중정하면 편벽되거나 가리움이 없고, 문명하면 사리를 다하며, 위에 응이 있으면 권세를 얻고, 체(體)가 순하면 어그러짐이 없다. 때가 가하고 지위가 얻어졌고 재주가 충분하니, 혁(革)에 대처하기를 지극히 잘하는 자이다. 그러나 신하의 도리는 개혁의 선봉이 되어서는 안 되고 또 반드시 상·하의 믿음을 기다려야 한다. 그러므로 하루가 지나서야 개혁하는 것이다.

이(二)와 같은 재주와 덕에 거(居)한 지위와 만난 때가 천하의 폐해(弊害)를 개혁하고 천하의 정치를 새롭게 할 만하니, 마땅히 나아가 위로 군주를 보필하여 그 도(道)를 행하면 길하여 허물이 없을 것이요, 나아가지 않으면 할 수 있는 시기를 놓쳐 허물이 있음이 된다. 이(二)는 체(體)가 유(柔)이고 처함이 자리에 합당하니, 체가 유이면 나아감이 느리고 자리에 합당하면 처함이 견고하니, 변혁은 큰 일이므로 이러한 경계가 있는 것이다. 이(二)가 중(中)을 얻고 강(剛)과 응하여 유(柔)에 잘못됨에 이르지 않을 것이나 성인이 경계할 만한 의심이 있음을 인하여 그 뜻을 밝히신 것이니, 현재(賢才)로 하여금 할 수 있는 시기를 잃지 않게 하신 것이다.

本義 | 六二柔順中正하고 而爲文明之主하여 有應於上하니 於是可以革矣라 然必已日然後革之면 則征吉而无咎니 戒占者猶未可遽變也라

육이(六二)는 유순하고 중정(中正)하며 문명(文明)의 주체가 되어 위에 응이 있으니, 이에 변혁할 수 있다. 그러나 반드시 하루가 지난 뒤에 변혁하면, 감이 길하

여 허물이 없을 것이니, 점치는 자에게 아직도 대번에 변할 수 없음을 경계한 것이다.

象曰 已日革之는 行有嘉也라

〈상전〉에 말하였다. "하루가 지나야 개혁함은 감에 아름다운 경사가 있는 것이다."

傳 | 已日而革之니 征則吉而无咎者는 行則有嘉慶也니 謂可以革天下之弊하고 新天下之事라 處而不行이면 是无救弊濟世之心이니 失時而有咎也라

하루가 지나 개혁해야 하니, '가면 길하여 허물이 없다.'는 것은 가면 아름다운 경사가 있는 것이니, 천하의 폐해를 개혁하고 천하의 일을 새롭게 할 수 있음을 이른다. 그런데 만일 처하고(머물고) 가지 않으면 이는 폐해를 구제하고 세상을 구제할 마음이 없는 것이니, 시기를 놓쳐 허물이 있게 된다.

九三은 征이면 凶하니 貞厲니(할지니) 革言이 三就면 有孚리라

구삼(九三)은 가면 흉하니, 정도(正道)를 지키고 위태로운 마음을 품어야 하니, 개혁하여야 한다는 말이 세 번 합하면 믿음이 있으리라.

本義 | 征이면 凶하고 貞이면 厲하니

가면 흉하고 정고(貞固)하면 위태로우니,

傳 | 九三이 以剛陽으로 爲下之上하고 又居離之上하여 而不得中하니 躁動於革者也라 在下而躁於變革하니 以是而行이면 則有凶也라 然居下之上하여 事苟當革이면 豈可不爲也리오 在乎守貞正而懷危懼하고 順從公論이면 則可行之不疑리라 革言은 (猶)〔謂〕當革之論이라 就는 成也, 合也니 審察當革之言하여 至於三而皆合이면 則可信也라 言重愼之至 能如是면 則必得至當하여 乃有孚也니 己可信而衆所信也如此면 則可以革矣라 在革之時하여 居下之上하니 事之〔一作有〕當革을 若畏懼而不爲면 則失時爲害요 唯當愼重之至하여 不自任其剛明하고 審稽公論하여 至於三就〔一作復〕而後革之면 則无過矣리라

구삼(九三)이 강양(剛陽)으로 하괘(下卦)의 위가 되었고 또 리(離)의 위에 처하여

중(中)을 얻지 못했으니, 변혁에 조급히 동하는 자이다. 아래에 있으면서 변혁을 조급히 하니, 이러한 방도로써 가면 흉함이 있다. 그러나 하체의 위에 거하여 진실로 마땅히 개혁하여야 할 일이라면 어찌 하지 않을 수 있겠는가? 정정(貞正)을 지키고 위태로운 마음을 품으며 공론(公論)을 순히 따르면 행할 수 있음을 의심할 것이 없다.

'혁언(革言)'은 마땅히 개혁하여야 한다는 의론을 이른다. '취(就)'는 이룸이며 합함이니, 마땅히 개혁하여야 한다는 말을 살펴보아 세 번 모두 합함에 이른다면 믿을 수 있는 것이다. 신중함의 지극함이 이와 같으면 반드시 지극 합당함을 얻어 이에 믿음이 있음을 말한 것이니, 자기가 자신할 수 있고 사람들이 믿는 바가 이와 같다면 변혁할 수 있는 것이다.

혁(革)의 때에 있어 하체의 위에 거하였으니, 마땅히 개혁하여야 할 일을 만일 두려워하여 하지 않는다면 시기를 놓쳐 폐해가 될 것이요, 오직 마땅히 신중함을 지극히 하여 스스로 강명(剛明)함을 믿지 말고, 공론을 살피고 상고하여 세 번 합함에 이른 뒤에 개혁하면 허물이 없을 것이다.

本義 | 過剛不中하고 居離之極하니 躁動於革者也라 故其占이 有征凶貞厲之戒라 然其時則當革이라 故至於革言三就면 則亦有孚而可革也라

과강(過剛)으로 중(中)하지 못하고 리(離)의 극(極)에 거하였으니, 개혁에 조급히 동하는 자이다. 그러므로 그 점(占)이 가면 흉하고 정고(貞固)함을 지키면 위태롭다는 경계가 있는 것이다. 그러나 때가 마땅히 변혁해야 할 시기이므로 개혁하자는 말이 세 번 합함에 이르면 또한 믿음이 있어 변혁할 수 있는 것이다.

象曰 革言三就어니 又何之矣리오

〈상전〉에 말하였다. "개혁하여야 한다는 말이 세 번 합했으니, 또 어디로 가겠는가?"

傳 | 稽之衆論하여 至於三就면 事至當也라 又何之矣는 乃俗語更何往也라 如是而行이면 乃順理時行이요 非己之私意所欲爲也니 必得其宜矣리라

여러 사람의 의논을 상고해 보아 세 번 합함에 이르렀다면 일이 지극히 합당

한 것이다. '우하지의(又何之矣)'는 바로 속담에 '다시 어디로 가겠느냐.'는 말이다. 이와 같이 하여 행한다면 바로 이치를 순히 하여 때로 행함이요 자신의 사사로운 마음으로 하고자 함이 아니니, 반드시 그 마땅함을 얻으리라.

本義 | 言已審이라
　이미 자세히 살폈음을 말한 것이다.

九四는 悔亡하니 有孚면 改命하여 吉하리라
　구사(九四)는 뉘우침이 없어지니, 부성(孚誠)이 있으면 명(命)을 고쳐 길하리라.

傳 | 九四는 革之盛也요 陽剛은 革之才也요 離下體而進上體는 革之時也요 居水火之際는 革之勢也요 得近君之位는 革之任也요 下无係〔一有无字〕應은 革之志也요 以九居四하여 剛柔相際는 革之用也라 四旣具此하니 可謂當革之時也라 事之可悔而後에 革之니 革之而當이면 其悔乃亡也라 革之旣當이면 唯在處之以至誠이라 故有孚면 則改命吉이라 改命은 改爲也니 謂革之也라 旣事當而弊革하니 行之以誠하여 上信而下順이면 其吉可知라 四非中正而至善은 何也오 曰 唯其處柔也라 故剛而不過하고 近而不逼하여 順承中正之君하니 乃中正之人也라 易之取義无常也하여 隨時而已니라

　구사(九四)는 변혁의 성(盛)함이요, 양강(陽剛)은 변혁할 수 있는 재주요, 하체(下體)를 떠나 상체(上體)로 나아감은 변혁할 시기요, 수(水)·화(火)의 즈음에 거함은 변혁할 형세요, 군주와 가까운 지위에 거함은 변혁할 임무를 맡은 것이요, 아래에 계응(係應)이 없음은 변혁할 의지요, 구(九)로서 사(四)에 거하여 강(剛)·유(柔)가 서로 교제함은 변혁의 재용(才用)이다. 사(四)가 이미 이것을 갖추고 있으니, 변혁할 때를 당했다고 이를 만하다. 일이 뉘우칠만한 뒤에 변혁하니, 개혁(변혁)하여 합당하면 그 뉘우침이 이에 없어지는 것이다.

　개혁함이 이미 마땅하면 오직 지성으로 대처함에 달려있다. 그러므로 부성(孚誠)이 있으면 명(命)을 고쳐 길한 것이다. '개명(改命)'은 고쳐 만드는 것이니, 변혁함을 이른다. 일이 이미 합당하고 폐해가 개혁되었으니, 부성(孚誠)으로써 행하여

윗사람이 믿어주고 아랫사람이 순종하면 그 길함을 알 수 있다.

사(四)가 중정(中正)이 아닌데도 지극히 선(善)함은 어째서인가? 이는 오직 강효(剛爻)가 유위(柔位)에 처하기 때문이다. 그러므로 강(剛)하나 과(過)하지 않고 가까우나 핍박하지 않아 중정한 군주를 순히 받드니, 바로 중정한 사람이다. 역(易)에서 뜻을 취함은 일정함이 없어서 때를 따를 뿐이다.

本義 | 以陽居陰이라 故有悔라 然卦已過中하고 水火之際는 乃革之時而剛柔不偏하니 又革之用也니 是以悔亡이라 然又必有孚然後革이라야 乃可獲吉이니 明占者有其德而當其時하고 又必有信이라야 乃悔亡而得吉也라

양효(陽爻)로서 음위(陰位)에 거하였다. 그러므로 뉘우침이 있으나 괘가 이미 중(中)을 지났고 수(水)·화(火)의 즈음은 바로 개혁할 시기인데 강(剛)·유(柔)가 편벽되지 않으니, 또 개혁의 재용(才用)이니, 이 때문에 뉘우침이 없어진 것이다. 그러나 또 반드시 부성(孚誠)이 있은 뒤에 고쳐야 길함을 얻을 수 있으니, 점치는 자가 이러한 덕이 있고 때에 합당하며 또 반드시 부성이 있어야 뉘우침이 없어 길함을 얻음을 밝힌 것이다.

象曰 改命之吉은 信志也일새라

〈상전〉에 말하였다. "개명의 길함은 상·하가 그 뜻을 믿어주기 때문이다."

傳 | 改命而吉은 以上下信其志也니 誠旣至면 則上下信矣〔一作也〕라 革之道는 以上下之信爲本이니 不當, 不孚면 則不信이라 當而不信이라도 猶不可行也어든 況不當乎아

명(命)을 고쳐 길함은 상·하가 그 뜻을 믿어주기 때문이니, 부성이 이미 지극하면 상·하가 믿는다. 변혁의 도(道)는 상·하의 믿음을 근본으로 삼으니, 합당하지 않고 부성이 없으면 믿지 않는다. 합당하기만 하고 믿어주지 않아도 오히려 행할 수 없는데 하물며 합당하지 않음에랴.

九五는 大人이 虎變이니 未占에 有孚니라

구오(九五)는 대인(大人)이 범의 문채가 변하듯 함이니, 점치지 않고도

민음이 있다.
본의 | 점치기 전에

傳 | 九五以陽剛之才、中正之德으로 居尊位하니 大人也라 以大人之道로 革天下之事면 无不當也요 无不時也니 所過變化하고 事理炳著하여 如虎之文采라 故云虎變이라하니 龍、虎는 大人之象也라 變者는 事物之變이어늘 曰虎는 何也오 曰大人變之니 乃大人之變也라 以大人中正之道〔一作德〕로 變革之면 炳然昭著하여 不待占決하고 知其至當하여 而天下必信也니 天下蒙大人之革이면 不待占決하고 知其至當而信之也리라

구오(九五)가 양강(陽剛)의 재주와 중정(中正)의 덕(德)으로 존위(尊位)에 거했으니, 대인(大人)이다. 대인의 도(道)로써 천하의 일을 변혁하면 합당하지 않음이 없고 때에 맞지 않음이 없으니, 지나가는 바에 변화되고 사리가 밝게 드러나서 범의 문채와 같다. 그러므로 '호변(虎變)'이라 말했으니, 용(龍)과 범은 대인의 상(象)이다.

"변(變)은 사물의 변함인데, 범이라고 말함은 어째서인가?" "대인이 변혁하니, 이는 바로 대인의 변혁인 것이다. 대인의 중정한 도(道)로써 변혁하면 밝게 드러나서 굳이 점쳐 결단하기를 기다리지 않고도 지극히 합당함을 알아 천하가 반드시 믿을 것이니, 천하가 대인의 변혁을 입으면 점쳐 결단하기를 기다리지 않고도 지극히 합당함을 알아서 믿어줄 것이다."

本義 | 虎는 大人之象이라 變은 謂希革而毛毨(선)也[142]니 在大人이면 則自新、新民之極이요 順天、應人之時也라 九五以陽剛中正으로 爲革之主라 故有此象하니 占而得此면 則有此應이라 然亦必自其未占之時로 人已信其如此라야 乃足以當之耳니라

• • • • • •
142 變謂希革而毛毨也 : '희혁(希革)'은 여름철에 새와 짐승들의 털이 듬성해져 가죽이 바뀌는 것이고, '모선(毛毨)'은 가을철에 새와 짐승들이 털갈이를 하여 윤택함을 이른다. 《서경》〈요전(堯典)〉에 "중하(仲夏:오월)가 되면 백성들은 그대로 흩어져 살고 새와 짐승들은 털이 듬성해져 가죽이 바뀌고……중추(仲秋:팔월)가 되면 백성들은 춥지도 않고 덥지도 않아 평화롭고 새와 짐승들은 털갈이를 하여 윤택해진다.〔以正仲夏, 厥民因, 鳥獸希革……以殷仲秋, 厥民夷, 鳥獸毛毨.〕" 하였다.

••• 炳 : 밝을 병 希 : 드물 희 毨 : 털갈이할 선

범은 대인의 상(象)이다. '변(變)'은 가죽에 털이 드물어져 바뀌고 털갈이함을 이르니, 대인에 있어서는 스스로 새롭게 하고 백성을 새롭게 함의 지극함이요, 하늘에 순응하고 사람에 응하는 때이다. 구오(九五)가 양강 중정(陽剛中正)으로 변혁의 주체가 되었다. 그러므로 이러한 상이 있으니, 점쳐서 이 효를 얻으면 이러한 응험이 있을 것이다. 그러나 또한 반드시 점치지 않았을 때로부터 사람들이 이미 이와 같음을 믿어야 비로소 이에 해당할 것이다.

象曰 大人虎變은 其文이 炳也라

〈상전〉에 말하였다. "대인이 호변(虎變)함은 그 문채가 빛남이다."

傳 │ 事理明著하여 若虎文之炳煥明盛也하니 天下有不孚乎아

사리가 밝게 드러나서 범의 문채가 빛나서 밝음이 성함과 같으니, 천하에 믿지 않는 이가 있겠는가.

上六은 君子는 豹變이요 小人은 革面이니 征이면 凶하고 居貞이면 吉하리라

상육(上六)은 군자는 표범이 변하듯 하고 소인은 얼굴만 변하니, 계속하여 가면 흉하고 정도(貞道)에 거하면 길하리라.

傳 │ 革之終은 革道之成也라 君子는 謂善人이니 良善則已從革而變하여 其著見(현)이 若豹之彬蔚(빈위)也요 小人은 昏愚難遷者니 雖未能心化나 亦革其面하여 以從上之敎令也라 龍虎는 大人之象이라 故大人云虎하고 君子云豹也라하니라 人性本善하여 皆可以變化나 然有下愚하여 雖聖人이라도 不能移者라 以堯舜爲君하여 以聖繼聖을 百有餘年하니 天下被化 可謂深且久矣로되 而有苗、有象이 其來格、烝乂[143]는 蓋亦革面而已라 小人이 旣革其外면 革道可以爲成也니 苟更從而

• • • • • •

143 有苗有象 其來格烝乂 : 유묘(有苗)는 요(堯)·순(舜) 시대 삼묘(三苗)의 군주로 지형의 험고함을 믿고 자주 반란을 일으켰으며, 유상(有象)은 상(象)으로 순(舜)의 이복동생인데 오만하여 순의 부모와 함께 형인 순을 죽이려 한 자이다. '내격(來格)'은 와서 항복하는 것으로, 《서경》〈대우모(大禹謨)〉에 "순이 문덕(文德)을 크게 펴시어 방패와 깃일산으로 두 뜰에서 춤을 추셨는데, 70일

··· 豹 : 표범 표 苗 : 묘비 묘 烝 : 나아갈 증 乂 : 다스릴 예 蔚 : 성대할 위 彬 : 빛날 빈

深治之면 則爲已甚이니 已甚은 非道也라 故至革之終하여 而又征則凶也니 當貞固以自守라 革至於極이어늘 而不守以貞이면 則所革이 隨復變矣리라 天下之事는 始則患乎難革이요 已革則患乎不能守也라 故革之終은 戒以居貞則吉也라 居貞은 非爲六戒乎아 曰 爲革終言也니 莫不在其中矣니라

혁(革)의 종(終)은 혁(革)의 도가 완성된 것이다. 군자는 선인(善人)을 이르니, 선량한 사람은 이미 개혁을 따라 변하여 그 드러남이 표범의 문채가 성함과 같고, 소인은 혼우(昏愚)하여 고치기 어려운 자이니, 비록 마음은 교화되지 못하나 또한 얼굴을 고쳐 윗사람의 명령과 가르침을 따르게 된다. 용(龍)과 범은 대인의 상(象)이다. 그러므로 대인을 '호(虎)'라 이르고 군자를 '표(豹)'라 이른 것이다.

사람의 성(性)은 본래 선(善)하여 다 변화할 수 있으나 하우(下愚)여서 비록 성인(聖人)이라도 바꿀 수 없는 자가 있다. 요(堯)·순(舜)을 군주로 삼아 성인으로 성인을 잇기를 백여 년을 하였으니, 천하가 교화를 입음이 깊고 또 오래다고 이를 만하였으나 유묘(有苗)와 상(象)이 와서 항복하고 꾸준히 다스려짐은 또한 얼굴만 고쳤을 뿐이다.

소인이 이미 그 외모를 고쳤으면 혁(革)의 도가 이루어진 것이니, 만일 다시 따라서 깊이 다스리려고 하면 너무 심함이 되니, 너무 심함은 도가 아니다. 그러므로 혁의 종(終)에 이르러 또다시 가면(계속하면) 흉한 것이니, 마땅히 정고(貞固)히 스스로 지켜야 한다. 변혁이 극에 이르렀는데 정도(正道)로써 지키지 못하면 변혁한 것이 따라서 다시 변하게 된다. 천하의 일은 처음에는 변혁하기 어려움을 걱정하고, 이미 변혁하면 지키지 못함을 걱정한다. 그러므로 혁(革)의 종(終)은 정도(貞道)에 거하면 길하다고 경계한 것이다.

"정도에 거하라 함은 육(六)을 위하여 경계한 것이 아니겠습니까."라고 하기에, 다음과 같이 대답하였다. "혁의 종이기 때문에 말한 것이니, 〈육(六)에 대한 경계도〉 이 안에 들어 있지 않음이 없다."

······

만에 유묘가 와서 항복하였다.〔帝乃誕敷文德, 舞干羽于兩階, 七旬有苗格.〕" 하였다. 증예(烝乂)는 증증예(烝烝乂)의 줄임말로 점점 다스림을 이르는 바, 〈요전(堯典)〉에 "순(舜)은 아버지가 완악하고 어머니가 어리석으며 상이 오만한데도 능히 효(孝)로 화합하여 점점 다스려 간악함에 이르지 않게 했다.〔父頑, 母嚚, 象傲, 克諧以孝, 烝烝乂, 不格姦.〕" 하였다.

人性本善이어늘 有不可革者는 何也오 曰 語其性이면 則皆善也어니와 語其才면 則有下愚之不移[144]라 所謂下愚有二焉하니 自暴也[一无也字]요 自棄也라 人苟以善自治면 則无不可移者하니 雖昏愚之至라도 皆可漸磨而進也어니와 唯自暴者는 拒之以不信하고 自棄者는 絕之以不爲하니 雖聖人與居라도 不能化而入也니 仲尼之所謂下愚也라 然天下에 自棄、自暴者 非必皆昏愚也요 往往强戾而才力有過人者하니 商辛이 是也라 聖人이 以其自絕於善이라하여 謂之下愚라 然考其歸하면 則誠愚也니라 旣曰下愚어늘 其能革面은 何也오 曰 心雖絕於善道나 其畏威而寡罪는 則與人同也라 唯其有與人同하니 所以知其非性之罪也니라

　　"사람의 성(性)은 본래 선(善)한데 변혁할 수 없는 자가 있음은 어째서인가?" "그 성(性)을 말하면 모두 선하나 그 재질을 말하면 변할 수 없는 하우(下愚)가 있는 것이다. 이른바 하우라는 것이 두 가지가 있으니, 자포(自暴)와 자기(自棄)이다. 사람이 만일 선으로써 스스로 다스리면 고칠 수 없는 자가 없으니, 비록 혼우함이 지극하더라도 모두 점점 연마하여 나아갈 수 있지만 오직 자포하는 자는 거절하여 믿지 않고 자기하는 자는 끊고서(체념하여) 하지 않으니, 비록 성인과 더불어 거처하더라도 교화하여 들어가지 못하니, 중니(仲尼)의 이른바 '하우'라는 것이다. 그러나 천하에 자포·자기하는 자가 반드시 다 혼우한 것은 아니요, 왕왕 강하고 사나우며 재주와 힘이 남보다 뛰어난 자가 있으니, 상신(商辛:주(紂))이 이 경우이다. 성인이 스스로 선을 끊는다 하여 하우라고 이름하였다. 그러나 그 귀결(歸結)을 살펴보면 참으로 어리석은 것이다."

　　"이미 하우라고 말했는데 얼굴을 고침은 어째서인가?" "마음은 비록 선도(善道)를 끊었으나 위엄을 두려워하여 죄를 적게 함은 일반인과 동일하다. 오직 일반인과 동일함이 있으니, 이 때문에 성(性)의 죄가 아님을 아는 것이다."

本義 | 革道已成하니 君子는 如豹之變이요 小人도 亦革面以聽從矣라 不可以往이요 而居正則吉은 變革之事는 非得已者니 不可以過요 而上六之才 亦不可以有

‥‥‥‥
144 語其才則有下愚之不移 : 하우(下愚)는 상지(上智)와 대칭되는 말로 가장 어리석은 자이며, 불이(不移)는 고칠 수 없는 것인 바,《논어》〈양화(陽貨)〉에 "오직 상지와 하우는 바꿀 수 없다.(唯上知(智)與下愚不移.)"라고 하신 공자의 말씀이 보인다. 자포(自暴)는 스스로 해치는 자로 도덕을 부정하는 자이고, 자기(自棄)는 도덕을 인정하나 스스로 체념하여 선을 하지 않는 자이다.

⋯ 磨 : 갈 마, 연마할 마 戾 : 어그러질 려

行也라 故占者如之니라

변혁하는 방도가 이미 이루어졌으니, 군자는 표범의 문채가 변하듯 할 것이요 소인은 또한 얼굴을 고쳐 듣고 따른다. '갈 수는 없고 정도(正道)에 거하면 길하다.'는 것은 변혁의 일은 그만 둘 수 없는(부득이한) 경우이니, 과(過)하게 해서는 안 되고, 상육(上六)의 재주가 또한 갈 수가 없기 때문이다. 그러므로 점치는 자도 이와 같은 것이다.

象曰 君子豹變은 其文이 蔚也요 小人革面은 順以從君也라

〈상전〉에 말하였다. "군자가 표변(豹變)함은 문채가 성한 것이요, 소인이 얼굴을 고침은 순히 하여 군주의 명령을 따르는 것이다."

傳 | 君子從化遷善하여 成文彬蔚하여 章見(현)於外也라 中人以上은 莫不變革이요 雖〔一作唯〕不移之小人이라도 則亦不敢肆其惡하고 革易其外하여 以順從君上之教令하리니 是革面也니 至此면 革道成矣라 小人勉而假善은 君子所容也니 更往而治之면 則凶矣니라

군자는 교화를 따라 개과 천선(改過遷善)하여 문채를 이룸이 찬란해서 아름다움이 밖에 드러난다. 중인(中人) 이상은 변혁하지 않는 이가 없을 것이요, 비록 고치지 못하는 소인이라도 또한 감히 그 악함을 부리지 못하고 그 외면을 바꾸어 군상(君上)의 가르침과 명령을 순종할 것이니, 이것이 혁면(革面)이니, 이에 이르면 혁의 도가 이루어진 것이다. 소인이 억지로 힘써 선행(善行)을 꾸밈은 군자가 용납해 주는 바이니, 다시 가서 다스리면 흉하다.

傳 │ 鼎은 序卦에 革物者莫若鼎이라 故受之以鼎이라하니라 鼎之爲用은 所以革物也니 變腥而爲熟하고 易(역)堅而爲柔라 水火不可同處也어늘 能使相合爲用而不相害하면 是能革物也니 鼎所以次革也라 爲卦 上離下巽하니 所以爲鼎은 則取其象焉이요 取其義焉이라 取其象者有二하니 以全體言之하면 則下植(치)爲足이요 中實爲腹이니 受物在中之象이며 對峙於上者는 耳也요 橫亘(긍)乎上者는 鉉也[145]니 鼎之象也며 以上下二體言之하면 則中虛在上하고 下有足以承之하니 亦〔一无亦字〕鼎之象也며 取其義하면 則木從火也라 巽은 入也니 順從之義니 以木從火는 爲然(燃)之象이며 火之用은 唯燔與烹이니 燔不假器라 故取烹象而爲鼎하니 以木巽火는 烹飪之象也라

정괘(鼎卦)는 〈서괘전〉에 "물건을 변혁하는 것은 솥〔鼎〕만한 것이 없다. 그러므로 정괘로 받았다." 하였다. 솥의 쓰임은 물건을 변혁하는 것이니, 날고기를 변하여 익게 하고 단단한 것을 바꾸어 부드럽게 만든다. 물과 불은 함께 처할 수 없는데 서로 합하여 쓰임이 되어 서로 해치지 않으면 이는 능히 물건을 변혁하는 것이니, 정괘가 이 때문에 혁괘(革卦☲)의 다음이 된 것이다. 괘됨이 위는 리(離☲)이고 아래는 손(巽☴)이니, 솥이라 한 까닭은 그 상(象)을 취하고 그 뜻을 취한 것이다.

상을 취한 것이 두 가지가 있으니, 전체로써 말하면 아래에 세워진 것은 솥의 발이 되고 가운데 채워진 것은 솥의 배가 되니 물건을 받아 가운데에 있는 상이요, 위에 대치하고 있는 것은 솥의 귀이고 맨 위에 가로 뻗쳐있는 것은 현(鉉:솥귀)이니 솥의 상이며, 상·하의 두 체(體)로써 말하면 가운데가 빈 것이 위에 있고 아래에 발이 있어 받드니, 또한 솥의 상이며, 그 뜻을 취하면 나무가 불을 따른 것이

新譯周易傳義 中

●●●●●●
145 橫亘乎上者 鉉也:현(鉉)은 솥귀의 구멍에 물건을 끼워넣어 손으로 들게 하는 고리로 구멍이 있어서 솥을 들게 하는 것이다.

··· 腥:날고기 성 燔:구울 번 烹:삶을 팽 飪:익힐 임 羨:남을 연 鉉:솥귀 현

다. 손(巽)은 들어감이니 순종하는 뜻이니, 나무가 불에 순종함은 불태우는 상이 된다. 불의 쓰임은 오직 굽는 것과 삶는 것인데, 굽는 것은 기물을 필요로 하지 않으므로 삶는 상을 취하여 솥이라 하였으니, 나무로써 불에 순종함은 팽임(烹飪:음식을 삶아 요리함)의 상이다.

制器는 取其〔一作諸〕象也어늘 乃象器以爲卦乎아 曰 制器 取於象也나 象存乎卦요 而卦不必先器라 聖人制器에 不待見卦而後知象이로되 以衆人之不能知象也라 故設卦〔一无卦字〕以示之하시니 卦、器之先後는 不害於義也라 或疑鼎非自然之象이요 乃人爲也라하니 曰 固人爲也나 然烹飪은 可以成物이요 形制如是則可用이니 此非人爲요 自然也니 在井亦然[146]이라 器雖在卦先이나 而所取者乃卦之象이요 卦復用器以爲義也니라

"기물을 만듦은 그 상(象)을 취하였는데 기물을 형상하여 괘를 만들었단 말입니까?" 하기에, 다음과 같이 대답하였다. "기물을 만듦은 상에서 취하였으나 상이 괘에 있는 것이요 괘가 반드시 기물보다 먼저 있는 것은 아니다. 성인(聖人)이 기물을 만들 적에 괘를 본 뒤에 상을 안 것이 아니나 사람들이 상을 모르기 때문에 괘를 만들어 보여주신 것이니, 괘와 기물의 선(先)·후(後)는 의(義)에 해롭지 않다."

혹자는 의심하기를 "솥은 자연의 상이 아니요 바로 인위(人爲)입니다." 하기에, 다음과 같이 대답하였다. "진실로 인위이나 팽임(烹飪)은 물건을 만들 수 있고 만들어진 기물의 형상이 이와 같으면 쓸 수 있으니, 이는 인위가 아니요 자연이니, 정괘(井卦☵)에 있어서도 또한 그러하다. 기물이 비록 괘보다 먼저 있었으나 취한 것은 바로 괘의 상(象)이요, 괘는 다시 기물을 사용하여 뜻을 삼은 것이다."

鼎은 元(吉)亨[147]하니라

솥[鼎]은 크게 선(善)하여 형통(亨通)하다.

......

146 在井亦然:정괘(井卦) 역시 우물의 뜻을 취하였는바 우물도 사람들이 필요로 하여 인위적으로 만든 것이므로 '정괘에 있어서도 또한 그러하다.' 한 것이다.

147 元亨:《언해(諺解)》에 '원(元)코 형(亨)하니라'로 해석하였으나 사계(沙溪)는 이의 잘못을 밝히고 "《정전》에도 이러한 뜻이 없으니, 원(元)을 마땅히 대(大)의 뜻으로 보아야 한다." 하였으므로 사계의 설(說)을 따라 바로잡았음을 밝혀둔다.

傳 | 以卦才言也니 如卦之才면 可以致元亨也라 止當云元亨이니 文羨(衍)吉字라 卦才 可以致元亨이니 未便有元吉也라 彖에 復止云元亨이라하니 其羨이 明矣니라

괘재(卦才)로써 말하였으니, 괘의 재질과 같으면 원형(元亨)을 이룰 수 있다. 다만 원형이라고 말해야 하니, 길(吉)자는 연문(羨文)이다. 괘재(卦才)가 원형을 이룰 수 있으니, 곧 원길이 있는 것은 아니다. 〈단전〉에 다시 원형이라고 하였으니, 연문임이 분명하다.

本義 | 鼎은 烹飪之器라 爲卦 下陰은 爲足이요 二、三、四陽은 爲腹이요 五陰은 爲耳요 上陽은 爲鉉이니 有鼎之象이요 又以巽木入離火而致烹飪하니 鼎之用也라 故其卦爲鼎이라 下巽은 巽也요 上離는 爲目而五爲耳하니 有內巽順而外聰明之象이며 卦自巽來하여 陰進居五하여 而下應九二之陽이라 故로 其占曰元亨이라하니라 吉은 衍文也라

솥은 팽임(烹飪)하는 기물이다. 괘됨이 아래의 음(陰)은 솥의 발이 되고 이효(二爻)·삼효(三爻)·사효(四爻)의 양(陽)은 솥의 배가 되며 오효(五爻)의 음은 솥의 귀가 되고 위의 양효(陽爻)는 현(鉉)이 되니 솥의 상(象)이 있고, 또 손(巽)의 목(木)으로 리(離)의 불에 들어가 팽임(烹飪)을 이루니, 솥의 쓰임이다. 그러므로 이 괘를 정(鼎)이라 한 것이다. 아래의 손(巽)은 손순(巽順)함이요, 위의 리(離)는 눈이 되고 오(五)는 귀가 되니, 안은 손순하고 밖은 총명(聰明)한 상이 있으며, 괘가 손(巽 ☴)으로부터 와서 음이 나아가 오(五)에 거하여 아래로 구이(九二)의 양에 응한다. 그러므로 그 점(占)에 크게 형통하다고 한 것이다. 길(吉)은 연문(衍文)이다.

彖曰 鼎은 象也니

〈단전〉에 말하였다. "솥은 상(象)이니,

傳 | 卦之爲鼎은 取鼎之象也요 鼎之爲器는 法卦之象也〔一作法象之器也〕니 有象而後有器하고 卦復用器而爲義也라 鼎은 大器也요 重寶也라 故其制作形模가 法

象尤嚴하니라 鼎之名은 正也니 古人은 訓方하니 方은 實正也라 以形言하면 則耳對植(치)於上하고 足分峙於下하여 周圓內外의 高卑、厚薄이 莫不有法而至正하니 至正然後에 成安重之象이라 故鼎者는 法象之器니 卦之爲鼎은 以其象이니라

　　괘(卦)를 정(鼎)이라 함은 솥의 상(象)을 취한 것이요, 솥의 기물은 괘의 상을 본받은 것이니, 상이 있은 뒤에 기물이 있고 괘에는 또다시 기물을 사용하여 뜻을 삼았다. 솥은 큰 기물이고 중한 보물이다. 그러므로 제작하는 형모(形模)가 법(法)과 상(象)이 더욱 엄격하다. 솥[鼎]이란 이름은 바르다[正]는 뜻이니, 옛 사람은 방(方)으로 훈(訓)하였으니, '방(方)'은 실제로 바른 것이다.

　　형체로써 말하면 솥의 귀가 위에 대치해 있고 솥의 발이 아래에 나누어 버티고 있어서 둥근 둘레의 안팎의 높고 낮음과 두껍고 얇은 것이 모두 법도가 있고 지극히 바르지 않음이 없으니, 지극히 바른 뒤에 안중(安重)한 상을 이룬다. 그러므로 솥이란 법(法)·상(象)의 기물이니, 괘를 정(鼎)이라 한 것은 그 상 때문이다.

以木巽火는 亨(烹)飪也니 聖人이 亨하여 以享上帝하고 而大亨하여 以養聖賢하니라
　　나무로서 불에 순종함은 팽임(烹飪:음식을 삶음)함이니, 성인이 팽임하여 상제(上帝)에게 제향하고, 크게 팽임하여 성현을 기른다.

傳 | 以二體로 言鼎之用也라 以木巽火는 以木從火니 所以亨飪也라 鼎之爲器는 生人所賴 至切者也니 極其用之大하면 則聖人亨하여 以享上帝하고 大亨하여 以養聖賢이라 聖人은 古之聖王이라 大는 言其廣이라

　　위·아래의 두 체로써 솥의 쓰임을 말하였다. 나무로서 불에 순종함은 나무가 불을 따르는 것이니, 팽임(烹飪)하는 것이다. 솥이란 기물은 산 사람들이 의뢰하는 바의 지극히 간절한 것이니, 그 쓰임의 큼을 지극히 하면 성인이 팽임하여 상제에게 제향하고, 크게 팽임하여 성현을 기른다. 성인은 옛 성왕(聖王)이다. '대(大)'는 그 넓음을 말한 것이다.

本義 | 以卦體二象으로 釋卦名義하고 因極其大而言之하니라 享帝는 貴誠하니 用

犢而已요養賢則饔飧牢禮[148]를 當極其盛이라 故曰大亨이라하니라

괘체(卦體)의 두 상(象)으로 괘명(卦名)의 뜻을 해석하고 인하여 그 큼을 지극히 하여 말하였다. 상제에게 제향함은 정성을 귀중히 여기니 송아지를 쓸 뿐이요, 어진이를 봉양함은 옹손(饔飧)과 뇌례(牢禮)를 지극히 성대하게 하여야 한다. 그러므로 대팽(大烹)이라고 말한 것이다.

巽而耳目聰明하며 柔進而上行하고 得中而應乎剛이라 是以元亨하니라

공손하고 이(耳)·목(目)이 총명(聰明)하며 유(柔)가 나아가 위로 가고 중(中)을 얻었으며 강(剛)에게 응한다. 이 때문에 크게 선하여 형통한 것이다."

傳│上에 旣言鼎之用矣요 復以卦才言이라 人能如卦之才면 可以致元亨也라 下體巽이니 爲巽順於理요 離明而中虛於上하니 爲耳目聰明之象이라 凡離在上者는 皆云柔進而上行하니 柔는 在下之物이어늘 乃居尊位하니 進而上行也라 以明居尊而得中道하고 應乎剛하니 能用剛陽之道也라 五居中하고 而又以柔而應剛하니 爲得中道라 其才如是하니 所以能元亨也라

위에 이미 솥의 쓰임을 말하였고 다시 괘의 재질로써 말하였다. 사람이 능히 괘의 재질과 같이 하면 원형(元亨)을 이룰 수 있다. 하체는 손(巽)이니 이치에 손순(巽順)함이 되고, 리(離)는 밝고 위에서는 중허(中虛)하니 이(耳)·목(目)이 총명(聰明)한 상(象)이 된다. 무릇 리(離)가 위에 있는 것은 모두 '유(柔)가 나아가 위로 갔다.'고 말하였으니, 유(柔)는 아래에 있는 물건인데 존위(尊位)에 거하였으니, 이는 나아가 위로 간 것이다. 밝음으로 존위에 거하고 중도(中道)를 얻었으며 강(剛)에게 응하니, 능히 강양(剛陽)의 도(道)를 쓴 것이다. 오(五)가 중(中)에 거하고 또 유(柔)로서 강에게 응하니, 중도를 얻음이 된다. 그 재질이 이와 같으니, 이 때문에 크게 선하여 형통한 것이다.

· · · · · ·

148 饔飧牢禮 : 옹(饔)은 아침밥이고 손(飧)은 저녁밥이며 뇌(牢)는 가축을 잡아 성대히 올리는 것으로, 소와 양과 돼지를 모두 갖춤을 태뢰(太牢)라 하고 양과 돼지만을 갖춤을 소뢰(小牢)라 한다.

··· 犢 : 송아지 독 饔 : 아침밥 옹 飧 : 저녁밥 손(飱同) 牢 : 희생 뢰

本義 | 以卦象卦變卦體로 釋卦辭라

　괘상(卦象)과 괘변(卦變)과 괘체(卦體)로써 괘사(卦辭)를 해석하였다.

象曰 木上有火鼎이니 **君子以**하여 **正位**하여 **凝命**하나니라

　〈상전〉에 말하였다. "나무 위에 불이 있음이 솥이니, 군자가 보고서 지위(地位:자리)를 바르게 하여 명령(命令)을 후중(厚重)히 내린다."

傳 | 木上有火는 以木巽火也니 烹飪之象이라 故爲鼎이니 君子觀鼎之象하여 以正位凝命하나니라 鼎者는 法、象之器니 其形端正하고 其體安重하니 取其端正之象하면 則以正其位하니 謂正其所居之位라 君子所處必正이니 其小至於席不正不坐하며 毋跛(피)毋倚라 取其安重之象하면 則凝其命令이니 安重其命令也라 凝은 聚止之義니 謂安重也라 今世俗에 有凝然之語하니 以命令而言耳니 凡動爲를 皆當安重也라

　나무 위에 불이 있음은 나무로서 불에 순종함이니, 팽임(烹飪)의 상(象)이다. 그러므로 괘 이름을 정(鼎)이라 하였으니, 군자가 솥[鼎]의 상을 보고서 지위(자리)를 바르게 하여 명령을 후중(厚重)히 내린다. 솥은 법(法)·상(象)의 기물이니, 그 모양이 단정하고 그 체(體)가 안중(安重)하니, 단정한 상을 취하면 그 지위를 바르게 하니, 거하는 바의 지리를 바르게 함을 이른다. 군자는 처하는 바를 반드시 바르게 하니, 작게는 바르지 않은 자리에 앉지 않으며, 한쪽 발로만 기울게 서지 않고 몸을 기대지 않음에 이른다. 그리고 안중(安重)한 상을 취하면 명령을 후중히 하니, 그 명령을 안중(安重)히 하는 것이다. '응(凝)'은 모이고 그친다는 뜻이니, 안중함을 이른다. 지금 세속에 응연(凝然)이란 말이 있으니 명령을 가지고 말한 것이니, 무릇 동하고 행함을 모두 마땅히 안중하게 하여야 한다.

本義 | 鼎은 重器也라 故有正位凝命之意리 凝은 猶至道不凝之凝[149]이니 傳所謂

....
149　凝猶至道不凝之凝:《중용장구》 27장에 "만일 그 사람(훌륭한 사람)이 아니면 지극한 도가 응집되지 않는다.〔苟非其人, 至道不凝焉.〕"라고 보인다.

···　凝 : 엉길 응　跛 : 외발로설 피

協于上下以承天休者也¹⁵⁰라

솥은 귀중한 기물이므로 자리를 바르게 하여 명령을 안중히 하는 뜻이 있는 것이다. '응(凝)'은 '지극한 도(道)가 응집(凝集)되지 않는다.'의 응(凝)과 같으니, 전(傳)에 이른바 '상·하에 화합하여 하늘의 아름다움을 받든다.'는 뜻이다.

初六은 **鼎**이 **顚趾**나 **利出否**(비)하니 **得妾**하면 **以其子无咎**리라
　초육(初六)은 솥이 발이 넘어졌으나 나쁜 것을 꺼냄이 이로우니, 첩(妾)을 얻으면 그 남자를 도와서 허물이 없게 하리라.
本義 | **利出否**요 **得妾**하여 **以其子**니 **无咎**리라
　　　나쁜 것을 꺼냄이 이롭고 첩을 얻어 자식까지 얻음이니, 허물이 없으리라.

新譯周易傳義 中

傳 | 六이 在鼎下하니 趾之象也요 上應於四하니 趾而向上은 顚之象也라 鼎覆(복)則趾顚이요 趾顚則覆其實矣니 非順道也라 然有當顚之時하니 謂傾出敗惡하여 以致潔取新이면 則可也라 故顚趾는 利在於出否(비)하니 否는 惡也라 四는 近君하니 大臣之位요 初는 在下之人而相應하니 乃上求於下하고 下從其上也라 上能用下之善하고 下能輔上之爲하면 可以成事功이니 乃善道니 如鼎之顚趾가 有當顚之時하여 未爲悖理也라 得妾以其子无咎는 六이 陰而卑라 故爲妾이니 得妾은 謂得其人也라 若得良妾이면 則能輔助其主하여 使无過咎也라 子는 主也니 以其子는 致其主於无咎也¹⁵¹라 六陰居下而卑巽從陽하니 妾之象也라 以六上應四하니 爲顚趾而發此義라 初六은 本无才德可取라 故云得妾하니 言得其人則如是也라

　육(六)은 정(鼎)의 아래에 있으니 솥발의 상(象)이요, 위로 사(四)와 응하니 솥발이 위로 향함은 넘어지는 상이다. 솥이 엎어지면 발이 넘어지고, 발이 넘어지면 그 안에 담긴 것을 엎어 버리니, 순한 도가 아니다. 그러나 마땅히 넘어져야 할 때

------

150 傳所謂協于上下以承天休者也 : 이 내용은 《춘추좌씨전》 선공(宣公) 3년에 보이는 바, 왕손만(王孫滿)이 말한 것으로 상·하는 하늘과 땅을 가리킨다.

151 以其子致其主於无咎也 : 주(主)는 남자를 이르는 바, 옛날에 첩은 남자를 남편이라 칭하지 못하여 주(主), 또는 군(君)이라 칭하고 적처(嫡妻;정실부인)를 소군(小君)이라 칭하였다. 그러나 《본의》에는 '기자(其子)'를 기주(其主)로 보지 않고 첩의 자식으로 보았다.

••• 顚 : 넘어질 전　趾 : 발지　否 : 악할 비, 나쁠 비

가 있으니, 부패한 것과 나쁜 것을 기울여 꺼내어서 깨끗함을 지극히 하고 새로움을 취하게 하면 가(可)하다. 그러므로 발이 넘어짐은 이로움이 나쁜 것을 꺼냄에 있으니, '비(否)'는 나쁜 것이다. 사(四)는 군주와 가까우니 대신(大臣)의 지위이고, 초(初)는 아래에 있는 사람인데 서로 응하니, 바로 위는 아래에게 구하고 아래는 위를 따르는 것이다. 윗사람이 아랫사람의 선(善)을 쓰고 아랫사람이 윗사람의 하는 일을 보필(輔弼)하면 사공(事功)을 이룰 수 있으니, 바로 선(善)한 도이니, 솥의 발이 넘어진 것이 마땅히 넘어져야 할 때가 있어서 패리(悖理)가 되지 않는 것과 같다.

'득첩이기자 무구(得妾以其子无咎)'는 육(六)이 음이고 신분이 낮으므로 첩(妾)이라 한 것이니, 첩을 얻음은 훌륭한 사람을 얻음을 이른다. 만일 어진 첩을 얻으면 그 주인(남자)을 보좌하여 허물이 없게 할 것이다. '자(子)'는 주인이니, '이기자(以其子)'는 그 주인을 허물이 없는데 이르게 하는 것이다. 초육(初六)의 음이 아래에 거하여 낮추고 공손하여 양을 따르니, 첩의 상이다. 육(六)이 위로 사(四)와 응하니, 발이 넘어짐이 되므로 이 뜻을 발한 것이다. 초육(初六)은 본래 취할 만한 재주와 덕이 없으므로 첩을 얻었다고 말했으니, 훌륭한 사람(첩)을 얻으면 이와 같음을 말한 것이다.

本義 │ 居鼎之下는 鼎趾之象也니 上應九四則顚矣라 然當卦初하여 鼎未有實이요 而舊有否惡之積焉하니 因其顚而出之면 則爲利矣라 得妾而因得其子도 亦由(猶)是也라 此爻之象如此하고 而其占无咎하니 蓋因敗以爲功하고 因賤以致貴也라

솥의 아래에 거함은 솥발의 상이니, 위로 구사(九四)에 응하면 넘어진다. 그러나 괘의 초기를 당하여 솥에 담겨진 물건이 없고 예전에 쌓인 나쁜 것이 남아있으니, 그 넘어짐으로 인하여 나쁜 것을 꺼내면 이로움이 된다. 첩(妾)을 얻고 인하여 그 자식을 얻음 또한 이와 같다. 이 효(爻)의 상은 이와 같고 그 점(占)은 허물이 없으니, 이는 실패로 인하여 성공을 삼고 천함으로 인하여 귀함을 이루는 것이다.

象曰 鼎顚趾나 未悖也요

〈상전〉에 말하였다. "솥이 발이 넘어졌으나 도리에 어긋남이 아니요,

傳│ 鼎覆而趾顚은 悖道也라 然非必爲悖者는 蓋有傾出否惡之時也일새라

솥이 엎어져 발이 넘어진 것은 도리에 어긋난 것이나 반드시 패리(悖理)가 되지 않는 것은 나쁜 것을 기울여 꺼낼 때가 있기 때문이다.

利出否는 以從貴也라

나쁜 것을 꺼냄이 이로움은 귀함을 따르기 때문이다."

傳│ 去故而納新하고 瀉惡而受美는 從貴之義也니 應於四는 上從於貴者也라

옛것을 버리고 새것을 넣으며, 나쁜 것을 쏟아내고 아름다운 것을 받아들임은 귀함을 따르는 뜻이니, 사(四)에 응함은 위로 귀한 자를 따르는 것이다.

本義│ 鼎而顚趾는 悖道也로되 而因可出否以從貴하니 則未爲悖也라 從貴는 謂應四니 亦爲取新之意라

솥이 발이 넘어짐은 도리에 어긋난 것이나 이로 인하여 나쁜 것을 꺼내고 귀함을 따를 수 있으니, 패리(悖理)가 되지 않는다. 귀함을 따름은 사(四)에 응함을 이르니, 또한 새로움을 취하는 뜻이 된다.

九二는 鼎有實이나 我仇有疾[152]하니 不我能卽이면 吉하리라

구이(九二)는 솥에 담겨진 것이 있으나 나의 상대가 병이 있으니, 나에게 오지 못하게 하면 길하리라.

本義│ 鼎有實이라 我仇有疾이니 不我能卽이니

솥에 담겨진 것이 있다. 나의 원수가 병이 있으니, 나에게 오지 못하게 하여야 하니,

傳│ 二以剛實居中은 鼎中有實之象이니 鼎之有實이 上出則爲用이라 二는 陽剛으로 有濟用之才하고 與五相應하니 上從六五之君이면 則得正而其道可亨이라 然

- - - - - -

152 我仇有疾:《정전》에는 아구(我仇)를 '나의 상대'로,《본의》에는 '나의 원수'로 해석하였으나 초육(初六)을 가리킨 것은 똑같다.

··· 瀉 : 쏟을 사 仇 : 짝 구, 원수 구

與初密比하니 陰은 從陽者也라 九二居中而應中하여 不至失正이로되 己雖自守나 彼必相求라 故戒能遠之하여 使不來卽我하면 則吉也라 仇는 對也니 陰陽은 相對之物이니 謂初也라 相從則非正而害義하니 是有疾也라 二當以正自守하여 使之不能來就己니 人能自守以正이면 則不正이 不能〔一有以字〕就之矣니 所以吉也라

　　이(二)가 강실(剛實)로 중(中)에 거함은 솥 가운데 담겨진 것이 있는 상(象)이니, 솥에 담겨진 것이 위로 나오면 쓰임이 된다. 이(二)는 양강(陽剛)으로 씀을 이루는 재주가 있고 오(五)와 서로 응하니, 위로 육오(六五)의 군주를 따르면 바름을 얻어 그 도가 형통할 수 있다. 그러나 초육(初六)과 매우 가까이 있으니, 음은 양을 따르는 자이다. 구이(九二)가 중(中)에 거하고 중과 응하여 정(正)을 잃음에 이르지 않을 것이나 자신은 비록 스스로 지키더라도 저 초육이 반드시 구이를 구할 것이다. 그러므로 능히 그를 멀리하여 자신에게 오지 못하게 하면 길하다고 경계한 것이다. '구(仇)'는 상대이니, 음과 양은 상대하는 물건이니, 초육을 이른다. 서로 따르면 정(正)이 아니어서 의(義)를 해치니, 이는 병이 있는 것이다. 이(二)가 마땅히 정도(正道)로써 스스로 지켜서 초가 자신에게 오지 못하게 하여야 하니, 사람이 스스로 정도로써 지키면 부정한 자가 찾아오지 못하니, 이 때문에 길한 것이다.

本義｜ 以剛居中하니 鼎有實之象也라 我仇는 謂初라 陰陽相求而非正이면 則相陷於惡而爲仇矣라 二能以剛中自守하면 則初雖近이나 不能以就之矣라 是以로 其象如此요 而其占爲如是則吉也라

　　강(剛)으로 중(中)에 거하였으니, 솥에 담겨진 물건이 있는 상(象)이다. '아구(我仇)'는 초육(初六)을 이른다. 음과 양은 서로 구하나 정(正)이 아니면 서로 악(惡)에 빠져 원수가 된다. 이(二)가 능히 강중(剛中)으로 스스로 지키면 초(初)가 비록 가까이 있으나 찾아오지 못한다. 이 때문에 그 상(象)은 이와 같고, 그 점(占)은 이렇게 하면 길함이 되는 것이다.

象曰 鼎有實이나 愼所之也니

　　〈상전〉에 말하였다. "솥에 담겨진 물건이 있으나 갈 바를 삼가야 하니,

傳｜ 鼎之有實은 乃人之有才業也니 當愼所趨向이니 不愼所往이면 則亦陷於非

義라 二能不暱(닐)於初하고 而上從六五之正應이면 乃是愼所之也라

솥에 담겨진 물건이 있음은 바로 사람이 재주와 사업을 소유하고 있는 것이니, 마땅히 추향(趨向)하는 바를 삼가야 한다. 갈 바를 삼가지 않으면 또한 의(義)롭지 않은 데 빠지게 된다. 이(二)가 초(初)와 친하지 않고 위로 육오(六五)의 정응(正應)을 따른다면 바로 갈 바를 삼가는 것이다.

我仇有疾은 終无尤也리라
'아구유질(我仇有疾)'은 끝내 허물이 없으리라."

傳│ 我仇有疾은 擧上文也라 我仇는 對己者니 謂初也라 初比己而非正이니 是有疾也라 旣自守以正이면 則彼不能卽我니 所以終无過尤也라

'아구유질(我仇有疾)'은 윗글만을 든 것이다. '아구(我仇)'는 자신과 상대되는 자이니, 초육(初六)을 이른다. 초(初)가 자신과 가까이 있으나 정응(正應)이 아니니, 이는 병이 있는 것이다. 이미 스스로 정도로써 지키면 저가 나에게 오지 못할 것이니, 이 때문에 끝내 허물이 없는 것이다.

本義│ 有實而不愼所往이면 則爲仇所卽하여 而陷於惡矣리라

담겨진 물건이 있으나 갈 바를 삼가지 않으면 원수가 찾아오는 바가 되어 악(惡)에 빠진다.

九三은 鼎耳革하여 其行이 塞(색)하여 雉膏를 不食[153]하나 方雨하여 虧悔終吉이리라
구삼(九三)은 솥의 귀가 변하여 그 감이 막혀서 꿩의 아름다운 고기를 먹지 못하나, 장차 화합하여 비가 내려서 부족한 뉘우침이 끝내 길하게 되리라.

......

153 雉膏不食 : 《정전》에는 "꿩의 기름진 고기를 먹지 못하는 것"으로 해석하고 꿩의 기름진 고기를 군주의 록과 지위를 상징한 것으로 보았으나, 《본의》에는 "최고의 아름다움이 있으나 사람의 먹음이 되지 못하는 것"으로 해석하였다.

••• 雉 : 꿩 치 膏 : 기름 고 虧 : 이지러질 휴

本義 | 鼎耳革이라 其行이 塞하여 雉膏不食이나 方雨虧悔니

솥의 귀가 변하였다. 그 감이 막혀서 꿩의 아름다운 고기가 먹혀지지 못하나 바야흐로 화합하여 비가 내려서 뉘우침이 없어짐이니,

傳 | 鼎耳는 六五也니 爲鼎之主라 三以陽居巽之上하여 剛而能巽하니 其才足以濟務라 然與五非應而不同이라 五는 中而非正이요 三은 正而非中하여 不同也니 未得於君者也라 不得於君이면 則其道何由而行이리오 革은 變革爲〔一作謂〕異也니 三與五異而不合也라 其行塞은 不能亨也니 不合於君이면 則不得其任하리니 无以施其用이라 膏는 甘美之物이니 象祿位라 雉는 指五也니 有文明之德이라 故謂之雉라 三有才用이나 而不得六五之祿位하니 是不得雉膏食之也라 君子蘊其德하여 久而必彰하나니 守其道면 其終必亨이라 五有聰明之象하고 而三終上進之物이니 陰陽交暢則雨라 方雨는 且將雨也니 言五與三이 方將和合이라 虧悔終吉〔一无此二字〕은 謂不足之悔〔一再有不足之悔字〕가 終當獲吉也라 三懷才而不偶라 故有不足之悔라 然其有陽剛之德하니 上聰明而下巽正하여 終必相得이라 故吉也라 三雖不中이나 以巽體故로 无過剛之失하니 若過剛이면 則豈能終吉이리오

솥의 귀는 육오(六五)이니, 솥의 주체가 된다. 삼(三)이 양효(陽爻)로서 손(巽)의 위에 거하여 강(剛)하고 능히 공손하니, 그 재주가 충분히 일을 이룰 수 있다. 그러나 오(五)와 응이 아니어서 함께 하지 못한다. 오(五)는 중(中)이나 정(正)이 아니요 삼(三)은 정(正)이나 중이 아니어서 똑같지 않으니, 군주에게 신임을 얻지 못한 자이다. 군주에게 신임을 얻지 못하면 그 도(道)가 어디로 말미암아 행해지겠는가. '혁(革)'은 변혁하여 달라짐이니, 삼(三)이 오(五)와 더불어 달라져서 합하지 못하는 것이다.

그 감이 막힘은 형통하지 못한 것이니, 군주에게 합하지 못하면 신임을 얻지 못하리니, 그 씀을 베풀 수가 없다. '고(膏)'는 달고 아름다운 물건이니, 록(祿)과 지위를 상징한다. 꿩은 오(五)를 가리키니, 문명한 덕이 있으므로 꿩이라 이른 것이다. 삼(三)이 재용(才用)이 있으나 육오(六五)의 록(祿)과 지위를 얻지 못하니, 이는 치고(雉膏)를 먹지 못하는 것이다.

군자가 그 덕(德)을 온축하여 오래되면 반드시 드러나니, 그 도(道)를 지키면

··· 蘊 : 쌓을 온   暢 : 통할 창

·

종말에는 반드시 형통한다. 오(五)는 총명(聰明)의 상이 있고 삼(三)은 끝내 위로 나아가는 물건이니, 음·양이 사귀어 화창(和暢)하면 비가 내린다. '방우(方雨)'는 장차 비가 내리는 것이니, 오(五)와 삼(三)이 바야흐로 장차 화합함을 이른다.

'휘회종길(虧悔終吉)'은 부족한 뉘우침이 끝내는 마땅히 길함을 얻음을 이른다. 삼(三)이 재주를 간직하고도 불우(不偶)하므로 부족한 뉘우침이 있는 것이다. 그러나 양강(陽剛)의 덕을 소유하고 있으니, 위가 총명하고 아래가 손정(巽正)하여 끝내 반드시 서로 만난다. 그러므로 길한 것이다. 삼(三)이 비록 중(中)이 아니나 손체(巽體)이기 때문에 지나치게 강(剛)한 잘못이 없으니, 만일 지나치게 강하다면 어찌 끝내 길하겠는가.

本義 | 以陽居鼎腹之中하니 本有美實者也라 然以過剛失中하고 越五應上하며 又居下之極하니 爲變革之時라 故爲鼎耳方革而不可擧移라 雖承上卦文明之膴(유)하여 有雉膏之美나 而不得以爲人之食이라 然以陽居陽하여 爲得其正이니 苟能自守면 則陰陽將和而失其悔矣리라 占者如是면 則初雖不利나 而終得吉也라

양효(陽爻)로서 솥의 배 가운데에 거하였으니, 본래 아름다운 실제가 있는 자이나 지나치게 강함으로 중(中)을 잃고 오(五)를 넘어 상(上)과 응하며 또 하체(下體)의 극에 거하였으니, 변혁하는 때가 된다. 그러므로 솥의 귀가 바야흐로 변혁하여 들어 옮길 수가 없는 것이다. 비록 상괘(上卦)의 문명한 혜택을 받아서 치고(雉膏)의 아름다움이 있으나 사람의 먹음이 되지 못한다. 그러나 양효로서 양위(陽位)에 거하여 정(正)을 얻음이 되니, 만일 스스로 정도를 지키면 음과 양이 장차 화합하여 뉘우침이 없어질 것이다. 점치는 자가 이와 같이 하면 처음에는 비록 불리하나 종말에는 길함을 얻으리라.

象曰 鼎耳革은 失其義也일새라
〈상전〉에 말하였다. "솥의 귀가 변함은 그 의(義)를 잃었기 때문이다."

傳 | 始與鼎耳革異者는 失其相求之義也라 與五非應은 失求合之道也요 不中은 非同志之象也라 是以로 其行이 塞而不通이라 然上明而下才하여 終必和合이라 故方雨而吉也라

··· 膴 : 기름 유

처음에 솥의 귀와 변하여 달라진 것은 서로 구하는 의(義)를 잃은 것이다. 오(五)와 응이 아님은 합함을 구하는 도(道)를 잃은 것이고, 중(中)이 아님은 뜻을 함께 하는 상이 아니다. 이 때문에 그 행함이 막혀서 통하지 못하는 것이다. 그러나 위가 밝고 아래가 재주가 있어 끝내는 반드시 화합할 것이다. 그러므로 바야흐로 비가 내려 길한 것이다.

九四는 鼎이 折足하여 覆公餗(속)하니 其形이 渥이라 凶하도다(토다)
　구사(九四)는 솥이 발이 부러져서 공상(公上)에게 바칠 음식을 뒤엎었으니, 그 얼굴이 무안하여 붉어짐이니, 흉하도다.
本義ㅣ 其刑이 劇이라
　　　그 형벌이 무겁다.

傳ㅣ 四는 大臣之位니 任天下之事者也라 天下之事를 豈一人所能獨任이리오 必當求天下之賢智하여 與之協力이니 得其人이면 則天下之治를 可不勞而致也요 用非其人이면 則敗國家之事하고 貽天下之患하리라 四下應於初하니 初는 陰柔小人이라 不可用者也어늘 而四用之면 其不勝任而敗事가 猶鼎之折足也라 鼎折足이면 則傾覆公上之餗이니 餗은 鼎實也라 居大臣之位하여 當天下之任하여 而所用非人하여 至於覆敗면 乃不勝其任이니 可羞愧之甚也라 其形渥은 謂報(난)汗也니 其凶을 可知라 繫辭曰 德薄而位尊하며 知(智)小而謀大하며 力少而任重이면 鮮不及矣라하니 言不勝其任也라 蔽於所私하면 德薄、知小也라

　사(四)는 대신(大臣)의 지위이니, 천하의 일을 맡은 자이다. 천하의 일을 어찌 한 사람이 홀로 맡을 수 있겠는가. 마땅히 천하의 어진이와 지혜로운 이를 구하여 더불어 협력해야 하니, 훌륭한 사람을 얻으면 천하의 다스림을 수고롭지 않고도 이룰 것이요, 등용함이 훌륭한 사람이 아니면 국가의 일을 실패하고 천하에 화를 끼치리라.

　사(四)가 아래로 초(初)와 응하니, 초(初)는 음유(陰柔)의 소인이라서 쓸 수 없는 자인데 사(四)가 그를 등용하면 임무를 감당하지 못하여 일을 실패함이 마치 솥발이 부러지는 것과 같은 것이다. 솥발이 부러지면 공상(公上)에게 바칠 음식을 기울어 뒤엎게 되니, '속(餗)'은 솥에 담겨진 음식이다. 대신의 지위에 거하여 천하

　　… 餗 : 솥안의음식 속　渥 : 붉을 악　劇 : 형벌 악　赧 : 무안할 난　汗 : 땀 한

의 임무를 담당하고서 등용한 바가 훌륭한 사람이 아니어서 복패(覆敗)함에 이르면 이는 그 임무를 감당하지 못한 것이니, 부끄러움이 심한 것이다. '기형악(其形渥)'은 무안하여 땀이 남을 이르니, 그 흉함을 알 만하다.

〈계사전 하〉에 이르기를 "덕(德)이 박하면서 지위가 높으며 지혜가 작으면서 도모함이 크며 힘이 적으면서 짐이 무거우면 화가 미치지 않는 자가 드물다."고 하였으니, 그 임무를 감당하지 못함을 말한 것이다. 사사로운 바에 가리운다면 덕이 박하고 지혜가 작은 것이다.

本義 | 晁氏曰 形渥은 諸本에 作刑剭하니 謂重刑也라하니 今從之하노라 九四는 居上任重者也어늘 而下應初六之陰이면 則不勝其任矣라 故其象如此하고 而其占凶也라

조씨(晁氏:조열지(晁說之))가 이르기를 "'형악(形渥)'은 여러 본(本)에 '형악(刑剭)'으로 되어 있으니, 중한 형벌이다." 하였으니, 이제 그 말을 따른다. 구사(九四)는 위에 거하여 중한 임무를 맡은 자인데, 아래로 초육(初六)의 음(陰)에 응한다면 그 임무를 감당하지 못하는 것이다. 그러므로 그 상(象)이 이와 같고 그 점(占)이 흉한 것이다.

象曰 覆公餗하니 信如何也오

〈상전〉에 말하였다. "공상(公上)에게 바칠 음식을 엎었으니, 신(信:믿음과 기대)이 어떠한가."

傳 | 大臣이 當天下之任하여 必能成天下之治安이면 則不誤君上之所倚와 下民之所望과 與己致身任道之志하여 不失所期하리니 乃所謂信也라 不然이면 則失其職하여 誤上之委任이니 得爲信乎아 故曰信如何也오하니라

대신이 천하의 임무를 담당하여 반드시 천하의 치안(治安:다스려짐과 편안함)을 이룩한다면 군상(君上)의 의지하는 바와 하민(下民)의 소망과 자신이 몸을 바쳐 도(道)를 자임(自任)하는 뜻을 그르치지 않아서 기대한 바를 잃지 않을 것이니, 이것이 이른바 신(信)이다. 그렇지 않으면 그 직분을 잃어서 위의 위임함을 그르친 것이니, 신(信)이라 할 수 있겠는가. 그러므로 '신(信)이 어떠한가.'라고 한 것이다.

本義ㅣ 言失信也라

신(信)을 잃음을 말한 것이다.

六五는 鼎黃耳金鉉이니 利貞하니라

육오(六五)는 솥이 황색 귀에 금으로 만든 현(鉉)이니, 정고(貞固)함이
이롭다.

傳ㅣ 五在鼎上하니 耳之象也요 鼎之擧措在耳하니 爲鼎之主也라 五有中德이라
故云黃耳요 鉉은 加耳者也라 二應於五하니 來從於耳〔一作五〕者는 鉉也라 二有剛
中之德하니 陽體剛이요 中色黃이라 故爲金鉉이라 五는 文明得中而應剛하고 二는
剛中巽體而上應하니 才无不足也요 相應至善矣니 所利在貞固而已라 六五居中
應中하여 不至於失正이로되 而質本陰柔라 故戒以貞固於中也라

오(五)는 솥의 위에 있으니 귀의 상(象)이요, 솥을 들고 놓음은 귀에 달려 있으
니, 솥의 주체가 된다. 오(五)는 중덕(中德)이 있으므로 '황이(黃耳)'라 말하였고,
'현(鉉)'은 귀 위에 덧붙여 있는 것이다. 이(二)는 오(五)에 응하니, 귀에 와서 따르
는 것은 현(鉉)이다. 이(二)는 강중(剛中)의 덕이 있으니, 양(陽)의 체(體)는 강(剛)하
고 중(中)의 색깔은 황색(黃色)이다. 그러므로 '금현(金鉉)'이라 한 것이다. 오(五)는
문명(文明)으로 중을 얻고 〈구이(九二)의〉 강(剛)에 응하며, 이(二)는 강중으로 손
(巽)의 체(體)이고 위가 응하니, 재주가 부족함이 없고 서로 응함이 지극히 선(善)
하니, 이로움이 정고(貞固)함에 있을 뿐이다. 육오(六五)는 중에 거하고 중과 응하
여 바름을 잃음에 이르지 않을 것이나 질이 본래 음유(陰柔)이므로 중에 정고하라
고 경계한 것이다.

本義ㅣ 五는 於象에 爲耳而有中德이라 故云黃耳라 金은 堅剛之物이요 鉉은 貫耳
以擧鼎者也라 五處中하여 以應九二之堅剛이라 故其象如此하고 而其占則利在
貞固而已라 或曰 金鉉은 以上九而言이라하니 更詳之니라

오(五)는 상(象)에 귀가 되고 중덕(中德)이 있으므로 '황이(黃耳)'라 말한 것이다.
'금(金)'은 견강(堅剛)한 물건이요 '현(鉉)'은 귀를 꿰어 솥을 드는 것이다. 오(五)는
중(中)을 비워 구이(九二)의 견강에 응하므로 그 상(象)이 이와 같고 그 점(占)은 이

로움이 정고(貞固)함에 있을 뿐이다. 혹자는 말하기를 "금현(金鉉)은 상구(上九)로써 말한 것이다." 하니, 다시 살펴보아야 할 것이다.

象曰 鼎黃耳는 中以爲實也라

〈상전〉에 말하였다. "솥이 황이(黃耳)인 것은 중(中)으로써 실덕(實德)을 삼은 것이다."

傳 | 六五는 以得中爲善하니 是는 以中爲實德也라 五之所以聰明應剛하여 爲鼎之主하고 得鼎之道는 皆由得中也일새라

육오(六五)는 중(中)을 얻음을 선(善)으로 삼으니, 이는 중(中)을 실덕(實德)으로 삼는 것이다. 오(五)가 총명하고 강(剛)에 응하여 정(鼎)의 주체가 되고 정(鼎)의 도(道)를 얻음은 모두 중을 얻었기 때문이다.

上九는 鼎玉鉉이니 大吉하여 无不利니라

상구(上九)는 솥이 옥(玉)으로 만든 현(鉉)이니, 대길(大吉)하여 이롭지 않음이 없다.

傳 | 井與鼎은 以上出爲用하니 處終은 鼎功之成也라 在上은 鉉之象이요 剛而溫者는 玉也라 九雖剛陽이나 而居陰履柔하여 不極剛而能溫者也라 居成功之道는 唯善處而已니 剛柔適宜하고 動靜不過하면 則爲大吉하여 无所不利矣라 在上爲鉉이니 雖居无位之地나 實當用也니 與他卦異矣니 井亦然하니라

정괘(井卦 ䷯)와 정괘(鼎卦)는 위로 나옴을 쓰임으로 삼으니, 종(終)에 처함은 정(鼎)의 공이 이루어지는 것이다. 위에 있음은 현(鉉)의 상이요, 강(剛)하면서도 따뜻함은 옥(玉)이다. 구(九)가 비록 강양(剛陽)이나 음위(陰位)에 거하여 유(柔)를 밟고 있어서 강함을 지극히 하지 않고 능히 온순한 자이다. 성공에 거하는 방도는 오직 잘 대처하는 것뿐이니, 강(剛)·유(柔)가 적절하고 동(動)·정(靜)이 과하지 않으면 대길(大吉)이 되어 이롭지 않은 바가 없는 것이다. 위에 있는 것은 현(鉉)이 되니, 비록 지위가 없는 자리에 거했으나 실제는 쓰임을 담당한 것이니, 다른 괘와 다르다. 정괘(井卦) 또한 그러하다.

本義 | 上은 於象에 爲鉉이요 而以陽居陰하니 剛而能溫이라 故有玉鉉之象이요 而其占이 爲大吉无不利하니 蓋有是德이면 則如其占也라

상(上)은 상(象)에 현(鉉)이 되고 양효(陽爻)로서 음위(陰位)에 거하였으니, 강하면서도 능히 온순하다. 그러므로 옥현(玉鉉)의 상이 있으며, 그 점(占)이 대길하여 이롭지 않음이 없음이 되니, 이러한 덕(德)이 있으면 그 점(占)과 같을 것이다.

象曰 玉鉉在上은 剛柔節也일새라

〈상전〉에 말하였다. "옥현(玉鉉)이 위에 있음은 강(剛)·유(柔)가 적절하기 때문이다."

傳 | 剛而溫은 乃有節也라 上居成功致用之地하여 而剛柔中節하니 所以大吉无不利也라 井、鼎이 皆以上出爲成功이어늘 而鼎不云元吉[154]은 何也오 曰 井之功用은 皆在上이요 井은 又有博施有常之德하니 是以元吉이어니와 鼎은 以烹飪爲功하니 居上爲成이라 德與井異로되 以剛柔節故로 得大吉也라

강(剛)하면서도 온화함은 바로 절도가 있는 것이다. 상(上)은 성공하여 씀을 지극히 하는 자리에 거하여 강(剛)·유(柔)가 절도에 맞으니, 이 때문에 대길하여 이롭지 않음이 없는 것이다. 정괘(井卦)와 정괘(鼎卦)는 모두 위로 나옴을 성공으로 삼는데 정괘(鼎卦)에서는 원길(元吉:크게 선하고 길함)이라고 말하지 않음은 어째서인가? 우물의 공용(功用)은 모두 위로 나옴에 있고 우물은 또 널리 베풀며 떳떳함이 있는 덕이 있으니, 이 때문에 크게 선(善)하고 길하지만 솥은 팽임(烹飪)을 공으로 삼으니, 상(上)에 거함은 성공이 되어 덕이 정(井)과 다르나, 강·유가 적절하기 때문에 대길을 얻은 것이다.

••••••
154   井鼎 皆以上出爲成功 而鼎不云元吉 : 정괘(井卦)의 상육 효사(上六爻辭)에는 '有孚元吉'이라 하였으나, 이 정괘(鼎卦)에서는 '대길(大吉)'이라 하였으므로 말한 것이다. 원길(元吉)을 정이천은 '대선이길(大善而吉:크게 선하고 길함)'로 해석하여 이렇게 말씀하였으나, 주자는 '원길' 역시 '대길'로 해석하였는바, 위에 자주 보인다.

傳ㅣ 震은 序卦에 主器者莫若長子라 故受之以震이라하니라 鼎者는 器也니 震爲
長男이라 故取主器之義하여 而繼鼎之後라 長子는 傳國家, 繼位號者也라 故爲主
器之主하니 序卦엔 取其一義之大者하여 爲相繼之義하니라 震之爲卦는 一陽이 生
於二陰之下하니 動而上者也라 故爲震이라 震은 動也어늘 不曰動者는 震有動而
奮發震驚之義일새라 乾坤之交가 一索而成震하니 生物之長也라 故爲長男이라 其
象則爲雷요 其義則爲動이니 雷有震奮之象이요 動爲驚懼之義라

진괘(震卦)는 〈서괘전〉에 "기물(器物)을 주관하는 자는 장자(長子)만한 이가 없
다. 그러므로 진괘로 받았다." 하였다. 정(鼎)은 기물이니, 진(震)은 장남(長男)이
되므로 기물을 주장하는 뜻을 취하여 정괘(鼎卦 ䷱)의 뒤를 이은 것이다. 장자는
국가(國家)를 물려받고 직위(職位)와 칭호를 계승하는 자이다. 그러므로 기물을 주
관하는 주인이 되니, 〈서괘전〉에는 한 가지 뜻의 큰 것만을 취하여 서로 잇는 뜻
으로 삼은 것이다.

진(震)의 괘됨은 한 양이 두 음의 아래에서 생겼으니, 동하여 올라가는 것이다.
그러므로 진이라 하였으니, 진은 동함이다. 그런데 괘 이름을 동(動)이라고 말하
지 않은 것은 진(震)은 동하고 분발하며 진경(震驚:진동하고 놀람)하는 뜻이 있기 때
문이다. 건(乾 ☰)·곤(坤 ☷)의 사귐이 첫 번째로 찾아 진(震)을 이루니, 물건을
낳는 우두머리이다. 그러므로 장남(長男)이 되었다. 그 상(象)은 우레가 되고 그 뜻
은 동함이 되니, 우레는 진분(震奮:진동하고 분발함)의 상이 있고 동(動)은 놀라고 두
려워하는 뜻이 된다.

震은 亨하니
진(震)은 형통하니,

傳ㅣ 陽生於下而上進하니 有亨之義하고 又震爲動이요 爲恐懼요 爲有主하니 震

··· 震 : 떨칠 진   索 : 찾을 색

而奮發하고 動而進하고 懼而修하고 有主而保大는 皆可以致亨이라 故震則有亨
이라

　　양(陽)이 아래에서 생겨 위로 나아가니 형(亨)의 뜻이 있고, 또 진(震)은 동함이
되고 공구(恐懼)가 되고 주인이 있음이 되니, 진동하여 분발(奮發)하고 동하여 나
아가고 두려워하여 닦고 주인이 있어 큼을 보존함은 모두 형통함을 이룰 수 있는
것이다. 그러므로 진(震)에 형통함이 있는 것이다.

震來에 虩(혁)虩이면 笑言이 啞(액)啞이리니
　　진동이 올 때에 돌아보고 돌아보면 웃고 말함이 즐거우리니,

傳 | 當震動之來하면 則恐懼不敢自寧하고 旋顧周慮〔一作周旋顧慮〕하여 虩虩然也
라 虩虩은 顧慮不安之貌니 蠅虎[155]를 謂之虩者는 以其周環顧慮하여 不自寧也일
새라 處震如是면 則能保其安裕라 故笑言啞啞이니 啞啞은 言笑和適之貌라

　　진동이 옴을 당하면 공구(恐懼)하여 감히 스스로 편안하지 못하고, 돌아보고
두루 생각하여 혁혁(虩虩)히 하여야 한다. '혁혁'은 돌아보고 생각하여(염려하여)
편안히 여기지 않는 모양이니, 승호(蠅虎)를 혁(虩)이라 이르는 것은 두루 돌아보
고 염려하여 스스로 편안히 여기지 않기 때문이다. 진(震)에 대처하기를 이와 같
이 하면 그 편안함과 넉넉함을 보존할 수 있다. 그러므로 웃고 말하기를 액액(啞
啞)히 하는 것이니, '액액'은 말하고 웃음을 온화하고 알맞게 하는 모양이다.

震驚百里에 不喪匕鬯(비창)하나니라
　　우레의 진동이 백 리를 놀라게 함에 숟가락과 울창주(鬱鬯酒)를 잃지
않는다.

傳 | 言震動之大而處之之道하니라 動之大者 莫若雷하니 震爲雷故로 以雷言하
니라 雷之震動에 驚及百里之遠이면 人无不懼而自失하니 雷聲所及이 百里也라

155　蠅虎 : 승호(蠅虎)는 깡충거미로 파리를 잡아먹기 때문에 붙여진 이름이다.

······　虩 : 두려워할 혁, 승호(蠅虎) 혁　啞 : 웃을 액　蠅 : 파리 승　環 : 돌 환　匕 : 숟가락 비　鬯 : 울창주 창

唯宗廟祭祀에 執匕鬯者는 則不致於喪失하니 人之致其誠敬은 莫如祭祀라 匕以載鼎實하여 升之於俎하고 鬯以灌地而〔一无而字〕降神하나니 方其酌祼以求神하고 薦牲而祈享하여 盡其誠敬之心이면 則雖雷震〔一作霆〕之威라도 不能使之懼而失守라 故臨大震懼하여 能安而不自失者는 唯誠敬而已니 此는 處震之道也라 卦才无取라 故但言處震之道하니라

진동이 큰데 이에 대처하는 방도를 말하였다. 진동이 큰 것은 우레보다 더한 것이 없으니, 진(震)은 우레가 되므로 우레로써 말하였다. 우레가 진동함에 놀람이 백 리의 멂에 미치면 사람이 두려워하여 스스로 지킴을 잃지 않는 이가 없으니, 우레 소리는 백 리에까지 미친다. 오직 종묘(宗廟)의 제사에 숟가락과 울창주(鬱鬯酒)를 잡은 자는 상실(喪失)함에 이르지 않으니, 사람이 그 정성과 공경을 지극히 함은 제사보다 더한 것이 없다.

숟가락으로 솥에 담겨진 것을 꺼내서 도마에 올리고 울창주를 땅에 부어 강신(降神)을 하니, 술을 부어 강신하여 신(神)을 구하고 희생(犧牲)을 올려 흠향하기를 기원해서 정성과 공경의 마음을 다하면 비록 우레가 진동하는 위엄이라도 두려워하여 지킴을 잃게 하지 못한다. 그러므로 큰 진동과 두려움을 당하여 능히 편안하고 스스로 잃지 않는 것은 오직 정성과 공경뿐이니, 이는 진(震)에 대처하는 방도이다. 괘의 재질이 취할 것이 없으므로 다만 진에 대처하는 방도를 말하였다.

本義 ┃ 震은 動也니 一陽이 始生於二陰之下하여 震而動也라 其象이 爲雷요 其屬이 爲長子하니 震有亨道라 震來는 當震之來時也라 虩虩은 恐懼驚顧之貌라 震驚百里는 以雷言이라 匕는 所以擧鼎實이요 鬯은 以秬黍酒로 和鬱金이니 所以灌地降神者也라 不喪匕鬯은 以長子言也라 此卦之占은 爲能恐懼면 則致福而不失其所主之重이니라

진(震)은 동함이니, 한 양이 처음으로 두 음의 아래에서 생겨서 진동하여 움직인다. 그 상(象)은 우레가 되고 그 등속은 장자(長子)가 되니, 진(震)에는 형통할 방도가 있다. '진래(震來)'는 진동이 올 때를 당한 것이다. '혁혁(虩虩)'은 두려워하고 놀라 돌아보는 모양이다. 진동이 백 리를 놀라게 한다는 것은 우레로써 말한 것이다. '숟가락[匕]'는 솥에 담겨진 것(고기)을 드는 것이요, '창(鬯)'은 검은기장으로 빚은 술을 울금(鬱金)과 섞어 만든 것이니, 땅에 부어 강신(降神)하는 것이다. 숟

••• 祼 : 강신제 관 秬 : 검은기장 거 灌 : 물댈 관

가락과 울창주를 잃지 않는다는 것은 장자(長子)로써 말한 것이다. 이 괘(卦)의 점(占)은 능히 공구(恐懼)하면 복을 이루고(오게 하고) 주장하는 바의 중(重)함을 잃지 않음이 된다.

彖曰 震은 亨하니
〈단전(彖傳)〉에 말하였다. "진(震)은 형통하니,

本義｜ 震有亨道하니 不待言也라
　진(震)에는 형통할 방도가 있으니, 굳이 말할 것이 없다.

震來虩虩은 恐致福也요 笑言啞啞은 後有則也라
　진동이 옴에 돌아보고 두려워함은 두려워하여 복(福)을 이룸이요, 웃고 말함이 즐거움은 두려워한 뒤에야 법칙이 있는 것이다.

傳｜ 震은 自有亨之〔一无之字〕義하니 非由卦才요 震來而能恐懼하여 自修自慎이면 則可反致福吉也라 笑言啞啞은 言自若也〔一作啞啞笑言自若也〕니 由能恐懼而後에 自處有法則也라 有則이면 則安而不懼矣니 處震之道也라
　진(震)은 본래 형통할 뜻이 있으니 괘의 재질로 말미암은 것이 아니요, 진동이 옴에 능히 두려워하여 스스로 닦고 스스로 삼가면 도리어 복(福)과 길함을 이룰 수 있는 것이다. '소언액액(笑言啞啞)'은 태연자약(泰然自若)함을 말한 것이니, 능히 두려워한 뒤에야 자처함에 법칙이 있는 것이다. 법칙이 있으면 편안하여 두려워하지 않을 것이니, 진(震)에 대처하는 방도이다.

本義｜ 恐致福은 恐懼以致福也라 則은 法也라
　'공치복(恐致福)'은 두려워하여 복을 이루는 것이다. '칙(則)'은 법이다.

震驚百里는 驚遠而懼邇也니
　우레의 진동이 백 리를 놀라게 함은 멀리 있는 자를 놀라게 하고 가까이 있는 자를 두렵게 함이니,

···　邇 : 가까울 이

傳｜ 雷之震이 及於百里하여 遠者驚하고 邇者懼하니 言其威遠大也라

　우레의 진동이 백 리에 미쳐서 멀리 있는 자가 놀라고 가까이 있는 자가 두려워하니, 그 위엄이 멀고 큼을 말한 것이다.

[不喪匕鬯]은 出可以守宗廟、社稷[156]하여 以爲祭主也라

　순가락과 울창주를 잃지 않음은 군주가 나옴에(출국함에) 종묘(宗廟)와 사직(社稷)을 지켜서 제사의 주인이 되리라.”

　본의｜ 나와서

傳｜ 彖文에 脫不喪匕鬯一句하니라 卦辭云 不喪匕鬯은 本謂誠敬之至하여 威懼不能使之自失이어늘 彖엔 以長子宜如是라하니 因〔一有以字〕承上文用長子之義하여 通解之하니라 謂其誠敬이 能不喪匕鬯이면 則君出而可以守宗廟、社稷하여 爲祭主也니 長子如是而後에 可以守世祀, 承國家也라

　〈단전〉의 글에는 ‘불상비창(不喪匕鬯)’ 한 구(句)가 빠져 있다. 괘사(卦辭)에 “순가락과 울창주를 잃지 않는다.”는 것은 본래 정성과 공경이 지극하여 위엄과 두려움이 스스로 지킴을 잃게 하지 못함을 말한 것인데, 〈단전〉에는 장자는 마땅히 이와 같이 하여야 한다고 하였으니, 이는 상문(上文)을 이어 장자의 뜻을 써서 통틀어 해석한 것이다. 정성과 공경이 능히 순가락과 울창주를 잃지 않으면 군주가 국외로 나옴에 종묘와 사직을 지켜서 제주(祭主)가 될 수 있으니, 장자가 이와 같이 한 뒤에야 대대로 이어오는 제사를 지키고 국가를 계승할 수 있음을 말한 것이다.

本義｜ 程子以爲邇也下에 脫不喪匕鬯四字라하시니 今從之하노라 出은 謂繼世而主祭也라 或云 出은 卽鬯字之誤라하니라

　정자는 “이야(邇也)의 아래에 ‘불상비창(不喪匕鬯)’ 네 자(字)가 빠졌다.” 하셨으니, 이제 그 말씀을 따른다. ‘출(出)’은 대(代)를 이어 제사를 주관함을 이른다. 혹

・・・・・・
156　出可以守宗廟社稷：출(出) 자에 대해《정전》에는 “군주가 일이 있어 외국에 나가게 되면 장자가 나와서 종묘와 사직을 지키는 것”으로 해석한 반면,《본의》에는 출(出)을 “장자가 대를 이어 제사를 주관함을 말한 것”으로 해석하였다.

자는 이르기를 "출(出)은 바로 창(凷) 자의 오자(誤字)이다." 한다.

象曰 洊(천)雷震이니 君子以하여 恐懼修省하나니라
　〈상전〉에 말하였다. "우레가 거듭된 것이 진(震)이니, 군자가 보고서 공구(恐懼)하여 닦고 살핀다."

傳 ｜　洊은 重襲也니 上下皆震이라 故爲洊雷하니 雷重仍이면 則威益盛이라 君子觀洊雷威震之象하여 以恐懼하여 自修飭循省也라 君子畏天之威하여 則修正其身하여 思省其過咎而改之하나니 不唯雷震이요 凡遇驚懼之事에 皆當如是니라
　'천(洊)'은 거듭함이니, 위아래가 모두 진(震)이므로 천뢰(洊雷)라 하였으니, 우레가 거듭 이어지면 위엄이 더욱 성하다. 군자가 우레가 거듭되어 위엄으로 진동하는 상(象)을 보고서 공구(恐懼)하여 스스로 닦고 신칙하고 살핀다. 군자는 하늘의 위엄을 두려워하여 그 몸을 닦고 바루어서 그 허물을 살펴 고칠 것을 생각하니, 다만 우레의 진동만이 아니요, 무릇 놀라고 두려운 일을 만남에 모두 마땅히 이와 같이 하여야 한다.

初九는 震來虩虩이라야 後에 笑言啞啞이리니 吉하니라
　초구(初九)는 진동이 올 때에 돌아보고 두려워하여야 뒤에 웃고 말함이 즐거우리니, 길하다.

傳 ｜　初九는 成震之主하니 致震者也요 在卦之下하니 處震之初也라 知震之來하고 當震之始하여 若能以爲恐懼而周旋顧慮하여 虩虩然不敢寧止하면 則終必保其安吉이라 故〔一作然〕後笑言啞啞也라
　초구(初九)는 진(震)을 이룬 주체이니 진동을 이루게 한 자이고, 괘(卦)의 아래에 있으니 진(震)의 초기에 처한 것이다. 진동이 옴을 알고 진의 초기를 당하여 만일 능히 공구(恐懼)하고 주선(周旋)하여 고려(顧慮:돌아보고 염려함)해서 돌아보고 두려워하여 감히 편안히 여기고 그치지 않으면 끝내 반드시 편안함과 길함을 보존할 것이다. 그러므로 뒤에 웃고 말함이 즐거운 것이다.

··· 洊 : 거듭할 천　襲 : 거듭할 습　仍 : 인할 잉

本義 | 成震之主하고 處震之初라 故其占如此하니라

진(震)의 주체가 되고 진의 초기에 처하였다. 그러므로 그 점(占)이 이와 같은 것이다.

象曰 震來虩虩은 **恐致福也**요 **笑言啞啞**은 **後有則**(칙)**也**라

〈상전〉에 말하였다. "진동이 옴에 혁혁(虩虩)함은 두려워하여 복(福)을 이룸이요, 웃고 말함이 액액(啞啞)함은 두려워한 뒤에 법칙이 있는 것이다."

傳 | 震來而能恐懼周顧면 則无患矣니 是는 能因恐懼而反致福也요 因恐懼而自修省하여 不敢違於法度하니 是는 由震而後有法則이라 故能保其安吉하여 而笑言啞啞也라

진동이 옴에 능히 공구(恐懼)하고 두루 돌아보면 화환(禍患)이 없을 것이니, 이는 공구로 인하여 도리어 복을 이루는 것이며, 공구로 인하여 스스로 닦고 살펴서 감히 법도를 어기지 않으니, 이는 진동으로 말미암은 뒤에 법칙이 있는 것이다. 그러므로 편안함과 길함을 보존하여 웃고 말함이 액액(啞啞)한 것이다.

六二는 **震來厲**[157]라 **億喪貝**하여 **躋于九陵**이니 **勿逐**하면 **七日得**하리라

육이(六二)는 진동의 옴이 맹렬하다. 화패(貨貝)를 잃을 것을 억측하여 높은 언덕에 오르니, 쫓아가지 않으면 칠 일에 얻으리라.

本義 | 震來에 厲하여 億喪貝하고 躋于九陵이니 勿逐이라도

진동이 옴에 위태롭게 여겨 화패(貨貝)를 잃고 높은 언덕에 오름이니, 쫓아가지 않아도

傳 | 六二居中得正하니 善處震者也로되 而乘初九之剛하니 九는 震之主라 震剛이 動而上奮이면 孰能禦之리오 厲는 猛也, 危也니 彼來旣猛이면 則己處危矣라 億은 度(탁)也요 貝는 所有之資也라 躋는 升也요 九陵은 陵之高也요 逐은 往追也라

. . . . . .
157 震來厲 : 려(厲)를 《정전》에는 "진동이 맹렬히 옴에 자신이 위태로움에 처하는 것"으로 보았으나, 《본의》에는 "진동이 옴에 위태롭게 여기는 것"으로 해석하였다.

··· 躋 : 오를 제

以震來之屬에 度(탁)不能當而必喪其所有하면 則升至高以避之也라 九는 言其
重하니 岡陵之重은 高之至也라 九는 重之多也니 如九天、九地也[158]라 勿逐七日
得은 二之所貴者는 中正也니 遇震懼之來에 雖量勢巽避하나 當守其中正하여 无
自失也니 億之必喪也라 故遠避以自守하니 過則復其常矣니 是勿逐而自得也라
逐은 卽物也니 以己卽物이면 失其守矣라 故戒勿逐이라 避遠自守는 處震之大方
也니 如二者는 當危懼而善處者也라 卦位有六하여 七乃更(경)始하니 事旣終하고
時旣易也라 不失其守하면 雖一時不能禦其來나 然時過事已하면 則復其常이라
故云七日得이라하니라

　　육이(六二)가 중(中)에 거하고 정(正)을 얻었으니 진(震)에 잘 대처하는 자이나
초구(初九)의 강을 탔으니, 초구는 진(震)의 주체이다. 진강(震剛)이 동하여 위로
분발하면 누가 이것을 막겠는가. '려(厲)'는 사나움(맹렬함)이요 위태로움이니, 저
(우레)가 옴이 이미 맹렬하면 자신이 위태로움에 처하게 된다. '억(億)'은 억탁(億
度)이요, '패(貝)'는 가지고 있는 물자(物資)이다. '제(躋)'는 오름이요, '구릉(九陵)'
은 높은 언덕이요, '축(逐)'은 가서 쫓음이다. 진동의 옴이 맹렬할 때에 능히 감당
하지 못하여 반드시 소유한 것을 상실할 것을 헤아리면 지극히 높은 곳에 올라가
피하는 것이다. 구(九)는 거듭함을 말하니, 강릉(岡陵)이 거듭함은 높음이 지극한
것이다. 구(九)는 거듭함이 많은 것이니, 구천(九天)과 구지(九地)와 같다.

　　'물축칠일득(勿逐七日得)'은 이(二)가 귀히 여기는 것은 중정(中正)이니, 진구(震
懼)의 옴을 만났을 적에 비록 형세를 헤아려 공손히 피하나 마땅히 중정함을 지켜
스스로 잃지 말아야 하니, 억측해 봄에 반드시 상실할 것이므로 멀리 피하여 스스
로 지키니, 지나가면 평상(平常)으로 돌아오는 것이니, 이는 쫓지 않아도 스스로
얻는 것이다. '축(逐)'은 물건에 나아감이니, 자기로써 물건에 나아가면(쫓아가면)
그 지킴을 잃게 된다. 그러므로 쫓아가지 말라고 경계한 것이다. 멀리 피하고 스
스로 지킴은 진(震)에 대처하는 큰 방법이니, 이(二)와 같은 자는 위구(危懼)를 당
하여 잘 대처하는 자이다. 괘(卦)의 자리가 여섯이 있어서 일곱은 바로 다시 시작

• • • • • •
158　如九天九地也 : 구천(九天)은 가장 높은 하늘이고 구지(九地)는 가장 깊은 땅속인 바, 《손자
(孫子)》〈군형(軍形)〉에 "잘 지키는 자는 구지의 아래에 감추고 잘 공격하는 자는 구천의 위에서
움직인다.〔善守者藏於九地之下, 善攻者動於九天之上.〕" 하였다.

하는 것이니, 일이 이미 끝나고 때가 이미 바뀐 것이다. 그 지킴을 잃지 않으면 비록 일시적으로는 그 옴을 막지 못하나 때가 지나고 일이 끝나면 평상으로 돌아온다. 그러므로 칠 일에 얻는다고 말한 것이다.

本義ㅣ 六二乘初九之剛이라 故當震之來而危厲也라 億字는 未詳이라 又當喪其貨貝하고 而升於九陵之上이나 然柔順中正하여 足以自守라 故不求而自獲也라 此爻는 占具象中하니 但九陵、七日之象은 則未詳耳라

육이(六二)가 초구(初九)의 강(剛)함을 탔으므로 진동이 옴을 당하여 위태롭게 여기는 것이다. 억(億)자는 미상(未詳)이다. 또 마땅히 그 화패(貨貝)를 상실하고 구릉(九陵)의 위로 올라갈 것이나 유순하고 중정(中正)하여 충분히 스스로 지킬 수 있다. 그러므로 구하지 않아도 스스로 얻는 것이다. 이 효(爻)는 점(占)이 상(象) 가운데에 갖춰져 있는데, 다만 구릉(九陵)과 칠 일의 상(象)은 미상이다.

象曰 震來厲는 乘剛也일새라

〈상전〉에 말하였다. "진래려(震來厲)'는 강함을 탔기 때문이다."

傳ㅣ 當震而乘剛이라 是以로 彼厲而己危하니 震剛之來를 其可禦乎아

진(震)을 당하여 강(剛)을 타고 있다. 이 때문에 저가 맹렬하여 자신이 위태로운 것이니, 진강(震剛)이 오는 것을 막을 수 있겠는가.

六三은 震蘇蘇니 震行하면 无眚하리라

육삼(六三)은 진동하여 신기(神氣)가 소소(蘇蘇;흩어짐)하니, 진동함을 인하여 앞으로 가면 허물이 없으리라.

傳ㅣ 蘇蘇는 神氣緩散自失之狀이라 三이 以陰居陽하여 不正하니 處不正이면 於平時에도 且不能安이어든 況處震乎아 故其震懼而蘇蘇然이라 若因震懼而能行하여 去不正而就正이면 則可以无過라 眚은 過也라 三行則至四하니 正也니 動은 以就正爲善이라 故二는 勿逐則自得이요 三은 能行則无眚이라 以不〔一有中字〕正而處震懼면 有眚을 可知니라

'소소(蘇蘇)'는 신기(神氣)가 느슨하고 흩어져 자실(自失)하는 모양이다. 삼(三)이 음효(陰爻)로서 양위(陽位)에 거하여 바르지 못하니, 바르지 못함에 처하면 평시에도 편안할 수 없는데 하물며 진(震)에 처함에 있어서랴. 그러므로 진구(震懼)하여 소소연(蘇蘇然)한 것이니, 만약 진구함으로 인하여 앞으로 가서 바르지 못함을 제거하여 정(正)으로 나아가면 허물이 없으리라. '생(眚)'은 허물이다. 삼(三)이 앞으로 가면 사(四)에 이르니, 사(四)는 바른 자리이니, 동함은 바름에 나아감을 선(善)으로 여긴다. 그러므로 이(二)는 쫓아가지 않으면 스스로 얻고, 삼(三)은 앞으로 가면 허물이 없는 것이다. 바르지 못함으로 진구(震懼)에 처하면 허물이 있음을 알 만하다.

本義 | 蘇蘇는 緩散自失之狀이라 以陰居陽하여 當震時而居不正하니 是以如此라 占者若因懼而能行하여 以去其不正이면 則可以无眚矣리라

'소소(蘇蘇)'는 느슨하고 흩어져 자실(自失)하는 모양이다. 음효(陰爻)로서 양위(陽位)에 거하여 진(震)의 때를 당해서 바르지 못한 자리에 처했으니, 이 때문에 이와 같은 것이다. 점치는 자가 만일 두려움으로 인하여 능히 가서 바르지 못함을 제거하면 허물이 없으리라.

象曰 震蘇蘇는 位不當也일새라

〈상전〉에 말하였다. "진소소(震蘇蘇)'는 자리가 합당하지 않기 때문이다."

傳 | 其恐懼自失蘇蘇然은 由其所處不當故也라 不中不正하니 其能安乎아

공구(恐懼)하여 자실해서 소소연(蘇蘇然)함은 그 처한 바가 합당하지 않기 때문이다. 중(中)하지 못하고 정(正)하지 못하니, 편안할 수 있겠는가.

九四는 震이 遂泥라

구사(九四)는 진동함이 마침내 빠져 있다.

傳 | 九四居震動之時하여 不中不正하니 處柔는 失剛健之道요 居四는 无中正之

德이니 陷溺於重陰之間¹⁵⁹하여 不能自震奮者也라 故云遂泥라하니 泥는 滯溺也라 以不正之陽으로 而上下重陰이니 安能免於泥乎아 遂는 无反之意라 處震懼면 則莫能守也요 欲震動이면 則莫能奮也니 震道亡矣라 豈復能光亨也리오

구사(九四)가 진동하는 때에 거하여 중(中)하지 못하고 정(正)하지 못하니, 유위(柔位)에 처함은 강건(剛健)의 도(道)를 잃은 것이요, 사(四)에 거함은 중정(中正)의 덕(德)이 없는 것이니, 중음(重陰)의 사이에 빠져서 능히 스스로 진분(震奮)하지 못하는 자이다. 그러므로 '수니(遂泥)'라 말한 것이다. '니(泥)'는 침체하고 빠지는 것이다. 바르지 못한 양(陽)으로서 상·하가 거듭된 음(陰)이니, 어찌 진흙에 빠짐을 면하겠는가. '수(遂;마침내, 끝내)'는 돌아옴이 없는 뜻이다. 진구(震懼)에 처하면 지킬 수 없고 진동하고자 하면 분발할 수 없으니, 진(震)의 도가 없어진 것이다. 어찌 빛나고 형통하겠는가.

本義 | 以剛處柔하여 不中不正이요 陷於二陰之間하여 不能自震也라 遂者는 无反之意라 泥는 滯溺也라

강효(剛爻)로서 유위(柔位)에 처하여 중정하지 못하고 두 음(陰)의 사이에 빠져 있어 스스로 진분(震奮)하지 못한다. '수(遂)'는 돌아옴이 없는 뜻이다. '니(泥)'는 침체하고 빠짐이다.

象曰 震遂泥는 未光也로다

〈상전〉에 말하였다. "'진수니(震遂泥)'는 광대(光大)하지 못하도다."

傳 | 陽者는 剛物이요 震者는 動義니 以剛處動이면 本有光亨之道로되 乃失其剛正하고 而陷於重陰하여 以致遂泥하니 豈能光也리오 云未光은 見陽剛本能震也로되 以失德故로 泥耳라

양(陽)은 강(剛)한 물건이요 진(震)은 동하는 뜻이니, 강(剛)으로서 동(動)에 처하면 본래 빛나고 형통할 방도가 있으나 마침내 강정(剛正)함을 잃고 중음(重陰)에

• • • • • •
159 陷溺於重陰之間: 구사(九四)가 위에는 상육(上六)과 육오(六五), 아래에는 육삼(六三)과 육이(六二)가 있으므로 '중음(重陰)의 사이'라 한 것이다.

••• 滯: 막힐 체 溺: 빠질 닉

빠져서 수니(遂泥)를 이루었으니, 어찌 광대하겠는가. 미광(未光)이라고 말한 것은 양강(陽剛)은 본래 진분(震奮)할 수 있으나 덕(德)을 잃었기 때문에 빠져 있음을 나타낸 것이다.

六五는 震이 往來厲하니 億하여 无喪有事니라
육오(六五)는 진(震)이 오고감이 위태로우니, 억측하여 하고 있는 일(중(中))을 상실하지 말아야 한다.

本義 | 震에 往來厲하나 億无喪하고 有事로다
진동함에 오고감이 위태로우나 잃음이 없고 일함이 있다.

傳 | 六五雖以陰居陽하여 不當位하여 爲不正이나 然以柔居剛하고 又得中하니 乃有中德者也라 不失中이면 則不違於正矣니 所以中爲貴也라 諸卦에 二、五는 雖不當位나 多以中爲美하고 三、四는 雖當位나 或以不中爲過하니 中常重於正也일새니 蓋中則不違於正이요 正不必中也라 天下之理가 莫善於中하니 於九二、六五에 可見이라 五之動은 上往則柔不可居動之極이요 下來則犯剛하니 是는 往來皆危也라 當君位하여 爲動之主하니 隨宜應變하여 在中而已라 故當億度(탁)하여 无喪失其所有之事而已니 所有之事는 謂中德이라 苟不失中이면 雖有危라도〔一有終字〕不至於凶也라 億度은 謂圖慮니 求不失中也라 五所以危는 由非剛陽而无助니 若以剛陽有助하여 爲動之主면 則能亨矣리라 往來皆危면 時則甚難〔一有艱〕이니 但期於不失中이면 則可自守어니와 以柔主動하니 固不能致亨濟也니라

육오(六五)가 비록 음효(陰爻)로서 양위(陽位)에 거하여 자리가 합당하지 않아 바르지 못함이 되나 유(柔)로서 강위(剛位)에 거하고 또 중(中)을 얻었으니, 이는 중덕(中德)을 간직하고 있는 자이다. 중을 잃지 않으면 정(正)에서 떠나지 않으니, 이 때문에 중이 귀한 것이다. 여러 괘에 이(二)와 오(五)는 비록 자리가 합당하지 않더라도 중을 아름답게 여긴 경우가 많고, 삼(三)과 사(四)는 자리가 합당하더라도 혹 중하지 못함을 과(過)라 한 경우가 있으니, 중이 항상 정(正)보다 중하기 때문이다. 중이면 정에서 떠나지 않고 정은 반드시 중하지는 못하다. 천하의 이치가 중보다 더 좋은 것이 없으니, 육이(六二)와 육오(六五)에서 볼 수 있다.

오(五)의 동함은 위(상육)로 가면 유(柔)라서 동(動)의 극에 처할 수 없고, 아래

로 오면 강을 범하니, 이는 오고감이 모두 위태로운 것이다. 군위(君位)를 당하여 동(動)의 주체가 되었으니, 마땅함에 따라 변(變)에 응하여 중도(中道)에 있게 할 뿐이다. 그러므로 마땅히 억탁(億度)하여 소유(所有)하고 있는 일을 상실하지 않을 뿐이니, 소유하고 있는 일이란 중덕(中德)을 이른다. 만일 중을 잃지 않으면 비록 위태로움이 있더라도 흉함에는 이르지 않을 것이다.

　　억탁은 도모하고 생각함을 이르니, 중을 잃지 않음을 구하는 것이다. 오(五)가 위태로운 까닭은 양강(陽剛)이 아니고 도와주는 이가 없기 때문이니, 만일 양강으로서 도와줌이 있어 동의 주체가 된다면 능히 형통할 것이다. 오고감이 모두 위태로우면 때가 매우 어려운 시기이니, 다만 중을 잃지 않음을 기약하면 스스로 지킬 수 있으나 유(柔)로서 동(動)을 주장하니, 진실로 형통하고 이룸[濟]을 이루지는 못한다.

本義 | 以六居五而處震時하니 无時而不危也로되 以其得中이라 故无所喪而能有事也니 占者不失其中이면 則雖危나 无喪矣리라

　　육(六)이 오(五)에 거하고 진(震)의 때에 처하였으니, 때마다 위태롭지 않음이 없으나 그 중(中)을 얻었기 때문에 상실하는 바가 없고 일함이 있는 것이니, 점치는 자가 중을 잃지 않으면 비록 위태로우나 잃음은 없을 것이다.

象曰 震往來厲는 危行也요 其事在中하니 大无喪也[160]니라

　　〈상전〉에 말하였다. "진동이 오고감이 위태로움은 가면 위태로운 것이요, 그 일함이 중(中)에 있으니 크게 잃음이 없는 것이다."

傳 | 往來皆厲하니 行則有危也라 動皆有危하니 唯在无喪其事而已니 其事는 謂中也라 能不失其中이면 則可自守也라 大无喪은 以无喪爲大也라

　　오고감이 모두 위태로우니, 가면 위태로움이 있는 것이다. 동함에 모두 위태

･･･････
160　大无喪也:《정전》은 "잃음이 없음을 크게(훌륭하게) 여기는 것이다." 하였고, 퇴계(退溪)의 《경서석의(經書釋義)》에는 "상(喪)티 마로미 대(大)하니라"로 풀이하였으며, 사계(沙溪)의 《경서변의》에는 "상실함이 큼이 없다.〔喪之無大矣.〕"라 하였으나, 《언해》를 따라 위와 같이 해석하였음을 밝혀둔다.

로움이 있으니, 오직 그 일(하고 있는 일)을 잃지 않음에 있을 뿐이니, 그 일이란 중(中)을 이른다. 중을 잃지 않으면 스스로 지킬 수 있다. '대무상(大无喪)'은 잃음이 없음을 큼으로 여기는 것이다.

上六은 震이 索(삭)索하여 視矍(확)矍이니 征이면 凶하니 震不于其躬이요 于其隣이면 无咎리니 婚媾는 有言이리라

상육(上六)은 진동함이 삭삭(索索)하여 보기를 두리번거리는 것이니, 가면 흉하니, 진동이 자기 몸에 이르렀을 때에 하지 않고 그 이웃에 왔을 때에 미리하면 허물이 없으리니, 혼구(婚媾;같은 짝)는 원망하는 말이 있으리라.

本義 | 无咎어니와
　　　허물이 없지만

傳 | 索索은 消索(삭)不存之狀이니 謂其志氣如是라 六以陰柔로 居震動之極하니 其驚懼之甚하여 志氣殫索(탄삭)也라 矍矍은 不安定貌니 志氣索索이면 則視瞻徊徨이라 以陰柔不中正之質로 而處震動之極이라 故征則凶也라 震之及身은 乃于其躬也니 不于其躬은 謂未及身也라 隣者는 近於身者也니 能震懼於未及身之前이면 則不至於極矣라 故得无咎라 苟未至於極이면 尙有可改之道하니 震終當變이요 柔不固守라 故有畏〔一作見〕隣戒而能變之義라 聖人이 於震終에 示人知懼能改之義하시니 爲勸이 深矣로다 婚媾는 所親也니 謂同動者라 有言은 有怨咎之言也라 六居震之上하여 始爲衆〔一作震〕動之首러니 今乃畏隣戒而不敢進하여 與諸處震者異矣라 故婚媾有言也라

'삭삭(索索)'은 소삭(消索;의기소침한)하여 보존하지 못하는 모양이니, 지기(志氣)가 이와 같음을 말한 것이다. 육(六)이 음유(陰柔)로서 진동의 극에 거하였으니, 놀라고 두려워함이 심하여 지기가 다하고 막힌 것이다. '확확(矍矍)'은 안정되지 못한 모양이니, 지기가 삭삭하면 보기를 두리번거린다. 음유(陰柔)이고 중정(中正)하지 못한 자질로 진동의 극에 처하였으므로 가면 흉한 것이다.

진동이 몸에 미침은 바로 그 몸에 진동하는 것이니, '불우기궁(不于其躬)'은 아직 몸에 미치지 않았을 때를 이른다. 이웃이란 몸에 가까운 자이니, 아직 몸에 미

··· 索 : 사라질 삭　矍 : 놀라두리번거리는모양 확　殫 : 다할 탄　徊 : 배회할 회　徨 : 배회할 황

치기 전에 진구(震懼)하면 극에 이르지 않는다. 그러므로 허물이 없을 수 있는 것이다. 만일 극에 이르지 않는다면 아직도 고칠 수 있는 방도가 있으니, 진(震)이 끝나면 마땅히 변하고 유(柔)는 굳게 지키지 못하므로 이웃의 경계함을 두려워하여 능히 변하는 뜻이 있는 것이다. 성인(聖人)이 진(震)의 마지막에서 사람들에게 두려워할 줄을 알아 고치는 뜻을 보여주셨으니, 권면함이 깊도다.

'혼구(婚媾)'는 친한 바이니, 함께 동하는 자를 이른다. '유언(有言)'은 원망하고 허물하는 말이 있는 것이다. 육(六)이 진(震)의 위에 거하여 처음에는 여러 동(動)의 우두머리가 되었는데, 이제 마침내 이웃의 경계함을 두려워하여 감히 나아가지 못해서 여러 진(震)에 처한 자와 달리한다. 그러므로 혼구(婚媾)들이 원망하는 말이 있는 것이다.

本義 | 以陰柔處震極이라 故爲索索矍矍之象이니 以是而行이면 其凶이 必矣라 然能及其震未及其身之時하여 恐懼修省이면 則可以无咎로되 而亦不能免於婚媾之有言이리니 戒占者當如是也라

음유(陰柔)로서 진(震)의 극에 처하였으므로 삭삭 확확(索索矍矍)의 상(象)이 되니, 이러한 방법으로 행하면 그 흉(凶)함이 틀림없다. 그러나 진동이 아직 몸에 이르지 않았을 때에 미쳐 공구(恐懼)하여 닦고 살피면 허물이 없을 수 있으나 혼구(婚媾)의 원망하는 말이 있음을 면치 못하리니, 점치는 자에게 마땅히 이와 같이 하라고 경계한 것이다.

象曰 震索索은 中未得也[161]일새요 雖凶无咎는 畏隣戒也일새라

〈상전〉에 말하였다. "'진삭삭(震索索)'은 중(中)을 얻지 못했기 때문이요, 비록 흉하나 허물이 없음은 이웃의 경계함을 두려워하기 때문이다."

본의 | 중심(中心)이

傳 | 所以恐懼自失如此는 以未得於中道也니 謂過中也라 使之得中이면 則不至

......

161　中未得也 : 중(中)에 대하여 《정전》에는 "중도(中道), 중덕(中德)으로 보았으나, 《본의》에는 '중심(中心)'으로 해석하였다.

於索索矣리라 極而復征이면 則凶也니 若能見隣戒而知懼하여 變於未極之前이면 則无咎也라 上六은 動之極이니 震極則〔一作之終〕有變義也라

공구(恐懼)하여 스스로 잃음이 이와 같은 까닭은 중도(中道)를 얻지 못했기 때문이니, 중(中)을 지남을 이른다. 중도를 얻게 하면 삭삭(索索)함에 이르지 않을 것이다. 극이 되었는데 다시 가면 흉하니, 만일 이웃의 경계함을 보고 두려워할 줄을 알아 지극하기 전에 변하면 허물이 없으리라. 상육(上六)은 동의 극이니, 진동이 극에 이르면 변하는 뜻이 있다.

本義 | 中은 謂中心이라
중(中)은 중심(中心)을 이른다.

傳│艮은 序卦에 震者는 動也니 物不可以終動하여 止之라 故受之以艮하니 艮者는 止也라하니라 動靜相因하여 動則有靜하고 靜則有動하여 物无常動之理하니 艮所以次震也라 艮者는 止也어늘 不曰止者는 艮은 山之象이니 有安重堅實之意하여 非止義可盡也일새라 乾坤之交가 三索而成艮하여 一陽이 居二陰之上하니 陽은 動而上進之物이니 旣至於上이면 則止矣요 陰者는 靜也니 上止而下靜이라 故爲艮也라 然則與畜止之義何異오 曰 畜止者는 制畜之義니 力止之也요 艮止者는 安止之義니 止其所也라

간괘(艮卦)는 〈서괘전〉에 "진(震)은 동함이니, 물건은 끝내 동할 수만은 없어 멈춘다. 그러므로 간괘로 받았으니, 간(艮)은 멈춤이다." 하였다. 동(動)과 정(靜)이 서로 인하여 동하면 정이 있고 정하면 동이 있어 물건이 항상 동하는 이치가 없으니, 간괘가 이 때문에 진괘(震卦 ䷲)의 다음이 된 것이다. 간(艮)은 그침[止]인데, 〈괘 이름을〉 지(止)라고 말하지 않은 것은 간(艮)은 산(山)의 상(象)이니 안중(安重)하고 견실(堅實)한 뜻이 있어 지(止)의 뜻으로 다할 수 있는 것이 아니기 때문이다.

건(乾 ☰)·곤(坤 ☷)의 사귐이 세 번째로 찾아 간(艮 ☶)을 이루어 한 양이 두 음의 위에 있으니, 양은 동하여 위로 나아가는 물건이니 이미 위에 이르면 그치며, 음은 정(靜)이니 위는 그치고 아래는 정하다. 그러므로 간(艮)이라 한 것이다. "그렇다면 축지(畜止)의 뜻과 무엇이 다른가?" "축지는 억제하고 저지하는 뜻이니 힘으로 제지함이요, 간지(艮止)는 그침을 편안히 여기는 뜻이니 그 곳(제자리)에 그치는 것이다."

艮其背면 **不獲其身**하며 **行其庭**하여도 **不見其人**하여 **无咎**리라

그 등에 그치면 그(자기) 몸을 보지 못하며 그 뜰에 가면서도 그 사람(남)을 보지 못하여 허물이 없으리라.

··· 艮 : 그칠 간

傳 | 人之所以不能安其止者는 動於欲也니 欲牽於前而求其止면 不可得也라 故艮之道는 當艮其背라 所見者在前이어늘 而背乃背之하니 是所不見也니 止於所不見이면 則无欲以亂其心하여 而止乃安이라 不獲其身은 不見其身也니 謂忘我也라 无我則止矣어니와 不能无我면 无可止之道라 行其庭不見其人은 庭除之間은 至近也니 在背則雖至近이나 不見하니 謂不交於物也라 外物不接하고 內欲不萌하여 如是而止면 乃得止之道하니 於止에 爲无咎也라

　　사람이 그침을 편안히 여기지 못하는 까닭은 욕심에 동하기 때문이니, 욕심이 앞에서 끄는데 그침을 구하면(그치려고 하면) 얻을 수 없다. 그러므로 간(艮)의 도(道)는 마땅히 등에 그쳐야 하는 것이다. 보는 것이 앞에 있는데 등은 마침내 등지고 있으니, 등은 보이지 않는 것이니, 보이지 않는 곳에 그치면 욕심으로써 마음을 어지럽힘이 없어 그침이 이에 편안할 것이다.

　　'불획기신(不獲其身)'은 그 몸을 보지 못함이니, 나(자아(自我))를 잊음을 이른다. 자아가 없으면 그칠 수 있으나 자아가 없지 못하면 그칠 수 있는 방도가 없다. 그 뜰에 가면서도 그 사람을 보지 못한다는 것은 정제(庭除:뜰)의 사이는 지극히 가까우니, 등에 있으면 비록 지극히 가까우나 보지 못하니, 외물(外物)과 사귀지 않음을 이른다. 외물이 접하지 않고 안에 욕심이 싹트지 않아 이와 같이하여 그치면 그침의 도를 얻으니, 그침에 있어 허물이 없음이 된다.

本義 | 艮은 止也라 一陽이 止於二陰之上하니 陽自下升하여 極上而止也라 其象이 爲山하니 取坤地而隆其上之狀이요 亦止於極而不進之意也라 其占은 則必能止于背而不有其身하고 行其庭而不見其人이라야 乃无咎也라 蓋身은 動物也로되 唯背爲止하니 艮其背면 則止於所當止也니 止於所當止면 則不隨身而動矣니 是不有其身也라 如是면 則雖行於庭除有人之地라도 而亦不見其人矣리라 蓋艮其背而不獲其身者는 止而止也요 行其庭而不見其人者는 行而止也니 動靜이 各止其所하여 而皆主夫靜焉하니 所以得无咎也라

　　간(艮)은 그침이니 한 양이 두 음의 위에 그쳤으니, 양이 아래로부터 올라가 위에 지극하여 그친 것이다. 그 상(象)이 산(山)이 되니, 곤(坤)의 땅에 그 위(산)가 높이 솟은 상을 취하였고, 또한 극에 멈추어 나아가지 않는 뜻이다. 그 점(占)은 반드시 등에 그쳐 자기 몸을 두지(소유하지) 않고 뜰에 가면서도 그 사람을 보지 못하

441

重
山
艮

여야 허물이 없을 것이다. 몸은 동하는 물건이나 오직 등은 그침이 되니, 등에 그치면 마땅히 그칠 곳에 그친 것이니, 마땅히 그칠 곳에 그치면 몸을 따라 동하지 않으니, 이것이 자기 몸을 두지 않는 것이다. 이와 같이 하면 비록 정제(庭除)의 사람이 있는 곳에 가더라도 또한 사람을 보지 못할 것이다. 등에 그쳐 자기 몸을 두지 않음은 멈춰 있으면서 그침이요, 뜰에 가면서도 그 사람을 보지 못함은 가면서도 그침이니, 동(動)과 정(靜)이 각각 제자리에 그쳐 모두 정(靜)을 주장하니, 이 때문에 허물이 없는 것이다.

象曰 艮은 止也라 時止則止하고 時行則行하여 動靜不失其時하니 (가) 其道光明이니

〈단전〉에 말하였다. "간(艮)은 그침이다. 때가 그쳐야 하면 그치고 때가 가야 하면 가서 동(動)과 정(靜)이 때를 잃지 않으니, 그 도(道)가 광명(光明)하니,

傳 | 艮爲止하니 止之道는 唯其時니 行止、動靜을 不以時則妄也라 不失其時면 則順理而合義하니 在物爲理요 處物爲義라 動靜合理義면 不失其時也니 乃其道 之光明也라 君子所貴乎時하니 仲尼行止、久速이 是也[162]라 艮體篤實하여 有光明之義하니라

간(艮)은 그침이 되니 그침의 도(道)는 오직 때에 맞아야 하니, 가고 멈춤과 동(動)하고 정(靜)함을 때에 맞게 하지 않으면 망령된 것이다. 그 때를 잃지 않으면 이치에 순하여 의(義)에 합하니, 사물에 있으면 이(理)라 하고 사물에 대처하면 의(義)라 한다. 동과 정이 이(理)와 의(義)에 합하면 때를 잃지 않은 것이니, 이는 그 도(道)가 광명(光明)한 것이다. 군자는 때를 귀히 여기니, 중니(仲尼)의 '행지 구속(行止久速)'이 이것이다. 간(艮)의 체(體)는 독실하여 광명한 뜻이 있다.

• • • • • •
162 仲尼行止久速 是也 : 행(行)은 떠나가는 것으로 은둔〔處〕이고 지(止)는 머물러 벼슬하는 것이며, 구(久)는 조정에 오랫동안 머무는 것이고 속(速)은 속히 떠나가는 것인 바, 맹자는 공자의 시중(時中)을 들어 "속히 떠날 만하면 속히 떠나고 오래 머물 만하면 오래 머물며 은둔할 만하면 은둔하고 벼슬할 만하면 벼슬한 것은 공자이시다.〔可以速而速, 可以久而久, 可以處而處, 可以仕而仕, 孔子也.〕" 하였다. 《孟子 萬章下》

本義 | 此는 釋卦名이라 艮之義則止也나 然行止各有其時라 故時止而止도 止也요 時行而行도 亦止也라 艮體篤實이라 故又有光明之義라 大畜도 於艮에 亦以輝光言之[163]하니라

이는 괘명(卦名)을 해석한 것이다. 간(艮)의 뜻은 멈춤이나, 가고 멈춤이 각각 때가 있다. 그러므로 때가 그쳐야 할 경우에 그치는 것도 그침이요, 때가 가야 할 경우에 가는 것도 또한 그침이다. 간(艮)의 체(體)는 독실하므로 또 광명한 뜻이 있다. 대축괘(大畜卦 ☰)에도 간(艮)에서 또한 휘광(輝光)으로 말하였다.

艮其止[164]는 止其所也일새라
그칠 곳에 그침은 제자리에 멈추기 때문이다.

傳 | 艮其止는 謂止之而止也니 止之而能止者는 由止得其所也니 止而不得其所면 則无可止之理라 夫子曰 於止에 知其所止[165]라하시니 謂當止之所也라 夫有物이면 必有則(칙)이니 父止於慈하고 子止於孝하고 君止於仁하고 臣止於敬하여 萬物庶事가 莫不各有其所하니 得其所則安이요 失其所則悖라 聖人이 所以能使天下順治는 非能爲物作則也요 唯止之各於其所而已니라

'간기지(艮其止)'는 멈추어야(그쳐야) 할 때에 멈춤(그침)을 이르니, 멈춰야 할 때에 능히 멈추는 것은 멈춤이 제자리를 얻은 것이니, 멈춤에 제자리를 얻지 못하면 멈출 수 있는 이치가 없다. 부자(夫子)께서 말씀하시기를 "그침에 그칠 곳을 안다." 하셨으니, 마땅히 그쳐야 할 곳을 이른다. 사물이 있으면 반드시 법칙이 있으니, 아버지(사물)는 사랑(법칙)에 머물고(그치고), 자식은 효(孝)에 머물고, 군주는

──────

163 大畜於艮 亦以輝光言之 : 휘광(輝光)은 광채가 빛나는 것으로 대축괘 〈단전(彖傳)〉에 "대축은 강건하고 독실하고 광채가 빛나 날마다 그 덕을 새롭게 한다.〔大畜, 剛健篤實輝光, 日新其德.〕"라고 보이므로 말한 것이다.

164 艮其止 : 퇴계는 《정전》의 해석을 따를 경우 마땅히 '간(艮)하야 그 지(止)홈은'으로 풀이하여야 한다." 하였다. 《經書釋義》

165 夫子曰 於止 知其所止 : 《대학장구》 〈전문(傳文)〉 3장에 '지어지선(止於至善)'을 설명하면서 《시경》에 '고운 목소리로 우는 꾀꼬리여! 높은 언덕에 그친다(멈춘다).' 하였는데, 공자께서 이것을 찬미하여 그침(멈춤)에 그 그칠 곳을 얻었으니, 사람으로서 새만 못하겠는가.〔詩云, 緡蠻黃鳥, 止于丘隅. 子曰, 於止知其所止, 可以人而不如鳥乎.〕하셨다."라고 보인다.

──────

인(仁)에 머물고, 신하는 경(敬)에 머물러서 만물과 모든 일이 각각 제자리가 있으니, 제자리를 얻으면 편안하고 제자리를 잃으면 어그러진다. 성인(聖人)이, 천하가 순히 다스려지게 하는 것은 사물을 위하여 법칙을 만든 것이 아니요, 오직 멈춤이 각각 제자리에 하기 때문이다.

上下敵應하여 不相與也일새
상·하가 적(敵)으로 응하여 서로 더불지 않기 때문이니,

傳 | 以卦才言也라 上下二體가 以敵相應하여 无相與之義하니 陰陽相應이면 則情通而相與어늘 乃以其敵이라 故로 不相與也라 不相與則相背하니 爲〔一作與〕艮其背는 止之義〔一有同字〕也라

괘재(卦才)로써 말한 것이다. 상·하의 두 체가 적(敵)으로 서로 응하여 서로 더부는(친하는) 의(義)가 없으니, 음·양이 서로 응하면 정(情)이 통하여 서로 더부나 마침내 그 적으로써 하기 때문에 서로 더불지 않는 것이다. 서로 더불지 않으면 서로 등지니, 등에 그침은 그치는 뜻이 된다.

是以不獲其身 行其庭不見其人 无咎也라
이 때문에 자기 몸을 보지 못하며 뜰에 가면서도 그 사람(남)을 보지 못하여 허물이 없는 것이다."

傳 | 相背故로 不獲其身, 不見其人이라 是以能止하니 能止則无咎也라

서로 등지기 때문에 자기 몸을 보지 못하고 그 사람을 보지 못하는 것이다. 이 때문에 그치니, 능히 그치면 허물이 없다.

本義 | 此는 釋卦辭라 易背爲止는 以明背卽止也니 背者는 止之所也라 以卦體言하면 內外之卦가 陰陽敵應而不相與也하니 不相與하면 則內不見己하고 外不見人하여 而无咎矣라 晁氏云 艮其止는 當依卦辭하여 作背라하니라

이는 괘사(卦辭)를 해석한 것이다. 배(背)를 바꾸어 지(止)라 한 것은 배(背)가 곧 지(止)임을 밝힌 것이니, 등은 곧 그쳐 있는 곳이다. 괘체(卦體)로써 말하면

내·외의 괘가 음·양이 적(敵)으로 응하여 서로 더불지 않으니, 서로 더불지 않으면 안으로는 자기 몸을 보지 못하고 밖으로는 남을 보지 못하여 허물이 없다. 조씨(晁氏)는 이르기를 "'간기지(艮其止)'의 지(止)는 마땅히 괘사(卦辭)를 따라 배(背)가 되어야 한다." 하였다.

象曰 兼山이 艮이니 君子以하여 思不出其位하나니라
〈상전〉에 말하였다. "산(山)이 거듭함이 간(艮)이니, 군자가 보고서 생각함이 그 지위를 벗어나지 않는다."

傳ㅣ 上下皆山이라 故爲兼山이라 此而幷彼 爲兼이니 謂重復〔一作複〕也니 重艮之象也라 君子觀艮止之象하여 而思安所止하여 不出其位也니 位者는 所處之分也라 萬事各有其所하니 得其所則止而安이라 若當行而止하고 當速而久하여 或過, 或不及이면 皆出其位也니 況踰分非據乎아

위와 아래가 모두 산이므로 '겸산(兼山)'이라 한 것이다. 이것으로 저것을 겸병(兼倂)함이 겸(兼)이니 중복됨을 이르니, 간(艮)이 거듭 있는 상이다. 군자는 간지(艮止)의 상을 보고서 생각함이 그칠 곳에 편안하여 그 지위를 벗어나지 않으니, '위(位)'는 처한 바의 분수이다. 만사가 각각 제자리가 있으니, 제자리를 얻으면 멈추어 편안하다. 만약 가야 할 경우에 멈추고 속히 떠나야 할 경우에 오래 머물러서, 혹 과(過)하거나 혹 불급(不及)하면 이는 모두 그 지위를 벗어난 것이니, 하물며 분수를 넘고 점거할 자리가 아님에 있어서랴.

初六은 艮其趾라 无咎하니 利永貞하니라
초육(初六)은 발꿈치에 멈춤(그침)이다. 허물이 없으니, 영정(永貞)함이 이롭다.

傳ㅣ 六이 在最下하니 趾之象이라 趾는 動之先也니 艮其趾는 止於動之初也라 事止於初면 未至失正이라 故无咎也라 以柔處下하여 當趾之時也하니 行則失其正矣라 故止乃无咎라 陰柔는 患其不能常也、不能固也라 故方止之初하여 戒以利在常永貞固하니 則不失止〔一作正〕之道也라

445

重山
艮

육(六)이 가장 아래에 있으니, 발꿈치의 상(象)이다. 발꿈치는 동할 때에 움직임의 먼저이니, 발꿈치에 멈춤은 동하는 초기에 멈추는 것이다. 일이 초기에 멈추면 정도(正道)를 잃음에 이르지 않는다. 그러므로 허물이 없는 것이다. 유(柔)로서 아래에 처하여 발꿈치의 때를 당하였으니, 가면 정도를 잃으므로 멈추어야 허물이 없는 것이다. 음유(陰柔)는 항상하지 못함과 견고(堅固)하지 못함을 근심한다. 그러므로 멈추는 초기를 당하여 이로움이 상영(常永)하고 정고(貞固)함에 있다고 경계하였으니, 이렇게 하면 멈추는 방도를 잃지 않는다.

本義 | 以陰柔로 居艮初하니 爲艮趾之象이라 占者如之則无咎요 而又以其陰柔故로 又戒其利永貞也라

음유(陰柔)로서 간(艮)의 초기에 거하였으니, 발꿈치에 멈춤의 상이 된다. 점치는 자가 이와 같이 하면 허물이 없을 것이요, 또 음유이기 때문에 또 영정(永貞)함이 이롭다고 경계한 것이다.

象曰 艮其趾는 未失正也라

〈상전〉에 말하였다. "발꿈치에 멈춤은 바름을 잃지 않은 것이다."

傳 | 當止而行은 非正也로되 止之於初라 故未至失正하니 事止於始면 則易而未至於失也라

마땅히 멈추어야 할 때에 감은 정도(正道)가 아닌데 초기에 멈추었으므로 정도를 잃음에 이르지 않은 것이니, 일이 초기에 멈추면 멈추기 쉽고 잘못됨에 이르지 않는다.

六二는 艮其腓(비)[166]니 不拯其隨라 其心不快로다

육이(六二)는 장딴지에 멈추니, 구원하지 못하고 따른다. 그리하여 마음이 불쾌하도다.

• • • • • •

166 艮其腓 : 퇴계는 '간(艮)에 그 비(腓)니'로 해석하였음을 밝혀둔다.

··· 腓 : 장딴지 비 拯 : 구원할 증

본의 | 그 따름을 구원하지 못한다.

傳 | 六二居中得正하여 得止之道者也로되 上无應援하니 不獲其君矣라 三居下
之上하여 成止之主하니 主乎止者也로되 乃剛而失中하여 不得止之宜하고 剛止於
上하여 非能降而下求하니 二雖有中正之德이나 不能從也라 二之行止는 係乎所
主하여 非得自由라 故爲腓之象이라 股動則腓隨하니 動止在股而不在腓也라 二
旣不得以中正之道로 拯救三之不中이면 則必勉而隨之리니 不能拯而唯隨也면
雖咎不在己나 然豈其所欲哉리오 言不聽, 道不行也라 故其心不快하니 不得行其
志也라 士之處高位면 則有拯而无隨하고 在下位면 則有當拯, 有當隨하고 有拯之
不得而後隨니라

　육이(六二)가 중(中)에 거하고 정(正)을 얻어 멈춤의 방도를 얻은 자인데 위에
응원(應援)이 없으니, 군주에게 신임을 얻지 못한 것이다. 삼(三)이 하체의 위에 거
하여 멈춤의 주체가 되었으니, 멈춤을 주장하는 자이나 강(剛)으로서 중을 잃어
멈춤의 마땅함을 얻지 못하였고, 강이 위에서 멈추어 능히 몸을 낮추어 아래로 구
하는 자가 아니니, 이(二)가 비록 중정(中正)한 덕(德)이 있으나 삼이 능히 따르지
못한다. 이(二)의 가고 멈춤은 주장하는 바(삼(三))에 매어 있어 자유롭게 할 수 없
으므로 장딴지의 상이 된 것이다. 다리가 움직이면 장딴지는 따르기 마련이니, 동
하고 멈춤이 다리에 달려있고 장딴지에 달려있지 않다.

　이(二)가 이미 중정한 도로 삼(三)의 중(中)하지 못함을 구원하지 못하면 반드
시 억지로 삼(三)을 따를 것이니, 능히 구원하지 못하고 오직 따른다면 비록 허물
이 자신에게 있지 않으나 어찌 원하는 바이겠는가. 자기의 말을 따라주지 않고 도
가 행해지지 않으므로 마음이 불쾌하니, 자기의 뜻을 행할 수 없는 것이다. 선비
가 높은 지위에 처하면 구원함은 있고 따름은 없으며, 낮은 지위에 있으면 마땅히
구원해야 할 경우가 있고 마땅히 따라야 할 경우가 있으며, 구원할 수 없는 뒤에
따름이 있는 것이다.

本義 | 六二居中得正하니 旣止其腓矣라 三爲限하니 則腓所隨也로되 而過剛不
中하여 以止乎上하니 二雖中正이나 而體柔弱하여 不能往而拯之라 是以로 其心不
快也라 此爻는 占在象中하니 下爻放此하니라

... 股 : 넓적다리 고

육이(六二)가 중(中)에 거하고 정(正)을 얻었으니, 이미 장딴지에 멈춘 것이다. 삼(三)은 상·하의 한계가 되니, 장딴지는 삼을 따르는데 삼은 지나치게 강하고 중(中)하지 못하여 위에 멈추어 있으니, 이(二)가 비록 중정(中正)하나 체(體)가 유약하여 가서 삼(三)을 구원하지 못한다. 이 때문에 마음이 불쾌한 것이다. 이 효(爻)는 점(占:점사(占辭))이 상(象) 가운데 있으니, 아래 효(爻)도 이와 같다.

象曰 不拯其隨는 未退聽也일새라

〈상전〉에 말하였다. "구원하지 못하고 따름은 위가 물러나 〈아래를〉 따르지 못하기 때문이다."

傳 | 所以不拯之而唯隨者는 在上者未能下從也일새라 退聽은 下從也라

구원하지 못하고 오직 따르는 까닭은 위에 있는 자가 아래를 따르지 못하기 때문이다. '퇴청(退聽)'은 아래로 따르는 것이다.

本義 | 三止乎上하여 亦不肯退而聽乎二也라

삼(三)이 위에서 멈추어 또한 물러가 이(二)를 따르는 것을 즐거워하지 않는다.

九三은 艮其限이라 列其夤(인)이니 厲薰心이로다

구삼(九三)은 한계에 멈춤이다. 등뼈를 벌려놓음이니, 위태로움이 마음을 태우도다.

傳 | 限은 分隔也니 謂上下之際라 三이 以剛居剛而不中하여 爲成艮之主하니 決止之極也요 已在下體之上하여 而隔上下之限하니 皆爲止義라 故爲艮其限이니 是確乎止而不復能進退者也라 在人身에 如列其夤이니 夤은 膂也니 上下之際也라 列絶其夤이면 則上下不相從屬이니 言止於下之堅也라 止道는 貴乎得宜하니 行止를 不能以時而定於一하여 其堅强如此면 則處世乖戾하여 與物睽絶하리니 其危甚矣라 人之固止一隅하여 而擧世莫與宜者는 則艱蹇忿畏하여 焚燒其中하나니 豈有安裕之理리오 厲薰心은 謂不安之〔一作其〕勢가 薰爍(훈삭)其中也라

'한(限)'은 분격(分隔:나누어 막음)이니, 상·하의 즈음을 이른다. 삼(三)이 강(剛)

··· 夤:등골살 인 薰:태울 훈 膂:등골뼈 려 蹇:어려울 건 爍:녹일 삭

으로서 강위(剛位)에 거하여 중(中)하지 못하면서 〈삼획괘의〉 간(艮)을 이룬 주체가 되었으니, 결단하여 그침의 지극함이요, 이미 하체의 위에 있어 상·하의 한계를 막고 있으니, 모두 멈추는 뜻이 된다. 그러므로 한계에 멈춤이 되니, 이는 멈춤에 확고하여 다시는 자유롭게 나아가고 물러나지 못하는 자이다. 사람의 몸에 있으면 마치 그 인(夤)을 벌려놓은 것과 같으니, '인(夤)'은 등뼈(척추뼈)이니, 상·하의 즈음이다. 등뼈를 벌려 끊어놓으면 상·하가 서로 종속(從屬)하지 못하니, 이는 아래에 멈추기를 굳게 함을 말한 것이다.

멈추는 방도는 마땅함을 얻음을 귀하게 여기니, 가고 멈춤을 때에 맞게 하지 못하고 하나에 고정되어 그 견강(堅强)함이 이와 같으면 세상에 처함이 괴려(乖戾)되어 남과 반목(反目)하고 끊어질 것이니, 그 위태로움이 심하다. 사람이 한 귀퉁이에 굳게 멈추어서 온 세상과 마땅하게 하지 못하는 자는 어렵고 분노하고 두려워하여 그 마음을 불태우니, 어찌 안유(安裕)할 이치가 있겠는가. '려훈심(厲薰心)'은 불안한 형세가 그 심중을 훈삭(薰爍:불태움)함을 이른다.

本義 | 限은 身上下之際니 卽腰胯(과)也요 夤은 脊也라 止于腓면 則不進而已요 九三은 以過剛不中으로 當限之處而艮其限하니 則不得屈伸하여 而上下判隔이 如列其夤矣라 危厲薰心은 不安之甚也라

한(限)은 몸의 상·하의 즈음이니 바로 허리와 사타구니이며, '인(夤)'은 등뼈이다. 장딴지에 멈추면 나아가지 않을 뿐이요, 구삼(九三)은 지나치게 강하고 중(中)하지 못함으로써 한계인 곳을 당하여 한계에 멈추니, 능히 굴신(屈伸)하지 못하여 위아래가 나뉘어 막힌 것이 등뼈를 나열함과 같은 것이다. 위태로움이 마음을 태움은 불안함이 심한 것이다.

象曰 艮其限이라 危薰心也라

〈상전〉에 말하였다. "그 한계에 멈추었다. 그리하여 위태로움이 마음을 태우는 것이다."

傳 | 謂其固止하고 不能進退하여 危懼之慮 常薰爍其中心也라

굳게 멈추고 제대로 진·퇴하지 못하여 위구(危懼)의 생각이 항상 그 심중을

... 腰 : 허리 요 胯 : 사타구니 과

불태움을 이른다.

六四는 艮其身이니 无咎니라
　육사(六四)는 그 몸에 멈춤이니, 허물이 없다.

傳 | 四는 大臣之位니 止天下之當止者也로되 以陰柔而不遇剛陽之君이라 故不能止物이요 唯自止其身이면 則可无咎니 所以能无咎者는 以止於正也일새라 言止其身无咎는 則見其不能止物이니 施於政則有咎矣라 在上位而僅能善其身이면 无取之甚也니라
　사(四)는 대신(大臣)의 지위이니, 천하에 마땅히 멈추어야 할 것을 멈추는 자이나 음유(陰柔)로서 강양(剛陽)의 군주를 만나지 못하였다. 그러므로 남을 멈추게 하지는 못하고, 오직 스스로 자기 몸을 멈추면 허물이 없을 수 있으니, 허물이 없는 까닭은 바름에 멈췄기 때문이다. 몸에 멈추어 허물이 없다고 말한 것은 남을 멈추게 하지 못함을 나타낸 것이니, 정사에 시행하면 허물이 있을 것이다. 상위(上位)에 있으면서 겨우 자기 몸만을 선(善)하게 한다면 취할 것이 없음이 심한 것이다.

本義 | 以陰居陰하여 時止而止라 故爲艮其身之象이요 而占得无咎也라
　음효(陰爻)로서 음위(陰位)에 거하여 때가 멈추어야 할 때에 멈추었다. 그러므로 그 몸에 멈추는 상(象)이 되고, 점(占)은 허물이 없는 것이다.

象曰 艮其身은 止諸躬也라
　〈상전〉에 말하였다. "'간기신(艮其身)'은 자기 몸에만 멈추는 것이다."

傳 | 不能爲天下之止요 能止於其身而已니 豈足稱大臣之位也리오
　능히 천하의 멈춤을 하지 못하고 자기 몸에만 멈출 뿐이니, 어찌 대신의 지위에 걸맞겠는가.

六五는 艮其輔라 言有序니 悔亡하리라

육오(六五)는 그 보(輔:광대뼈)에 그친다. 말이 차서가 있으니, 뉘우침이 없어지리라.

傳ㅣ 五는 君位로 艮之主也니 主天下之止者也로되 而陰柔之才라 不足以當此義故로 止以在上取輔[一有之字]義言之[一无之字]라 人之所當愼而止者는 唯言行也니 五在上이라 故以輔言이라 輔는 言之所由出也니 艮於[一作其]輔면 則不妄出而有序也라 言輕發而无序면 則有悔요 止之於輔면 則[一作故]悔亡也니 有序는 中節, 有次序也라 輔與頰舌은 皆言所由出이로되 而輔在中하니 艮其輔는 謂止於中也라

오(五)는 군주의 지위로 간(艮)의 주체이니, 천하의 멈춤(그침)을 주관하는 자이나 음유(陰柔)의 재질이라서 이 뜻을 감당할 수 없으므로 다만 위에 있다 하여 보(輔:광대뼈)의 뜻만 취해서 말하였다. 사람이 마땅히 삼가고 그쳐야 할 것은 오직 말과 행실이니, 오(五)는 위에 있으므로 보(輔)로 말하였다. 보(輔)는 말이 말미암아 나오는 곳이니, 보에 그치면 말을 망령되이 내지 않아 질서가 있게 된다. 말을 가볍게 발하여 질서가 없으면 뉘우침이 있을 것이요 보에서 그치면 뉘우침이 없어지니, 유서(有序)는 절도에 맞고 차서가 있는 것이다. 보(輔)와 볼과 혀는 모두 말이 말미암아 나오는 것인데, 보는 얼굴의 가운데에 있으니, '간기보(艮其輔)'는 중(中)에 멈춤을 이른다.

本義ㅣ 六五當輔之處라 故其象如此요 而其占悔亡也라 悔는 謂以陰居陽이라

육오(六五)가 보(輔)의 곳에 해당하므로 그 상(象)이 이와 같고, 그 점(占)이 뉘우침이 없어지는 것이다. 회(悔)는 음효(陰爻)로서 양위(陽位)에 거함을 이른다.

象曰 艮其輔는 以中으로 正也라

〈상전〉에 말하였다. "'간기보(艮其輔)'는 중(中)으로서 바르기 때문이다."

本義ㅣ 以中(正)也라

중(中)하기 때문이다

... 輔:광대뼈 보 頰:뺨 협

傳 | 五之所善者는 中也니 艮其輔는 謂止於中也라 言以得中爲正하니 止之於輔
하여 使不失中은 乃得正也라

오(五)가 좋은 것은 중(中) 때문이니, '간기보(艮其輔)'는 중에 그침을 이른다. 말
은 중을 얻음을 정(正)으로 삼으니, 보(輔)에 그쳐서 중을 잃지 않게 함은 바로 정
(正)을 얻은 것이다.

本義 | 正字는 羨(衍)文이니 叶韻可見[167]이라

정(正) 자는 연문(羨文)이니, 운(韻)을 맞추어 보면 알 수 있다.

上九는 敦艮이니 吉하니라
상구(上九)는 멈춤에 독실함이니, 길하다.

傳 | 九以剛實居上하고 而又成艮之主로 在艮之終하니 止之至堅篤者也라 敦은
篤實也니 居止之極이라 故不過而爲敦이라 人之止는 難於久終이라 故節或移於
晚하고 守或失於終하고 事或廢於久하나니 人之所同患也라 上〔一无上字〕九能敦厚
於終하니 止道之至善이니 所以吉也라 六爻之德에 唯此爲吉이니라

구(九)가 강실(剛實)로서 위에 거하고 또 간(艮)을 이룬 주체로 간(艮)의 종(終)
에 있으니, 멈추기를 지극히 견고히 하고 독실히 하는 자이다. '돈(敦)'은 독실함
이니, 멈춤의 극에 거하였으므로 과(過)하지 않고 독실함이 되는 것이다. 사람의
멈춤은 오래하고 끝마침을 어렵게 여긴다. 그러므로 절개가 혹 만년(晚年)에 바뀌
고, 지킴이 혹 종말에 잃고, 일이 혹 오램에 폐해지니, 이는 사람이 똑같이 걱정하
는 바이다. 상구(上九)는 능히 종(終)에 돈후(敦厚)하니, 그치는 도(道)에 지극히 선
(善)한 것이니, 이 때문에 길한 것이다. 여섯 효(爻)의 덕(德)에 오직 이 효만이 길
하다.

●●●●●●
167　正字羨文 叶韻可見 :〈상전〉은 원래 운(韻)을 맞췄는바, 육사효(六四爻) 〈상전〉의 '지저궁야
(止諸躬也)'의 궁(躬)과 상구효(上九爻) 〈상전〉의 '이후종야(以厚終也)'의 종(終)은 모두 평성(平
聲)의 동자운(東字韻)이다. 육오효(六五爻)의 '이중정야(以中正也)'의 정(正)을 빼어 '이중야(以中
也)'로 할 경우 중(中) 역시 동자운이어서 운이 모두 맞게 된다. 또한 육오효는 음효(陰爻)가 양위
(陽位)에 있어 정(正)이 되지 못한다.

⋯　叶 : 화합할 협, 맞출 협

本義 | 以陽剛으로 居止之極하니 敦厚於止者也라

양강(陽剛)으로 그침의 극에 거하였으니, 그침에 돈후(敦厚)한 자이다.

象曰 敦艮之吉은 以厚終也일새라

〈상전〉에 말하였다. "돈간(敦艮)의 길함은 종(終)을 돈후(敦厚)히 하기 때문이다."

傳 | 天下之事 唯終守之爲難이니 能敦於止하여 有終者也라 上之吉은 以其能厚 於終也일새라

천하의 일은 오직 끝까지 지킴이 어려우니, 〈상구(上九)는〉 능히 그침에 독실하여 종(終)이 있는 자이다. 상구가 길함은 그 종(終)을 독후(篤厚)히 하기 때문이다.

성백효成百曉

충남忠南 예산禮山 출생
가정에서 부친 월산공月山公으로부터 한문 수학
월곡月谷 황경연黃璟淵, 서암瑞巖 김희진金熙鎭 선생 사사
민족문화추진회 부설 국역연수원 연수부 수료
고려대학교 교육대학원 한문교육과 수료
한국고전번역원 교수 역임
전통문화연구회 부회장 역임
사단법인 해동경사연구소 소장(현)

번역서

사서집주四書集註,『시경집전詩經集傳』
『서경집전書經集傳』,『주역전의周易傳義』
『고문진보古文眞寶』,『근사록집해近思錄集解』
『심경부주心經附註』,『통감절요』
『당송팔대가문초唐宋八大家文鈔 소식蘇軾』
『고봉집高峰集』,『독곡집獨谷集』,『우계집牛溪集』
『다산시문집茶山詩文集』,『송자대전宋子大全』
『약천집藥泉集』,『양천세고陽川世稿』
『여헌집旅軒集』,『율곡전서栗谷全書』
『잠암선생일고潛庵先生逸稿』
『존재집存齋集』,『퇴계전서退溪全書』
『부안설 논어집주附按說論語集註』
『부안설 맹자집주附按說孟子集註』
『부안설 대학·중용집주附按說大學中庸集註』
『최신판 논어집주最新版論語集註』
『최신판 맹자집주最新版孟子集註』
『최신판 대학·중용집주最新版大學中庸集註』
『논어집주상설論語集註詳說』
『맹자집주상설孟子集註詳說』
『대학·중용집주상설大學中庸集註詳說』
『조선후기 한문비평1, 2』

신역 주역전의 (중) − 新譯 周易傳義 (中)

1판 1쇄 발행 | 2023년 1월 27일
1판 1쇄 인쇄 | 2023년 1월 10일

역주 | 성백효

발행처 | 한국인문고전연구소　**발행인** | 조옥임
출판등록번호 | 2012년 2월 1일 (제 406−251002012000027호)
주소 | 경기 파주시 가람로 70 (402-402)　**전화** | 02−323−3635　**팩스** | 02−6442−3634
이메일 | books@huclassic.com

디자인 | 씨오디
지류 | 상산페이퍼
인쇄 | 다다프린팅

ISBN | 978−89−97970−76−6　94140
　　　978−89−97970−74−2　(set)